Rudolph W. Giuliani
con Ken Kurson

LEADERSHIP

Una storia di coraggio e di successo

MONDADORI

Traduzione di Renato Pera

http://www.mondadori.com/libri

ISBN 88-04-51915-0

Titolo dell'opera originale: Leadership
I edizione giugno 2003

Indice

Leadership

Dedico questo libro a tutte le persone
descritte nelle sue pagine, persone
che mi hanno dato sostegno
e dalle quali ho imparato.
È da loro che ho tratto la forza
per essere un leader.

Prefazione

Scrivere mi è sempre piaciuto. Quando esercitavo la professione di avvocato, la parte dei processi che preferivo (la stessa, probabilmente, in cui davo il meglio di me) era l'arringa conclusiva. Scrivere un libro è in un certo senso simile a pronunciare un'arringa: si uniscono i fili di un argomento delicato per poi tesserli, dando vita a un'argomentazione convincente. Mi è sempre piaciuta molto anche l'attività di ricerca. Afferrare un argomento e convincere il pubblico a interpretarlo come l'hai interpretato tu è affine all'arte della politica. All'inizio del 2001, il mio ultimo anno da sindaco di New York, avevo ancora molto da imparare sulla leadership e per questo avevo a lungo resistito alle offerte di scrivere un libro del genere. Ma pensai che le esperienze accumulate e le strategie acquisite mi avessero fornito materiale sufficiente per offrire ai lettori preziose osservazioni sull'argomento. Non potevo immaginare che da lì a poco avrei dovuto affrontare come leader la più grossa sfida della mia vita.

Durante la primavera e l'estate 2001 avevo lavorato a questo libro, senza tralasciare le mie incombenze di sindaco, prendendo un mare di appunti sul mio fidato bloc-notes. Avevo trascorso moltissime ore con Ken Kurson perché osservasse ciò che facevo, per poi discutere insieme sul perché di ciò che avevo fatto. Alla fine dell'estate la struttura del libro aveva preso forma. Uno dei motivi per i quali trovavo così interessante questa attività era che non si trattava soltanto di mettere per iscritto dei risultati scontati, bensì di una ricerca attiva. Dare a mano a mano vita a questo libro mi costringeva a considerare più in profondità le mie idee, a metterle alla prova nella mia mente.

L'11 settembre lavoravo al libro ormai da mesi. Per me era diventato una specie di seminario, un programma autoimposto sulla gestione di un'organizzazione. Era come se Dio mi avesse offerto l'opportunità di decidere la rotta della mia leadership proprio quando ne avevo maggiormente bisogno. Nel momento degli orribili accadimenti dell'11 settembre, grazie al mio lavoro di quei mesi, avevo chiari in mente i vari elementi e questo mi dette maggiore fiducia.

Ciascuno dei principi che sto per elencare trovò applicazione nelle ore immediatamente successive all'attacco al World Trade Center. Circòndati di gente di prim'ordine. Abbi dei convincimenti e comunicali. Accertati di persona delle cose. Dai l'esempio. Ribellati ai prepotenti. Stabilisci delle priorità e seguile. La fedeltà è una virtù fondamentale. Prepàrati senza sosta. Prometti poco ed esegui molto. Non dare assolutamente nulla per scontato. E, ovviamente, l'importanza dei funerali. E fu una coincidenza, profetica e utilissima, il fatto che questi principi fossero stati discussi e analizzati tanto di recente.

Gli avvenimenti dell'11 settembre ebbero su di me un impatto più duro di tutte le mie precedenti esperienze: ciò non significa comunque che quel giorno subii un cambiamento, che cioè al Rudy ante 11 settembre sia subentrato un Rudy post 11 settembre completamente diverso. Se ho saputo affrontare l'11 settembre è proprio perché ero la stessa persona che per tutta la sua carriera aveva dato il meglio di sé ogni volta che c'era da affrontare qualche sfida. Non ho cioè dovuto levare la polvere a qualche prontuario segreto da aprire solo in caso di emergenze nazionali, ma mi sono prodigato nell'applicazione della leadership: la stessa leadership usata nei miei due mandati da sindaco, nei cinque anni da U.S. Attorney (il magistrato che assicura la funzione accusatrice a livello federale) e nei due periodi al dipartimento della Giustizia, per non parlare della mia lotta contro il cancro e di altre battaglie e altri incarichi che mi hanno fornito lezioni impagabili.

Non ho incluso particolari della mia vita privata. Il fallimento del mio matrimonio, per esempio, non ha avuto nulla a che fare con la mia attività pubblica né l'ha mai minimamente influenzata, anche se indubbiamente ha provocato curiosità, ma secondo me più tra i media che tra il pubblico. I margini di vita privata dei personaggi pubblici si sono sensibilmente ristretti. Non vorrei apparire utopista, ma se vogliamo come nazione interessare davvero alla vita pubblica la popolazione, dobbiamo fare tutto il possibile per non mettere il naso in certi argomenti che non influiscono minimamente sui compiti dei personaggi pubblici e sui risultati da loro ottenuti.

In questo libro cerco di dimostrare l'efficacia delle lezioni che ho appreso sul campo. Credo alle dimostrazioni più che alle teorie, ai risultati più che alla retorica, e per questo ho incluso una serie di esempi della serie «prima e dopo». Per esempio, nell'anno in cui mi candidai per la prima volta alla carica di sindaco, il 1989, a New York vi furono 1905 omicidi. La persi, quell'elezione, e l'anno successivo la città stabilì l'atroce primato di 2245 omicidi. Sono diventato sindaco il 1° gennaio 1994 e quell'anno gli omicidi furono 1561 rispetto ai 1946 dell'anno precedente, con un calo quindi di quasi il 20%. Nel 1996 il numero scese a 1000 e nel mio ultimo anno da sindaco, il 2001, sono stati commessi nella città di New York 642 omicidi, con una riduzione del 67% in soli otto anni.

Successi analoghi sono stati ottenuti in molti settori della vita associata di questa città e, nei capitoli che seguono oltre che nell'appendice conclusiva, spiego come è stato possibile ottenere questi risultati. Ma c'è un elemento che questa valanga di dati «prima e dopo» non riesce a cogliere. Mi riferisco alla desolazione e alla disperazione di New York, indicatori altrettanto dolorosi delle statistiche sulla criminalità o la disoccupazione. Un sintomo evidente di questo malessere era rappresentato da quel cartellino con la scritta «Non c'è la radio» che moltissimi automobilisti appendevano al finestrino. Si trattava in pratica di un negoziato con la parte peggiore della società, una supplica ai ladri: «Lasciatemi stare, l'altra macchina non ha questo cartellino quindi andate a prendervela lì la radio».

Nel settembre 1990 sulla copertina di «Time» campeggiava la familiare scritta «I love New York», con il cuore al posto di «love»: ma il cuore era spezzato. «La Grande Mela sta marcendo» si leggeva nel titolo e l'articolo parlava di violenza incontrollata, posti di lavoro che scomparivano, infrastrutture cadenti e un diffuso timore del futuro. New York era la capitale americana dei reati e della pubblica assistenza, una città che aveva conosciuto tempi migliori e non nutriva alcuna speranza di recupero. Nell'articolo, ripreso poi dal «Daily News» e da altri giornali newyorchesi, si leggeva tra l'altro che il 59 per cento degli abitanti di New York era disposto ad andarsene se avesse potuto.

Un episodio che sintetizzava le condizioni della mia città avvenne durante un viaggio che feci a Londra nel 1990. Stavo tenendo una conferenza sulle norme di sicurezza e sui reati dei «colletti bianchi» quando, nella parte finale riservata alle domande del pubblico, qualcuno mi chiese se i reati a New York fossero effettivamente così preoccupanti. Questa stessa persona mi fece vedere un dépliant contenente una serie di consigli su come tenersi lontani dal pericolo a New York. «Evitate di guardare la gente negli occhi» era uno di questi consigli. E all'improvviso ebbi la consapevolezza della gravità dei problemi della mia città. Perché visitare una città nella quale non puoi guardare la gente? Perché vivere in una città dove il contatto visivo è sconsigliabile? Che follia, che tristezza in quel consiglio: che però era probabilmente azzeccato.

A distanza di dieci anni, dopo che molti dei principi enunciati in questo libro avevano trovato applicazione, New York tornò sulla copertina di «Time». Stavolta si vedeva Times Square nella notte di Capodanno 2000 e la Grande Mela pullulava di attività. Era diventata la grande città più sicura degli Stati Uniti, le attività economiche si erano fatte più fiorenti praticamente in tutti i quartieri. In ciascuno dei cinque distretti amministrativi cresceva il numero delle piccole imprese, le grandi società erano tornate ad aprire le loro sedi di New York con relativo aumento dei posti di lavoro. Le giovani coppie facevano crescere i loro bambini qui. Turisti e convegnisti facevano toccare punte record al numero dei visitatori. New York era tornata a essere una città dove si poteva guardare la gente negli occhi.

La leadership non è un fenomeno naturale. La si può insegnare, imparare, sviluppare. Tutti coloro che mi hanno influenzato, dal giudice Lloyd MacMahon che è stato il mio primo vero capo ai miei genitori, da Ronald Reagan a William French Smith, l'Attorney General (il massimo consulente legale del governo), dagli U.S. Attorneys Paul Curran e Mike Seymour ai miei cinque zii in forza al dipartimento di Polizia o dei Vigili del fuoco di New York: tutti, dicevo, hanno fornito preziosi elementi al mio modo di vedere le cose.

Ci sono molti modi di fare il capo. Alcuni personaggi, come Franklin Delano Roosevelt, ispiravano con i loro discorsi elettrizzanti chi li ascoltava. Altri, come Joe Di Maggio, si servivano dell'esempio. Winston Churchill e Douglas MacArthur erano parlatori eccellenti, oltre che coraggiosi. Ronald Reagan ha guidato gli Stati

Uniti con la forza e la coerenza del suo carattere e gli americani l'hanno seguito perché credevano in lui.

Saprete infine quali tecniche e approcci funzionano meglio perché a dirvelo saranno coloro che voi aspirate a guidare. Molta dell'abilità necessaria per far fare agli altri ciò che devono fare dipende da ciò che provano guardandovi e ascoltandovi: hanno bisogno di qualcuno più forte di loro, ma al tempo stesso umano.

I leader sotto pressione devono saper controllare le loro emozioni. Da sindaco, nelle poche occasioni in cui qualcuno dei miei collaboratori usava il termine «panico» per descrivere il suo stato d'animo nel corso di una crisi in atto nel suo distretto, io mi affrettavo a mettere in chiaro che quella parola non volevo più sentirgliela dire. Era un atteggiamento «coinvolto» quello che volevo. E se risultava che un eccesso di prudenza ci aveva reso più coinvolti del necessario, poco male: ma il panico non l'accettavo. Non puoi lasciarti paralizzare da una qualsiasi situazione, è una questione di equilibri.

Regole e concetti esposti in questo libro sono in parte miei, frutto delle mie riflessioni e delle mie esperienze. In altri casi si tratta invece di idee sviluppate da docenti universitari che però non erano mai state messe alla prova nella vita reale, o quanto meno non in un laboratorio grande e complicato come New York. Mi convinse la teoria anticrimine delle «finestre infrante» elaborata da James Q. Wilson e George L. Kelling, quella cioè secondo la quale è possibile ridurre sensibilmente i reati, compresi quelli più gravi, prestando attenzione a quelli cosiddetti minori come la mendicità aggressiva, i graffiti e il salto del tornello della metropolitana. Parimenti utilissime si sono rivelate le idee sulla «reinvenzione del governo» esposte nel libro omonimo dai due autori, David Osborne e Ted Gaebler: di conseguenza ho sempre cercato, per quanto possibile, di amministrare questa città come se fosse un'azienda, applicando quindi criteri aziendali per responsabilizzare questa amministrazione. Certi indicatori del successo, obiettivi e quantificabili, consentono ai governi e alle amministrazioni di essere responsabili e a questo principio mi sono sempre attenuto senza eccezioni.

Non rifuggo poi dal fare mie alcune buone idee raccolte in campi dove non si pensava che io potessi mietere. David Dinkins, il sindaco che mi ha preceduto e che ho avuto avversario in due campagne elettorali, aveva lanciato il programma «Scuole faro» mettendo appunto le scuole al centro dell'attività dei diversi quartieri.

Era una buona idea e, quando divenni sindaco, l'applicai espandendola. Parimenti istituii il programma «Adotta una superstrada» che alla fine interessò la stragrande maggioranza delle superstrade cittadine: e questa idea la presi in prestito dal sindaco di Los Angeles, Richard Riordan.

Per tutta la mia vita ho riflettuto su come fare il leader. Ci ho pensato quando ero a capo dell'unità Anticorruzione dell'ufficio dell'U.S. Attorney, nel Distretto meridionale di New York; poi quando ho diretto l'Antinarcotici; poi ancora da curatore *ad interim* dopo il fallimento di un'azienda mineraria del Kentucky; o più semplicemente osservando Ronald Reagan, il giudice MacMahon e altri. Solo successivamente mi sono reso conto che se osservavo con tanta attenzione quelle persone era perché mi stavo preparando. Senza accorgermene, inconsciamente, stavo imparando ad amministrare.

Ogni leader è influenzato da coloro che ammira. Leggere le loro storie, studiare la loro crescita, consente immancabilmente all'aspirante leader di sviluppare le proprie caratteristiche di capo. Se è fortunato potrà imparare dai leader suoi contemporanei ponendo loro domande, osservandoli in privato, decidendo quale dei metodi di un certo leader si adatta meglio al proprio stile ancora in boccio. Ma, per quanto importante sia apprendere dagli altri, la formazione di un leader si basa soprattutto sulla materia prima fornita dalle proprie esperienze di vita.

Non esiste surrogato di queste esperienze al momento di affrontare i problemi: e ciò è particolarmente vero nei momenti di crisi, quando è scarsissimo il tempo per sviluppare idee o mettere a punto piani. La saggezza acquisita dalla propria storia personale rappresenta un notevole vantaggio iniziale. Dopo l'11 settembre molti si sono complimentati con me per essere immediatamente corso sul posto, ma non avevo fatto altro che mettere in pratica il mio *modus operandi* previsto in caso di una seria emergenza. Due delle lezioni di questo libro vertono sull'importanza di andare a vedere di persona e di dare l'esempio. E queste lezioni non sono nate per germinazione spontanea né sono il prodotto di un libro.

Faccio un esempio. Giovedì 10 dicembre 1992, dopo pranzo, stavo tornando a piedi al mio ufficio dell'Anderson Kill, lo studio legale del quale ero socio, quando all'altezza della 43ª strada vidi del fumo provenire dalla storica chiesa di St Agnes. Questa chiesa è uno dei più begli edifici cittadini, un'isola di tranquillità che contrasta con l'animazione della sua vicina di casa, la Grand Central Station. Capii subito che quel fumo era troppo nero e denso per venire da una caldaia e, non vedendo vigili del fuoco, entrai nella canonica.

Le signore presenti erano un po' preoccupate, ma non più di tanto. «Avete chiamato i servizi d'emergenza?» chiesi loro.

«Sì» mi risposero. «Stanno per arrivare i vigili del fuoco.»

«Avete fatto uscire tutti dalla chiesa e dalla canonica?»

«Non lo sappiamo. La chiesa dovrebbe essere stata evacuata, ma il prete è ancora su.»

«Uscite» dissi loro. «Rimanete fuori ad aspettare i pompieri, io salgo per accertarmi che tutti siano usciti dalla canonica.» In quel momento vidi uno dei portinai del palazzo dove aveva sede lo studio legale e gli chiesi di seguirmi. Salimmo di corsa le scale e ci fermammo davanti alla porta aperta della stanza del religioso, che in quel momento stava raccogliendo le sue cose. «C'è un incendio in chiesa» gli dissi, «stanno arrivando i vigili del fuoco, dobbiamo uscire in fretta. C'è qualcun altro nell'edificio?» «Credo di no» rispose, ma bisognava esserne certi. Salimmo tutti e tre le scale e ci guardammo intorno, poi scendemmo trovando una persona rimasta in ufficio che facemmo uscire.

Una volta evacuata la canonica chiesi se fosse rimasto qualcuno nella chiesa vera e propria. Il prete non ne era sicuro, quindi corremmo dalla canonica alla chiesa entrandovi dal lato dell'altare: e notammo subito due ladri che stavano approfittando della situazione per rubare i candelabri dell'altare. «Mettete giù quei cazzo di candelabri e levatevi dai piedi!» gridai con la mia voce più imperiosa. E mi pentii subito di avere usato quelle parole, ricordandomi che mi trovavo in chiesa accanto a un prete. Ma funzionarono, i ladri lasciarono cadere i candelabri sull'altare e fuggirono. Fu allora che vidi per la prima volta il fuoco che divampava. Per un attimo rimasi come affascinato dalle fiamme, poi mi resi conto che dovevamo andarcene in fretta. «Ci conviene darcela a gambe» disse qualcuno. Usciti sul marciapiedi scoprimmo che i pompieri erano arrivati.

In ufficio trovai ad attendermi Beth Petrone, che per lunghi anni è stata la mia assistente più fidata. Qualcuno mi aveva visto entrare nella chiesa in fiamme, da allora mancavano mie notizie e Beth era comprensibilmente preoccupata. «Guarda com'è ridotta la tua giacca» mi disse, indicandomi la giacca di cammello che indossavo quel giorno: era diventata nera di fuliggine. Successivamente la mandai in tintoria, ma quando tornò si era ristretta. Ancora oggi però mi rifiuto di darla via. L'episodio di quel pomeriggio mi fruttò una medaglia da parte dei vigili del fuoco: custodisco gelosamente quella medaglia, insieme con la giacca, in ricordo dell'incendio di St Agnes.

Dall'orrore dell'11 settembre sono emerse molte dimostrazioni della straordinaria umanità dell'America come, per esempio, il ritrovato rispetto per i professionisti della polizia e dei vigili del fuoco che rischiano ogni giorno la vita. E questo è particolarmente incoraggiante in una città come New York, dove spesso si danno per scontati gli sforzi di chi indossa un'uniforme. Poliziotti e vigili del fuoco accorsi al World Trade Center non hanno esitato nemmeno un attimo nel mettere a rischio la propria vita. Non si sono chiesti se i prigionieri di quelle due torri erano bianchi o neri, giovani o vecchi, musulmani, cristiani o ebrei. Si sono precipitati dentro, compiendo la più grossa operazione di salvataggio nella storia di questo Paese.

Nei giorni e mesi successivi all'attacco dell'11 settembre mi sono state spesso rivolte domande sull'origine delle idee, della forza, dell'energia o del coraggio che mi venivano attribuiti. Nelle pagine che seguono cerco di rispondere nel migliore dei modi a queste domande. Comincio con un resoconto particolareggiato degli avvenimenti dell'11 settembre, raccontando come li ho vissuti. Nei quattordici capitoli successivi, il fulcro del libro, descrivo esaurientemente i miei precetti servendomi di episodi della mia vita. Infine, l'ultimo capitolo illustra la mia applicazione pratica di queste norme per facilitare la ripresa della città. Ma la verità è che la leadership rimane in gran parte ancora misteriosa. L'ispirazione va seguita quando e dove si manifesta, e le fonti della forza si manifestano nei posti più imprevedibili.

Negli ultimi giorni da sindaco mi sono spesso chiesto che cosa ha fatto dell'America un posto speciale. Mio nonno Rodolfo Giuliani, dal quale ho preso il nome, lasciò l'Italia oltre cent'anni fa imbarcandosi per l'America con in tasca soltanto venti dollari. Lasciò la casa, la famiglia, tutto ciò che per lui era familiare e sicuro. Conosceva gli ostacoli che avrebbe dovuto affrontare, un viaggio pieno d'insidie in un oceano pericoloso, una lingua che non capiva. Eppure Rodolfo, sua moglie e gli altri due miei nonni fecero la stessa scelta e vennero qui.

Come riuscì a superare le paure che sicuramente aveva provato? Semplice. Rodolfo e milioni di altri come lui erano guidati da un'idea: quella dell'America come terra della libertà, patria del coraggio, posto speciale. L'avevano sicuramente idealizzata, questa idea, cogliendone soltanto gli aspetti romantici. Ma venendo qui i miei antenati e tanti altri dettero qualcosa in cambio, all'America: la resero ancora più speciale perché lavorarono sodo per renderla migliore, più giusta, più prospera per se stessi e per i propri figli.

Abramo Lincoln diceva che la prova dell'«americanità» di qualcuno non era il suo albero genealogico ma la sua fede nell'America. Perché noi rappresentiamo veramente una religione. Una religione secolare. Crediamo nelle idee e negli ideali. Non siamo una razza, siamo molte razze; non siamo un gruppo etnico, siamo ogni gruppo etnico. A tenerci uniti è il nostro comune credere nella democrazia, nella libertà religiosa, nel capitalismo, nell'economia libera in cui ognuno decide liberamente come spendere il proprio denaro. A legarci è il rispetto della vita umana, il rispetto della legge.

Sono queste le idee che hanno fatto di noi degli americani. Sono queste le idee alle quali mi sono attenuto quando si è trattato di esercitare la leadership, sia dopo l'11 settembre che molto prima.

Parte prima

I
11 settembre 2001

Era una mattina d'estate eccezionalmente chiara. I contorni dei grattacieli apparivano di una bellezza surreale sullo sfondo dell'azzurro purissimo del cielo. New York è una città unica in qualsiasi giorno dell'anno, ma nelle mattine come quella dell'11 settembre è veramente speciale.

Mi trovavo all'Hotel Peninsula, sulla 55ª strada, insieme con il mio legale oltre che vecchio amico Denny Young. Facevamo colazione con Bill Simon, che era stato mio assistente all'ufficio di U.S. Attorney, parlando dell'imminente selezione per le primarie delle elezioni a governatore della California, alle quali Bill si era candidato. Ci stavamo salutando nella hall quando, circa un quarto d'ora prima delle nove,* la detective Patti Varrone che faceva parte della scorta assegnatami dal dipartimento di Polizia ricevette una chiamata da Joe Lhota, vicesindaco con delega alle Operazioni. «Quanto è lontana dal sindaco?» le chiese Joe. Un metro e mezzo, rispose lei, e Joe le disse allora che un aereo si era schiantato contro

* Stabilire con esattezza certi orari è stato particolarmente difficile. Anche se dovrebbero essere oggettivi e definitivi, come quello in cui i due aerei si sono schiantati contro le torri, su di essi non c'è ancora completo accordo. Per esempio, l'impatto contro la Torre 1 del primo aereo (il volo 11 dell'American Airlines partito da Boston) viene dato per avvenuto alle 8,45, 8,46 e 8,48. E mentre tutti concordano nell' indicare le 9,03 come l'ora in cui contro la Torre 2 è andato a schiantarsi il secondo aereo (volo 175 della United Airlines, anche questo proveniente da Boston), non c'è unanimità sull'ora del crollo delle torri. La prima a crollare è stata la Torre 2, attorno alle 10,05, mentre la Torre 1 sarebbe crollata attorno alle 10,28. E naturalmente è impossibile sapere l'ora esatta in cui mi sono trovato nei vari posti.

il World Trade Center. Potrebbe trattarsi di un Cessna, aggiunse, ma non era ancora chiaro se si trattava di un incidente o di un attentato. Stavo ancora chiacchierando con Bill ma con la coda dell'occhio avevo notato Denny che parlava con Patti. Denny poi mi si avvicinò, e parlando a bassa voce come il suo solito, mi informò: «È scoppiato un incendio al World Trade Center, sembra che un bimotore sia andato a sbattere contro l'edificio». Pur non avendo idea dell'enormità di quanto accaduto, Bill mi disse: «Dio ti benedica». Fu quella la prima di molte preghiere, quel giorno e nei giorni a venire. Usciti sulla 5ª strada sollevai lo sguardo sul cielo azzurrissimo e pensai: «È una giornata così bella, un aereo non va a colpire il World Trade Center per cause accidentali».

Da sindaco avevo l'abitudine, ogni volta che da qualche parte si determinava una situazione d'emergenza, di andare sul posto per vedere con i miei occhi e dare una prima valutazione dell'accaduto. Lezione questa appresa da Carl Bogan, un detective che svolgeva indagini per conto dell'ufficio dell'U.S. Attorney quando ero un giovane assistente. Carl sottolineava sempre l'importanza di andare a vedere con i propri occhi per cogliere spunti che, rimanendo dietro la scrivania, avremmo ignorato: come per esempio scoprire che la porta di quel certo palazzo rosso era del tipo a bussola, e quindi il testimone che aveva fornito l'alibi all'imputato aveva mentito dicendo di averla sbattuta dopo essere uscito.

Avevamo piani d'emergenza anche per una catastrofe del genere, per quanto gravissima. La mia amministrazione aveva istituito un avanzatissimo centro di comando dal quale affrontavamo le emergenze che inevitabilmente si verificano in una città come New York, come quella del virus del Nilo occidentale, i blackout, le ondate di caldo, gli uragani, le tempeste di neve e l'Y2K, meglio conosciuto come *Millennium bug*. Questo centro era zeppo di computer e schermi televisivi per tenere sotto controllo tutta la città e dintorni. Era fornito di generatori in caso di blackout, di letti per passarci eventualmente la notte, di cisterne piene d'acqua e carburante e di riserve di antidoti vari. Aveva sede al ventitreesimo piano del civico 7 del World Trade Center, a nord delle Torri gemelle. E lì ci precipitammo Denny e io, con Richie Godfrey al volante e Patti seduta accanto a lui.

I telefoni mobili dentro il van dove viaggiavamo squillavano in continuazione, all'unisono con i nostri cellulari personali. Puntammo a est sulla 42ª strada e poi a sud lungo la 7ª Avenue. Curvandomi sul sedile posteriore riuscii a vedere la cima della Torre nord e dagli ultimi piani uscivano le fiamme. Da quella distanza la situazione appariva brutta ma non incontrollabile. Chiesi a Patti di far telefonare al capo della polizia, al capo dei vigili del fuoco, al responsabile dell'ufficio Gestione emergenze, oltre che al governatore e alla Casa Bianca. Sulle prime pensai si fosse trattato di un matto ai comandi di un piccolo aereo.

A quell'ora del mattino le strade erano relativamente sgombre di traffico e correvamo con la sirena e le luci intermittenti, così alle 9 passammo nelle vicinanze dell'ospedale St Vincent, nel Greenwich Village, uno dei più vicini alla scena della catastrofe. Medici e infermiere avevano già indossato i camici verdi da sala operatoria ed erano usciti in strada, in attesa dei primi feriti. Vedendoli cominciai ad afferrare la gravità della situazione: doveva essere peggiore di quanto immaginavo.

Poi ci fu lo schianto del secondo aereo. Ciò che vidi fu soltanto un enorme lampo di fuoco. In quel momento ci trovavamo a Canal Street, da dove ha inizio la punta meridionale di Manhattan. Sulle prime pensai si trattasse di una seconda esplosione nella stessa torre, ma Patti fu informata da una telefonata della Centrale di polizia che si era trattato invece dell'altra torre: colpita, risultava, dal volo 175 della United Airlines, un 767 partito da Boston con destinazione Los Angeles. Questo ci convinse che avevamo a che fare con attentati terroristici. Tempestammo di telefonate il centralino della Casa Bianca, ma le linee dei cellulari stavano già cominciando a intasarsi. Continuammo a correre verso il teatro della catastrofe e dal finestrino notai l'espressione sbalordita sul volto dei passanti che assistevano a quella specie di incubo in diretta.

Ora che il secondo grattacielo era stato colpito si cominciò a evacuare il Centro di comando, troppo vicino oltre che a sua volta possibile bersaglio. Dopo avermi dato il primo allarme, Joe Lhota era corso al Centro di comando insieme a Richie Sheirer, direttore dell'ufficio Gestione emergenze, convinti entrambi che si fosse trattato di un terribile incidente. Bernie Kerik, assessore alla Polizia, aveva indicato a Patti il punto nel quale incontrarci. Un minuto dopo arrivammo a Barclay Street, la strada che segna il confine settentrionale del complesso del World Trade Center. Vidi venirmi incontro di corsa Joe, Bernie, il suo vice operativo Joe Dunne e il capo del dipartimento di Polizia, Joe Esposito.

Individuai immediatamente due priorità: dare vita a un nuovo

Centro di comando e trovare un sistema per comunicare con la cittadinanza. Per la prima, Bernie e i suoi avevano messo gli occhi su un edificio al numero 75 di Barclay Street, a nordest del civico 7 del World Trade Center. «L'addetto alla sicurezza è uno del mestiere» disse Bernie, intendendo dire un ex poliziotto, «e ci sono moltissimi telefoni. Abbiamo requisito l'edificio.» Vidi spuntare in fondo all'isolato i primi van delle TV e dissi quindi a Sunny Mindel, il mio responsabile delle Comunicazioni, di mettersi in contatto con la stampa per un primo briefing all'angolo tra Church Street e Park Place. Mentre camminavamo Bernie mi fece sapere che il posto di comando dei vigili del fuoco era stato istituito tra il palazzo dell'American Express e quello della Merrill Lynch sulla West Street, al confine occidentale del World Trade Center. Decisi di andarci subito, per capire che tipo di istruzioni dare alla gente vicina alle torri o dentro le torri, dai cui piani superiori divampavano le fiamme.

A quel punto non avevo ancora una chiara idea della situazione e proprio per questo, come mia abitudine, mi avvicinai il più possibile al teatro della tragedia. Volevo, tra l'altro, parlare faccia a faccia con il capo dei vigili del fuoco, guardandoci negli occhi, per avere da lui una valutazione realistica. Corsi lungo West Street, diretto al posto di comando dei pompieri, ma a un certo punto vidi qualcosa sufficiente a farmi capire che ci trovavamo in un mondo nuovo.

Joe Lhota mi aveva detto che c'era gente che si lanciava dalle finestre ma avevo pensato – o forse dovrei dire «sperato» – che si fosse sbagliato. Sollevando lo sguardo vidi cadere da una delle torri qualcosa e pensai che si trattasse di un detrito. John Huvane, un altro agente della mia scorta, consigliò a tutti di camminare guardando in alto per evitare di essere colpiti. Feci come diceva e vidi precipitare altri detriti e macerie. Poi, all'improvviso, la mia attenzione fu attirata da un uomo che si sporgeva dalla finestra di quello che doveva essere più o meno il 102° piano. L'uomo saltò e seguii la traiettoria della sua caduta che terminò sul tetto del World Trade Center 6, l'edificio a nord della Torre numero 1. L'idea che qualcuno scegliesse una morte certa mi dette la percezione di ciò che stava accadendo in quel momento ai piani alti delle due torri, contro i quali gli aerei si erano schiantati. Afferrai Bernie per un braccio. «Ci troviamo in una terra inesplorata» gli dissi. «Dovremo improvvisare.» Sollevai nuovamente lo sguardo e vidi lanciarsi dalle finestre altra gente, alcuni sembravano tenersi per mano mentre precipitavano. Non erano stati proiettati fuori dall'esplosione, avevano deciso consapevolmente che era preferibile morire in quel modo piuttosto che bruciare a 800 gradi tra le fiamme provocate dal kerosene degli aerei.

Pochi minuti dopo l'impatto del primo aereo fu presa la decisione di istituire due posti di comando, uno per i vigili del fuoco e l'altro per il dipartimento di Polizia, e questo perché i due corpi svolgevano compiti differenti e quindi avevano esigenze differenti. I pompieri avevano la responsabilità del salvataggio e dell'evacuazione, la polizia doveva proteggere il resto della città. La direzione dell'operazione fu presa immediatamente dai vigili del fuoco, il cui posto di comando venne istituito in una posizione dalla quale erano ben visibili entrambe le torri. Il dipartimento di Polizia aveva già cominciato a sistemarsi al 75 di Barclay Street, sfruttando le linee telefoniche preferenziali per tenersi in contatto con il dipartimento della Difesa e la Casa Bianca, oltre che con il governatore dello Stato di New York ad Albany, la capitale. I cellulari funzionavano a singhiozzo e non ci si poteva quindi fare affidamento.

Se la polizia avesse stabilito il posto di comando a West Street, in coabitazione quindi con i vigili del fuoco, non avrebbe potuto sfruttare le linee preferenziali e gli altri mezzi di comunicazione per la difesa della città. Se al contrario fossero stati i pompieri a coabitare con la polizia al 75 di Barclay Street, sarebbe stato per loro impossibile avere la vista sulle due torri e combattere quindi adeguatamente gli incendi. La presenza del capo della polizia, di quello dei vigili del fuoco e del direttore dell'ufficio Gestione emergenze, oltre a me, aveva consentito il coordinamento dell'emergenza, provvedendo così alla sicurezza sia del teatro della tragedia che dell'intera città.

Andammo al posto di comando dei pompieri e vidi subito Pete Ganci, l'ufficiale più alto in grado del dipartimento, con accanto il primo vicecapo Bill Feehan. Ray Downey, il comandante di battaglione responsabile delle operazioni speciali, era a una trentina di metri di distanza con alcuni dei suoi. Da loro tre avrei avuto le risposte che cercavo. Pensando alla gente che avevo visto lanciarsi dalle torri chiesi a Pete se non fosse possibile usare gli elicotteri per portare in salvo le persone intrappolate. Impossibile, rispose, il fumo e i detriti rendevano impossibile l'avvicinamento degli elicotteri. «Possiamo salvare tutti quelli che si trovano al di sotto dell'incendio. I soccorritori sono già saliti fino a metà circa della prima torre» mi disse. Ma capii che ciò che in effetti intendeva dire era «Non possiamo fare molto per quelli dei piani superiori, a parte sperare che sia rimasta in piedi una rampa di scale».

Chiesi a Pete quanto fosse seria la situazione. Mi rispose che avevano evacuato circa metà della Torre numero 1 e si stavano dirigendo al punto dell'impatto, al di sopra del 94° piano. Stavano anche risalendo piano per piano la Torre numero 2, ciascuno portando sulle spalle quasi trenta chili di attrezzature, incrociandosi lungo le scale con le migliaia di occupanti che scendevano precipitosamente.

«Che cosa dovrei dire alla gente?» gli chiesi. «Di uscire dall'edificio, abbiamo un numero sufficiente di uomini per soccorrerli» rispose. Le scale erano antifumo e antincendio e se le porte fossero state tenute chiuse si sarebbero salvati. Poi Pete, sollevando lo sguardo verso i detriti che precipitavano e i mulinelli di fumo, aggiunse che coloro che uscivano dovevano dirigersi immediatamente verso nord. Era sua intenzione spostare il numero maggiore possibile di gente della zona in modo da consentire il passaggio nei due sensi dei mezzi e delle ambulanze.

«Secondo me bisognerebbe trasferire questo posto di comando» dissi a Pete, mentre frammenti delle due torri continuavano a caderci attorno. Mi assicurò che era già stato deciso in tal senso e stavano per traslocare più a nord. Ci stringemmo la mano. «Dio ti benedica» gli dissi. «Grazie, Dio benedica te» rispose. Poi risalii in direzione di West Street, raggiungendo il posto di comando della polizia.

Nel frattempo Tony Carbonetti, il mio capo di gabinetto, si era messo in contatto con la Casa Bianca. Aveva parlato con il suo omologo, Andy Card, per poi rendersi conto che la telefonata era stata trasferita automaticamente in Florida, dove Andy si trovava con il Presidente. E da Andy ebbe la conferma che si era trattato di un attacco terroristico. In quel momento ritenevano che fossero sette gli aerei mancanti all'appello. Sapendo che volevo parlare con il Presidente, Andy dette a Tony il numero telefonico della Situation Room alla Casa Bianca.

Appena saputo che l'attacco era stato opera di terroristi, Tony chiese al dipartimento di Polizia di evacuare il municipio e chiuderlo. Poi mi venne a cercare al World Trade Center 7, dove pensava di trovarmi. Lui e Garry McCarthy, viceassessore alla Polizia con delega alle Operazioni, si mossero in direzione ovest notando subito che tutta la gente stava andando nella direzione opposta. Garry fermò qualcuno, chiedendo come mai tutti corressero mentre in altri punti l'evacuazione si stava svolgendo in maniera sorprendentemente ordinata, e si sentì rispondere che c'erano uomini e donne «che cadevano dal palazzo». Tony e Garry alzarono allora lo sguardo, e rimasero senza parole vedendo tanti uomini e donne precipitare dal grattacielo. Mi trovarono in West Street, al posto di comando dei vigili del fuoco, e si unirono al nostro gruppetto che si stava trasferendo a Barclay Street. Volevo riunire i capi della polizia e dei pompieri e il direttore dell'ufficio Gestione emergenze per agevolare le comunicazioni tra i diversi enti. E da loro volevo anche consigli su ciò che avrei dovuto dire alla cittadinanza.

Dissi poi ai pompieri che volevo aggregare al mio gruppo anche il loro assessore, Tom Von Essen. Si era precipitato nell'atrio della Torre numero 1, subito dopo l'impatto, e avrebbe voluto rimanere lì con i suoi uomini, ma io avevo bisogno di lui per farmi dire quali istruzioni dare circa l'evacuazione. Poi io e Bernie, lasciando il posto di comando, salutammo a voce Bill e Pete, facemmo un gesto di saluto a Ray e augurammo a tutti buona fortuna. Ci raggiunse di corsa padre Mychal Judge, il cappellano dei vigili del fuoco. «Padre, preghi per noi» gli chiesi. Lui sorrise e ci demmo la mano, ma per farlo ciascuno di noi dovette allungare il braccio. «Lo faccio sempre, prego sempre per lei» disse.

Li conoscevo da anni e anni quegli uomini, Bill e Pete e Ray e padre Judge, li ammiravo, avevo appuntato onorificenze sul loro petto. Volevo loro bene. Non potevo sapere che non li avrei più rivisti, che quel giorno sarebbero morti tutti e quattro.

Mi trovavo sul posto da una quarantina di minuti. Il gruppo che mi accompagnava aveva ormai raggiunto le venticinque unità: Joe Lhota, Bob Harding e Tony Coles (tre dei vicesindaci); Tony Carbonetti; Denny Young; il consigliere Geoff Hess; Sunny Mindel; Bernie Kerik; Neal Cohen, assessore alla Sanità; Richie Sheirer; Steve Fishner, coordinatore della Giustizia penale; Mike Carpinello, direttore dell'ufficio Operazioni; Joe Dunne; Joe Esposito; Patti Varrone e John Huvane, agenti della mia scorta; John Picciano, capo di gabinetto di Bernie; e diversi altri agenti venuti ad aiutarci a mettere in piedi il nuovo posto di comando.

Alle 9,50 circa occupammo gli uffici di Barclay Street 75, un anonimo edificio usato dalla Merrill Lynch come dépendance, e ci preoccupammo come prima cosa dei collegamenti telefonici. Tony Carbonetti si mise in contatto con la Casa Bianca mentre Joe Lhota usò un altro telefono per chiamare il governatore. In quel momento, sebbene la situazione fosse pesantissima, nessuno si immaginava che le torri sarebbero crollate. Il World Trade Center aveva già subito l'attacco terroristico del 1993, l'ordigno che aveva provocato una voragine di oltre trenta metri di diametro su quattro piani provocando un black out e interrompendo le comunicazioni, ma nessuna delle torri aveva corso il minimo rischio di un crollo.

Stabilito il contatto con la Casa Bianca feci una domanda che mai mi sarei sognato di dover porre: «Abbiamo copertura aerea?». All'altro capo della linea c'era Chris Henick, viceassistente del Presidente, il quale mi informò che avevano fatto decollare dodici minuti prima alcuni jet, che sarebbero quindi arrivati da lì a poco.

Gli chiesi se fosse vera la notizia di un attacco al Pentagono, un'ipotesi così atroce da farmi sperare in un fraintendimento da parte di chi l'aveva sentita alla radio. «Si conferma» rispose Henick. Era possibile parlare con il Presidente? Henick mi disse che stavano evacuando la Casa Bianca e che il vicepresidente mi avrebbe richiamato quanto prima sulla stessa linea. In quel momento ignoravo ancora che il Presidente si trovava in Florida e immaginai quindi che l'evacuazione della Casa Bianca fosse da interpretare come una misura cautelare in previsione di altri attacchi dopo quello al Pentagono. Lo staff del Presidente ha l'obbligo di proteggerlo e quindi, specie dopo lo schianto del terzo aereo, era logico attendersene altri.

Ero uno dei sostituti Attorney General quando John Hinckley tentò di uccidere Ronald Reagan. Ripensai a quell'episodio, oltre che ai piani di evacuazione previsti negli anni della Guerra fredda, e mi chiesi se il vicepresidente avesse assunto temporaneamente i poteri. Nel mio primo periodo al dipartimento della Giustizia, Dick Cheney era capo di gabinetto del Presidente Ford; lo conoscevo e avevo una gran fiducia in lui. Fu quindi con sollievo che udii al telefono una voce femminile dirmi: «Signor sindaco, le passo il vicepresidente». Volevo parlargli per poi riferire alla cittadinanza quanto Cheney mi avrebbe detto, per il tramite dei giornalisti che gli uomini di Sunny stavano convocando davanti al palazzo. Ma dopo un paio di secondi cadde la linea e mi detti da fare per ristabilirla, impiegando quindi del tempo per capire le cause di quell'inconveniente.

Pochi minuti dopo le dieci udimmo e «sentimmo» un pauroso boato, senza però capire che cosa fosse accaduto. Alcuni pensarono a un nuovo attacco, anche perché contemporaneamente la terra aveva tremato. Ero ancora al telefono quando Joe Esposito gridò: «Sta venendo giù, tutti al riparo!». Quelli di noi che occupavano le stanze affacciate a sud si appiattirono contro il pavimento o cercarono riparo sotto o dietro i mobili. Da dietro una scrivania Tony Carbonetti formulò la domanda che tutti noi avevamo in petto: «Ma che diavolo sta succedendo?». La Torre sud, quella al numero 2 del World Trade Center, era crollata avvolgendo l'area circostante di un'enorme nuvola di fumo acre e di calcinacci.

Io, nel mio cubicolo, stavo ancora tentando di mettermi in contatto con il vicepresidente e non mi gettai quindi sul pavimento. Anche perché, udendo le parole «torre» e «giù» avevo pensato che a crollare fosse stata la torre della radio in cima al World Trade Center. E, anche se eravamo circondati dal fumo e vedevamo precipitare i detriti, non riuscivamo a concepire che potesse essere crollata davvero la torre. Rimasi quindi accanto a quel telefono uno o due minuti, nella speranza che il vicepresidente riuscisse a riprendere la linea e a chiamarmi.

All'improvviso John Huvane mi afferrò per un braccio, dicendomi: «Capo, dobbiamo andarcene da qui». Anche se non sapevamo che cosa stesse esattamente succedendo, era chiaro che molti ci avrebbero lasciato la vita. Decisi che dovevamo evacuare, cosa questa tutt'altro che facile perché l'uscita era ostruita. Oggetti di ogni tipo, compresi blocchi di cemento e pezzi di acciaio contorto, avevano colpito la facciata del palazzo in cui ci trovavamo, mandando in frantumi tutte le finestre e riempiendo gli uffici di macerie e polvere. Fuori regnava l'oscurità, la nube provocata dal crollo della torre aveva oscurato il sole che soltanto due ore prima illuminava il cielo azzurro.

Scendemmo tutti in cantina, alla ricerca di una via di fuga. Trovammo un'uscita di sicurezza, un agente cercò di aprirla ma era bloccata. Provammo con una seconda porta, poi con una terza, ma sempre inutilmente. Decisi allora che saremmo dovuti uscire da dove eravamo entrati. Al piano di sopra vedemmo un'altra uscita di sicurezza, anche questa chiusa ermeticamente. Dalle finestre del pianterreno mi resi conto di come la situazione fuori si fosse fatta critica, cenere e fumo avevano creato una nebbiolina opaca impenetrabile.

D'improvviso si materializzarono due uomini, apparentemente due addetti alla manutenzione, uno dei quali ci informò che esisteva al piano di sotto un'altra uscita su un tunnel sotterraneo, dal quale si passava direttamente al 100 di Church Street: un edificio adiacente che conoscevo benissimo in quanto ospitava gli uffici giuridici del Comune. Soluzione perfetta, questa, perché ci saremmo mossi nella direzione che il capo Ganci ci aveva detto di seguire. Nessuno di noi conosceva quel tipo che però sembrava sapere il fatto suo, e decidemmo quindi di seguirlo. Io ero convinto che avremmo trovato un'altra porta bloccata, non capivo perché quella sarebbe dovuta essere diversa dalle altre. Scendemmo in fila, preoccupati anche se non lo davamo a vedere e concentrati sul da farsi. Joe Dunne si era rotto un tendine di Achille diverse settimane prima e si muoveva ancora con le stampelle. È un poliziotto grande e grosso e vedendolo trascinarsi a fatica in fila con noi mi dette la misura sia della gravità della situazione sia del nostro coraggio. Arrivammo finalmente alla porta. Uno dei due addetti alla manutenzione con la massima calma girò la maniglia e la porta si aprì come per incanto. Ci sentimmo tutti più sollevati, ma subito dopo ci rendemmo conto che stavamo finendo dalla padella nella brace.

Salimmo dalla cantina nell'atrio di Church Street 100, trovandoci in una specie di inferno. L'atrio era circondato da vetrate dalle quali riuscivamo a vedere soltanto una nube bianca impenetrabile. Materiali di ogni tipo volavano letteralmente per le strade, come nella scena del tornado nel *Mago di Oz*. Vedemmo entrare Tibor Kerekes, uno dei vice di Bernie oltre che mio caro amico, sanguinante e coperto interamente di polvere bianca. Anche la sua caratteristica cravatta psichedelica era ricoperta di polvere. Tibor si era messo a correre appena la torre era crollata, ma prima di riuscire a svoltare l'angolo era stato raggiunto dalla pioggia dei calcinacci. Zoppicava, era quasi irriconoscibile. «È terribile là fuori!» disse con voce sgomenta, ed era penoso vedere così scosso un uomo di solito tanto sicuro di sé. Bernie corse a stringerlo tra le braccia. Lui e Tibor avevano fatto il militare assieme, avevano studiato arti marziali assieme, avevano lavorato in Corea e in Arabia Saudita. Nelle foto scattate quel giorno si vede Bernie con la camicia macchiata di sangue: del sangue di Tibor.

Ci stringemmo attorno a lui, lì nell'atrio di Church Street 100, mentre ci descriveva ciò che aveva visto e udito. Lo feci sedere su un davanzale interno, mentre arrivava John Huvane con una cassetta di pronto soccorso e qualcuno trovava un po' d'acqua. Rimanemmo lì un paio di minuti, poi presi la decisione di andarcene. Se il palazzo fosse crollato gran parte dell'amministrazione comunale sarebbe rimasta sotto le macerie, mentre all'esterno avremmo avuto maggiori possibilità di esercitare le nostre funzioni. Un pensiero mi attraversò di sfuggita la mente, quello che era preferibile rimanere feriti in strada che schiacciati nel crollo del palazzo, ma lo allontanai subito. Dovevo assolutamente mettermi in contatto con la stampa per potere dare consigli alla cittadinanza.

Usciti da Church Street 100 vedemmo subito i cronisti corsi sul luogo del disastro. Due erano soprattutto i messaggi che volevo lanciare ai newyorchesi: dirigetevi a nord e sappiate che gli amministratori della città sono vivi e controllano la situazione. Durante questa conferenza stampa all'aperto afferrai per un braccio Andrew Kirtzman, cronista del canale New York 1 che trasmette soltanto notiziari, e dissi a lui e agli altri: «Venite, parleremo camminando».

In quell'istante gli agenti cominciarono a gridare: «Arriva un altro aereo, sparpagliatevi!» ma John Huvane li corresse: «È crollata l'altra torre». Non era ancora crollata, ma John era in strada con Tibor prima che crollasse la prima torre e aveva udito quel rombo che gli agenti avevano scambiato per un aereo in avvicinamento.

Il nostro gruppo si faceva sempre più folto mentre marciavamo verso Canal Street. Mi voltai a guardare le centinaia di persone che camminavano con noi e vidi Patti Varrone. È una ex detective impiegata per i casi più difficili, Patti, e tanto sfacciata da tifare per i Mets in mia presenza. I suoi capelli rossi erano incrostati dal cemento di quello che fino a un'ora prima era stato l'edificio più alto di New York. Sembrava sgomenta ma allo stesso tempo concentrata. Un uomo con le stampelle cominciò a gemere: «Devo andarmene da qui» ripeteva. «La metteremo in una delle auto» lo rassicurai. Bernie fece segno all'autista della sua auto, che ci stava seguendo, e con me aiutò lo sconosciuto a sistemarsi sul sedile posteriore.

Il mio obiettivo era quello di rimettere in moto l'amministrazione cittadina. Il dipartimento di Polizia, che ospitava il nostro centro di appoggio, aveva tutti i telefoni fuori uso ed era inoltre un potenziale bersaglio. Prendemmo allora in considerazione la caserma dei pompieri di Duane Street, che disponeva di spazio a volontà per avere ospitato fino a poco tempo prima il Museo del fuoco. Ma

Tony mi fece notare che si trovava alle spalle del Federal Building, altro potenziale obiettivo. Pensammo allora al I distretto di Polizia ma, seguendo la stessa considerazione di Tony, lo esclusi perché troppo vicino a un altro possibile bersaglio, il grattacielo della AT&T. John Huvane suggerì a quel punto il Tribeca Grand Hotel, mentre si univa a noi Tom Von Essen. Eravamo quasi arrivati a Murray Street, quattro isolati a nord del World Trade Center, quando attorno alle 10,28 la Torre numero 1 crollò veramente.

John Huvane mi saltò addosso per proteggermi e mi spinse avanti per circa un terzo dell'isolato. Mi fermai un momento a osservare la nuvola che si stava sollevando dalla caverna della Manhattan bassa, poi udii un altro aereo. «È uno dei nostri!» gridò Richie. Incredibile, riflettei, New York è diventata un campo di battaglia. E ancora una volta dovetti abbandonare quel pensiero per concentrarmi sul da farsi.

I nostri cellulari erano tutti fuori uso. Le linee telefoniche sotterranee che attraversavano quella parte di Manhattan erano fuori uso. Ogni via d'accesso alla città era chiusa. Metropolitana e autobus erano fermi e non si vedeva circolare nemmeno un taxi. Non c'era modo di seguire ciò che stava accadendo in quanto in cima alle due torri erano installate gran parte delle antenne dei cellulari e delle televisioni, gli uni e le altre ridotti ora alla capacità minima. Era qualcosa di primitivo, sconvolgente, surreale. E al di sopra della polvere, della fuliggine e dei vetri che ancora ci piovevano addosso si vedeva lo stesso cielo azzurro terso.

La nostra amministrazione non aveva più un posto dove lavorare. Non solo, infatti, il municipio era un bersaglio potenziale, ma si trovava a non più di quattrocento metri dal World Trade Center. Coperto di cenere com'era, sembrava quasi invisibile. Bernie aveva mandato un paio dei suoi uomini in avanscoperta al Tribeca Grand Hotel per assicurarsi le linee telefoniche e trovare i locali che ci servivano, come le pattuglie di scout dei vecchi western. Ma appena entrato nella hall abbandonai l'idea di impiantare i nostri uffici in quell'albergo: era in pratica un palazzo di vetro e quel giorno di vetri in frantumi me n'ero sorbiti fin troppi. In un altro contesto sarebbe stato perfino divertente vedere una ventina di amministratori comunali entrare a passo di marcia nell'albergo, per fare subito dietrofront e uscire sempre a passo di marcia.

Qualcuno propose la caserma della Compagnia 24 dei vigili del fuoco, tra Houston Street e la 6ª Avenue, a pochi isolati di distanza in direzione nord. Avevo ricordi nitidi di quella caserma. Il 28 maggio 1994, quando avevo assunto la carica da soli tre mesi, avevano perso la vita lottando contro un incendio tre dei suoi effettivi, James Young, Chris Siedenburg e il capitano John Drennan. Quella tragedia mi fornì per la prima volta l'occasione di passare diverso tempo con padre Judge, e successivamente avevo fatto visitare la caserma 24 al Presidente Clinton in occasione della morte del capitano Drennan, che per quaranta giorni aveva coraggiosamente lottato per rimanere in vita.

Arrivati lì scoprimmo che i vigili del fuoco erano corsi tutti al World Trade Center e la caserma era quindi vuota, oltre che chiusa. Proprio una bella giornata. L'amministrazione comunale al completo – sindaco, vicesindaci e assessori – impiegò diversi minuti nel tentativo di entrare in quella caserma, ma la porta era di plexiglass infrangibile. John Huvane afferrò un estintore e lo batté ripetutamente quanto inutilmente contro la porta, fino a quando qualcuno gli fece notare che poteva esplodere. Eravamo stati circondati tutta la mattina da frammenti di vetro e quella porta non voleva sentirne di cedere. Alla fine facemmo saltare la serratura ed entrammo. Sloggiate dal municipio evacuato arrivarono le mie tre assistenti esecutive Beth Petrone, Janna Mancini e Kate Anson, accompagnate dalla mia amica Bobbie Waldman che stava partecipando a una riunione in Comune. Si erano portate dietro i Rolodex, le agende da tavolo rotanti piene dei numeri che ci servivano per metterci in contatto con la Casa Bianca, con Albany e con mezzo mondo. Trovammo un paio di telefoni funzionanti e mi misi subito in contatto con il governatore George Pataki. Mi disse di essere stato preoccupato per me, il mio silenzio gli aveva fatto temere che fossi disperso, e mi chiese se stessi bene. Poi mi offrì di fare intervenire la Guardia Nazionale e accettai. In passato avevo respinto offerte del genere, nel timore che i militari all'oscuro delle peculiarità di una città come New York si venissero a trovare in difficoltà. Ma in quella circostanza non potevamo certo respingere alcuna forma di aiuto. Con George rimanemmo d'accordo che ci saremmo visti non appena fossi riuscito a trovare un'adeguata sede provvisoria per il municipio.

Non mi era ancora chiaro quanta della mia conferenza stampa «ambulante» fosse stata mandata in onda da radio e televisione. Per garantirne la massima diffusione Sunny insistette perché il materiale fosse dichiarato «pool», nel senso che ogni mezzo d'informazione era obbligato a dividere con gli altri ciò che aveva girato o registrato. Pochi minuti prima delle 11 fui in grado di abbozzare una vera conferenza stampa. Chiamai al telefono il canale televisivo New York 1 e, appena fui messo in onda, chiesi a tutti di mantenere la calma e di fare il possibile per evacuare la parte bassa di Manhattan. Assicurai agli ascoltatori che avevo parlato con il governatore Pataki e con la Casa Bianca, che i nostri soldati stavano proteggendo la città, che avevo visto i jet militari. Poi dissi ciò che stavo pensando.

«Il mio cuore è con tutti voi. Non ho mai visto nulla del genere. Ero sul posto pochi minuti dopo l'attacco e ho visto gente buttarsi dalle finestre del World Trade Center. È una situazione orribile, orribile, e ciò che posso dirvi è che stiamo sfruttando ogni nostra risorsa per salvare più gente possibile. Alla fine il numero di vite perdute sarà terribilmente elevato: ancora non possiamo sapere quante saranno, ma per il momento dobbiamo dedicare tutti i nostri sforzi per mettere in salvo più gente possibile.»

Divisi la mia missione in tre parti. Come prima cosa avrei dovuto comunicare con la cittadinanza, fare il possibile per calmarla e dare il mio contributo a un'evacuazione sicura e ordinata. In secondo luogo, volevo dare la massima assistenza ai feriti. A quel punto avevo capito che avremmo continuato per un paio di giorni a estrarre sopravvissuti dalle macerie e il numero dei feriti avrebbe messo in crisi i quattro ospedali della zona, cioè St Vincent, Bellevue/NYU, NYU Downtown e Beth Israel. Intendevo quindi coordinare in un unico sistema tutti i centri medici della città, pubblici come privati. La terza parte della mia missione poteva sintetizzarsi come segue: «Che altro succederà?».

Cercai di mettermi nei panni dei terroristi. Dove avrebbero portato i loro nuovi attacchi? Avrebbero cercato di colpire la Statua della libertà, l'Empire State Building, il palazzo dell'ONU? Oppure ci sarebbe stato un attacco completamente diverso, con bombe da mortaio, magari con la cattura di ostaggi? Con armi biologiche? Sapevamo che molti erano affascinati dal nostro sistema di ponti e tunnel. Bernie e io decidemmo quali edifici proteggere, esaminammo lo stato della nostra intelligence e abbozzammo una strategia per assicurare la protezione di tutti coloro che potevano considerarsi a rischio sequestro. I terroristi potevano attaccare la Borsa? Chiamai Dick Grasso, amministratore delegato della Borsa di New York, per vedere come andavano lì le cose. Mi disse che, per non aumentare il caos in quella parte di Manhattan, voleva prendere tempo prima di mandare a casa broker e agenti in modo da assicurare loro un abbandono ordinato e sicuro del posto di lavoro. Lo esortai a tenere duro e promisi di richiamarlo non appena la polizia mi avesse assicurato che poteva tranquillamente mettere in libertà i suoi. Ed è quello che feci verso l'una.

Nella montagna di servizi giornalistici dedicati alla tragedia del World Trade Center poco spazio è stato riservato a un particolare. Il giorno seguente all'attacco, cioè, era prevista alla Corte federale, distante pochi isolati dalle torri, la sentenza a carico di Mohamed Rashed Daoud al-'Owhali, un fedelissimo di Osama bin Laden. Era accusato di avere provocato la morte di 213 persone nell'attentato all'ambasciata degli Stati Uniti in Kenya.

Rivolsi l'attenzione ai miei cari e, continuando a camminare, chiesi alla polizia di aumentare la sorveglianza attorno alla mia famiglia. Chiamai Donna per informarla che avevo già mandato altri agenti per evacuare Gracie Mansion, la residenza del sindaco (che già in precedenza i Servizi di sicurezza ci avevano segnalato come possibile bersaglio), e convenimmo che avrebbe trascorso la notte in New Jersey con i nostri figli.

Poi chiamai Judith Nathan, che mi era stata accanto nei due ultimi difficili anni. La nostra relazione era oramai di dominio pubblico e anche lei aveva ricevuto minacce. Temetti che chi aveva attaccato New York potesse inquadrare nel mirino anche lei e volevo assicurarmi che non corresse pericoli. Di solito quando riceve una mia telefonata, sia che la chiami io direttamente o incarichi qualcun altro di comporre il numero e passarmi il telefono prima che lei risponda, Judith vuole sentire la mia voce. Era diventato un nostro rituale privato quello di assicurarsi che fossi io in persona a parlarle, magari solo per particolari di scarsa importanza, come per esempio l'ora in cui saremmo andati al ristorante. Appena il primo aereo si era schiantato contro la torre Judith fu certa che sarei corso sul posto. Ma poi, con il secondo schianto e il successivo crollo dei due grattacieli, la sua preoccupazione crebbe a dismisura. «Voglio sentire la voce di Rudy» disse, appena Patti riuscì a mettersi in contatto con lei. Ma la mia agente di scorta le disse che in quel momento era impossibile, perché stavo parlando sull'altra linea.

Quando finalmente riuscii a parlarle, dissi a Judith che l'amavo e che doveva restare in casa: era il posto più sicuro e le avevo mandato una scorta supplementare. Ma lei non volle nemmeno sentirne parlare. «Ho bisogno di vederti, perché pensavo fossi disperso» mi disse. Accettai di farmi raggiungere alla caserma dei vigili del fuoco, non avendo ancora individuato una sede per il nostro governo provvisorio. Mentre correva da me con la sua auto, Judith vide sulla Lexington Avenue una folla composta da minorenni, anziani e altri tipici newyorchesi riunita attorno a un grosso apparecchio radio. E dall'altoparlante le giunse la mia voce che esortava i cittadini a spostarsi a nord. Allora ebbe due reazioni diverse. Da una parte ebbe la certezza che stavo bene e facevo ciò che dovevo fare, guidare la città e aiutarla a uscire dalla crisi. Dall'altra, però, mentre raccomandavo a tutti di spostarsi a nord, io mi trovavo ancora a sud.

Bernie, ricevuto il rapporto dei suoi esploratori in avanscoperta, propose come sede provvisoria del municipio l'accademia di Polizia sulla 20ª strada. Ben conoscendo la rivalità esistente tra polizia e vigili del fuoco gli chiesi se fosse veramente il caso e lui mi disse di non preoccuparmi. Il problema a quel punto era come trasferire tutti là. Eravamo una ventina di persone, oltre ai giornalisti, e avevamo poche auto funzionanti. L'autista di Tony, Eddie Kalanz, considerato una specie di cane sciolto, prima di lavorare per il Comune si era guadagnato da vivere con il recupero dei beni pignorati. Eddie avvicinò Sergio Conde, uno degli agenti della mia scorta, e prese a indicare le auto abbandonate in strada. «Collegando i fili posso fare partire quella, quella e forse anche quella...» gli disse. Per fortuna non ce ne fu bisogno. Attesi che tutti avessero trovato posto in auto, poi ci trasferimmo all'accademia di Polizia.

Vi arrivammo attorno all'una e occupammo gli angusti uffici amministrativi, mettendoci subito al lavoro. Ogni volta che vedevamo arrivare uno dei nostri sano e salvo, l'abbracciavamo e baciavamo. Avevo impiegato sette anni per mettere in piedi questo team e perfezionarlo, al punto che eravamo in grado di accettare qualsiasi sfida. Non sapevo ancora esattamente che tipo di sfida ci attendeva, ma sapevo che se ci fosse stata data la possibilità di combattere era necessario che il mio team fosse al suo posto.

Arrivò Beth Petrone. «Ero preoccupata per te, girava voce che eri rimasto intrappolato» mi disse, pensando forse al precedente dell'incendio nella chiesa di St Agnes. Beth ha lavorato con me diciotto anni. È una carissima persona e in quel momento pensai quanto era stato bello avere lavorato per tanto tempo accanto a lei. Era stato per me un onore unirla in matrimonio, nel 1998, a Gracie

Mansion, a un uomo in gamba. Suo marito, il capitano Terry Hatton, comandava un'unità d'élite del dipartimento dei Vigili del fuoco, la Salvataggio 1, forse quella maggiormente specializzata a livello nazionale nella lotta agli incendi e nel soccorso. Nei suoi ventun anni di carriera Terry Hatton aveva ricevuto diciannove tra medaglie ed encomi. Mentre Beth si allontanava realizzai all'improvviso che Terry doveva trovarsi dentro le torri. «Era in servizio Terry?» le chiesi. «Sì» rispose. Mi accorsi che aveva gli occhi lucidi, l'abbracciai e mi resi conto che anche io avevo le lacrime agli occhi. «È andato» sussurrò lei. «Non possiamo ancora dirlo, faremo tutto il possibile per trovarlo» le assicurai.

Terry Hatton non fu l'unico, ovviamente. Geoff Hess, uno dei miei consiglieri, era anche figlio dell'avvocato Mike Hess, capo dei seicento avvocati dell'ufficio Legale del Comune. All'inizio degli anni Settanta Mike e io eravamo stati insieme sostituti U.S. Attorneys. Geoff faceva parte del gruppo che si era installato al 75 di Barclay Street, poi si era diretto con me alla Caserma 24 quando era crollata la Torre numero 1. Una volta arrivato alla caserma dei pompieri Geoff venne a sapere da Kate Anson che il padre stava andando a cercarlo al World Trade Center. Mike in effetti era arrivato al 7 del World Trade Center prima che venisse evacuato ma, non vedendoci, aveva telefonato in municipio per sapere dove ci trovavamo. Gli aveva risposto Kate, la quale non sapeva ancora che ci eravamo trasferiti al 75 di Barclay Street. E quando riferì a Geoff della telefonata del padre, seppe solo dirgli che Mike le aveva detto che la stava chiamando dal Trade Center: ma in quel caos lei non aveva capito se si riferiva al 7 del World Trade Center oppure se fosse entrato in una delle due torri.

Quando il primo aereo era andato a schiantarsi contro la torre, Geoff si trovava in municipio, da dove aveva chiamato il padre dicendogli che stava andando sul posto. Mike e Geoff erano amici per la pelle, oltre che padre e figlio, e ora il secondo si sentiva responsabile della scomparsa del primo: se non lo avessi chiamato, pensava Geoff, papà se ne sarebbe probabilmente rimasto al sicuro dov'era, in attesa di istruzioni. Era corso sul posto solo per cercare il figlio e ora nessuno sapeva che fine avesse fatto né c'era modo di mettersi in contatto con lui, a causa del blocco quasi completo delle comunicazioni.

In quel preciso momento Mike si trovava al numero 7 del World Trade Center, un edificio di 47 piani, ed era salito al 23° piano a cercarci. Tutti gli altri occupanti dell'edificio lo avevano già evacuato e gli ascensori erano fuori servizio, quindi Mike cominciò a scendere le scale. Era arrivato all'ottavo piano quando crollò la Torre numero 1, quella a nord, e una parte rovinò sopra il lato meridionale del World Trade Center numero 7. Fortunatamente Mike si trovava nel lato nord dell'edificio. Sfortunatamente era intrappolato, a causa dell'impraticabilità delle scale.

Mike entrò allora in un ufficio dell'ottavo piano, insieme con un impiegato della Housing Authority. L'edificio si stava riempiendo di fumo e polvere provocati dal crollo della torre, ma i due trovandosi nell'ala nord non potevano sapere che le torri erano crollate. Non riuscivano a respirare, e le finestre erano del tipo sigillato con i vetri rinforzati. Per una strana coincidenza con i nostri tentativi di spaccare la porta della caserma dei pompieri, il compagno di Mike lanciò contro la finestra un estintore che ruppe il primo dei doppi vetri e rimbalzò dentro la stanza. Il secondo tentativo fu coronato dal successo. Mike e l'altro rimasero due ore alla finestra, gridando aiuto ai pompieri in strada. I vigili del fuoco gli gridarono a loro volta le istruzioni del caso, aggiungendo però di non potere salire a prenderli: cosa questa che lasciò perplessi i due uomini, ignari del crollo della torre.

Incredibilmente una telecamera riuscì a inquadrare Mike che si sporgeva dalla finestra, mentre divampavano le fiamme, gridando «Aiuto! Aiuto!» Sapevamo che alla fine era crollato anche l'edificio al numero 7 del World Trade Center e rimanemmo quindi stupiti, oltre che sopraffatti dalla gioia, quando vedemmo entrare Mike, coperto di polvere, vetro e sangue, quest'ultimo provocato dai vetri della finestra contro la quale il mio amico sessantenne aveva lanciato l'estintore. Sembrava un sopravvissuto a una tempesta di neve.

A volte è una fortuna non avere tempo per soffermarsi sulle tragedie che dovrebbero riguardarti. Se mi fossi fermato a riflettere su Terry, Beth, Mike, Geoff e sulle altre migliaia di famiglie, non so come avrei fatto ad andare avanti. Quando vidi entrare Mike corsi ad abbracciarlo e baciarlo e mi rimisi subito al lavoro, mentre lui e Geoff si scambiavano effusioni come si conviene tra padre e figlio appena sfuggiti a un rischio mortale. Qualche mese dopo scherzavamo tutti con Mike. «Come hai fatto» gli chiedemmo «a non sospettare che qualcosa non andava, quando salito al 23° piano hai scoperto che l'unica persona a seguire i 260 monitor era un tizio della Housing Authority? Tu e lui non vi siete chiesti che fine avessero fatto tutti gli altri, invece di starvene seduti per ore?»

Arrivato all'accademia di Polizia vi trovai Judith, che mi aveva preceduto e consolava e confortava i presenti. Oltre a essere diventata una parte importante della mia vita privata, Judith era entrata anche a far parte della grande famiglia del municipio. «E ora?» mi chiesi, vedendola. Sapevo che mi sarei preso cura di lei, ma quello che non sapevo era che cosa avrei potuto farle fare, che tipo di contributo avrebbe potuto darci.

Lei, nel frattempo, continuava a dirci di lavarci il viso. Eravamo tutti imbrattati da una poltiglia di materiali da costruzione e polveri assortite e anche ora, ripensandoci, mi sento bruciare gli occhi. Ma non volevo perdere nemmeno un minuto per lavarmi la faccia. Poi mi venne in mente che Judith aveva fatto per anni l'infermiera, ed era poi diventata dirigente di una società farmaceutica dove aveva avuto la responsabilità di un team, dimostrando notevoli doti organizzative. E a parte questo, si era fatta una certa cultura scientifica, in particolare nel settore ricerca, come avevo scoperto quando mi aveva aiutato a combattere il tumore.

«Eccolo il lavoro per lei» pensai, e la feci collaborare con me all'organizzazione degli ospedali. Tutti quelli più vicini al teatro della tragedia erano stati clienti di Judith, che di ognuno conosceva medici e amministratori, le dimensioni del pronto soccorso, la loro posizione. E fu proprio lei a darci la conferma che per i feriti erano disponibili letti al St Vincent e al NYU Downtown Hospital.

Nel tardo pomeriggio ebbi un colloquio all'accademia di Polizia con il dottor Charles S. Hirsch, medico legale capo della città di New York, ancora coperto di polvere e calcinacci. Si era precipitato sul posto, appena saputo del primo crollo, per valutare la situazione e decidere come organizzare il suo ufficio. Mi accorsi che aveva il viso pieno di tagli, oltre a una ragnatela di punti di sutura alla Frankenstein sul dorso della mano. Mi spiegò che si era venuto a trovare sotto una pioggia di calcinacci e, per non far perdere tempo ai medici dei quali c'era maggior bisogno altrove, si era suturato da solo le ferite alla mano con un reticolo di filo nero. Fu il primo, il dottor Hirsch, a dirmi che difficilmente avremmo trovato qualcuno vivo sotto le macerie. «Moltissimi corpi saranno vaporizzati» mi spiegò. «Alla fine ci troveremo con una serie di macchie biologiche, nel punto in cui i tessuti si sono trasformati in masse informi e amorfe di materia.» Fu anche il primo a dare una spiegazione di quell'incredibile calore, valutandolo correttamente a 800 gradi.

Quel giorno andai cinque volte a Ground Zero. La prima provai una rabbia tremenda, continuavo a chiedermi ad alta voce che tipo di essere umano poteva fare una cosa come quella ad altri esseri umani. A Ground Zero ho sempre provato una rabbia del genere, ma mai così intensa come la prima volta.

Dovevo vedere con i miei occhi le conseguenze del disastro e le operazioni di soccorso, capire che cosa ci aspettava nei mesi a venire. Nel mio van tenevo in permanenza un paio di scarponi, da usare in caso di incendio o di qualche altro disastro. Me li misi e scesi a terra. Di natura sono un ottimista, penso sempre che le cose dovranno migliorare, che i bravi cittadini americani e newyorchesi sapranno vincere ognuna delle sfide che periodicamente si trovano a dover affrontare. E fu così che, di fronte a quello sconvolgente disastro, circondato da 70 mila metri quadri di macerie fumanti, provai un misto di incredulità e di fiducia nella possibilità di mettere in salvo quanto prima i sopravvissuti.

Ma, con tutto quello che c'era da fare, non potevamo permetterci di perdere tempo indugiando sulle nostre emozioni, su rabbia, paura e dolore. Ripensando a quel giorno posso dire che soltanto tre volte ho fatto eccezione a questa regola, per provare ogni volta un profondo senso di vuoto. La prima fu quel breve scambio di parole con Beth a proposito del marito Terry. La seconda nella caserma dei pompieri, quando mi informarono che Mychal Judge era morto e, poco dopo, che anche Feehan e Ganci avevano perso la vita. «Ma ne siete sicuri? Li ho visti poco fa.» Mi resi conto in quel momento che se erano morti loro, che sapevo trovarsi all'esterno dell'edificio, il bilancio dei morti all'interno sarebbe stato devastante.

All'epoca dei miei più seri problemi privati, quando sui giornali si leggevano articoli imbarazzanti e umilianti, padre Judge trovava sempre il modo di sollevarmi, mandandomi un biglietto o telefonandomi per dirmi come la pensava. Ricordo la Pasqua del 2000: lui non lo sapeva, ma di lì a due giorni avrei subito la biopsia del cancro alla prostata. E, mentre il mio matrimonio era in piena crisi e aumentavano le mie preoccupazioni per il cancro, padre Judge mi scrisse una bella lettera nella quale mi ricordava le ore passate insieme negli ospedali con i vigili del fuoco feriti e mi attribuiva una specie di talento per consolare chi soffriva. Ogni volta che leggeva sui giornali qualcosa sui miei problemi personali padre Judge mi lasciava alla portineria di Gracie Mansion un biglietto, nel quale mi ricordava sempre che tutti commettiamo errori, che nessuno è perfetto e che io avevo aiutato tanta gente. Ero una persona di buon cuore, diceva, e Dio ama le persone di buon cuore. La notizia della sua morte quindi mi schiantò. Il giorno dopo fu per me una sofferenza vedere sui giornali la foto del suo cadavere sulla barella mentre lo portavano via, quel corpo esanime, quei capelli bianchi, quel volto buono. Mi resi conto che la sua morte mi aveva tolto qualcuno in grado di aiutare me e l'intera città a superare quella crisi.

La terza volta che provai un profondo senso di vuoto, quel giorno, fu quando venni a sapere che sull'aereo che si era schiantato sul Pentagono c'era Barbara Olson. Ero alla seconda conferenza stampa della giornata e avevo concluso il mio intervento, cedendo poi la parola ai responsabili di polizia e vigili del fuoco e al direttore dell'ufficio Gestione emergenze. Quando cominciarono le domande dei giornalisti una cronista di una stazione affiliata alla CBS, Marcia Kramer, chiese se avevamo notizia di una registrazione nella quale una passeggera del volo 77 parlava al telefono con suo marito, il Solicitor General, ossia il rappresentante del governo federale davanti alla Corte suprema, dicendogli che i dirottatori stavano tagliando la gola ad alcuni passeggeri usando taglierini. Non avevo udito la domanda per intero ma stavo lentamente assimilando ciò che avevo sentito e chiesi a Marcia di ripetere quanto aveva detto. «Era al telefono con il marito, il Solicitor General...» Solo allora capii che stava parlando degli Olson.

Barbara e Ted erano miei amici. Chissà perché di fronte a certe notizie ci tornano in mente certe particolari immagini, ma in quel momento ricordai nitidamente il lungo abito azzurro che Barbara aveva indossato pochi mesi prima, il 23 aprile, quando lei e Ted avevano fatto un salto in municipio prima di andare a una cena del Women's National Republican Club. Tornarono a trovarmi un mese dopo e si fermarono di più: fu un'occasione per tutti e tre di relax, durante la quale parlammo dei bei tempi passati e stemmo bene insieme.

Mi venne da piangere, ma non potevo certo farlo davanti ai giornalisti e a tutti gli altri. Me ne andai in fretta nel rudimentale ufficio che mi ero ricavato all'interno dell'accademia di Polizia, un ufficio tutt'altro che privato. Telefonai a Ted e fu quella l'unica circostanza in cui mi permisi di piangere. Per il resto della giornata non ne ebbi il tempo.

Ma anche quei tre momenti non durarono più di un minuto. Dovevo concentrarmi, guardarmi attorno, affrontare mille decisioni. Era difesa la Grand Central Station? C'erano notizie di nuovi attacchi? Come sarebbero entrati in città i macchinari edili? E da dove sarebbero venuti?

Presi, per esempio, immediatamente la decisione di lavorare sul posto giorno e notte, ventiquattr'ore su ventiquattro. Sapevo bene che le probabilità di sopravvivenza di quelli sotto le macerie sarebbero diminuite quanto più avessimo atteso e di conseguenza volevo illuminare l'intera area in modo che il lavoro non s'interrompesse, invece di fermarci alle otto di sera per riprendere l'indomani mattina alle otto. Quelle dodici ore di attività si sarebbero potute rivelare critiche, ma l'area interessata era enorme. Come avremmo fatto a illuminarla completamente? Per non parlare della difficoltà di trovare, in quelle condizioni, persone in grado di sistemare i riflettori e di portarli sul posto insieme alle altre attrezzature, con le strade intasate dalle auto abbandonate e dalle macerie. Incaricai il vicesindaco Rudy Washington di reperire queste attrezzature e portarle sul posto, e assegnai a Richie Sheirer il compito di trovare i riflettori. Ma mi preoccupava il pensiero di nuovi attacchi: se quello alle torri faceva parte di uno sforzo coordinato per distruggere la città, i terroristi potevano essere in attesa del buio per far saltare altri edifici. Quindi aumentai il numero degli agenti in servizio notturno.

Erano in molti a chiederci di quantificare il bilancio delle vittime. La stampa chiedeva una stima ufficiale, sollecitandomi a fornire un numero esatto. Alcuni dei miei collaboratori mi fecero notare che, in assenza di questa stima, i giornali avrebbero scritto che non avevamo il quadro della situazione. Ma decisi subito che non era il caso di giocare con i numeri, di tirare a indovinare quanta gente era morta. Dissi loro la verità: «Quando avremo il bilancio definitivo, sarà più pesante di quanto potremo sopportare».

Quella sera verso le undici tornai all'accademia di Polizia, per preparare il programma del giorno dopo. E dissi a tutti di prendersi un po' di riposo, visto che il lavoro che ci attendeva era lungo e pesante. Uscii con Judith e la feci tornare a casa; lei accettò, chiedendo però in cambio la promessa che anch'io avrei fatto lo stesso.

Ma non potevo. Tornai invece a Ground Zero e, mentre mi aggiravo tra le macerie, continuavo a fare la stessa considerazione di quelli che avevano assistito alla tragedia e alle sue conseguenze: era una specie di film, non poteva essere successo davvero. A quel punto avevamo i riflettori in funzione e i soccorritori scavavano tra le montagne di macerie. Dalle cupe nuvole di polvere spuntava ogni tanto qualcuno di questi soccorritori, fumo e fiamme costellavano la scena e blocchi di cemento o mobili da ufficio continuavano ogni tanto a cadere dalle carcasse dei due edifici. Incontrai Bernie e continuammo a camminare in silenzio. Più di una volta chiusi gli occhi, sperando di riaprirli e ritrovare in piedi le torri. *Non è vero. Non è vero. Non è vero.* Ma poi mi riscuotevo. *È vero, maledizione, e devo decidere che cosa fare.*

In meno di due ore New York aveva perduto migliaia di vite, tra le quali quelle di centinaia di poliziotti, vigili del fuoco e soccorritori, oltre al profilo cittadino più famoso al mondo. Gli abitanti avevano perso la sicurezza di vivere in una città dove le persone per bene potevano avventurarsi in strada, con la ragionevole aspettativa di tornare a casa tutte intere. Con la differenza che in questo caso la minaccia non era quella di uno scippatore o di un rapinatore o di un drogato armato di coltello. Questo era stato il lavoro di infami terroristi, di folli convinti che uomini, donne e bambini da loro uccisi avessero qualcosa a che vedere con qualsiasi «causa» i terroristi rappresentavano.

Erano circa le 2,30 di notte quando tornai a casa del mio caro amico Howard Koeppel, dove abitavo da qualche mese. Howard aveva tenuto il televisore acceso e per la prima volta vidi come erano crollate le torri e capii quanto pericolosa e caotica fosse stata e fosse ancora la situazione. Judith mi aveva raccomandato di fare una doccia appena tornato a casa, per lavarmi via la polvere, ma ero troppo stanco. Continuai a tenere acceso il televisore, con il volume al minimo, nel caso fosse successo qualcos'altro e la stampa lo fosse venuto a sapere prima della polizia. Poi mi spogliai, preparando abiti e biancheria puliti da indossare in fretta se fossi dovuto uscire nuovamente durante la notte. Avevo letto da qualche parte che questa era diventata un'abitudine per il sindaco La Guardia, e nelle due settimane successive continuai ogni sera a prepararmi. Era una strana sensazione quella di trovarsi al 32° piano. Tenevo sul comodino la biografia di Winston Churchill scritta da Roy Jenkins, la stavo leggendo da circa una settimana. Quella notte mi rilessi i capitoli in cui lo statista descriveva la sua nomina a Primo ministro nel 1940. Pensai ai londinesi che, nonostante i continui bombardamenti, avevano tirato avanti. Pensai che era esattamente ciò che succedeva oggi in Israele. E queste considerazioni mi dettero la certezza che gli americani sarebbero riusciti a superare anche questa prova. Mi addormentai attorno alle 4,30, per svegliarmi meno di un'ora dopo in attesa che spuntasse il sole: non ero sicuro che sarebbe spuntato. E sentii un enorme sollievo quando lo vidi sorgere lentamente. Era venuta l'ora di rispondere all'attacco.

Parte seconda

II

Le priorità

Ogni mattina, alle otto in punto, faccio felice mia madre. Da bambino non cessava mai di sottolinearmi l'importanza di terminare i compiti prima di uscire a giocare, ma in tal modo se ne andava gran parte della luce del giorno e la cosa non poteva certo farmi piacere. Però anche in quel caso, come d'altronde quasi sempre, aveva ragione lei.

Per questo dal 1981 comincio sempre la giornata con una riunione del mio staff ristretto. Non insisterò mai abbastanza sull'importanza della «riunione del mattino»: da sindaco mi è successo di rado di saltarne una e soltanto quando qualche impegno particolarmente delicato mi impediva di presiederla. Per me è la base del buon funzionamento di ogni sistema, in particolare di un sistema complesso.

Appena eletto sindaco mi resi conto che il lavoro avrebbe potuto sopraffarmi. Senza un metodo per analizzare gli impegni della giornata c'era il rischio che a dettare l'ordine del giorno fosse il semplice numero degli argomenti bisognevoli della mia attenzione. L'importanza della riunione del mattino consisteva proprio nell'impedire qualcosa del genere, assumendo cioè il controllo della situazione. Nel corso della prima ora riuscivamo a ottenere molti risultati, soprattutto perché a quell'ora le linee di comunicazione sono quasi sempre libere. Coloro che avevano bisogno di mettersi in contatto con me, al pari dei componenti di qualsiasi grossa organizzazione che abbiano bisogno di trasmettere informazioni all'amministratore delegato, sapevano che i loro interessi potevano essere rappresentati ordinatamente per il tramite del loro rappresentante presente alla riunione; e io potevo assicurare che i miei vice e gli assessori lavoravano di concerto in modo da potere trasmettere ai loro staff un messaggio univoco.

Paul Crotty, il mio primo capo dell'ufficio Legale, aveva conosciuto i sindaci Wagner, Lindsay e Beame e aveva collaborato con il sindaco Koch prima di venire a lavorare nella mia amministrazione. Secondo Paul, era questa l'unica amministrazione che era riuscita a far parlare con una sola voce gli assessori, e ne attribuiva il merito alla riunione delle 8. Mi spiegò che, con Koch sindaco, un certo numero di assessori ritenevano di avere l'autorità per rilasciare dichiarazioni autonome sul modo di gestire la cosa pubblica. Dopo l'adozione del bilancio alcuni di loro, durante la discussione in Consiglio comunale, si rivolgevano alla stampa nel tentativo di farsi stanziare fondi superiori a quelli previsti in bilancio. «Potendo contare su fondi più consistenti, potrei fare questo e quest'altro...» Nella mia amministrazione gli assessori avviavano e concludevano queste trattative con l'ufficio Gestione e bilancio. Potevano poi rivolgersi a me, ma io volevo che certe divergenze venissero appianate nell'ambito della famiglia, e non a mezzo stampa.

All'inizio del mio primo mandato, alcuni membri dello staff cercavano di evitare la supervisione di altri membri dell'amministrazione rivolgendosi a me in privato: e questo perché una cosa è vedersi stroncata un'iniziativa dal sindaco, e un'altra è sentire i colleghi che ti spiegano perché una certa idea che accarezzi potrebbe non funzionare o te ne suggeriscono una migliore. Spiegazioni e suggerimenti erano spesso nell'unico interesse della città, quindi da ascoltare e non da respingere pregiudizialmente. Insistetti perché queste idee venissero esposte durante la riunione del mattino, perché più di una volta in quella sede gli altri vi contribuivano con preziose informazioni, aumentando quindi le probabilità che l'idea ricevesse la mia approvazione.

L'unica eccezione alla regola di non portare gli argomenti direttamente alla mia attenzione, saltando il gruppo, era rappresentata da Denny Young, ufficialmente «Legale del sindaco». A ogni riunione del mattino, appena arrivava il suo turno, Denny mi diceva immancabilmente «Parliamo dopo». La sua funzione era diversa da quella di tutti gli altri seduti attorno a quel tavolo. Non aveva la gestione di enti comunali, non cercava di farsi aumentare gli stanziamenti, ma aveva una sola preoccupazione: quella di proteggere tutti noi.

La riunione aveva l'obiettivo di svolgere la maggior mole possibile di lavoro in quella prima ora. Molti cercavano di mettersi in contatto con il sindaco Giuliani, come avviene ai capi di ogni grossa organizzazione. E anche i miei dipendenti erano migliaia e i miei elettori milioni, io dovevo comunicare con loro. Ma ovviamente non potevo farlo in via diretta. Cercai quindi di avere alla riunione del mattino lo staff attraverso il quale comunicare con tutta quella gente, o tramite il quale quella gente potesse comunicare con me.

La riunione del mattino si svolgeva così. Alle 8 il mio staff ristretto, tra le quindici e le venti persone, si riuniva attorno a un tavolo per discutere gli avvenimenti del giorno precedente e pianificare quelli di giornata. Per un arco di tempo tra i quarantacinque e i novanta minuti procedevamo in senso orario e ciascuno esponeva agli altri ogni informazione o notizia riguardante il dipartimento o l'ente di propria competenza.

Erano presenti i quattro vicesindaci, che si dividevano la responsabilità della maggioranza degli enti municipalizzati; gli assessori dei dipartimenti che rispondevano direttamente a me, come quelli di Polizia e Vigili del fuoco e l'amministrazione dei Servizi per l'infanzia; il legale personale, il consigliere anziano, il capo dell'ufficio Legale (al corrente dello stato e grado di tutte le cause e i processi riguardanti l'amministrazione); il direttore del Bilancio; il direttore delle Comunicazioni; il direttore dell'ufficio Gestione emergenze; il capo di Gabinetto; il direttore della Programmazione e infine il presidente della commissione comunale per la Pianificazione.

Oltre a questi partecipanti fissi, si aggregavano a volte uno o più assessori o rappresentanti di enti che avevano bisogno di discutere particolari argomenti. Durante l'emergenza del virus del Nilo occidentale o la psicosi dell'antrace, per esempio, sedeva spesso al tavolo Neal Cohen, assessore alla Sanità. E anche se questo dipartimento rientrava nell'ambito di competenza del vicesindaco con delega alle Operazioni, preferivamo sentire le argomentazioni di un medico come Cohen direttamente da lui e non attraverso il filtro di un vicesindaco. Gradivo la presenza a rotazione di tutti gli assessori una volta al mese, anche se non c'era in ballo nulla di loro rispettiva competenza, sia perché gli altri potessero essere regolarmente informati sull'andamento dei singoli assessorati o anche solo perché ciascuno di loro si facesse ogni tanto vedere.

Sono infiniti gli esempi dell'efficacia della riunione del mattino. In quei circa novanta minuti organizzavo in pratica tutto il governo della città e venivano prese quindi diverse decisioni: una dozzina o anche più per ogni giorno dei miei due mandati da sindaco. Ecco, per esempio, un paio di argomenti trattati in una giornata particolare, martedì 7 agosto 2001. Quel giorno la riunione si tenne a Staten Island, perché subito dopo era previsto l'incontro mensile di gabinetto con i vertici di tutte le municipalizzate: un incontro a rotazione nel senso che ogni mese si teneva in uno dei cinque distretti amministrativi di New York, per ricordare a me e ai miei assessori che eravamo al servizio di tutta la città.

Il sabato precedente un ispettore della Nettezza urbana, Michael Gennardo, era stato assassinato in servizio. Ero corso subito all'ospedale e, durante la riunione, parlavamo dell'episodio. Bernie Kerik ci informò che la polizia aveva confermato la marca dell'orologio che Gennardo aveva al polso e che gli era stato portato via, un particolare da comunicare agli agenti perché tenessero gli occhi aperti. Ero stato a trovare i familiari in lacrime della vittima e, in considerazione del fatto che era stato assassinato in servizio, proposi di raddoppiare la ricompensa portandola a 20 mila dollari. Il vice dell'ufficio Legale, Larry Levy, ci ricordò che 10 mila dollari erano il massimo previsto dalla legge, e per aggirare questo tetto proposi di chiedere all'assessorato alla Nettezza urbana di mettere a disposizione gli altri 10 mila. Se avessero accettato sarei stato in grado di annunciare il raddoppio della ricompensa durante la conferenza stampa che avrei tenuto qualche ora dopo, nella quale intendevo rendere noto un altro particolare: Gennardo aveva l'abitudine di scrivere le sue iniziali sulle banconote di grosso taglio che aveva nel portafogli. L'avevamo tenuto nascosto, questo particolare, nella speranza di trovare quelle banconote addosso a qualcuno, ma finora senza alcun risultato, e a quel punto Bernie e io decidemmo di renderlo noto in modo che la cittadinanza ponesse attenzione alle banconote alla ricerca di queste iniziali. Bernie si mise al telefono e dispose che venisse realizzato un manifesto con queste iniziali ingrandite, mentre noi ci dedicammo al secondo punto all'ordine del giorno: un locale di strip tease che sarebbe stato inaugurato tre giorni dopo a Midland Beach, proprio lì a Staten Island.

Sunny Mindel aveva letto sullo «Staten Island Advance» di quel giorno che gli abitanti della zona avevano dato il pollice verso all'apertura, con l'eccezione di un unico pollice sollevato. «Sei sicuro che si trattasse proprio del pollice?» fu la battuta del vicesindaco Bob Harding.

Chiesi se l'assessorato all'Edilizia avesse controllato licenze e permessi di apertura. Il portavoce dell'assessorato citato nell'articolo dell'«Advance» aveva fatto presente che non si poteva far nulla prima dell'apertura del locale, ma la cosa mi sembrò ridicola. Chiesi quindi a Joe Rose, presidente della commissione Pianificazione, di accertare non soltanto chi risultasse sulla licenza proprietario del club ma chi fosse il vero proprietario. I miei anni da procuratore mi avevano insegnato a non fidarmi dei nomi che compaiono su certe carte.

Terminato il giro del tavolo, come sempre, con l'intervento del vicesindaco con delega alle Operazioni, seduto alla mia destra, dichiarai chiusa la riunione e si formarono dei gruppetti per commentare alcune delle decisioni prese.

Gruppi diversi hanno dinamiche diverse, naturalmente. All'inizio del mio primo mandato io e il mio staff tenemmo alcune delle riunioni più stimolanti alle quali avessimo mai partecipato, soprattutto perché stavamo gettando le basi e abbozzando la filosofia del nostro lavoro futuro.

Avevo attorno a me diversi vecchi amici e colleghi, tra i quali alcuni del dipartimento della Giustizia e dell'ufficio dell'U.S. Attorney. Era un gruppo battagliero i cui componenti non esitavano a litigare con me o tra di loro. Al terzo anno questo team cessò di dibattere sui temi fondamentali e prese ad applicarli e le discussioni subirono un leggero raffreddamento. Dopo la rielezione del 1997 questo ciclo si ripeté e al quarto e ultimo anno eravamo più affiatati che mai. Il sindaco di New York dura in carica non più di due mandati e quindi non si poneva il problema della campagna elettorale. Avevamo preso il ritmo di ogni squadra che gioca con gli stessi elementi da anni, e i passaggi che ci facevamo senza guardarci o la corsa verso la base successiva prima ancora che la palla fosse stata lanciata avevano l'obiettivo di ottenere il maggior numero di risultati nel tempo che ci rimaneva. Poi, proprio mentre cominciava a calare il crepuscolo dell'amministrazione...

La riunione del mattino si fece ancora più delicata dopo l'attacco alle torri del World Trade Center, nel senso che da un giorno all'altro si trasformò nella sede in cui decidere la risposta e la ripresa. E fu allargata a elementi estranei all'amministrazione, come lo staff del governatore Pataki, o come rappresentanti dei servizi pubblici e dell'ente federale per la Gestione delle emergenze, nonché a esponenti dell'amministrazione che di solito non vi prendevano parte. Facevano di frequente la loro comparsa individui che vantavano una particolare specializzazione o che più semplicemente erano in grado di fornire un diverso punto di vista.

La riunione del mattino rappresentava il fulcro della mia idea di amministrare. Rispondeva a diversi scopi – decidere, comunicare, perfino socializzare – ma soprattutto serviva a sottolineare la mia responsabilità. Alla riunione del mattino l'uomo al vertice dell'amministrazione era responsabile e poteva considerare ciascun altro responsabile. I presenti potevano tornare ai loro uffici e regolarsi allo stesso modo. Invece di tentare di proteggersi dal rischio di una decisione sbagliata erano pronti a prenderle, certe decisioni, sapendo che alcune potevano in effetti risultare sbagliate, ma almeno qualcosa era stato fatto e in un tempo ragionevole.

In ogni grossa organizzazione le riunioni vengono spesso considerate con una certa sufficienza, viste come ostacoli allo sviluppo, volute da burocrati che preferiscono parlare invece di agire. Nel mio caso queste riunioni si sono, al contrario, rivelate utilissime per quel calendario di riforme al quale intendevo dare vita. Ciò non significa, comunque, che io non abbia in qualche caso preso delle misure contro quella forma d'ingorgo che di solito viene associato alla parola «riunione».

Quelli del mio staff sapevano che avrebbero potuto vedermi ogni giorno a una certa ora e in un certo posto. Di solito i manager, compreso il sindaco di New York, si nascondono dietro una falange di segretarie e assistenti lasciando nelle peste i loro subalterni. Una riunione quotidiana, durante la quale tutti i partecipanti potevano esprimere le proprie preoccupazioni, significava per il mio staff sapere di potere ottenere dal capo un sì o un no. Significava che potevano dire a chi aspettava quel sì o quel no che mi avrebbero sicuramente visto il giorno dopo. E anche se la questione non si sarebbe potuta risolvere in ventiquattr'ore, perché abbisognava di ulteriore analisi o di altre ricerche, i miei collaboratori sapevano che quanto meno era stata portata alla mia attenzione e potevano onestamente spiegare, a chi attendeva una decisione, che era stata presa in considerazione.

Questa prassi era bivalente, nel senso che i miei collaboratori, oltre ad avere la certezza di vedermi il giorno dopo, avevano la certezza che io avrei visto loro: e quindi dovevano prepararsi a fornirmi ogni chiarimento che avessi potuto chiedere loro sulle materie di loro competenza. Per fare un esempio, se fosse venuta alla ribalta la questione della pulizia delle strade – perché un monitoraggio aveva rilevato un aumento dell'immondizia tracimata dai cassonetti o per un articolo di giornale che lamentava la sporcizia di una certa zona – il vicesindaco alle Operazioni, dal quale dipende la Nettezza urbana, sapeva che non poteva cavarsela con il silenzio, sperando di non vedermi fino a quando non avesse potuto affrontare il problema. Sapeva al contrario che gliene avrei chiesto conto all'inizio della riunione del mattino e che avrei preteso un rapporto della situazione e qualche sua idea per risolverla.

Non è sempre agevole fare ammettere a qualcuno di non avere tutte le risposte. Chiunque occupi il vertice di un'azienda vorrebbe avere uno staff composto da individui esperti e di successo, ma a volte gente del genere non è disposta ad ammettere davanti a un gruppo di lavoro di non sapere tutto; in particolare quando lo stesso gruppo di lavoro è attraversato da quelle rivalità e da quelle manovre di carriera che sono il sintomo di una sana concorrenza. Il capo deve sapere opporsi fin dall'inizio e con frequenza a una tale riluttanza. Una delle più efficaci lezioni che un leader può trasmettere al suo staff è quella della immancabilità dei problemi. Intollerabile è invece ignorare i problemi o, peggio ancora, camuffarli.

Un altro metodo per evitare la «lagna da riunione» è quello di rendere la riunione il più possibile dinamica. Quelle che si trascinano ogni giorno rischiano sempre più di trasformarsi in un peso. Per assicurarle un buon ritmo mettevo subito in chiaro il motivo della presenza dei singoli partecipanti: non, cioè, per dimostrare la padronanza fin nei dettagli della loro area di competenza, ma per dividere con gli altri e ricevere informazioni che potevano rivelarsi utili per tutto il gruppo. Ogni partecipante, in sostanza, doveva capire che poteva sempre dire la sua ma che non aveva l'obbligo di farlo.

È ciò che è stato necessario chiarire nelle settimane seguenti al disastro del World Trade Center, perché stava per crearsi un problema del genere. In quelle prime settimane di settembre facemmo seguire alla riunione delle 8 un'altra riunione alle 9, allargata a quegli assessori e a quei responsabili di enti pubblici la cui sfera di competenza era all'improvviso venuta in primo piano, come per esempio il coroner o l'assessore ai Trasporti, oltre ai responsabili della rimozione macerie. Erano tutti membri importanti della mia amministrazione e su di loro dovevo fare il massimo affidamento.

Ma, con tanto da fare e con tanti cittadini da assistere, ebbi il timore che una riunione supplementare potesse sottrarre tempo prezioso, specialmente se i nuovi partecipanti avessero ritenuto di passare per figure di secondo piano se non avessero fornito ogni giorno il loro contributo d'idee. Dissi quindi ai miei più stretti collaboratori di far presente a questi nuovi partecipanti, dei quali erano i referenti, che avrebbero dovuto far sentire la loro voce unicamente quando avevano qualcosa da dire, senza temere di deludermi tenendo la bocca chiusa. In una scena del *Padrino* don Corleone, parlando con Sollozzo, dice tra l'altro: «Ho una debolezza per i miei figli e, come vedi, li vizio: parlano mentre invece dovrebbero ascoltare». Anche io non do molto credito a quelli che parlano per sentirsi parlare. Avevamo troppo poco tempo per poterlo sprecare, specialmente durante quelle prime settimane. E a parte questo, dovendo gestire tante informazioni e anche tante emozioni, gli scambi di idee più veloci e mirati impedivano a tutti, me compreso, di avvertire quella stanchezza che ne sarebbe stata la logica risultante.

La riunione del mattino aveva diversi altri aspetti positivi. Come tutte le riunioni cominciava con qualche minuto di battute. Ho già accennato che in ogni gruppo di lavoro ad alto livello esistono rivalità e gelosie: i momenti di socializzazione, perfino il semplice contatto quotidiano, contribuivano a impedire che questi risentimenti andassero per così dire in suppurazione. Non tutti i miei assessori adoravano i loro colleghi, certo che no, ogni tanto c'era qualche battaglia intestina. Ma confidavo nel fatto che il contatto quotidiano sul quale insistevo impedisse a quelle battaglie di trasformarsi in guerre, che alla fine avrebbero prodotto seri danni alla città.

Questa era un'altra ragione per cui tenevo ogni mattina la riunione, nel senso che la frequenza ci permetteva una costante messa a punto: troppo spesso, specialmente in politica, le iniziative più audaci vengono annunciate semplicemente per annacquare il vino. Grazie alla riunione del mattino i miei collaboratori sapevano che se il lunedì decidevo che andava fatta una certa cosa per risolvere un dato problema, il martedì avrei chiesto un progetto all'assessore competente e il mercoledì sarei stato smanioso di sapere come stava procedendo il piano. Se l'intervallo di tempo tra questi passaggi fosse stato di due settimane, invece che di due giorni, c'era da aspettarsi che l'assessore avrebbe impiegato le due settimane intere: e questo non per pigrizia, ma perché tanto ci sarebbe voluto per ottenere l'approvazione del piano. La legge di Parkinson, quella della «espansione del lavoro per occupare l'intero tempo disponibile», ha una sua validità anche nell'amministrazione pubblica: ma soltanto se ne viene consentita l'applicazione.

Date l'impronta

Il principio delle priorità da stabilire, come quello della guida da prendere fin dall'inizio, non si limitava alle riunioni del mattino. Se mi si presentava una sfida cercavo di saperne il più possibile al più presto: e questo significava spesso saperne il più possibile prima ancora che questa sfida si palesasse. Con l'obiettivo non solo di partire con il piede giusto, ma di dare l'impronta al lavoro che ci attende, e questo sia per me sia per coloro che fanno affidamento sulla mia leadership.

David Dinkins, il sindaco che mi ha preceduto, mi invitò subito dopo la mia prima elezione, quando non ero però ancora entrato in carica, a City Hall, il municipio. Non l'avevo mai esplorato, quell'edificio. Ero stato nella Blue Room, dove si tengono le conferenze stampa, e nell'ufficio privato del sindaco. Una volta avevo pranzato con il sindaco Ed Koch al piano sotterraneo (il municipio un tempo ospitava negli scantinati un certo numero di camere di sicurezza e per scendere bisognava percorrere una stretta scala a chiocciola).

Quel giorno con Dinkins, guardandomi attorno, mi resi conto che avrei dovuto affrontare il problema dello spazio. Quando lavoravo a Washington ed entravo e uscivo dalla Casa Bianca avevo constatato di persona le difficoltà create dallo spazio limitato: e mi resi conto, ripensandoci, che anche per noi sarebbero sorti seri problemi se presentandoci a City Hall avessimo lasciato che ognuno si accaparrasse una scrivania dove riusciva a trovarla. Fu così che il 26 dicembre 1993 me ne andai a City Hall con Peter Powers, organizzatore della mia campagna elettorale e mio vicesindaco oltre che amico di una vita. Era domenica, gli uffici erano in pratica vuoti. Girammo due ore, prendendo appunti piano per piano. La settimana dopo, quando il mio staff s'insediò, avevo già deciso la dislocazione logistica di ciascun mio collaboratore, evitando così di partire con il piede sbagliato e di lasciarli a litigarsi le scrivanie.

Come e più di tanti vecchi edifici, City Hall non era all'altezza di ospitare un'attività da 40 miliardi di dollari. E non parlo dell'assenza di uffici lussuosamente arredati, ma dell'assenza di spazio per poter fare tutto ciò che c'era da fare. Dopo quella prima ricognizione, Peter e io ci spostammo alla Tweed Courthouse, un isolato più a nord, alla ricerca di spazio disponibile. E ci rendemmo conto dell'assenza, tra l'altro, di una sala riunioni. Non sapevo come si fosse regolata la precedente amministrazione, ma ero certo di avere bisogno di una grande sala riunioni, considerando l'importanza che attribuivo al meeting del mattino.

Al secondo piano di City Hall c'è una splendida sala battezzata Committee of the Whole, su una parete della quale è appeso un grande ritratto di James Monroe mentre in quella di fronte spicca un monumentale orologio a pendolo.* Questa sala veniva tradizionalmente riservata al Consiglio comunale, che ha sede nello stesso edificio dell'ufficio del sindaco, e con il Consiglio raggiungemmo un accordo: avremmo diviso con loro la sala delle audizioni, dove si tenevano le grandi riunioni pubbliche, se ci avessero concesso l'uso della Committee of the Whole.

Poco prima della mezzanotte del 31 dicembre 1993 prestai giuramento in casa del mio amico Michael Mukasey, all'epoca giudice federale del Distretto meridionale di New York. Rimandai la cerimonia d'investitura, prevista proprio il primo dell'anno, perché era un sabato, giorno di riposo assoluto per gli ebrei: e io volevo che vi prendessero parte anche gli esponenti della comunità ebraica ortodossa, dai quali avevo ricevuto un notevole appoggio in campagna elettorale. Me l'aveva fatto notare Bruce Teitelbaum, che in campagna elettorale era stato mio «ufficiale di collegamento» con quella comunità: e con lui valutammo se un rinvio della cerimonia avrebbe potuto avere conseguenze sul piano giuridico. Arrivammo alla

* Quando venni nominato sindaco appesi dietro la mia scrivania un ritratto del sindaco Fiorello La Guardia, che osservavo per trarne ispirazione. Nella Blue Room, dove si tenevano le conferenze stampa, appesi un grande ritratto di Thomas Jefferson perché volevo che nelle foto apparisse la sua immagine che vegliava su di noi. Considero il Presidente Jefferson il prototipo del filosofo americano. Ho letto i suoi scritti, la sua splendida biografia *Jefferson e il suo tempo* della quale è autore Dumas Malone e quasi tutte le altre esistenti, e lo considero il teorizzatore dei nostri interessi nazionali. La scelta di quei due quadri non è stata quindi casuale. Mentre quello di James Monroe, anche se grande e bellissimo, lo scelsi per una ragione diversa: il tappeto che appare nel ritratto si intona perfettamente con quello che abbellisce la sala Committee of the Whole.

conclusione che, se avessi giurato prima del 1° gennaio, non ci sarebbe stato bisogno di un'investitura ufficiale e quindi rimandammo la cerimonia all'indomani, domenica. Qualcuno osservò che una decisione del genere avrebbe potuto contrariare il cardinale O'Connor. «Facciamo così» dissi allora. «Inviterò il cardinale a leggere l'invocazione durante la cerimonia, spiegandogli quali sono i miei obiettivi da sindaco, e se avrà delle obiezioni sposterò la cerimonia a lunedì.» Il cardinale non solo si disse d'accordo, ma mi consigliò di fissare la cerimonia in un'ora alla quale potesse parteciparvi anche chi andava di solito a Messa. E in un batter d'occhio il problema fu risolto.

Poco dopo avere giurato nelle mani di Mike Mukasey, ma prima della cerimonia d'insediamento, feci giurare i vicesindaci e gli assessori durante un party al Museo di Storia naturale. Al termine stavo tornando a casa, non mi ero ancora trasferito a Gracie Mansion, quando mi informarono che due agenti erano stati feriti a colpi di pistola in un palazzone popolare del Bronx. E alle tre del mattino feci la mia prima visita in ospedale da sindaco, precisamente al Westchester Square Hospital del Bronx. Non potevo rendermi conto di quante altre visite del genere avrei dovuto fare.

Cominciando proprio la mattina di quel sabato girai tutti e cinque i distretti di New York, portandomi dietro biscotti da offrire a chi lavorava anche il primo dell'anno. Andai a una stazione della Transit Police nel Bronx, all'Elmhurst Hospital di Queens, in una caserma dei pompieri e in un ospedale di Manhattan, alla rimessa di autobus Jackie Gleason di Brooklyn e in un'altra caserma dei vigili del fuoco a Staten Island. Da quella volta, portare biscotti il primo dell'anno a chi lavorava divenne per me una specie di tradizione. Sono stato due volte a Rikers Island, per non parlare dei distretti di polizia, caserme dei pompieri, ospedali e altre istituzioni cittadine. Non ricordo nemmeno come nacque quell'idea, se cioè venne a me o a qualcuno dei miei consiglieri. Ma dette l'impronta, come dicevo.

Quel primo giorno da sindaco, prima ancora dell'insediamento ufficiale, girai la città distribuendo biscotti perché mi parve importantissimo uscire il più possibile dalla routine per ringraziare chi lavorava tanto per la città di New York. Da sindaco cercai di compenetrarmi il più possibile. Ma dovetti fare affidamento su altri quando si trattò di evacuare qualcuno da un palazzo o interrompere una rapina o arrestare qualcuno per impedire che la rapina avvenisse, oppure mantenere le strade in buone condizioni o trovare case per gli orfani. A questo pensavano i dipendenti comunali ed era di conseguenza essenziale, per tenere alto il loro morale, continuare a cercare nuovi modi per ringraziarli. Quattro miei zii erano stati poliziotti e un quinto aveva fatto il pompiere: a mano a mano che crescevo ammiravo il loro coraggio e la loro dedizione. Un aspetto tra i più positivi del ruolo di sindaco, come di qualsiasi altro ruolo di leader, è la possibilità di far capire alla gente quale importanza abbia per voi il loro lavoro. Dare la mia impronta da subito e frequentemente ha giovato non solo ai miei dipendenti e all'organizzazione, ma a me stesso.

Cominciate dai piccoli successi

Ogni volta che mi sono dedicato a una nuova iniziativa ho cercato di ottenere al più presto una vittoria chiara e decisiva. Questa iniziativa non doveva avere necessariamente ampie dimensioni, anzi era preferibile se il problema fosse stato così limitato da potere essere immediatamente compreso e offrire una soluzione inequivocabile. In tal modo si dava speranza alla gente e si faceva capire agli elettori, ai dipendenti e perfino ai critici che non facevamo della retorica parlando di voglia di fare e di modifiche positive.

Ciò si rivelò particolarmente importante quando divenni sindaco, perché le cose erano messe proprio male. Nell'Appendice A di questo libro elenco alcune delle scoraggianti realtà statistiche di quel periodo, quindi non è il caso di dilungarsi in questa sede. Basti considerare che anche i newyorchesi più «tifosi» della loro città avevano cominciato a considerarla ingovernabile. Un atteggiamento, questo, messo in rilievo da un sondaggio condotto nell'ottobre 1993 dal «New York Times» e dalla stazione televisiva WCBS, dal quale era risultato che per il 62 per cento dei suoi abitanti la vita era peggiorata negli ultimi quattro anni (contro il 9 per cento che la giudicavano migliorata). E, dato questo ancora più preoccupante, gli interpellati avevano risposto che non si attendevano un significativo miglioramento, indipendentemente da chi sarebbe stato eletto sindaco. Una di loro spiegò il suo scoraggiamento sostenendo che, secondo lei, il sindaco avrebbe potuto al massimo incoraggiare la cittadinanza. «È un lavoro troppo gravoso per tutti ... e quindi l'operato del sindaco è più che altro di appoggio morale.»

Era questa l'atmosfera quando entrai in carica. Molti aspetti della vita cittadina richiedevano una metamorfosi radicale. E siccome in campagna elettorale avevo promesso di aumentare la sicurezza dei cittadini, anche perché si trattava del settore nel quale avevo la maggiore esperienza, decisi che a questo lavoro mi sarei dedicato per primo appena sceso in campo: con l'obiettivo di capovolgere il convincimento che New York era una città pericolosa. Ma non potevo fare tutto subito, non potevo passare da 2000 a 0 omicidi l'anno né avevo una bacchetta magica con cui fare fischiettare sereni i passanti impauriti.

Attaccammo immediatamente i reati più gravi, sapendo che sarebbe stato necessario del tempo per ottenere risultati. E ridurre il numero dei crimini non bastava, la gente voleva vederli, i miglioramenti, e non sentirne soltanto parlare. Se col crimine in calo fossero però rimaste invariate le componenti della qualità della vita, l'aggressività e la maleducazione, l'abitudine di alcuni di urinare in strada, non avremmo mai convinto nessuno che la vita era migliorata. La gente dovevamo farla sentire sicura, oltre a farla vivere sicura.

Da questa considerazione nacque l'idea di affrontare il problema dei lavavetri. In quel periodo circolavano per le strade uomini che si avvicinavano alle auto ferme al semaforo o nel traffico, spruzzavano il parabrezza e lo pulivano con uno strofinaccio sporco o con un giornale o con un panno avvolto attorno a un bastoncino. Dopo questa «pulizia» non richiesta, il lavavetri si avvicinava allo sportello del guidatore «chiedendo» un compenso con vari gradi di minaccia. E agli automobilisti che non pagavano erano riservati sputi sul parabrezza o calci all'auto.

A rendere questa forma d'intimidazione un primo obiettivo decisamente allettante fu il particolare che, tra i lavavetri, si dimostravano particolarmente aggressivi quelli «in servizio» all'altezza dei ponti o dei tunnel. Era questo il biglietto da visita di New York per chi vi entrava o usciva, un biglietto da visita non proprio tale da ispirare fiducia.

Eliminare il fenomeno dei lavavetri sembrava un'impresa abbastanza semplice e tale da avere un impatto immediato e verificabile sulla qualità della vita. Ne parlai con l'assessore alla Polizia, Bill Bratton, e con Denny Young che aveva un ruolo importante in tutte le iniziative legate alla qualità della vita. Bratton, convinto come me che la lotta alla microcriminalità era un modo per ristabilire comportamenti ispirati al senso civico oltre che per fare sentire sicura la cittadinanza, tornò due giorni dopo riferendomi che secondo il dipartimento di Polizia era impossibile sbarazzarsi dei lavavetri. Fin tanto che non minacciavano fisicamente gli automobilisti o non «pretendevano» soldi, mi disse, non avevamo alcuna base giuridica per allontanarli o, in caso di resistenza, per arrestarli.

Ed ecco come, in certi casi, può essere utile un passato da avvocato e da rappresentante della pubblica accusa. Negli Stati Uniti esiste il reato di *jaywalking*, ossia attraversare la strada – o camminare lungo una strada – senza curarsi del traffico. «Indipendentemente se chiedano o meno soldi agli automobilisti» dissi a Bill, «nel momento in cui scendono dal marciapiedi e occupano la strada violano la legge.» Quindi era possibile fargli una contravvenzione e, in quanto oggetto di contravvenzione, accertarne l'identità, controllare eventuali carichi pendenti di una certa rilevanza e così via. Se poi avessero assunto un atteggiamento intimidatorio, potevano essere arrestati.

Circa una settimana dopo Bratton tornò da me annunciandomi che non soltanto potevamo perseguire i lavavetri, ma che l'impresa era più facile di quanto ci era apparsa inizialmente. Aveva svolto un accertamento, scoprendo che in tutta la città questi lavavetri erano 180: e sembrava incredibile, perché fino a quel momento si era pensato che fossero almeno un paio di migliaia. Quindi cominciammo a convocarli, scoprendo che una certa percentuale aveva precedenti o procedimenti in corso per reati violenti o infrazioni al diritto di proprietà. In meno di un mese fummo così in grado di limitare visibilmente il fenomeno. La situazione migliorò sensibilmente, New York se ne accorse con piacere come se ne accorsero i suoi visitatori che portavano soldi alla città e fornivano lavoro ai suoi abitanti. Fu quello il nostro primo successo.

Se qualcuno, mentre ci rallegravamo per i progressi nella lotta a 180 lavavetri, avesse previsto che avremmo ridotto il tasso di criminalità di circa cinquemila reati gravi la settimana, mi avrebbe trovato seriamente dubbioso. Per me saremmo potuti arrivare al massimo a un calo di due o tremila: ed è proprio questa la forza dei piccoli successi iniziali, la cui combinazione ci fa conseguire risultati più importanti.

Un altro piccolo successo iniziale fu quello dei tagli di certe tasse. All'epoca della mia prima elezione a sindaco, le tasse sulle camere d'albergo a New York erano le più alte d'America, se non del mondo: 21,25 per cento su camere da 100 dollari in su, un onere superiore di tre volte alla media delle principali città commerciali e più alto del 50 per cento rispetto a quello di Chicago, Atlanta, Dallas e Houston, le quattro città che con New York detenevano il record per questo tipo di tassazione. Le conseguenze per il turismo, una delle attività chiave di New York, erano devastanti. Nel 1993 il numero dei congressi svoltisi a New York si era dimezzato rispetto a cinque anni prima, e in quello stesso anno l'associazione che cura l'organizzazione dei congressi era arrivata addirittura al boicottaggio.

Il mio primo giorno da sindaco scrissi al governatore Mario M. Cuomo una lettera, sottoscritta dai responsabili di altre contee limitrofe, chiedendogli di abrogare l'imposta statale del 5 per cento (che si aggiungeva a quella dell'8,25 per cento sulle vendite) entrata in vigore il primo anno dell'amministrazione che aveva preceduto la mia. E calai dal 6 al 5 per cento la tassa urbana. Un piccolo passo, quest'ultimo, ma simbolico. Nessuno a New York ricordava la riduzione di una tassa e il potente messaggio che volevo far passare era il seguente: imposte più basse stimolano gli affari, compensando più che ampiamente le minori entrate. È esattamente ciò che accadde. L'aumento dei visitatori fece sì che le entrate degli alberghi con la tassa al 5 per cento superassero quelle registrate quando la stessa tassa era del 6 per cento.

Gli economisti potrebbero divertirsi un mondo a calcolare quale fetta dell'aumento dei visitatori era da attribuire al taglio delle imposte. Ma in che misura l'aumento delle presenze alberghiere era da attribuire al calo dei reati e quanto al miglioramento della qualità della vita? Quanto alla pubblicità positiva che era venuta a New York da questi due fattori? Quanto alle dinamiche in settori economici diversi, elementi questi ben al di là del controllo di un sindaco? Impossibile conoscere l'esatto rapporto.

I piccoli successi possono essere da soli sufficienti a sollevare il morale dei componenti di un'organizzazione che si sentano per qualche motivo trascurati. Da un sondaggio condotto nel 1993 per conto del «New York Times» era emerso che il 60 per cento degli abitanti di Staten Island voleva separarsi da New York. Ignorata dalle precedenti amministrazioni, Staten Island era carica di risentimento. Io volevo mandare ai suoi abitanti un messaggio: consideravo della massima importanza che quel distretto non si sentisse emarginato, anche perché da lì veniva un'alta percentuale dei dipendenti comunali in uniforme.

Ebbi un incontro con Guy Molinari, presidente della comunità di Staten Island oltre che mio sostenitore, e gli chiesi di suggerirmi qualche iniziativa da assumere in fretta e i cui risultati potessero dimostrare all'isola, e al resto della città, che quella comunità era per noi importantissima. «Riportiamo le auto sui traghetti» mi propose lui, senza un attimo d'esitazione. Il sindaco Dinkins aveva infatti proibito, dopo un incendio al terminal di Whitehall nel 1991, il carico delle auto sui traghetti tra Staten Island e la terraferma. Poche settimane dopo le auto tornavano a salire sui traghetti e, come beneficio accessorio, la Gowanus Expressway poté alleggerirsi di un migliaio di auto al giorno.

Un approccio del genere non va comunque limitato alle proprie iniziative, nel senso che il bravo leader deve sapere dotare i propri subalterni degli stessi strumenti sui quali vorrebbe poter contare. Quando Nick Scoppetta assunse l'incarico di assessore ai Servizi per l'infanzia, un ente appena creato, visitò gli uffici alle sue dipendenze, uno o due per ogni distretto. E mi fece presente che il personale non aveva sufficienti schedari e di conseguenza le pile dei vari dossier erano posate sul pavimento accanto alle scrivanie. Si trattava di pratiche scritte a mano, relative a vicende familiari di evidente confidenzialità. Se quelle pile fossero cadute per poi essere rimesse a posto, c'era il rischio che alcuni documenti finissero nei dossier sbagliati. E un'assistente sociale, chiamata a esporre davanti a un giudice i motivi che sconsigliavano di riportare un bambino alla sua famiglia violenta, si sarebbe trovata in difficoltà se privata del supporto dei relativi documenti. C'erano quindi in ballo le esistenze di numerosi bambini.

Nick si rese conto dell'esigenza di informatizzare questi uffici, ma non lo si poteva certo fare dalla sera alla mattina. Era deciso a dimostrare ai dipendenti, nel momento in cui chiedeva loro un surplus di lavoro in termini di addestramento e di qualità, di riuscire da subito a far funzionare le cose. In altre parole, voleva cominciare con piccoli successi.

Prima della creazione del nuovo assessorato, i servizi per l'infanzia facevano capo a quello delle Risorse umane. Le assistenti sociali erano un po' demotivate per la scarsa attenzione che ricevevano rispetto agli altri dipendenti delle Risorse umane e Nick voleva quindi dimostrare quanto considerasse importante il loro lavoro.

Pensò quindi di acquistare quattromila schedari oltre a delle poltroncine professionali, dal momento che molte assistenti usavano sedie precarie e assolutamente inadatte al lavoro dietro una scrivania. Voleva che rivalutassero il loro lavoro e decise quindi di inviare un messaggio per far capire che le loro esigenze gli stavano veramente a cuore. Comprare tutti quegli schedari e quelle poltroncine può sembrare non particolarmente complicato, ma richiedeva una certa determinazione, oltre a un minimo di programmazione per trovare i fondi, effettuare materialmente gli acquisti, sbarazzarsi del materiale vecchio e coordinare la consegna e l'installazione di quello nuovo. Era una prova della volontà del leader, e per questo da tempo nessuno vi aveva provveduto. Poco più di una settimana dopo cominciammo ad assegnare schedari e poltroncine.

Questi successi iniziali, anche se non molto significativi, fecero capire fin troppo chiaramente che era possibile avviare nuove iniziative e che io mi attendevo dei risultati. E ogni successiva iniziativa fu da quel giorno più facile da mettere in cantiere perché la gente cominciò ad accettare l'idea che era possibile fare certe cose.

Non trascurate mai i dettagli

L'architetto Ludwig Mies van der Rohe scrisse nel 1959 sul «New York Times» che «Dio è nei dettagli». Amen. Conoscere i «piccoli» dettagli di un grande sistema espone un leader all'accusa di microgestione. Ma capire come funziona una certa cosa non rientra soltanto tra le responsabilità di un leader, bensì lo aiuta a far lavorare i propri collaboratori. Se non devono spiegare l'ABC di ciò di cui hanno bisogno e del perché ne hanno bisogno, ogni volta che chiedono maggiori fondi o diverse risorse, saranno più liberi di attuare le loro strategie invece di limitarsi a spendere i fondi loro assegnati.

Nessun leader può sapere tutto di un certo sistema. Se è fiducioso, non esiterà a chiedere consigli, in pubblico o in privato, ai più esperti in un certo settore di interesse per la sua organizzazione. Quando a New York si registrarono diversi casi di antrace, poche settimane dopo che la città era stata colpita dall'attacco al World Trade Center, capimmo che la minaccia era particolarmente grave e non solo sotto il profilo dell'incolumità pubblica, ma per il rischio della paralisi indotto dal terrore. Mi rivolsi allora con frequenza a esperti di medicina e di salute pubblica per imparare il più possibile e al più presto ciò che c'era da imparare. Lungi dal praticare la microgestione, mi feci consigliare e sentii tutti i pareri necessari a dare corpo a una strategia. E occuparsi dei dettagli significò anche, in quella circostanza, capire che il modo in cui la cittadinanza avrebbe ricevuto certe informazioni sarebbe stato altrettanto importante delle informazioni stesse. Quando nel 1998 nominai il dottor Neal Cohen assessore alla Sanità qualcuno mi criticò perché Cohen era uno psichiatra, mentre secondo questi critici avrei dovuto scegliere uno specialista della salute pubblica. Furono smentiti dallo stesso Cohen il quale, grazie alle sue conoscenze non solo di scienza medica ma anche dell'impatto emotivo e psicologico di un'emergenza, ci fu di enorme aiuto nella gestione di crisi come quelle del virus del Nilo occidentale, dell'11 settembre e dell'antrace.

«Non trascurare i dettagli» è la base di quella teoria delle «finestre infrante» che adottai nella lotta alla criminalità. Secondo questa teoria, un episodio apparentemente secondario come le finestre di un edificio abbandonato mandate in frantumi provoca direttamente un ben più serio degrado di una certa area. Chi di solito non lancia un sasso contro le finestre di un edificio abitato, infatti, è meno riluttante a mandare in frantumi la finestra di un edificio in cui un'altra finestra ha subito quella sorte. E qualcuno reso più audace da tutte queste finestre in frantumi può fare danni ancora peggiori, se si rende conto che non c'è nessuno a impedirglielo.

Il 4 giugno 1996 un certo John Royster junior afferrò alle spalle un'insegnante di piano e le batté ripetutamente a terra il capo, lasciandola tramortita a una trentina di metri di distanza da un affollato parco giochi di Central Park. La sera dopo Royster attaccò un'altra donna, Shelby Evans Schrader, mentre faceva jogging su un viale parallelo all'East River: tenendola per le orecchie le schiacciò il viso contro l'asfalto finché le grida di un passante non lo misero in fuga. La donna dovette passare tre giorni in ospedale. Poi, l'11 giugno, lo stesso Royster percosse a morte la sessantacinquenne Evelyn Alvarez, che stava per aprire la sua lavanderia a secco a Park Avenue.

Questa serie sarebbe potuta andare avanti chissà per quanto tempo, ma fu finalmente interrotta grazie al fatto che Royster era stato arrestato qualche mese prima per un cosiddetto reato minore, l'avere scavalcato un tornello della metropolitana per non pagare. In passato se la sarebbe cavata con una semplice convocazione, quella volta invece era stato arrestato e gli erano state prese le impronte digitali. Fu sufficiente confrontare un'impronta rilevata nel negozio dell'Alvarez con quelle di Royster, conservate nell'archivio della polizia, per portare alla sua cattura e risparmiare così quel brutale trattamento ad altre donne.

Il principio di non trascurare i dettagli si applica non soltanto a proposito di criminalità, ma a ogni sfida che un manager si trova a dover affrontare. I graffiti ne forniscono un'altra dimostrazione esauriente. Se guardate i film girati in esterni a New York negli anni Settanta e Ottanta vedrete una città coperta di scarabocchi, in particolare la metropolitana e gli autobus. Il sindaco di New York non ha giurisdizione sulla Transit Authority, l'ente preposto ai trasporti pubblici e gestito da un misto di esponenti statali e comunali. Ma sapevamo bene che l'uomo della strada, a New York come altrove, vedendo i graffiti sulle carrozze della metropolitana o sugli autobus li associa automaticamente alla città e a chi la amministra.

Dovendo affrontare un problema del quale eravamo accusati, ma di cui non avevamo la responsabilità, decisi di dare vita a una *task force* composta dai rappresentanti di una ventina di enti: ai quali spiegai che quella dei graffiti era una sfida non soltanto alla polizia o all'assessorato ai Trasporti, ma alla città intera. Quelli della Nettezza urbana, per esempio, dovevano rendersi conto che i loro mezzi non avrebbero più potuto lasciare il deposito se prima non fossero stati tolti i graffiti che li ricoprivano. Facemmo capire alla polizia che nel pattugliare le strade avrebbero dovuto dare la precedenza a quelle dei depositi della Nettezza urbana. Organizzammo inoltre gruppi di cittadini, fornendo solventi a quelli disposti a dare una mano ai negozianti che avevano avuto imbrattati i muri e le vetrine.

Così, quando si manifestarono i primi progressi sui vari fronti sotto il nostro controllo, non ci trovò impreparati la richiesta della Transit Authority perché li aiutassimo a liberarli dai graffiti. Anche loro avevano già preso delle iniziative e ci scambiammo informazioni a proposito dei solventi e delle nuove tecniche di «graffio» adottate dai vandali. E collaborammo a pattugliare i piazzali dove la TA teneva vagoni e autobus.

Si è portati a ritenere che la cura dei dettagli perda importanza in occasione di crisi, mentre è vero il contrario. Dimostrare che non si perdono di vista i particolari è il modo migliore per avere la certezza che i vostri collaboratori, e gli altri che in quella circostanza fanno affidamento su di voi, sappiano che c'è qualcuno al timone.

Nelle settimane successive all'11 settembre continuai quindi a prestare la stessa attenzione ai dettagli.

E fu la riunione del mattino ad aiutarmi nella fase organizzativa. Il dopo 11 settembre ci costrinse ad affrontare una marea di dettagli e a prendere altrettante decisioni. Lunedì 17 settembre, per esempio, mi giunse una domanda da parte di Rosemarie O'Keefe, assessore incaricato dell'Assistenza alle comunità, una che totalizzava già diciotto ore di lavoro al giorno mandando avanti il Centro di assistenza familiare: autorizzare o no i mercatini all'aperto previsti per le settimane successive? Anche questa materia poteva apparire marginale, mentre invece c'erano in ballo due esigenze in conflitto tra loro. Da parte nostra c'era cioè la volontà di ribadire il messaggio «la vita riprende come prima», ma esistevano validi argomenti per sconsigliare in quel periodo la riapertura dei mercatini all'aperto. Presi la decisione: «Cancellare tutti i mercatini previsti a Manhattan per tre motivi: *a*) per non impegnare agenti, che in questo momento hanno ben altro da fare; *b*) per dare maggior lavoro ai negozi, che forniscono impieghi permanenti; *c*) per ridurre il traffico, consentendo ai mezzi pesanti della rimozione macerie di muoversi più agevolmente. Confermare invece lo svolgimento dei mercatini in programma negli altri quattro distretti».

Dedicai forse un minuto a questo argomento «minore», e ne valse la pena. Riuscimmo ad archiviare i problemi che ci avrebbero posto i mercatini di Manhattan, mantenendo inalterate le abitudini degli abitanti degli altri quattro distretti. Senza considerare inoltre che tutti i miei più stretti collaboratori, avendo ascoltato le mie ragioni, erano in grado di sottolineare con i loro collaboratori l'importanza di tornare il più possibile alla normalità, senza però sottrarre energie preziose agli sforzi di ripresa.

Un altro episodio, successivo al disastro del World Trade Center, combina in sé la teoria delle «finestre infrante» e l'importanza dei particolari. Ero andato a Ground Zero a trovare i soccorritori e i manovali impegnati a rimuovere le macerie, come facevo tutti i giorni, quando notai un fenomeno seccante: centinaia di persone che riprendevano immagini con le loro macchinette fotografiche usa e getta o con le videocamere. Capivo i motivi della loro presenza, era un evento storico quello che stavano riprendendo da vicino. Ma al tempo stesso quella era la scena di un crimine, pericolosa per giunta, e non volevo che qualcuno alterasse involontariamente gli elementi di prova o si facesse male alla ricerca della posizione più indicata per la ripresa o lo scatto.

Se non ci fossimo attivati subito la situazione ci sarebbe sfuggita di mano, il posto si sarebbe trasformato in una specie di paradiso dei guardoni, una stazione di turismo del dolore. C'erano stati incidenti provocati da questi turisti che scattavano foto dei parenti in lacrime e ci erano giunte segnalazioni di individui che vendevano pietre ricordo e foto di Ground Zero.

Tutt'attorno all'area si cominciavano a controllare le credenziali, ma erano così numerosi gli enti coinvolti nelle operazioni che se qualcuno riusciva a passare tra queste maglie non c'era alcun modo di chiedergli chi fosse e che cosa fosse venuto a fare. Quello stesso lunedì 17 settembre, alla riunione del mattino, chiesi a Richie Sheirer di mettere in piedi una squadra specificamente incaricata del controllo credenziali. I componenti di questa squadra avrebbero dovuto pattugliare la zona e spiegare ai presenti, compresi quelli che vi si trovavano a pieno titolo, che l'uso di macchine fotografiche e videocamere era concesso solamente ai titolari di un apposito permesso.

L'idea di curare i dettagli per evitare che episodi secondari possano dar vita a una spirale di episodi sempre più gravi mi riporta in mente una frase di Thomas De Quincey. «Se un uomo passa per una volta sopra un delitto, molto presto considererà la rapina un reato di poco conto; e dalla rapina passerà al bere eccessivo, alla violazione delle norme che regolano le feste comandate, fino ad arrivare all'inciviltà e al temporeggiamento.» Ogni passaggio è legato al seguente, e si può procedere in entrambi i sensi. Questa frase viene ripresa nella versione cinematografica del *Principe della città*, il bellissimo film di Sidney Lumet sulla corruzione della polizia di New York negli anni Sessanta e Settanta. Quando avvennero gli episodi rappresentati nel film ero un giovane avvocato nell'ufficio dell'U.S. Attorney, e avevo stretto amicizia con il «principe» in questione, Bob Leuci, il detective infiltrato che con le sue registrazioni e la sua testimonianza aveva portato alla luce le malefatte del suo reparto.

Anche in questo film si dà importanza ai piccoli particolari. Lumet si consultò brevemente con me, ma non ero stato io a scegliere il nome Mario che fu usato per il mio personaggio (i veri nomi furono adottati nel libro, ma non nel film). Un piccolo contributo lo detti però ugualmente. Mi chiesero se durante il fine settimana mi vestivo come negli altri cinque giorni e risposi che il mio capo d'allora, Mike Seymour, esigeva che i suoi assistenti si presentassero in tribunale in giacca e cravatta, con la camicia bianca. Dissi a quelli della troupe che io il fine settimana indossavo pantaloni di velluto: e, c'era da giurarlo, quando andai alla prima del film scoprii che Mario indossava in tribunale pantaloni di velluto.

III
Preparatevi in maniera inflessibile

Uno dei miei predecessori nella carica di U.S. Attorney nel Distretto meridionale di New York è stato J. Edward Lumbard. Lo aveva nominato il Presidente Eisenhower ed era uno splendido legale, socio dello studio Donovan, Leisure, Newton & Lumbard, distintosi poi per diversi anni alla Corte d'appello degli Stati Uniti. Da U.S. Attorney, Ed aveva avuto come assistente quello che sarebbe diventato il mio primo capo, Lloyd MacMahon: questi aveva imparato moltissimo da Lumbard, e io a mia volta da Lloyd. E da allora mi è stata utilissima una delle regole del giudice Lumbard: non dare mai per scontato un accidente di niente.

Il giudice MacMahon, quando lavoravo alle sue dipendenze, ripeteva sempre queste parole per spiegare come nascono certi errori. Nell'analizzare, per esempio, un controinterrogatorio faceva notare come l'avvocato avesse omesso di fare la domanda giusta. Nel dipanare la matassa di una discussione in aula risoltasi negativamente, sottolineava il punto in cui qualcuno aveva trascurato di inserire un certo argomento determinante. L'errore più grosso che possa commettere un uomo di legge, diceva, è dare per scontate troppe cose: che la giuria avrebbe tratto certe deduzioni, che la parte avversa avrebbe sollevato delle particolari questioni, che il proprio cliente non avrebbe detto certe fesserie o non si sarebbe comportato in maniera ridicola. Il giudice MacMahon osservava che i legali veramente incapaci commettono tanti di quegli errori da non arrivare nemmeno al livello in cui si danno per scontate certe circostanze. E nel corso della mia carriera mi sono a mano a mano reso conto che la preparazione, con la quale si evita il rischio di dare qualcosa per scontato, è in ogni campo la più importante chiave del successo. Un leader può avere un'intelligenza vivace, una straordinaria visione delle cose, persino fortuna. Tutte cose che aiutano, certo. Ma nessuno, per quanto dotato possa essere, si farà strada senza un'accurata preparazione, una meditata sperimentazione, una decisa applicazione. Un esempio dell'importanza della preparazione (e quindi dell'esigenza di non dare nulla per scontato) l'abbiamo avuto durante le presidenziali del 2000 e il successivo tracollo del calcolo dei voti. Consideravo così importante che George W. Bush battesse Al Gore che avevo partecipato alla sua campagna elettorale anche nel periodo in cui dovevo sottopormi alle radiazioni per la terapia anticancro. La settimana precedente le elezioni mi offrii volontario per dare una mano, partecipai a manifestazioni elettorali a Philadelphia e Chicago. Il giovedì prima delle elezioni avevo intenzione di trascorrere parte del fine settimana partecipando alla campagna elettorale nel vicino New England, quando Tony Carbonetti ricevette una telefonata dall'ufficio di Bush: «Rudy deve cambiare i suoi programmi, abbiamo bisogno di lui in Florida. Se se la sente, deve tenere un comizio sabato a Fort Lauderdale e Palm Beach e il giorno dopo, sempre a Palm Beach, dovrà partecipare a una manifestazione con Bush, seguita da una marcia a Miami».

Non ero sicuro di potere sopportare un tale tour de force perché, scusate il particolare intimo, a quei tempi avevo bisogno di urinare frequentemente in conseguenza dell'operazione subita un mese prima o giù di lì. Mi preoccupava dovere interrompere all'improvviso il programma e cominciavo a stare in ansia. I sondaggi avevano però già indicato la Florida come lo Stato in cui si sarebbe deciso il risultato delle elezioni e volevo quindi fare tutto il possibile per dare una mano. Salimmo in aereo e dedicammo l'intero sabato alla campagna elettorale.

Il primo discorso appena sbarcato in Florida lo tenni in una sinagoga, dove sottolineai l'importanza di votare Bush. Il pubblico mi ascoltò in rispettoso silenzio, facendomi poi alcune domande appropriate. Stavo per andarmene quando vidi alzarsi dalle loro sedie e venirmi incontro numerosi ascoltatori. Pensavo volessero parlare della campagna elettorale, e invece mi sentii bersagliare da domande del tipo «Come va la sua terapia?», «Quante volte a notte fa pipì? Io sono riuscito a scendere a due o tre», «Prende il Lupron?», «Le radiazioni secondo lei sono preferibili all'operazione?», «Ha provato il Viagra?». Tutte, insomma, vertevano sui sintomi urinari e sul cancro alla prostata, senza nemmeno una domanda di argomento politico. Questo mi fece capire che cosa veramente interessa alla gente e rafforzò la vecchia massima di Tip O'Neill, «ogni forma di politica è locale». Nel caso specifico localissima, direi.

Domenica, poi, andai all'aeroporto di West Palm Beach a ricevere Bush e, insieme a personaggi come Bo Derek, Wayne Newton e altri, lo presentai alla folla di elettori. Da Palm Beach volai con George, Laura e Jeb a Miami, dove prendemmo parte a una manifestazione organizzata nell'area dalla comunità cubana. I due fratelli continuavano a seguire alla TV i risultati del campionato di football e considerai senz'altro positivo che potessero dedicarvi tanto tempo. Capii cioè che entrambi avevano le idee chiare e potevano ancora concedersi una vita privata durante la quale tenersi aggiornati sui risultati sportivi.

A Miami mi conoscevano già dai tempi in cui lavoravo al dipartimento della Giustizia e la mia popolarità era aumentata dopo che avevo negato a Fidel Castro la possibilità di venire a New York, nel 1995, per partecipare alle celebrazioni del cinquantenario della nascita delle Nazioni Unite. A Miami, inoltre, vive una schiera di ex newyorchesi che mi attribuiscono il merito di avere migliorato le condizioni della loro città, alla quale rimangono attaccati per anni dopo essersi stabiliti altrove. Molti di loro sono elettori tradizionalmente Democratici e speravo che la loro simpatia per un sindaco Repubblicano come me avrebbe contribuito a farli votare per un Presidente Repubblicano.

Sapevamo che a decidere il vincitore delle elezioni sarebbe stato un pugno di voti, ma non immaginavamo che sarebbero stati così pochi i voti in quel pugno. Nel 1993 ero stato eletto sindaco con un margine del 2,5 per cento circa e ricordo che quella volta pensai a venti o trenta circostanze che erano risultate determinanti. Se una o l'altra si fossero rivelate sfavorevoli invece che favorevoli, il risultato sarebbe stato diverso. Per esempio, un referendum sull'autonomia di Staten Island da New York aveva portato alle urne un numero insolitamente alto di elettori di quel distretto. Vinsi con l'80 per cento dei suffragi a Staten Island, 109 mila voti in una competizione decisa da meno di 50 mila. Una vittoria a mani basse, se paragonata alle presidenziali del 2000 dove a rivelarsi decisive furono poche centinaia di voti. La campagna elettorale di Bush dimostrò l'importanza della preparazione quando fu necessario prendere all'ultimo minuto certe decisioni strategiche come quella di far partecipare me e altri alle manifestazioni in Florida.

Per certi aspetti, poi, il mio viaggio a Miami si rivelò incoraggiante dal punto di vista personale. Soffrivo ancora le conseguenze della terapia anticancro, ma essere d'aiuto mi faceva sentire meglio. Dopo le elezioni, ma prima che si concludesse la lunga appendice del calcolo dei voti, il messaggio di non dare nulla per scontato era stato ricevuto. Dovevo passare molto tempo sdraiato, spesso nell'impossibilità di concentrarmi su ciò che leggevo a causa dei miei disturbi. Continuavo ad andare di buon'ora a City Hall per presiedere la riunione del mattino e lavorare poi tre o quattro ore. Verso l'una o le due del pomeriggio non mi reggevo più in piedi ed ero costretto a sdraiarmi: allora accendevo il televisore e seguivo i notiziari dalle località dove avevo partecipato alla campagna, seguendo in ogni particolare mosse e contromosse degli avvocati delle due parti.

Ted Olson, che rappresentava le ragioni di Bush davanti alla Corte suprema, era stato nei primi anni Ottanta mio collega al dipartimento della Giustizia e, come ho accennato nel capitolo iniziale, siamo rimasti buoni amici. I media non perdevano occasione per magnificare l'invincibilità del *dream team* di Gore, mentre il gruppo Bush era relativamente meno conosciuto. Ma Ted è uno dei migliori legali con i quali abbia mai lavorato, pochi sono adatti come lui a sostenere una causa davanti alla Corte suprema degli Stati Uniti e fu poi pressoché automatico per Bush, una volta assunta la presidenza, nominarlo Solicitor General, rappresentante federale davanti alla stessa Corte suprema.

Quando questo collegio fu chiamato a decidere ascoltai con la massima attenzione gli interventi di Ted, poi lessi i verbali. In una causa d'appello un avvocato ha di fronte tre giudici se la corte è federale e quattro o cinque in caso di corte statale: in quest'ultimo caso deve trovare il sistema di assicurarsi tre dei cinque voti. Ma i giudici della Corte suprema sono nove e quindi è di cinque voti che quell'avvocato ha bisogno: così a volte bisogna avere molte frecce al proprio arco. Un argomento da te illustrato potrà convincere tre giudici, ma te ne serve un altro per gli altri due o addirittura uno per ciascuno dei due.

Fu proprio a questa tecnica che si attenne Ted nel suo intervento. Discusse diversi argomenti destinati a gruppi diversi di giudici. Leggendo gli argomenti mi accorsi che aveva dato ai giudici esattamente ciò che chiedevano. Alcuni di loro accettarono la linea dell'illegittimità della decisione della Corte suprema della Florida e quindi furono dell'idea di cancellarla. Altri trovarono convincente l'argomento della cosiddetta «uguale protezione», in base al quale il calcolo dei voti non può seguire criteri diversi in diverse aree dello stesso Stato.

Sono pochi gli avvocati che sanno applicare efficacemente questa tecnica. Per farlo sono necessarie capacità d'introspezione per capire con che tipo di giudici hai a che fare, profonda conoscenza della legge e un cervello in grado di lavorare su diversi livelli. Ma, ancora più importante, è richiesta un'enorme preparazione e l'abitudine a non dare per scontato un accidente di niente.

Nel 1989 mancai l'elezione a sindaco per circa 40 mila voti su un totale di circa due milioni di voti validi. Un margine esilissimo e un risultato più che lusinghiero per un candidato esordiente, specialmente in una città come New York, con i suoi radicati pregiudizi Democratici. E se per ottenere la vittoria è necessario che una decina di particolari vadano per il verso giusto, la sconfitta può essere attribuita a un numero indeterminato di passi falsi iniziali. Nel 1989 quelli della mia macchina elettorale davano per scontato che avrei dovuto vedermela con Ed Koch, in quanto sembrava impossibile che Dinkins potesse spuntarla alle primarie Democratiche su uno come Koch che aveva appena completato il suo terzo mandato da sindaco, e mi ero preparato quindi a misurarmi con l'uscente. Per poco non ce la feci, quell'anno: e quando decisi di ricandidarmi nel 1993 volli essere certo di non avere tralasciato nulla.

Decisi di imparare tutto il possibile sui meccanismi di governo della città di New York, ma purtroppo nessun libro insegna a fare il sindaco. Ovviamente avevo letto numerosi testi di politica comunale e mi ero documentato durante la mia prima campagna elettorale. Ma non esisteva ciò che cercavo, un programma accademico completo nel quale venissero esplorate le migliori nuove idee ed esposti gli elementi essenziali del governo cittadino.

Fui io quindi a creare questo programma, mettendo in piedi ciò che potrebbe definirsi un corso per diventare sindaco. Il corso ebbe inizio informalmente: per circa sette mesi lavorai per conto mio, leggendo e facendo domande ad autori, professori e membri eletti dell'amministrazione. Decisi poi di formalizzare il programma e chiamai Richard Schwartz, che sarebbe diventato il mio primo consigliere e successivamente il responsabile delle pagine delle opinioni al «Daily News». Richard organizzò un certo numero di seminari allo scopo di esplorare e sviluppare idee che ci consentissero di reinventare la città di New York. Facevamo venire un esperto e gli chiedevamo: «Che cosa mi direbbe di fare, se io fossi sindaco?». Cominciammo i seminari il 25 gennaio 1992 con Robert Wagner junior, figlio dell'ex sindaco di New York, che tenne una lezione sulla struttura dell'amministrazione comunale. Parlò due ore e mezzo davanti a un pubblico incantato.

Ebbe così inizio una serie di conversazioni su ogni aspetto dell'attività di sindaco. All'epoca esercitavo la professione di avvocato nello studio Anderson Kill e il conferenziere di turno parlava nella sala riunioni. Esprimevamo una gamma di concetti, dall'ultra conservatore all'ultra liberal. Andrew Cuomo affrontò il tema dei barboni, Larry Lindsay (attuale consigliere del Presidente Bush) parlò del welfare, il professor Kelling ci espose la teoria delle «finestre infrante». Vennero a parlare, tra gli altri, Ninfa Segarra, Joe Rose, Bill Bratton ed Henry Stern, che poi entrarono a far parte della mia amministrazione, insieme ad altri esponenti delle precedenti amministrazioni. Le conferenze duravano da una a tre ore, seguite da domande e risposte. Richard Schwartz registrò su audiocassette ognuna di queste sedute, tranne quelle in cui gli oratori avevano chiesto di parlare *off the record*, e poi riascoltammo le cassette.

All'inizio pensavamo di svolgere più o meno una dozzina di conferenze in aree specialistiche come i problemi abitativi, l'assicurazione malattie, le politiche fiscali e lo sviluppo economico, ma l'interesse fu tale che di queste conferenze se ne tennero circa cinquanta nell'arco di oltre un anno e mezzo. Ci sembrava di essere tornati ai tempi della New York University.

Sulle prime non ero sicuro di riuscire a convincere gli esperti delle varie discipline a tenere questi piccoli seminari, ma Richard mi convinse. «Verranno perché tu sei un potenziale sindaco e dimostri interesse per i loro settori» mi disse. Aveva ragione, scoprimmo che non vedevano l'ora di darci una mano. Questa «scuola da sindaco» ebbe per me un'importanza assoluta. Ogni sindaco conosce certi aspetti della sua attività meglio di altri. Come primo amministratore della città io avrei assunto l'incarico con una notevole esperienza nel settore dell'applicazione della legge dal momento che, avendo perseguito da procuratore il fenomeno della corruzione, conoscevo piuttosto bene la struttura amministrativa ed ero in grado di scoraggiare e individuare la disonestà. Ma non sapevo nulla di tasse o di urbanistica. I seminari non solo mi permisero di documentarmi su questi argomenti, ma mi dettero anche l'opportunità di riflettere su come affrontarli.

Diversi programmi da me attuati devono la loro nascita a questi seminari. Le conferenze sul welfare e i barboni, per fare un esempio, mi hanno messo in contatto con America Works, una società che individua possibilità di lavoro e capacità di lavoro per chi vive del sussidio pubblico. Invitammo i fondatori di questa società a prendere parte a uno dei seminari e visitai la loro organizzazione. Una volta divenuto sindaco detti vita al più ambizioso programma americano per dare un lavoro a chi vive di assistenza pubblica.

Nell'estate 1993 cominciai a credere che ce l'avrei fatta a diventare sindaco. C'erano alti e bassi, ovviamente, e dovemmo superare alcune battute d'arresto. Quando mi ero candidato alle elezioni del 1989 l'inquilino della Casa Bianca era Repubblicano, mentre alla mia seconda candidatura era stato sostituito da un Democratico. Un notevole atout per David Dinkins, questo, a cominciare dal 1992 quando si tenne a New York la Convention Democratica. Ciò nonostante avevo come la certezza che ce l'avrei potuta fare.

Se il 2 novembre 1993 fossi stato eletto, avrei dovuto cominciare a presiedere la quarta maggiore amministrazione pubblica degli Stati Uniti il 1° gennaio 1994, laddove per questa fase di transizione il governo federale può contare su tre settimane in più. Allora mi rivolsi a Denny Young. «Vorrei che con la massima segretezza, senza parlarne agli altri responsabili della mia macchina elettorale a eccezione di Peter Powers» gli dissi, «tu dedicassi parte del tuo tempo a organizzare la transizione.» Gli chiesi di rivolgersi a quelli che si erano già occupati di transizione per sindaci e presidenti, come E. Pendleton «Pen» James che aveva organizzato la transizione di Reagan nella quale ero stato coinvolto tornando al dipartimento della Giustizia, e di abbozzare un programma e uno scadenzario. L'unica indicazione che detti fu quella che avrei voluto almeno tre opzioni per ogni importante incarico da assegnare, ciò che chiedevamo di solito anche in occasione delle selezioni per i sostituti U.S. Attorneys.

Sapevo che Denny avrebbe condotto la sua ricerca con la massima riservatezza. Ciò era importante, perché non volevo portare jella a nessuno e cercai quindi di sapere il meno possibile del suo lavoro. Il giorno successivo alla mia elezione Denny mi mostrò l'enorme quaderno nel quale aveva indicato nel dettaglio i candidati e i colloqui ai quali li aveva sottoposti.

Ero quasi in coma, per avere dormito soltanto un'ora la notte dell'elezione e avere poi passato l'indomani nel consueto turbine postelettorale, comprensivo di un'intervista a «Seinfeld». Ma, pur se distrutto dalla stanchezza, non tardai ad accorgermi che Denny aveva organizzato una stupefacente transizione. Il giorno dopo mi presi il quadernone e passai in rassegna il suo lavoro. Come prima cosa aveva raggruppato i vari enti per categorie, come per esempio i servizi sociali e la sicurezza pubblica. In tal modo, se un candidato particolarmente dotato non fosse stato adatto diciamo all'ufficio per l'affidamento ai Servizi sociali, poteva magari andare bene per quello della Giustizia minorile. Denny aveva riservatamente contattato quaranta o cinquanta persone, per sondare se fossero disponibili a far parte delle sottocommissioni relative ai vari raggruppamenti.

Ognuno di questi raggruppamenti aveva una sottocommissione e Denny aveva una scadenza per indicare almeno tre commissari per ciascuna posizione, con il compito di valutare i funzionari in carica interessati a restare al loro posto e ad aiutare nella valutazione dei candidati provenienti dall'intera nazione. L'ultimo dell'anno quasi tutti gli oltre cinquanta più importanti commissari erano pronti per il giuramento. La transizione aveva richiesto oltre ottocento persone e un incalcolabile numero di ore, ma ne era valsa la pena. Il giorno dopo partimmo ventre a terra. Denny aveva preparato una transizione a tenuta stagna e la preparazione era stata la chiave del successo.

Il primo bilancio preventivo della mia carriera di sindaco lo presentai il 2 febbraio 1994, e fu un bilancio di 31,7 miliardi di dollari. Esposi in dettaglio le licenze rilasciate e i redditi di produttività, per un totale di 500 milioni di dollari, decine di tagli di spesa, previsioni di entrate, riduzioni d'imposte e progetti di privatizzazioni. A proposito di queste ultime, è sufficiente un esempio per capire molto di New York: una delle mie proposte era quella di vendere ottantacinque delle *cinquecento* stazioni di servizio di proprietà della città.

Presentai il bilancio senza leggere nemmeno una riga. A cominciare da quel primo discorso ho sempre presentato i bilanci senza l'aiuto di un testo preparato in precedenza. Qualche anno dopo, con l'aumentare dell'esperienza e della fiducia in me stesso, cominciai a pronunciare a braccio anche il discorso «Sullo stato della città», considerandolo un'opportunità di organizzare i miei obiettivi per l'anno appena cominciato. La necessità di prepararmi per questo discorso costrinse me e la mia amministrazione a non perdere un colpo.

Considerando il discorso «Sullo stato della città» un modo per organizzare le mie scadenze cominciai a prepararlo in ottobre, anche se l'avrei pronunciato ai primi di gennaio. Come prima cosa il vicesindaco Tony Coles organizzò una riunione con gli altri vicesindaci seguita da una con gli assessori, e agli uni come agli altri chiese idee utili per nuovi progetti. Poi Tony e io esaminammo questi progetti, stabilendo le priorità. Aggiunsi le mie iniziative a quello che era ormai diventato un lungo elenco, poi invitai i vicesindaci a valutarle. Alla fine mostrai l'elenco al responsabile del Bilancio, per sapere da lui quali iniziative potevamo affrontare. Ma il tempo usato per questa preparazione, per immettere queste informazioni nel mio sistema circolatorio, si dimostrò ben speso. Il bilancio lo presentai per così dire con la testa e con il cuore, non leggendo un testo preparato da qualcun altro.

Il livello di preparazione, tale da permettermi di imparare qualcosa così a fondo da farla entrare nella mia storia personale, mi era già stato d'aiuto ai tempi in cui ero un rappresentante della pubblica accusa. Nei primi anni Settanta, quando ero sostituto U.S. Attorney, mi avevano aggregato alla squadra Corruzione, un nuovo ufficio creato dall'U.S. Attorney Whitney North Seymour jr. per indagare sulla corruzione nel governo.

Assaporai per la prima volta il gusto del management mentre mettevo in piedi l'accusa a carico di Bertram L. Podell, un abitante di Brooklyn ma soprattutto membro del Congresso da tre legislature, che aveva intascato mazzette per fare assegnare una nuova rotta a una compagnia aerea. Mi ero preparato a quel processo con il massimo scrupolo, ma quando si stava avvicinando il giorno fissato per l'udienza avevo ricevuto un'altra promozione: mi avevano cioè messo a capo della divisione Narcotici, la branca più importante e più complessa della divisione Criminale. I cinque sostituti U.S. Attorneys alle mie dipendenze diventarono tredici, ma mi portai ugualmente dietro la causa Podell, visto che le avevo dedicato tanto tempo e tanto lavoro.

Non succede ogni giorno di mettere sotto accusa un membro del

Congresso, ed eravamo decisi a procedere con la massima meticolosità. Nell'avvicinarsi dell'apertura del processo, nell'autunno del 1974, provammo e riprovammo per giorni e giorni il controinterrogatorio. Assegnai la parte di Podell a Mike Mukasey, che allora era uno dei miei assistenti mentre ora è il giudice capo del Distretto meridionale di New York, mentre io cercavo di farmi venire in mente ogni tipo di domanda che avrei potuto rivolgere all'imputato. Il controinterrogatorio di Mukasey si rivelò molto più difficile di quello allo stesso Podell. Ci stavamo preparando ad affrontare una persona particolarmente intelligente e accorta, e quando Podell si dimostrò una persona normalissima la nostra preparazione dette i suoi frutti.

Una strategia riguardava le somme incassate da Podell a saldo di sue presunte prestazioni legali. Gli chiesi da chi le avesse ricevute e lui mi fece il nome di uno studio legale. Allora gli misi sotto il naso il gigantesco albo Martindale-Hubbel nel quale sono elencati tutti gli studi legali degli Stati Uniti e gli chiesi di indicarmi quel particolare studio, cosa che evidentemente non poteva fare. Questo espediente si rivelò indovinatissimo, grazie all'elemento sorpresa. Al culmine del controinterrogatorio Podell, spossato e sconvolto, si tolse gli occhiali e tirò fuori di tasca una lente. Il giorno dopo, provato dal continuo controinterrogatorio, chiese una sospensione dell'udienza durante la quale il suo difensore ci informò che aveva deciso di chiedere il patteggiamento.

Era il 2 ottobre 1974. Quella sera uscii a comprare l'ultima edizione serale del «New York Times», come facevo sempre quando il quotidiano aveva delle edizioni della sera. E mi colpì leggere il mio nome in prima pagina. Ma ciò che mi colpì maggiormente in quell'articolo fu la descrizione del mio modo di muovermi, come un pugile, durante il controinterrogatorio. L'autore dell'articolo, Arnie Lubasch, aveva notato un particolare del mio passato. Pochi sapevano che mio padre, quando avevo quattro o cinque anni, mi aveva insegnato a tirare di boxe. Feci delle copie di quell'articolo e le mandai a mio padre.

Visualizzate mentalmente le cose

Una delle tecniche da me usate per preparare il bilancio cittadino illustra un altro criterio di preparazione che ho sempre adottato: quello di visualizzare mentalmente le cose.

Mi sembra ancora di rivedere la suora che alle elementari ci spiegava come un disegno di legge diventa legge. Si serviva di piccoli diagrammi, mostrandoci come un disegno di legge sulle entrate potesse nascere solo su iniziativa della Camera dei Rappresentanti e avesse bisogno dell'approvazione di entrambi i rami del Parlamento prima di essere sottoposto al Presidente: e che, per essere approvato in caso di veto presidenziale, sarebbe stata necessaria la maggioranza dei due terzi, e così via.

Sapevo che l'iter dei disegni di legge a New York era lo stesso di quelli federali, ma sapevo anche dell'esistenza di importanti differenze. Avevo anche messo in preventivo che la mia politica del governo ridotto e dei tagli alle imposte avrebbe trovato l'opposizione del Consiglio comunale, composto al 90 per cento da Democratici, e mi resi conto che in questo delicatissimo settore avevo bisogno dell'aiuto di una persona competente. Volevo sapere quali poteri legali mi erano attribuiti e volevo scoprirlo da solo, non dalla relazione di un qualche esperto.

Mi lessi per intero lo statuto comunale, dedicando particolare attenzione ai capitoli sulle procedure di spesa. E me lo lessi più di una volta, durante le mie due sindacature. Anche l'ultimo anno, in considerazione delle imminenti elezioni, volli assicurarmi che il Consiglio comunale non cercasse di ingraziarsi gli elettori spendendo irresponsabilmente 500 milioni di dollari dei contribuenti. Mi ripassai bene lo statuto, in modo da averlo chiaro in mente: e poi, non dando nulla per scontato, feci preparare dal mio staff un piano d'emergenza da attuare nel caso dell'apertura di un contenzioso. Poi, alla prova dei fatti, venni a scoprire che il presidente del Consiglio comunale, Peter Vallone, era in perfetta sintonia con me. Ma l'accurata preparazione non è mai una perdita di tempo. A volte devi conoscere la materia altrettanto bene dei tuoi esperti. È questa l'unica maniera per formarsi un'idea personale e non rimanere prigioniero di quelli che ti circondano e vorrebbero che tu prendessi una direzione piuttosto che un'altra.

Nessuno vuole ridimensionare o compromettere l'autorità dei bravi funzionari che lavorano alle proprie dipendenze, ma a volte non esiste alternativa all'esperienza di prima mano.

Ogni volta che affrontavo una causa, da procuratore o nell'attività legale privata, andavo sul posto dove si era svolto il fatto che alla causa aveva dato vita. E spesso facevo altrettanto in sede di supervisione di indagini o di processi. Anche se mi piacciono i grafici e le foto, mi rendo conto che è pericoloso fare affidamento su descrizioni di seconda mano. Mentre invece, se si va di persona sul posto, possono emergere certi particolari importanti.

Dopo l'11 settembre più di una volta mi sentii raccomandare di affrontare con calma la crisi. Come ho già sottolineato, molto dipende dalla preparazione. Da sindaco più di una volta ho indetto riunioni per pianificare la nostra risposta a ogni tipo di emergenza. In queste riunioni, per fare un esempio, assegnavamo a ciascuno un preciso incarico nel caso di un attacco con armi chimiche o biologiche. Decidemmo nel dettaglio come affrontare un incidente aereo o un attacco terroristico contro i partecipanti a una riunione politica. E il tutto non solo per iscritto, ma con delle prove all'aperto per accertare la durata degli interventi. Simulammo perfino lo schianto di un aereo sui palazzi di Queens e un attacco a Manhattan con il gas sarin, per una strana coincidenza proprio all'ombra delle Torri gemelle.

Durante queste prove all'aperto scattavamo delle foto, tanto realistiche che chi le vedeva ci chiedeva dove fosse avvenuta la sciagura che illustravano. Molte, per esempio, furono scattate in occasione del finto disastro aereo a Queens, completo di fiamme e schiuma antincendio, tanto da sembrare autentico perfino ai presenti. Queste foto le attaccavamo alle pareti dell'ufficio Gestione emergenze, che aveva sede al numero 7 del World Trade Center in una sala da noi battezzata Sala dell'Orribile. Mi sembra ancora di vederle, le foto in quella sala, anche se non esistono più né le une né l'altra dopo la distruzione delle Torri gemelle. Non avevamo certo previsto, in queste simulazioni, che gli aerei fossero dirottati e trasformati in missili guidati; ma il fatto che ci esercitassimo ad affrontare altri disastri ci rendeva di gran lunga più preparati a gestire una catastrofe che nessuno aveva previsto.

L'obiettivo era quello di dare vita a una struttura razionale sia per me che per i miei. Volevo, in sostanza, fare sì che i miei collaboratori fossero in grado di prendere certe decisioni nel caso non riuscissero a contattarmi. E più andavamo avanti in questa pianificazione, più eravamo pronti a gestire le sorprese. Prima dell'11 settembre c'era chi ci tacciava di eccessivo allarmismo, ma dopo quella data certe critiche non le abbiamo più udite.

A proposito di preparazione, mentre scrivevo questo libro accadde un fatto strano. Il 7 agosto 2001 guidavo su una strada del New Jersey, diretto in una città dove avrei dovuto partecipare a una manifestazione della campagna del candidato Repubblicano alla carica di governatore dello Stato. Accanto a me sedeva Ken Kurson, al quale a un certo punto citai alcuni falsi allarmi di spedizioni di antrace che ci avevano indotto a prepararci anche a un'evenienza del genere, nel caso si fosse mai determinata. Poco più di un mese dopo, gli invii di buste contenenti antrace terrorizzarono gli Stati Uniti e New York avrebbe rischiato la paralisi se non ci fossimo preparati anche per quell'emergenza. Qualche ora dopo, quello stesso giorno, parlai dell'uso dei media per comunicare con la cittadinanza in caso di emergenza. E sapete quale esempio citai? L'attentato esplosivo subìto nel febbraio 1993 dal World Trade Center. Spiegai che se unacosa del genere si fosse ripetuta, avrei usato radio e televisione per rendere noti i piani di evacuazione e per tranquillizzare la gente.

Prepararsi incessantemente non significa soltanto prepararsi ai disastri, ma anche anticipare potenziali pericoli. Una lezione imparata istruendo i processi era quella di prepararmi a tutto ciò che potesse venirmi in mente, in modo da non essere mai preso alla sprovvista. In un processo le sorprese sono quasi all'ordine del giorno: emerge una nuova circostanza, un teste rilascia dichiarazioni senza che nessuno se l'aspetti, magari spunta un nuovo testimone. Se avessi previsto e pianificato ognuna di queste situazioni, ne sarebbe emersa la maniera migliore per gestire l'imprevisto.

Attuai quindi dei sistemi in grado di individuare, e gestire, potenziali guai prima ancora che si determinassero, anche se non sapevo con esattezza che cosa aspettarmi. Per fare un esempio, istituimmo una procedura che chiamammo Sistema di sorveglianza sindromica, mediante la quale tenevamo ogni giorno i contatti con gli ospedali per rilevare un eventuale elevato livello dei sintomi: e con un'accurata analisi dei dati eravamo in grado di prevedere quando certi schemi statistici indicavano che qualcosa stava per accadere. Anche se non sapevamo esattamente di che cosa si sarebbe trattato, potevamo prepararci all'emergenza aumentando il personale nella struttura sotto osservazione.

Proprio a questo scopo tenevo ogni settimana una riunione con gli assessori responsabili della polizia e dei vigili del fuoco. Queste riunioni avevano come oggetto l'analisi della situazione, ma ogni volta ci ritagliavamo dello spazio per pensare al futuro. Per esempio, durante una delle riunioni di maggio con l'assessore alla Polizia potevamo parlare dell'assemblea generale dell'ONU che si sarebbe svolta nel mese di settembre. Cominciavamo, cioè, a raccogliere dati quattro o cinque mesi prima.

Nel 1994 la West Indian-American Day Parade, ossia la sfilata che accompagna la giornata dedicata ai newyorchesi di origine caraibica, era fissata per lunedì 5 settembre. Questa sfilata, che coincide ogni anno con il Labor Day, attraversa tra l'altro Crown Heights, un'area di Brooklyn teatro tre anni prima di scontri razziali antisemitici. Quell'anno, per la prima volta nei ventisette anni in cui si era celebrata la festa alla quale partecipa oltre un milione di americani di origine caraibica (e non soltanto loro), il Labor Day cadeva nello stesso giorno del Rosh Ha-shanah, l'inizio del nuovo anno ebraico: una festività, cioè, che avrebbe radunato a Crown Heights fino a quarantamila persone.

Da molte parti della comunità ebraica mi giunse la richiesta di modificare l'itinerario della sfilata, e per me sarebbe stato facile accontentare questa richiesta. Dopo tutto, avevo ricevuto un notevole appoggio dagli elettori ebrei, mentre ben pochi erano stati i voti da me raccolti presso la comunità caraibica. E gli esponenti di questa comunità non avevano ancora smaltito la contrarietà per il mio successo di meno di un anno prima a spese del sindaco uscente, il nero David Dinkins.

Preferii invece stabilire un forte rapporto con gli organizzatori della sfilata e cominciai a incontrarmi con loro già dal mese di marzo. Mi aiutò a fare le presentazioni Richard Green, uno degli organizzatori, e contattammo i leader come Carlos Lezama, più interessati al successo della manifestazione che a sfruttare la sfilata come strumento di divisione razziale per ottenere consensi politici. Passo dopo passo mi detti da fare per convincerli che insieme avremmo potuto dare vita a un carnevale festoso e tranquillo. E, registrati i primi progressi, facemmo partecipare alle riunioni i leader della comunità hassidica, quella degli ebrei ortodossi, come i rabbini Shea Hecht e Yehuda Krinsky. Fu raggiunto un compromesso sull'itinerario e gli orari e durante l'estate c'incontrammo spesso con gli esponenti di entrambe le parti perché lo facessero accettare alle loro comunità. Il tutto culminò con un party a Gracie Mansion al quale presero parte tutti gli addetti alla preparazione della sfilata, e quel party si sarebbe ripetuto per i sette anni successivi. In conclusione, invece di trasformarsi in teatro di incidenti, Crown Heights rimase tranquilla per tutta la durata della sfilata e per tutta la durata della mia amministrazione.

Istillate negli altri l'idea della preparazione

Il bravo leader sa tra l'altro creare certe premesse, tali da consentire ai suoi collaboratori di dare vita a una propria cultura della preparazione. Uno dei motivi per i quali tenevo le riunioni mensili ogni volta in una diversa località era perché in tal modo i vari enti venivano automaticamente a conoscenza della realtà locale e dei suoi problemi, che non avrebbero ricevuto la stessa attenzione se queste riunioni si fossero svolte come le altre in municipio.

Credo nell'importanza di favorire una cultura che dia rilievo alla preparazione e credo altresì nell'importanza di far passare questo messaggio dal vertice alla base. Quando nel 1992 si aggregò alla mia campagna elettorale, Bruce Teitelbaum era un ventottenne avvocato smanioso di fare esperienza e interessato alla gestione della città oltre che privo di particolare interesse per la politica. Era evidentemente dotato intellettualmente e pieno di energia, ma in lui a parte ciò notammo subito la preparazione. Lo assumemmo part time per dare una mano in ufficio: in pratica lo mettemmo a imbustare le lettere. Questo succedeva una ventina di mesi prima delle elezioni, in una fase quindi quasi di calma piatta.

La settimana seguente dovevo incontrare, nel quadro della campagna elettorale, una settantina di dipendenti di una fabbrica di calze e, per qualche motivo, era presente all'incontro anche Bruce. Tornando al quartier generale della mia organizzazione me lo trovai in macchina e a un certo punto mi chiese se sapevo chi fosse. Risi, poi gli ricordai che ci eravamo conosciuti pochi giorni prima e che non dimentico chi mi ha aiutato.

Un paio di giorni dopo, arrivando in una località dove avrei dovuto prendere la parola, scoprii che non c'era nessuno a ricevermi o a dirmi in quale stanza entrare o a curare quei particolari di competenza di un buon team di collaboratori. C'era insomma un'enorme disorganizzazione e la cosa non mi fece certo piacere, e questa contrarietà la manifestai apertamente, una volta tornato alla base, a Peter Powers e Denny Young.

Me ne andai e loro due organizzarono una riunione. «Il candidato è arrabbiato» annunciò Denny. «Dobbiamo registrare certi meccanismi e, se la situazione non migliora, c'è gente che sarà costretta a lasciarci.» Poi spostò lo sguardo su Bruce Teitelbaum. «Tu, ragazzo, ti occuperai del lavoro d'avanguardia per il sindaco e attento a non pestare merde.» «Sì signore» disse subito Bruce, pensando in cuor suo: «Che diavolo è il lavoro d'avanguardia?».

Bruce si era licenziato, per lavorare a tempo pieno alla mia campagna. Il suo primo incarico fu quello di occuparsi di una cena al Grand Hyatt Hotel, alla quale avrei preso parte con mia moglie. Non era un appuntamento della campagna elettorale, quella cena, ma tutto ciò che fa un candidato è in qualche modo riconducibile alla campagna e avrei dovuto salutare i presenti prima di una rappresentazione. Il Grand Hyatt non è il posto migliore dove fare l'avanguardia di un candidato, perché è un enorme edificio pieno di entrate. Quella sera, poi, pioveva a catinelle e soffiava un vento impetuoso. Come se ciò non bastasse, infine, davanti all'albergo c'era un picchetto di manifestanti.

Bruce giunse in albergo un paio d'ore prima di quella prevista del mio arrivo e valutò subito la situazione. Non poteva raggiungermi per telefono, perché nel 1992 non tutti avevamo il cellulare. Rischiò un colpo apoplettico. «Ho lasciato un lavoro sicuro» pensò «e questo Rudy quasi non lo conosco. Ora arriverà e non so nemmeno da dove entrerà, non so dirgli dove andare. E se dovessero fotografarlo accanto ai manifestanti? Diventerà furioso, come minimo. Ma chi me l'ha fatto fare di lasciare il mio lavoro sicuro?»

Bruce corse al negozio di articoli da regalo dentro l'albergo, si fece dare l'equivalente di sei dollari in monete e trovò un telefono. Ogni dieci minuti chiamò il mio quartier generale, raccomandando a chi gli rispondeva di dire al mio autista, se avesse telefonato, di fermarsi davanti a un certo ingresso spiegandogli al contempo come evitare sia la pioggia sia i picchetti. Era così nervoso che si mise a contare i passi tra il marciapiedi e l'ingresso, poi contò quelli tra l'ingresso e la toilette per gli uomini, poi per non sbagliare anche quelli tra l'ingresso e la toilette per le signore. Quindi mise per iscritto questi numeri, disegnando un diagramma su un fazzolettino di carta dell'albergo. Alla fine prese in considerazione l'eventualità che io avessi dimenticato l'ombrello, e che l'avesse dimenticato anche mia moglie. Doveva quindi trovarne un paio o, meglio ancora, quattro nel caso che il forte vento ne avesse resi inservibili due. E ne comprò quattro.

Scesi dall'auto nel punto esatto in cui Bruce aveva raccomandato all'autista di fermarsi e trovai puntualissimo Bruce ad attendermi. Avevamo effettivamente bisogno dell'ombrello, anche se non di due a testa. Ce li porse, accompagnandoci poi alla porta. «Buona sera, signore. Ci sono quarantatré passi da qui all'entrata. Una volta dentro troverà una toilette per uomini subito a sinistra e una per le signore dopo cinquantacinque passi. Se fossero occupate, ce ne sono altre due al piano superiore.» Ci spiegò esattamente dove si trovavano i nostri posti, essendosi in precedenza preso la briga di individuarli. Durante la rappresentazione, aggiunse, sarebbe rimasto in attesa davanti alla seconda porta dove l'avremmo trovato se avessimo avuto bisogno di lui.

Il giorno dopo Denny Young convocò nel suo ufficio Bruce per congratularsi con lui. Bruce cominciò da quel giorno a intensificare il suo lavoro d'avanguardia e a viaggiare con me, preparandosi come sempre con il massimo scrupolo. Se, per esempio, il mio programma prevedeva una passeggiata tra la gente in una certa via di Queens, lui senza che nessuno glielo chiedesse se ne andava ogni giorno per una settimana di seguito in quella via, all'ora in cui avrei dovuto fare la passeggiata, per rendersi conto di quanta gente avrei trovato. Si fermava in ogni negozio, per annunciare al negoziante il mio arrivo e chiedergli il permesso di attaccare alla vetrina un manifesto. Poi, durante la passeggiata, mi avrebbe detto: «In questo isolato ci sono quindici negozi, oltre a tre di pizza al taglio, un macellaio kosher e un pescivendolo. Si tratta in maggioranza di ebrei e italiani». Giudicando dal tipo di negozio, probabilmente sarei stato capace anche io di risalire al gruppo etnico del negoziante. Ma, ed è proprio questo il punto, Bruce non dava per scontato un accidente di niente.

IV
Tutti dobbiamo rendere conto, sempre

Moltissimi leader hanno sulla scrivania targhette con slogan accattivanti, e molti leader in questi slogan credono. Lo slogan di due parole che si legge sulla mia, di scrivania, rappresenta la sintesi genuina della mia filosofia: SONO RESPONSABILE. Durante la mia permanenza a City Hall ho sempre fatto tutto il possibile per trasformare quelle due parole in una specie di impegno firmato per tutti i dipendenti comunali, a cominciare da me. E nell'arco della mia carriera ho sempre considerato un muro maestro questa responsabilità, l'idea cioè che chi lavora per me può essere ritenuto responsabile da coloro per i quali lavoriamo.

Il contratto sociale è una strada a due sensi. Lavorare per il governo è stato per me un privilegio, in cambio del quale ho avuto l'obbligo di lavorare con onestà ed efficacia. Durante le mie due sindacature, per fare un esempio, tenevamo una riunione pubblica mensile a rotazione in ciascuno dei cinque distretti. Mi portavo dietro perché si avvicendassero al podio i componenti dell'intera giunta comunale, gli assessori, i miei vice e diversi altri funzionari. Io parlavo per qualche minuto e cedevo poi la parola al pubblico per le domande. E molte di queste domande altro non erano che lamentele a proposito di lampioni spenti o di regolamenti urbani considerati ingiusti. Invece di promettere a chi esponeva queste lamentele «qualcuno si metterà in contatto con lei», mettevo direttamente e immediatamente il cittadino in contatto con l'assessore competente.

Così, se qualcuno si lamentava dell'eccessivo frastuono di un nightclub appena aperto nella sua zona, lo pregavo di accomodarsi sul palco «e parlarne con il vicesindaco Rudy Washington, che adora chiudere i nightclub troppo rumorosi». Il vicesindaco si segnava il nome del cittadino e i suoi recapiti, si faceva dare nome e indirizzo del locale e poi valutava la procedibilità di un'iniziativa amministrativa. L'obiettivo che in tal modo mi proponevo era quello di risolvere direttamente il problema, di far passare il messaggio che il governo non se ne stava con le mani in mano. Ma c'era al contempo un altro messaggio, più profondo. Non volevo che la mia amministrazione dimostrasse pigrizia a proposito di «problemi minori», come se per esempio la pulizia dei giardini pubblici o la rimozione dei rifiuti non avessero importanza. Un cittadino di New York che dedicava parte del suo tempo per venire a una riunione comunale e si alzava in piedi per esporre un problema meritava di essere ascoltato con la massima attenzione.

Un leader dovrebbe più degli altri gradire di essere considerato responsabile. Niente contribuisce ad aumentare la fiducia in un leader come la sua disponibilità a rendere conto di ciò che avviene nell'area di sua competenza. Si potrebbe aggiungere che nulla può far sì che i dipendenti si sentano obbligati a raggiungere alti standard come un capo che si dimostri impegnato a raggiungere standard ancora più alti. Ciò vale per qualsiasi tipo di organizzazione, ed è ancora più importante nella pubblica amministrazione.

Nel settore privato c'è un punto fermo. La missione è chiara: il profitto. La strada per raggiungere questo traguardo può rivelarsi difficoltosa, c'è chi preferisce acquisire quote di mercato e chi invece vuole aumentare i margini di profitto. Ma, generalmente, i criteri per valutare la salute di una società a scopo di lucro sono sempre gli stessi, nel senso che tutti – direttori, dipendenti, investitori e concorrenti – sanno che il profitto è desiderabile e la perdita non lo è.

Nella pubblica amministrazione si lavora con i soldi degli altri. Il responsabile di una società i cui utili stanno andando a picco non può ordinare ai clienti di pagare di più. Può aumentare i prezzi, ma i clienti possono reagire comprando di meno o passando ai prodotti di una società concorrente. Nella pubblica amministrazione la tentazione di risanare i passivi aumentando le imposte può impigrire i leader politici. O, peggio ancora, i «clienti» dell'amministrazione – ossia i cittadini – possono regolarsi allo stesso modo di un cliente insoddisfatto: rivolgersi a qualcun altro, cioè votare per qualcun altro alla prima elezione. Per una città le conseguenze di un impulso del genere sono devastanti. Alzare le tasse sulla proprietà costringe i contribuenti a trasferirsi altrove; alzare quelle sugli acquisti li induce a comprare da qualche altra parte; alzare quelle commerciali significa creare le condizioni perché le aziende si trasferiscano, e assumano, altrove; alzare quelle sul reddito fa passare la voglia di lavorare.

In quasi tutti i reati che avvengono nel settore commerciale c'è qualcuno che ha usato i capitali altrui meno responsabilmente di come avrebbe usato i propri. Si tende in genere a essere più di manica larga con i soldi degli altri, un problema questo che affligge la pubblica amministrazione a tutti i livelli e che rende quindi particolarmente importante l'adozione di rigorosi criteri di contabilità. Nelle società americane il compenso dovrebbe essere legato al rendimento, chi rende di più di solito viene pagato di più e chi rende meno rischia di perdere il posto. Troppo spesso invece, nel settore pubblico, un dipendente ha la possibilità di timbrare il cartellino e fare finta di lavorare. Anche ammesso che abbiano ricevuto degli indirizzi di massima, i dipendenti pubblici di solito non sono coinvolti negli obiettivi della loro amministrazione. È proprio questo modo di ragionare che mi ero ripromesso di cambiare e ho cominciato con il settore più degli altri sotto gli occhi di tutti, quello la cui efficienza non si valuta in termini di risparmio di dollari ma di vite umane.

Come ridurre il numero dei reati: il Compstat

Quando nel 1993 mi candidai alla carica di sindaco promisi di fare qualcosa per ridurre il numero, ormai fuori controllo, dei reati che tenevano per così dire la città in ostaggio. In tutta la mia carriera di procuratore avevo fatto applicare la legge e studiato, tra l'altro, la specificità del lavoro di polizia in una città come New York, specialmente tra il 1989 e il 1993. Ogni settimana venivano commessi tra nove e diecimila reati gravi, ogni anno si registravano tra 1800 e 2200 omicidi. Non volevo quindi apportare qualche piccola modifica al dipartimento di Polizia, volevo rivoluzionarlo.

Con la collaborazione di Bill Bratton, il mio primo assessore alla Polizia, e di Jack Maple, primo vicecapo della polizia, mi ripromisi di sfatare tutti i luoghi comuni sui criteri adottati fino a quel momento, di rispondere con un «Perché no?» a chi obiettava che «Certe cose non si fanno così». Cominciammo con il selezionare 500 poliziotti divisi in dodici squadre, con l'incarico di formulare senza preconcetti dei nuovi criteri operativi. Facemmo nostra la maggior parte delle loro proposte, da quella di mandare in soffitta la vecchia e spiegazzata uniforme color azzurro chiaro a quella di adottare dei parametri più obiettivi nella valutazione del rendimento. E il fatto che ci stessimo muovendo su impulso e suggerimento di addetti ai lavori fece capire ai destinatari che stavolta qualcosa sarebbe davvero cambiato.

La chiave di volta della nostra iniziativa fu un sistema chiamato Compstat, combinazione di due tecniche mai applicate prima d'allora. La prima consisteva nel raccogliere e analizzare ogni giorno le statistiche dei reati e individuare certi schemi ricorrenti e certi potenziali pericoli prima che si materializzassero. Alle riunioni Compstat ci servivamo di quei dati per tenere sulla corda il Comando di ognuno dei cinque distretti amministrativi. Il che significava convocare in un salone un centinaio di poliziotti alla volta, dal comandante all'ultimo agente, insieme a esponenti di tutti gli altri uffici di polizia criminale: e tutti insieme valutavamo le statistiche criminali riferite a quel particolare comando.

In secondo luogo, accertavamo chi fosse davvero convinto dell'importanza di assumersi responsabilità e chi non lo fosse. Le burocrazie resistono a volte ai cambiamenti, sicure che sia impossibile fare invertire la rotta a una grossa nave. Ma anche le più grosse organizzazioni sono composte da esseri umani: e agli individui che componevano il dipartimento di Polizia di New York fu fatto capire che, se non avessero accettato il Compstat, si sarebbero dovuti trovare un altro tipo di lavoro. Anche in una struttura sindacalizzata come quel dipartimento è possibile esercitare l'autorità. Chi ha un grado superiore a quello di capitano – viceispettore, ispettore, vicecapo, capoufficio o capo della polizia – può essere retrocesso, un serio colpo questo non soltanto al morale ma anche alla pensione. E quelli di grado inferiore possono essere trasferiti: un agente che abita nel Westchester può ritrovarsi da un giorno all'altro trasferito a Staten Island, all'altra estremità della giurisdizione. A ogni funzionario che non condivideva il nuovo sistema fu fatto capire che avrebbe dovuto scegliere fra le dimissioni o la retrocessione. Quelli invece consapevoli che il Compstat non avrebbe solo migliorato la vita della città ma avrebbe reso il loro lavoro più gratificante furono promossi e si videro assegnare incarichi di responsabilità.

Al tempo stesso ci sforzammo di mettere in chiaro gli obiettivi di un dipartimento di Polizia e di attivare certi indicatori in grado di dirci se i nostri obiettivi erano stati raggiunti: cioè, ancora una volta, assunzione di responsabilità. I reati vengono commessi per un insieme particolarmente complesso e scoraggiante di motivi, o a volte per nessun motivo. Non è possibile prevedere dove e quando sarà commesso ogni reato, ma per provarci bisogna almeno sapere che cosa c'è in ballo.

Per anni i dati statistici del dipartimento di Polizia sui quali si appuntava maggiormente l'attenzione erano stati quelli relativi al numero degli arresti e al tempo di intervento dopo una chiamata d'emergenza. Nessuno dei due, a ben vedere, rappresenta i veri obiettivi della polizia, ossia la sicurezza pubblica e la riduzione dei reati. Di solito, quando la telefonata arriva al centralino dell'emergenza, il reato è stato già commesso. Se si ha la fortuna di arrestare il responsabile il risultato ottenuto è quello di impedirgli per un po' di tempo di commetterne altri, non quello di avere protetto la vittima del reato commesso quel giorno. E poi, avevamo bisogno di dati statistici affidabili: quelli relativi agli arresti, per esempio, possono essere manipolati.

Sapevamo che avremmo dovuto trovare altri parametri, oltre a quelli relativi al numero degli arresti e ai tempi d'intervento. Ogni anno l'FBI rende note le cifre della criminalità, registrate nelle città con oltre 100 mila abitanti, dividendo i reati in sette categorie: omicidio, stupro, rapina a mano armata, violenza privata, furto con scasso, furto dall'elevato ammontare, furto d'auto e su auto.

Purtroppo, e questo era per noi un serio motivo di frustrazione, le statistiche della criminalità risultavano già superate nel momento in cui venivano messe a disposizione. Esaminare i dati su base annuale o anche trimestrale non era lo stesso che poterne disporre in tempo reale. Nel momento in cui emergeva dalle statistiche un particolare schema, questo schema era già cambiato: e quando finalmente disponevamo dei dati completi, anche relativi a un alto numero di reati, scoprivamo che non rappresentavano il volume totale dei reati stessi. E questo per un motivo molto semplice. Perché un reato potesse entrare a far parte delle statistiche era necessario che qualcuno lo denunciasse o che la polizia ne venisse in qualche modo a conoscenza. Se qualcuno si prendeva una pallottola mentre camminava per la strada e non lo diceva a nessuno, le statistiche ovviamente lo ignoravano. Parimenti, se una donna veniva violentata e preferiva non fare denuncia o se io avendo subito un furto mi dicevo «non sono assicurato e la polizia non ha fatto nulla le ultime tre volte che mi hanno rapinato», i relativi reati non entravano a far parte delle statistiche. Le statistiche, insomma, si riferiscono ai soli reati dei quali la polizia viene a conoscenza. Inoltre, a un'escalation di reati corrisponde una flessione delle denunce perché le vittime hanno la sensazione che le autorità non vogliano o non possano intervenire con la dovuta efficacia.

Quando Jack Maple mi assicurò per la prima volta che potevamo disporre di dati statistici su base quotidiana, pensai che stesse esagerando. Non esiste dipartimento di Polizia che possa contare su una tale frequenza ed ero convinto che per ottenere un risultato del genere sarebbero stati necessari due o tre anni. Era un traguardo ambizioso, e invece dopo tre settimane dalle stazioni di polizia cominciarono ad arrivarci le prime cifre.

La cosa funziona così. L'agente redige un rapporto su un reato per il quale è intervenuto e poi immette questo rapporto nell'OLCS (On-Line Complaint System) del suo distretto. Il rapporto finisce nel Compstat, in due punti particolari: 1) una mappa che indica le concentrazioni geografiche di attività criminali e le cataloga secondo ora, giorno e tipo di reato; 2) una raccolta settimanale di denunce dalla quale si ricavano i trend proiettati su un arco di tempo che può abbracciare una settimana, un mese o un anno, per poi confrontare il totale dell'anno in corso con quello dell'anno precedente, ottenendo le relative modifiche percentuali. I dati, se accurati, consentono interventi più efficaci. Mettemmo poi in piedi un sistema di *auditing* simile a quello dello Stock Watch, o controllo del mercato azionario, con il quale avevo una certa familiarità dai tempi in cui da procuratore perseguivo i casi di *insider trading*, un sistema in grado di mettere in evidenza certi dati statisticamente poco realistici, permettendoci di migliorarne l'accuratezza. Alcuni comandanti furono persino sostituiti per avere manipolato i numeri.

I responsabili dei distretti fanno affidamento su questi dati per individuare particolari schemi e convogliare in certi settori uomini e mezzi. Prima del Compstat non era possibile capire se, per esempio, tre stazioni di servizio rapinate di mattina stessero a indicare l'emergere di uno schema operativo. Un poliziotto esperto può notare che da qualche tempo la sua attività si sta concentrando in certe zone in certe ore, ma non ha modo di sapere se i suoi colleghi devono affrontare lo stesso tipo di incidenti nella stessa zona e alla stessa ora. Anche se un comandante particolarmente perspicace individuasse un fenomeno del genere, non potrebbe sapere se coinvolge anche il distretto vicino e di conseguenza non si rivolgerebbe al collega di questo distretto per avere lumi. Con il Compstat, invece, potevamo raggiungere l'obiettivo di prevenire un certo reato invece di intervenire dopo che era stato commesso. Individuando uno schema, il comandante assegna gli agenti a protezione di un probabile obiettivo della malavita e riesce così per esempio a fare arrestare i banditi che stanno per rapinare un garage, invece di sperare che la telefonata arrivi in tempo per poter catturare i banditi in fuga.

I rapporti Compstat vengono distribuiti nei vari uffici e tutti, dal sindaco all'assessore alla Polizia ai comandanti di commissariato, possono constatare quali commissariati stanno ottenendo risultati migliori e quali peggiori: ai primi si possono chiedere consigli, ai secondi si possono offrire rimedi. E poi si arriva al cuore del processo Compstat: la riunione settimanale.

Il dipartimento di Polizia di New York è diviso in otto comandi di distretto amministrativo: uno per Staten Island, uno per il Bronx e due ciascuno per Manhattan, Queens e Brooklyn. Quasi ogni giovedì e venerdì, alle sette di mattina, uno degli otto comandanti si presenta alla Centrale e parla davanti ai colleghi e ai vertici della polizia, difendendo il proprio operato nel corso delle ultime quattro od otto settimane. Si tratta di un'assemblea veramente straordinaria. Il «New York Times» scrisse che «le regolari riunioni Compstat sono probabilmente il più efficace strumento di controllo mai adottato dalla polizia». E nel 1996 il Compstat ha vinto il Premio «Innovazione nel governo» istituito da Harvard.

Fin dall'inizio di queste riunioni il dipartimento di Polizia di New York si rese conto che qualcosa di nuovo e di speciale stava prendendo forma. In quei giorni il pittoresco Jack Maple, con il suo caratteristico papillon, punzecchiava il responsabile di un distretto chiedendogli per esempio: «Perché nel suo distretto c'è un aumento del dieci per cento nei furti d'auto, mentre in città questo reato è in calo del venti per cento?». Oppure: «Sa spiegarmi il motivo per cui le aggressioni, in calo per sei mesi di fila, hanno ripreso ad aumentare nel mese scorso?». Rendemmo difficile ai comandanti scaricare la responsabilità su qualcuno, perché queste contestazioni venivano rivolte alla presenza dei loro più stretti collaboratori. È molto più problematico, per esempio, sostenere che non si hanno dati aggiornati perché «quello del computer» non ha aggiornato il software, se «quello del computer» è in piedi accanto a te. E si possono fare altri esempi del genere. Se proiettiamo su uno schermo delle foto ingrandite di mendicanti che a un certo incrocio bloccano il traffico e molestano gli automobilisti, sarà difficile per il comandante di quel distretto sostenere di non avere un problema di accattonaggio.

Jack Maple e Louis Anemone, responsabile dei Servizi di pattuglia, erano insuperabili nella tecnica del bastone e della carota. Se a volte era necessario dare una lavata di capo a qualcuno non lo si faceva per umiliarlo, ma per fargli capire che il suo operato era sotto osservazione e che da lui ci si attendevano miglioramenti. Maple e Anemone sottoponevano a volte i comandanti a un terzo grado, mettendo in evidenza certi settori che destavano maggiori preoccupazioni. Se, per esempio, le rapine in strada erano in aumento il venerdì, mentre gli arresti nella stessa giornata rimanevano stabili, Maple e Anemone proiettavano davanti a tutti il relativo grafico, borbottando frasi del tipo: «La malavita non deve pensare di godere dell'impunità ogni venerdì».

Sottolineare gli scarsi risultati di un certo distretto può incoraggiare il comandante di quel distretto a chiedere aiuto, cosa che probabilmente non aveva fatto prima nella speranza che nessuno si accorgesse di quanto ne aveva bisogno. A seconda di quanto un comandante accettava le proprie responsabilità, i suoi superiori capivano se e fino a che punto questo comandante condivideva il principio di responsabilità. Non mancavano comunque le occasioni per complimentarsi con un comandante e riconoscere il suo coraggio o la sua perspicacia. Uno dei vantaggi del Compstat era proprio questo, i comandanti cioè avevano delle valutazioni oggettive del loro operato.

Queste riunioni mi facevano venire in mente soprattutto i dibattimenti in appello, dove cioè si puntava idealmente il riflettore su qualcuno chiedendogli le risposte a certe domande. Pensate allo scambio di battute socratiche di *The Paper Chase*, sostituendo però i docenti di Giurisprudenza nelle università di élite con i personaggi più pittoreschi che si possano immaginare a New York. Le riunioni Compstat non erano udienze processuali ma nemmeno tranquille riunioni conviviali. Ci si occupava di pianificazione e di assunzione di responsabilità. Certo, se le cifre di qualche distretto erano preoccupanti il comandante era chiamato a dare una spiegazione e a dirci come pensava di migliorare la situazione. Ma un comandante, sapendo che sarebbe stato chiamato a dare spiegazioni dei risultati del suo distretto in presenza dei colleghi, si attivava in precedenza per migliorare questi risultati ed evitarsi la brutta figura. Sapere di dovere render conto, cioè, era uno stimolo allo sviluppo di nuove strategie. E Compstat aveva in tal modo assolto una delle sue funzioni prima ancora che i comandanti si attivassero.

Altra funzione importantissima di queste riunioni era quella di *brainstorming*. I comandanti di certe sezioni speciali, come la Narcotici o gli Infiltrati, illustravano agli altri le loro tecniche operative, oppure alcuni agenti comunicavano notizie raccolte nel loro distretto che potevano risultare utili ai colleghi di altri distretti. All'inizio quelli chiamati a difendere i risultati del loro distretto subivano in certa misura attacchi di ansia da prestazione. In una circostanza Anemone rischiò di venire alle mani con un comandante che non gradiva il tono con il quale gli venivano rivolte le domande. Un'altra volta un comandante di distretto si presentò ubriaco alla riunione delle sette del mattino, e gli facemmo capire che a quel punto della sua carriera gli conveniva andare in pensione.

Il Compstat ebbe un impatto immediato e rivoluzionario. I reati più gravi fecero registrare, tra il 1993 e il 1994, una flessione del 12,3 per cento. Nelle due fattispecie più serie, omicidio e rapina, il calo fu rispettivamente del 17,9 e del 15,5 per cento, cifre senza precedenti se riferite a un solo anno. E se è vero che i reati erano in calo in tutti gli Stati Uniti, il calo di quelli commessi a New York era fra tre e sei volte superiore a quello della media nazionale. Anche chi non ha familiarità con la matematica è in grado di rilevare che la flessione della criminalità a New York superava quella di tutte le altre città americane. E non ci limitammo ad abbassare il numero dei reati, ma lo mantenemmo basso.

Ci fu chi, pur prendendo atto di questa flessione dei reati, fece i salti mortali per attribuirne il merito a tutto tranne che a Compstat. «A giudizio di molti capi della polizia e criminologi, San Diego e Boston sono diventati modelli per le polizie delle altre città» scrisse Fox Butterfield nel «New York Times» del 4 marzo 2000. «E, anche se si studiano e si ammirano i successi ottenuti a New York, è molto triste prendere atto della grande occasione che si è sprecata.»

Butterfield, fortunatamente per New York, si sbagliava. Nei due anni successivi il calo dei reati non solo proseguì, ma fece registrare punte mai segnate in precedenza, mentre in altre grandi città il numero dei reati riprese a salire. Nel 2001, secondo l'ultima tranche di statistiche fornite dall'FBI durante la mia sindacatura, Boston aveva il primato dell'aumento degli omicidi con il 67 per cento, a fronte del 22 a St Louis, 15 a San Antonio, 12 ad Atlanta, 9 a Los Angeles e 5 a Chicago. E, a proposito di quest'ultima città che ha 2,9 milioni di abitanti, è interessante rilevare che nel 2001 fece registrare 20 omicidi più di New York, che di abitanti ne ha 8 milioni. E San Diego? Un numero di reati superiore del 16,3 per cento a quelli di New York, con un aumento del 3,9 negli ultimi sei mesi, laddove nello stesso arco di tempo a New York c'era stato un calo del 7,6 per cento.

Secondo Wesley Skogan, criminologo della Northwestern University, mentre un certo numero di città avevano ottenuto negli anni Novanta qualche successo nella riduzione dei reati, solo a New York si era arrivati a tanto sia nell'entità della riduzione stessa sia nella capacità di mantenere o addirittura di accentuare questa flessione. «La vera differenza è rappresentata da New York» scrisse sul «Washington Post». «E la notizia è il calo a New York, non l'aumento a Chicago.» Fox Butterfield, gliene do atto, il 21 dicembre 2001 corresse le sue previsioni e sottolineò come Boston, la città da lui lodata solo ventun mesi prima per le tecniche anticrimine adottate, fosse diventata «la città con il maggiore aumento percentuale di omicidi». Mentre «New York è un'eccezione rispetto alle grandi città dove è in aumento il numero degli omicidi».

Ogni sistema deve continuare a porsi sfide, se non vuole perdere d'efficacia. Il successo di Compstat era stato così travolgente che sarebbe stato facile per noi sederci e scambiarci congratulazioni. Ma compito di un leader è anche quello di non riposare sugli allori. Se il dipartimento di Polizia di New York era riuscito a ridurre le sette principali fattispecie di reato, era ragionevole attendersi che questo sistema venisse adottato anche in altri ambiti. Fu così che l'evoluzione di Compstat lo trasformò in uno strumento più sofisticato. Quando facemmo nostra l'idea di allargare il programma all'applicazione dei mandati di cattura, ottenemmo un successo senza precedenti nel ripulire le strade dalla malavita abituale. E ogni volta che aggiungevamo un indicatore di prestazioni notavamo un simile schema di miglioramento. Per fare un esempio, quando nel 1995 cominciammo a tenere nota degli arresti dei graffitari, registrammo che il dipartimento di Polizia di New York aveva eseguito 475 arresti di questo tipo. Nel 2001 questo numero era salito a 1485. Nel 1997 aggiungemmo i dati statistici relativi al comportamento della polizia. Quell'anno 419 agenti in uniforme fecero uso delle armi ma da allora, anno dopo anno, questa cifra si è ridotta arrivando a 175 nel 2001, la più bassa da quando nel 1993 la polizia aveva cominciato a prenderne nota (quell'anno erano stati 761 gli agenti che avevano sparato).

Aggiungemmo molti altri indicatori di prestazioni, come quelli per valutare il comportamento degli agenti (bustarelle o reclami di cittadini per villania o abuso della forza), oppure quelli sull'efficienza operativa del singolo distretto come, per esempio, le ore di straordinario lavorate dal personale. Altri indicatori prendevano in considerazione il morale del personale, con il preciso obiettivo di dimostrare che, come gli agenti dovevano rispondere davanti ai loro comandanti dell'aumento dell'attività criminale, così gli stessi agenti si rendevano conto che i loro capi non trascuravano tutto ciò che migliorava le loro condizioni di lavoro.

Alcuni cittadini di New York, vittime di una specie di riflesso condizionato che li portava a criticare tutto ciò che faceva la polizia, sostenevano che, sottolineando il calo dei reati, Compstat avrebbe reso più violento il dipartimento di Polizia. E invece avvenne il contrario. Nel 2001 a New York vi furono 0,26 sparatorie fatali su ogni 1000 agenti, rispetto allo 0,7 di Filadelfia, 1,42 di Detroit e 1,61 di Los Angeles. Nel 1992 furono 81 gli abitanti di New York raggiunti dai colpi degli agenti, e 25 di loro rimasero uccisi. Nel 2001 i feriti dalla polizia furono 26, dei quali 10 con conseguenze mortali.

A distanza di otto anni mi sento ancora elettrizzato pensando all'efficacia delle nostre riunioni Compstat. Il sistema rappresentò una specie di punta di lancia nella mia campagna volta a far sì che tutti si sentissero chiamati a rispondere del loro operato. Ma ciò nonostante incontrò la resistenza di molti che non volevano che il loro rendimento venisse misurato. Prima dell'introduzione del Compstat, ogni poliziotto sospettato di rendimento mediocre se la cavava stringendosi nelle spalle e dicendo qualcosa del tipo: «Che ci vuoi fare, questa città è ingovernabile». Nessuno era chiamato a rispondere di niente. Ma quella scusa non reggeva con un sistema che dimostrava come si potessero raggiungere certi risultati. Il Compstat fu un vero shock per un certo modo di pensare.

Otto anni più tardi, quando il numero degli omicidi calò di circa il 70 per cento e i reati in genere fecero registrare una flessione del 65 per cento, i dubbiosi erano praticamente scomparsi. Erano troppo occupati ad applicare le loro versioni del Compstat in altre città, da Chicago a Los Angeles. E quando il successo della nostra iniziativa si trasformò da discutibile a irrefutabile altri ospiti chiesero di partecipare in veste di osservatori alle nostre riunioni, per importare il sistema nella loro città o più semplicemente per vedere all'opera una polizia che aveva rivitalizzato la vita della città.

Per fare un esempio, una mattina d'estate del 2001 la riunione Compstat si occupava del Bronx. Io e Kerik, assessore alla Polizia, sedevamo accanto a Joe Esposito, capo di quel dipartimento, che poneva la maggior parte delle domande. Il primo ad alzarsi in piedi fu il comandante di un distretto del Bronx, che si avvicinò al podio con i suoi collaboratori per spiegare come andavano le cose nella sua zona. Esposito gli fece notare che, anche se in quel distretto gli omicidi erano calati di oltre il 60 per cento da quando otto anni prima era stato introdotto il Compstat, di recente era stato registrato un aumento. «Che diavolo sta succedendo dalle sue parti?» gli chiese.

Il comandante spiegò che nella sua giurisdizione esistevano undici dispensari di Metadone, quattro dei quali in una zona tristemente famosa. Poi parlò dell'ultimo omicidio, avvenuto alle tre di notte davanti alle inferriate di un giardino pubblico durante una partita a dadi. L'assassino aveva detto di avere agito per legittima difesa, ma secondo i testimoni la vittima gli aveva spaccato una bottiglia in testa dopo essersi presa la coltellata e non prima.

Il capo Esposito a quel punto mise subito in chiaro che avrebbe voluto vedere emesse da quel distretto molte più convocazioni per migliorare la qualità della vita, motivate per esempio dalle partite a dadi o dall'assunzione di bevande alcoliche in strada. «Quarantotto sono un buon numero» disse, dopo avere osservato la stampata Compstat relativa a quel distretto, «ma se ne possono fare di più.» Una chiara applicazione della teoria delle «finestre infrante».

Subito dopo si parlò di una nuova iniziativa contro i ricettatori. L'idea era quella di mettere sotto pressione gli arrestati per furto o rapina perché facessero i nomi dei complici. Uno dei primi a finire in manette, spiegò il comandante del distretto, era stato un balordo che però non aveva chiamato in causa nessuno, avendo fino a quel giorno subito blande condanne.

Fu poi la volta di un altro comandante di distretto, dal quale venimmo a sapere che nella sua giurisdizione alcuni saloni di barbiere facevano da copertura al traffico di droga. A tutti fu quindi raccomandato di tenere d'occhio quei barbieri che lavoravano ben oltre l'orario di chiusura o i cui clienti uscivano con i capelli della stessa lunghezza di quando erano entrati. Un altro agente ci informò che quel fine settimana Hector Camacho jr. avrebbe incrociato i guantoni con Jesse James Leija. La cosa mi interessò particolarmente perché, a parte la mia passione per la boxe, quello sarebbe stato il primo incontro a Coney Island dopo cinquant'anni e si sarebbe svolto nello stadio di baseball KeySpann, che nessuno aveva creduto saremmo riusciti a realizzare. Pensai di portarci mio figlio Andrew e diversi amici. I poliziotti si raccomandarono di tenere d'occhio i bar nei quali si poteva assistere agli incontri di boxe in TV, facendo sapere ai baristi che la loro zona sarebbe stata attentamente pattugliata. Poi un altro comandante ci presentò un giovane agente in uniforme, che era riuscito giorno dopo giorno a coltivare un informatore grazie al quale era stato possibile sgominare una banda.

Seguì la descrizione di un recente reato, commesso stavolta a colpi d'arma da fuoco. La vittima, un noto tossicomane, si era fatto di crack per quattro giorni. Cominciava a puzzare, anche perché faceva molto caldo, e gli amici lo spinsero a farsi una doccia, sapendo che lui aveva una tessera del Bancomat. Mentre era sotto la doccia, questi presunti amici gli portarono via i pantaloni sia per impossessarsi del Bancomat sia per impedirgli di inseguirli. Si sbagliavano in entrambi i casi. Il soggetto uscì di corsa senza pantaloni, dai quali comunque aveva tolto il Bancomat prima di infilarsi sotto la doccia, evidentemente essendosi formato qualche idea sull'onestà di quelli con i quali se la faceva. Uno di loro, infuriato per il fallimento, perse il controllo e sparò al tossicomane senza pantaloni, ferendolo. La polizia mise le mani su uno della banda che finì per fare il nome di chi aveva sparato, ma ammettendo solo il furto dei pantaloni.

Andammo avanti così per un paio d'ore e alla fine colsi l'occasione per ringraziare i presenti. Da quando ero stato eletto sindaco i reati erano calati nel Bronx del 62,4 per cento, con una notevole flessione del 16,36 per cento nel solo 2001. La riunione Compstat spiega efficacemente quanto il successo dipenda dallo spirito di squadra, dallo scambio di idee, dall'assunzione di responsabilità e dal reciproco sostegno.

Assumetevi le responsabilità generalizzate

Lo straordinario successo ottenuto dal Compstat nel dipartimento di Polizia mi convinse del fatto che un'autentica disponibilità ad assumersi le responsabilità può incidere positivamente sul rendimento e sul morale di qualsiasi organizzazione. Decisi quindi di introdurre una versione del Compstat in ogni ente municipalizzato. Da dove cominciare? Cercavo un ente che potesse trarre giovamento dal sistema, zittendo così i critici secondo i quali il principio di assunzione di responsabilità poteva funzionare soltanto nel dipartimento di Polizia.

A New York il dipartimento degli Istituti di pena ha una secolare storia di caos. Ogni mese si registravano nelle carceri tra 120 e 150 ferite da coltello, di taglio o di punta, e il dipartimento aveva la peggiore immagine tra tutte le municipalizzate, al punto da diventare il simbolo del fallimento e dell'incapacità della pubblica amministrazione. Nel dicembre 1991 Mike Wallace visitò Rikers Island per conto della rubrica *60 Minuti* della CBS. E descrisse un sistema privo di controllo dove sotto i suoi occhi «un detenuto si prese una coltellata di taglio in un occhio e di punta alla schiena, mentre veniva rapinato degli oggetti di valore che aveva addosso».

Frattanto, una delle conseguenze dell'accresciuta efficienza del dipartimento di Polizia era stata quella di aumentare l'affollamento delle sedici prigioni cittadine, delle quindici strutture destinate a camere di sicurezza e dei quattro bracci ospedalieri. Nel 1995, ossia il mio primo anno da sindaco, avevo fatto salire la popolazione carceraria di circa 1800 unità. Ma contemporaneamente l'extradeficit di bilancio che avevo ereditato dalla precedente amministrazione, mi aveva costretto a ridurre il numero delle guardie carcerarie da oltre 11.000 a circa 10.500.

Proprio questi problemi di bilancio mi avevano indotto a scegliermi come secondo assessore Michael Jacobson, che aveva già lavorato all'ufficio Bilancio e gestione. Con il suo background finanziario e statistico Michael aveva bisogno di un manager efficiente e attivo e avevamo la persona giusta. Bernard B. Kerik era pieno di nuove idee e aveva il carattere energico necessario per attuarle. Nel gennaio 1995 nominammo Bernie primo viceassessore agli Istituti penitenziari. La sua era stata una carriera insolita. Abbandonato da adolescente, era entrato nell'esercito, aveva fatto parte di una Squadra interforze di arti marziali e quindi era stato aggregato a un reparto di stanza in Corea. Tornato in patria e lasciata l'uniforme, era diventato direttore della prigione più grande del New Jersey. Nel 1986 si era dimesso per entrare al livello più basso nel dipartimento di Polizia di New York, con uno stipendio di gran lunga inferiore a quello da direttore del carcere. E nella polizia era rimasto otto anni, meritandosi trenta decorazioni. Uno dei suoi successi più clamorosi lo colse al termine di un'inchiesta antidroga che aveva portato alla condanna di sessanta esponenti del noto, e brutale, cartello di Cali.

Conobbi Bernie nel 1990 a una riunione organizzativa della cena annuale della Fondazione Buczek, istituita in memoria dell'agente Michael Buczek che era stato ucciso nel 1988 da trafficanti di droga, poi fuggiti nella Repubblica Dominicana nella speranza di evitare l'arresto. Bernie andò personalmente all'aeroporto, in New Jersey, per prendere in custodia uno degli assassini appena estradato. Mi colpirono subito le sue capacità organizzative e fui più che contento, due anni dopo, quando si aggregò alla mia campagna elettorale. Ricordo ancora quel giorno in cui parlavamo del saggio *Dirigere e governare*, di David Osborne e Ted Gaebler: Bernie «prese in prestito» la mia copia che tenevo in auto, fino a quando si decise a comprare il libro. Da esterno abituato per giunta ad assumersi la sua parte di rischi, Bernie non era il tipo da accettare il cliché «Non è così che si fa», diventato una specie di parola d'ordine di chi si opponeva alla sperimentazione di nuove strategie. Sapevo che alcuni al vertice non erano ancora convinti della bontà del nuovo sistema, ma ero certo che Bernie, cintura nera di arti marziali che aveva addestrato personale delle Forze speciali a Fort Bragg (Nord Carolina), non avrebbe faticato a convincerli.

L'assessorato agli Istituti penitenziari, che presiede ai 125 mila ingressi annuali di detenuti nelle varie strutture carcerarie, era l'ufficio più indicato per il prossimo esperimento di assunzione di responsabilità. Se il modello Compstat fosse riuscito a mettere ordine nelle carceri, avrebbe messo ordine dappertutto.

Kerik non perse tempo e nel 1995 dette vita al TEAMS (Total Efficiency Accountability Management System) – i dipendenti statali non ricevono dai datori di lavoro *stock options* come i dipendenti di un'azienda, ma acronimi – e affidò gran parte del lavoro organizzativo ed esecutivo a Debbie Kurtz, che successivamente avrebbe lavorato con Geoff Hess per ampliare i sistemi di programma di assunzione di responsabilità. Il TEAMS si basava sugli stessi concetti del Compstat: acquisizione dati, indicatori di rendimento e riunioni periodiche durante le quali venivano valutati i risultati fino a quel momento ottenuti. Bernie terrorizzava ogni manager, spiegando che quella loro riservata era una scelta semplice: fare proprio lo spirito di TEAMS o essere licenziati. Si rendeva conto che alcuni direttori di carcere non ci avrebbero dato tutte le informazioni loro richieste, che alcuni loro vice non avevano nessuna intenzione di fornirci mappe, formulare analisi, partecipare alle riunioni. Lui mantenne quanto promesso e, fin quando questo andazzo non cambiò, vi furono diversi avvicendamenti ai vertici. Ma Bernie sapeva gratificare quelli che lo seguivano, mettendo a loro disposizione le risorse con le quali porre le basi del successo. Quando, nell'agosto 2000, lasciò il suo incarico per diventare il quarantesimo assessore alla Polizia, tutti i capi ufficio dell'assessorato e perfino Bill Fraser, che sostituì Bernie, erano persone che quando lui aveva preso la guida degli Istituti penitenziari avevano il grado di vicedirettore di carcere, o una qualifica ancora più bassa. Negli ultimi cinque anni gli episodi di violenza dei detenuti ai danni di altri detenuti erano miracolosamente calati del 93 per cento, gli esborsi per gli straordinari del personale erano scesi del 44 per cento e le assenze per malattia del 31 per cento.

Applicare il principio di responsabilità significava anche estenderlo ai detenuti stessi. È una vecchia tradizione di New York quella di concedere ai carcerati ogni tipo di privilegio. Quelli di Rikers Island, per esempio, indossavano invece dell'uniforme carceraria i propri abiti, compresi oggetti di valore che regolarmente si rubavano l'un l'altro. Avevano diritto a una telefonata al giorno e gli agenti di custodia potevano essere armati solo in caso d'emergenza.

Quando arrivò Kerik, e per tutta la sua permanenza alla guida dell'assessorato, ai detenuti fu fatto chiaramente capire che avrebbero dovuto rispondere anche dei reati commessi in carcere, oltre che di quelli che ve li avevano portati. Racconta Bernie che, arrivato a Rikers Island, aveva visto foto di detenuti tenuti fermi da altri carcerati mentre venivano loro incise le iniziali sulla schiena con un rasoio. «Che punizioni hanno avuto i colpevoli?» aveva chiesto. «Nessuna» era stata la risposta. «Siamo in un carcere e certe cose in un carcere succedono.»

Un detenuto convinto che in casi del genere nulla possa succedergli si sente autorizzato a comportarsi da matto. Noi cambiammo quello stato di cose. Se un detenuto doveva ricorrere ai punti di sutura noi contestavamo a chi l'aveva ferito il reato di lesioni gravi: e in pratica da un giorno all'altro si registrarono meno feriti e meno atti di violenza. Il motivo non è difficile da capire: anche chi deve scontare vent'anni, cioè, non gradisce che gliene vengano appioppati altri cinque. Eppure, quando annunciai che avrei fatto arrestare e condannare i detenuti violenti nonostante i problemi che New York si trovava ad affrontare in quei giorni, mi guardarono come se avessi avuto due teste. Fino a quando, però, non presero atto dei risultati: 139 tra accoltellamenti e ferite da taglio nel luglio 1995, solo uno nel settembre 2001.

È questo l'esempio più illuminante dei vantaggi che tutti ricevono dall'applicazione del principio di responsabilità. In pratica ogni innovazione che apportammo all'assessorato Istituti di pena incontrò resistenze di tutti i tipi, dal Consiglio comunale ai membri del Consiglio superiore, gente che sosteneva di «avere a cuore» le condizioni dei detenuti. Ma non conviene forse a tutti che, come è successo, gli episodi di violenza sui detenuti a opera di altri detenuti calino dai 1093 del 1995 ai 70 del 2000?

Anche nel caso di TEAMS, come in quello di Compstat, l'obiettivo fu di anticipare i problemi. Per fare un esempio, nell'anno fiscale 1995 ogni agente di custodia aveva totalizzato mediamente venti giorni di assenza dal lavoro. Il fenomeno era in parte attribuibile agli episodi di violenza in carcere, in parte alla frustrazione di lavorare in una struttura dalla scarsa o nulla funzionalità. Creammo una équipe incaricata di andare a trovare a casa loro i secondini che si davano malati con maggior frequenza. Il programma TEAMS individuò presto quelli che abusavano maggiormente delle finte malattie e i dirigenti che avevano alle loro dipendenze il maggior numero di finti malati. Porre freno agli uni e agli altri permise al sistema carcerario di guadagnare in funzionalità.

Durante il «governo Kerik» venne adottato uno dei miei indicatori preferiti: il controllo di nome e numero di tessera sanitario-previdenziale dei visitatori dei detenuti, per accertare eventuali provvedimenti di custodia a loro carico. In tal modo non soltanto si tenevano alla larga gli indesiderabili, ma si riducevano gli episodi di violenza inevitabili quando un visitatore di una certa gang si imbatteva in qualcuno al quale aveva in passato combinato qualche scherzo sanguinoso. Il fatto che persone colpite da mandato di cattura si presentassero tranquillamente in un carcere lasciando le proprie generalità la dice lunga su come il dipartimento avesse funzionato fino ad allora. Il messaggio implicito era stato il seguente: «Questo è un sistema decrepito in cui i criminali sono liberi di andare a trovare altri criminali e nessuno interviene: approfittatene». Ma la comunità criminale, dopo l'arrivo di Bernie, non tardò a capire che chi si fosse presentato a Rikers Island avendo sul capo un mandato di cattura sarebbe stato arrestato. E sarebbero stati arrestati anche quelli che avevano commesso un reato durante la detenzione. Tornava a stabilirsi il principio secondo il quale la società si attende dai suoi componenti un certo comportamento, in ogni circostanza. La cosa aveva anche un suo risvolto di marketing, per così dire. Gli inserzionisti pubblicitari scelgono sempre il medium più adatto per rivolgersi ai potenziali acquirenti dei loro prodotti, per esempio un canale per giovani come MTV allo scopo di pubblicizzare una cura per l'acne giovanile oppure una rivista per giovani coppie nel caso dei pannolini: quale canale migliore di un carcere, per pubblicizzare le conseguenze di un comportamento criminale?

Quando Bernie lasciò gli Istituti penitenziari, TEAMS veniva ormai usato come strumento di gestione globale, era divenuto cioè il perno attorno al quale ruotava l'istituzione. Aveva un totale di 592 indicatori, da quelli degli incidenti che avevano richiesto l'uso della forza a quelli per misurare la popolazione media quotidiana di una certa prigione, da quelli sui reclami dei detenuti a quelli sulle assenze per malattia e sul fenomeno dell'assenteismo: e tutti venivano attentamente analizzati. Non sbaglia a volte chi sostiene che un sistema con troppi indicatori, e quindi tanto complicato che solo pochi possono avvalersene, contraddice la sua finalità che è quella dell'accessibilità al maggior numero di addetti. Ma al tempo stesso è proprio questo il bello del controllo decentrato, nel senso che ogni ente ha la possibilità di dare vita a un suo sistema e decidere in tal modo come meglio risolvere i suoi problemi. Da sindaco non dissi mai «Quel tale ente deve avere 350 indicatori». Se 592 andavano bene per gli Istituti penitenziari, come in effetti avvenne, perché mai avrei dovuto interferire?

Una tattica simile dette i suoi frutti, a volte in maniera imprevedibile. I migliori indicatori non si limitano a valutare un rendimento ma lo migliorano. Per fare un esempio, il TEAMS segue l'andamento delle vendite negli spacci delle prigioni, e se per caso in una certa prigione raddoppia all'improvviso la vendita di dolciumi e sigarette è molto probabile che si stia preparando una rivolta. I detenuti sanno infatti che, in caso di rivolta, la prima misura delle autorità carcerarie è quella di confinarli nelle celle. Da qui la loro necessità di fare provviste. Grazie a questo indicatore gli agenti di custodia possono separare i probabili leader della rivolta e prepararsi, riducendo così la possibilità di violenza ai loro danni e a quelli degli altri detenuti. Il sistema venne poi ulteriormente modificato e TEAMS fu in grado di registrare le spese effettuate allo spaccio da ogni detenuto. Se uno di loro, per esempio, acquistava due tavolette Hershey's e il giorno dopo gliene trovavano in cella una cinquantina, si capiva di avere a che fare con un leader che estorceva i dolci dai componenti del suo gruppo. Tutto ciò che non poteva dimostrare di avere acquistato gli veniva allora sequestrato, tecnica questa efficace e non violenta di controllo, volta anche a scoraggiare i furti.

Alcuni indicatori possono apparire astrusi a chi ha poca familiarità con l'ente penitenziario, ma bisogna avere fiducia negli addetti ai lavori. Uno dei 592 indicatori rilevava le presenze dei detenuti alle cerimonie religiose, e con questo sistema fu possibile interrompere le riunioni di una banda, i Latin Kings, che si svolgevano durante la messa settimanale. È anche questo il bello del TEAMS. L'indicatore che aveva fatto insospettire le autorità del carcere per l'improvviso aumento dei fedeli avrebbe anche potuto segnalare un fenomeno non preoccupante. Il direttore avrebbe per esempio potuto spiegarlo con l'arrivo «di un nuovo sacerdote molto carismatico» o con qualche altra motivazione altrettanto plausibile. Ma il fatto che il TEAMS avesse rilevato il fenomeno significava che al direttore poteva venire chiesta una spiegazione, e il direttore sapeva che questa spiegazione avrebbe dovuto fornirla.

Una delle prove più convincenti della bontà di un sistema è che continua a funzionare anche dopo l'uscita di scena del «manovratore». Quando Bill Bratton lasciò la poltrona di assessore alla Polizia nessuno pensava che Howard Safir sarebbe stato in grado di mantenere costante la riduzione dei reati, e lui smentì le previsioni accelerando addirittura questa riduzione. E quando anche Safir lasciò l'incarico, Kerik ridusse ulteriormente il numero dei reati. Il giorno in cui accettò l'incarico, Bernie sostenne che certe tecniche erano pienamente compatibili con il sistema Compstat e, oltre a giovare al morale degli agenti, avrebbero ridotto i tempi d'intervento della polizia: nei sedici mesi in cui Bernie resse l'assessorato alla Polizia questi tempi vennero dimezzati.

Qualcosa del genere avvenne quando nell'incarico di assessore agli Istituti penitenziari a Kerik succedette Bill Fraser. I dati statistici si fecero ancor più incoraggianti. Il funzionamento del sistema non dipendeva strettamente dall'opera dei dirigenti o da quella del sindaco: se chi è al vertice crede nel sistema, e fa in modo che i suoi collaboratori ci credano a loro volta e abbiano il necessario appoggio e le necessarie risorse, nessuno è insostituibile. Ho sempre sostenuto che chi fosse venuto dopo di me avrebbe avuto il mio stesso successo se avesse condiviso la mia cieca fiducia nel sistema, ed è esattamente ciò che è avvenuto. Mike Bloomberg e il suo assessore alla Polizia, Ray Kelly, hanno continuato a servirsi di Compstat e stanno avendo un notevole successo.

L'ottimo funzionamento di Compstat e di TEAMS (per non parlare di JobStat, il programma lanciato nel 1988 dall'amministrazione Risorse umane per trovare lavoro ai destinatari del sussidio di disoccupazione) fu la conferma dell'universalità del nostro tipo di approccio. Nel gennaio 2001 decisi quindi di applicarlo al maggior numero possibile degli enti alle dirette dipendenze del sindaco, che sono in tutto trentotto.

Varammo così un programma che chiamammo CAP (Citywide Accountability Program) o CapStat, il quale prevedeva che ognuno di questi enti desse vita a un proprio programma. I responsabili di ogni ente conoscevano infatti meglio di ogni altro i problemi e le caratteristiche del proprio settore. E dal momento che l'idea base era quella di assumersi responsabilità e di sentirsi coinvolti, la presenza degli assessori e dei loro principali collaboratori faceva sì che questo programma non sembrasse imposto dall'alto. Fissammo quindi quattro parametri che gli assessori avrebbero dovuto sottoporre alla mia attenzione:

• i dati andavano raccolti regolarmente e con criteri affidabili in un tempo prestabilito, possibilmente con frequenza quotidiana, ma almeno una volta la settimana;

• andava fissato un numero di indicatori oscillante tra venti e quaranta, relativi alla missione specifica di ogni ente;

• andava convocata almeno una volta la settimana una riunione fissa, e alla vigilia di ognuna di queste riunioni andava preparato un programma che specificasse di quali direttori fosse necessaria la presenza;

• andavano individuati quei dieci o più indicatori significativi di rendimento che ogni ente voleva inserire nel sito web della città di New York.

Mettere online queste informazioni significava esercitare un'ulteriore pressione sull'assessorato: cittadini e media potevano chiamare a rispondere un ente così come l'ente stesso poteva fare con loro. E c'era un altro motivo che mi spingeva a mettere i dati su Internet. Da lì a un anno sarebbe scaduto il mio mandato e all'epoca non sapevo né ritenevo probabile che il mio posto sarebbe stato preso da Mike Bloomberg: uno, cioè, convinto come me che New York va amministrata come si amministra un'azienda. E avendo a cuore il benessere di New York sapevo che dopo la mia uscita di scena avrei voluto, come tanti, conoscere lo stato di salute della città e che sarebbe stato difficile al mio successore togliere gli indicatori ormai ben radicati se non voleva dare l'impressione di nascondere qualcosa. Il che mi rafforzò nel convincimento che il principio di responsabilità non riguarda soltanto rispondere a chi si trova sopra di te nell'organigramma, ma anche al pubblico.

Quando lasciai l'incarico venti diversi enti avevano adottato un sistema di responsabilità insieme con il modello Compstat e ciascuno trasse beneficio dalla sua applicazione. Non è soltanto una mia opinione, ho le cifre! E siccome queste cifre sono su Internet, le hanno tutti.

Nel marzo 2001 prese vita l'agenzia per i Sistemi di gestione, istituita a cura del dipartimento Servizi amministrativi, ossia dell'ente che provvede ad acquisire tutto ciò di cui la città ha bisogno, oltre a gestirne il patrimonio immobiliare. Dopo l'attacco al World Trade Center, il dipartimento applicò il suo modello di riunione per affrontare la crisi e, potendo sfruttare le informazioni ricevute da altri enti e conoscendo tutte le iniziative da loro prese, fu in grado di accontentare le mille esigenze di New York – dagli ombrelli alle autobotti – con una velocità incredibile e sempre rispettando i contratti sottoscritti.

Come per le riunioni Compstat, queste non servivano per rallegrarsi con i partecipanti del loro ottimo lavoro. Durante una riunione dell'assessorato ai Trasporti, l'assessore Iris Weinshall si informò sulla pulizia a bordo dei traghetti. «Sono puliti, assessore, pulitissimi» si sentì rispondere. Iris proiettò allora una serie di diapositive di traghetti pieni di immondizie. L'assessorato stabilì quindi i parametri di pulizia di quei natanti, e nel giro di un mese le loro condizioni igieniche migliorarono tra il 10 e il 62 per cento.

Istituire degli indicatori davvero efficienti è uno dei passaggi più delicati dell'istituzione di un sistema di responsabilità sul modello

Compstat. Una cittadina non afflitta da troppi reati violenti non avrà un gran successo se porrà eccessivamente l'accento su questo dato. Dovrà ovviamente prestare attenzione agli omicidi, ma se da un anno all'altro passa da tre a due casi non c'è bisogno che festeggi con fuochi d'artificio questa flessione del 33 per cento. Un piccolo centro dovrà quindi usare il sistema per valutare quelle violazioni del codice che sono abbastanza frequenti da potere essere affidabilmente monitorate, come le infrazioni al codice della strada e la velocità di presentazione dei reclami. Così come una società con cinque dipendenti adotterà tecniche di valutazione del rendimento diverse da quelle in uso in una società che di dipendenti ne ha cinquecento, anche se operano nello stesso settore.

L'importanza che hanno i numeri nel sistema CapStat dà a qualche critico l'impressione che si tratti di un metodo freddamente analitico per raggiungere un certo obiettivo. È vero invece esattamente il contrario. Sottolineando i risultati e non i metodi, gli assessori attribuiscono ai loro manager la responsabilità dei miglioramenti forniti dagli indicatori di rendimento ma allo stesso tempo li lasciano liberi di sperimentare grazie all'acquisizione di questi risultati. Ciò che funziona in un certo settore non è necessariamente il metodo migliore da adottare in un altro settore. Il Compstat del dipartimento di Polizia, per esempio, ha completamente decentrato l'attività decisionale e ogni comandante di distretto sviluppa e applica quelle strategie che ritiene in grado di produrre i migliori risultati nella zona di sua competenza.

Una simile dinamica ha anche dato vita a un mercato delle idee, nel quale grazie all'autentica concorrenza sono state adottate le migliori strategie. Se il comandante del 44° Distretto Bronx riusciva a ridurre il numero delle sparatorie aumentando quello degli agenti in borghese, di lì a poco altri comandanti desiderosi di ottenere risultati superiori a quelli del collega applicavano la stessa tecnica, apportandovi magari qualche miglioramento. E quando queste tecniche e questi risultati venivano esposti alla riunione bisettimanale, altri comandanti erano liberi di «copiare» allestendo strategie che ritenevano particolarmente efficaci nella loro giurisdizione.

In tutte queste istanze, il leader di più alto livello deve essere in grado di individuare e inserire i manager adatti. In un sistema di responsabilità che funziona bene, questi manager hanno un notevole potere e godono di moltissimo spazio di manovra creativa. Quelli che hanno bisogno di essere tenuti per mano e vogliono che ogni iniziativa parta dalla Centrale non avranno mai successo. Compito del leader è fissare i tempi e l'ordine del giorno, compresi certi obiettivi specifici per i manager operativi, oltre a fornire qualsiasi consiglio, incoraggiamento o risorsa sia loro richiesto per raggiungere questi obiettivi.

Tutte le imprese traggono vantaggio dall'aumento di responsabilità, ma ovviamente esistono differenze sul modo di ottenere questo aumento. Una società potrebbe non voler rendere noti i dati relativi al proprio rendimento, nel timore che un dipendente possa licenziarsi e fornirli a una società concorrente dopo essersi fatto assumere. Alla base di molti recenti clamorosi crac registrati nell'America imprenditoriale c'è stato un calo di responsabilità che ha interessato trasversalmente il top management. In queste aziende tarderanno a spegnersi le discussioni su «che cosa non ha funzionato», e tutte avranno in comune un rifiuto del vertice di assumersi la responsabilità degli errori. «Non capisco questa o quella procedura» non è una scusa valida, perché compito di un leader è anche comprendere. Se un amministratore delegato non riesce a capire la sua società deve informarsi meglio, oppure prendere in considerazione la possibilità che la tecnica contabile sia eccessivamente complicata e vada sostituita da una più trasparente.

Ogni leader, pubblico o privato, deve interiorizzare il concetto che conviene sempre essere onesti e aperti, quando c'è in ballo la propria azienda. Nel dubbio se rendere o meno nota una circostanza negativa, è sempre meglio sbagliare per eccesso di comunicazione. Questa comunicazione potrà avere nell'immediato effetti negativi, ma è giustificata da due motivi entrambi convincenti. Primo, ciò che avete reso noto alla fine sarebbe ugualmente emerso e le conseguenze sarebbero ancora peggiori perché la gente avrebbe il diritto di chiedersi che cos'altro avevate nascosto. Secondo, alla lunga i leader onesti e sinceri ottengono la fiducia degli investitori e degli elettori, cosa questa di particolare importanza se un bel giorno si avrà bisogno della fiducia del pubblico per affrontare i momenti neri.

Il miglior consiglio che si possa dare a un direttore generale è quello di rendere note le cattive notizie prima piuttosto che dopo. E ogni volta che riceve un'elaborata spiegazione del perché sia preferibile tacere, non tenga conto del consiglio e parli.

In casi del genere l'esperienza del pubblico accusatore può risultare utilissima. Se mi capitava di chiamare al banco dei testimoni qualcuno con un serio problema di credibilità, cioè con un passato disonesto o criminoso, ero io a rendere noti questi precedenti negativi durante l'interrogatorio. Dopo di che, esaurita questa parte, potevo ricostruire la reputazione del teste senza al tempo stesso dare alla giuria l'impressione di averla voluta ingannare o sviare.

Nonostante i passi falsi di alcune importantissime aziende americane e la presunta «avidità aziendale» che sarebbe alla loro origine, questi episodi riflettono soltanto una piccola percentuale della realtà imprenditoriale americana. E i crolli di alcuni giganti dimostrano che il sistema economico americano è fondamentalmente sano, in quanto prevede meccanismi per mettere in luce certi illeciti che rimarrebbero segreti in altri sistemi. Un sistema, il nostro, che è oltretutto autocorrettivo. Ogni volta che viene scoperto un grosso illecito si cerca di fare in modo che non si ripeta in futuro. È un sistema imperfetto, indubbiamente, ma funziona meglio di tutti gli altri: e il principio di responsabilità serve a perfezionare tutti i sistemi.

La mia esperienza con gli enti coperti dall'ombrello CapStat (e le caratteristiche dell'ufficio Parchi e giardini non potrebbero essere più diverse di quelle degli Istituti penitenziari) dimostra che ogni organizzazione funziona meglio quando ognuno è chiamato a rispondere agli altri.

CapStat misurava quelle cose comuni che rendono la vita più vivibile. Mi rendo conto che «trenta giorni per riparare una buca stradale» oppure «la citazione per un cane senza guinzaglio» non sono questioni di vita o di morte. Ma è ugualmente importantissimo dare vita a una cultura in cui ogni dipendente si senta responsabile. E in realtà alcuni di questi grafici e indicatori di rendimento si riferiscono a questioni di vita o di morte.

Fate il possibile, provate a fare ciò che non lo è

A New York, come in ogni grande città, ci sono genitori che trascurano i loro bambini e ci sono mostri che compiono azioni orribili. L'amministrazione non può sostituirsi ai genitori o cambiare la famiglia o l'ambiente sociale che dovrebbero proteggere i propri componenti più vulnerabili. È pericoloso dare la falsa impressione che sia la città la prima responsabile, perché solleva i cittadini dai propri obblighi.

Ma ciò non esime in questi casi l'amministrazione cittadina dal fare tutto quanto sia nelle sue possibilità. Da leader è necessario partire dal principio della propria responsabilità, per poi cercare di capire se sarebbe stato possibile fare qualcosa per impedire quel disastro o prevenirne di futuri. Abbiamo adottato un simile approccio al problema per proteggere i bambini più vulnerabili. Nel 1994 sono stati raccolti a New York 209 milioni di dollari per aiuti all'infanzia; nel 2001 questi milioni sono diventati 447. Nel 1996 ogni assistente sociale gestiva in media 28 casi l'anno, nel 2001 questi casi sono scesi a 13,2. Nel 1991 i bambini di New York in affidamento erano 49.000, nel 2001 erano scesi a 29.000: e questo perché le 21.189 adozioni perfezionate negli ultimi sei anni della mia amministrazione sono state il 66 per cento in più di quelle dei sei anni precedenti.

Nick Scoppetta, assessore dell'Assistenza all'infanzia, ha ottenuto questi risultati responsabilizzando non solo quelli che lavoravano con lui, ma anche quelli che volevano diventare fornitori dell'assessorato. Uno dei programmi da lui adottati, quello che ha contraddistinto l'andamento positivo dell'affidamento, fornisce un'eloquente dimostrazione di come dovrebbe funzionare il principio di responsabilità.

A partire dal 2000 l'assessorato cominciò a «dare il voto», da 1 a 100, alle agenzie specializzate nell'affidamento. Gli indicatori comprendevano parametri come la frequenza delle riunioni delle famiglie, la frequenza delle visite degli assistenti sociali ai bambini in affidamento e le percentuali dei bambini che avevano avuto bisogno di cure mediche. E i risultati vennero comparati ai numeri fino a quel momento a disposizione e non a valori assoluti impossibili da raggiungere. I punteggi furono poi resi di pubblico dominio, in modo che ogni genitore affidatario potesse vedere chi era sopra la media e chi sotto. Assegnammo di proposito i voti con una certa parsimonia, e di conseguenza 85 stava a indicare una performance eccezionale mentre la media si aggirava sul 70 per cento. Sapevamo che la stampa si sarebbe divertita a sottolineare tutti i 70, quasi che fossero voti di un tema d'inglese: ma io non credo nella promozione sociale né nei risultati gonfiati artificialmente.

L'assessorato affidò quindi un maggior numero di bambini alle agenzie che avevano ottenuto i voti più alti e un numero inferiore a quelle con i voti più bassi. Una volta completate queste operazioni, le prime quattro agenzie fornitrici ricevettero il 95 per cento della loro quota massima mentre alle ultime quattro andò soltanto il 60 per cento, con l'obbligo di attuare dei programmi correttivi. Quelle dai risultati peggiori avrebbero ricevuto il numero più basso di bambini e, se non avessero migliorato il loro punteggio, non avrebbero più lavorato con noi. E non fu una minaccia pro forma. Nell'agosto 2001 un ufficio al quale facevano capo alcune famiglie affidatarie di Manhattan e Staten Island totalizzò un punteggio di 50, cioè 9 punti in meno dei penultimi in classifica. Lo chiudemmo, trasferendo a un altro ente con un punteggio superiore la responsabilità dei 280 bambini, che comunque rimasero tutti presso le stesse famiglie affidatarie.

Per strano che possa sembrare, questo tipo di *capacity management* (management della conformità) non aveva avuto fino a quel momento precedenti a New York. C'erano stati, certo, dei sistemi di valutazione, ma mai sufficientemente sofisticati da misurare una vera prestazione e mai un ente aveva perso la sua conformità in conseguenza di un basso punteggio. Quali che fossero i termini del contratto, questo non prevedeva incentivi di prestazione e penalità.

La ragione è che erano tanti i bambini in affidamento. A nessuno piace pensare ai bambini come a un articolo da inventariare, ma il fatto che nessuno azzardasse critiche per non essere accusato di insensibilità aveva come conseguenza un peggioramento delle condizioni di vita dei bambini stessi. Secondo un vecchio adagio riferito alla Child Welfare Administration, la nobiltà delle intenzioni era di per sé sufficiente. E non esistendo criteri di valutazione del rendimento, non esistevano parimenti misurazioni del risultato. Rimane il fatto che i 280 bambini portati via all'ufficio con i peggiori risultati finirono in carico a un altro ufficio dai risultati indubbiamente migliori.

Quello dell'affidamento era un sistema *per diem per capita*, nel senso che l'ufficio che aveva stipulato il contratto con il Comune riceveva un sussidio quotidiano per ogni bambino. E quando il bimbo veniva adottato, o tornava presso la sua famiglia d'origine, il pagamento del sussidio cessava. Quando il numero dei bambini in affidamento cresceva e la loro permanenza variava da caso a caso, questi enti avevano sempre bambini in quantità ed entrate sostanziose: e noi non potevamo permetterci di sanzionare i peggiori tra questi enti, affamati come eravamo di posti letto. Un problema del genere dimostra quanto sia importante attivare certe iniziative in un quadro d'assieme più ampio. Ci rendemmo conto che se volevamo fornire servizi migliori dovevamo ridurre la popolazione totale dei bambini in affidamento, favorendo il più possibile le adozioni o i ricongiungimenti. Solo dopo, una volta accertato che i bambini erano al sicuro nelle loro case adottive o presso la famiglia d'origine, fu possibile esercitare pressioni sulle agenzie più deficitarie e premiare quelle più efficienti.

Applicammo sistemi di gestione dell'informazione per analizzare certe voci, come i modelli storici relativi al numero dei giorni che un bambino trascorre in affidamento. Considerammo anche delle variabili (un bambino piccolo, per esempio, tende a restare in affidamento più di un adolescente), ci servimmo dell'informazione per prevedere il numero complessivo di giorni con bambini a carico che una certa agenzia avrebbe totalizzato. A quel punto potevamo dire all'agenzia quanto segue: «Sulla base del numero dei bambini che prevedibilmente gestirete, abbiamo deciso di assegnarvi 5 milioni di dollari. Ma invece di riprenderci ciò che non avrete speso, come fa di solito l'amministrazione in caso di spese inferiori al previsto, vi lasceremo la differenza perché la usiate per finanziare altri programmi da noi approvati».

Si sarebbe potuto obiettare che in tal modo c'era il rischio di incoraggiare le agenzie ad abbassare gli standard richiesti per ricongiungere un bambino alla sua famiglia d'origine o per trovargli un'altra sistemazione permanente. A questo ovviammo prevedendo una penale per l'agenzia nel caso che il bambino, entro un certo arco di tempo, fosse tornato a carico del sistema comunale di assistenza. In altre parole, l'adozione o il ricongiungimento avrebbero dovuto funzionare. Le adozioni avevano di rado conseguenze disgreganti: è un iter lungo, il loro, spesso sotto la supervisione del Tribunale dei minori e quindi abbastanza protetto. Ma se un'agenzia affrettava i tempi di un ricongiungimento e il bambino tornava da noi non veniva pagata, e spesso era anzi soggetta a sanzioni.

Bastone e carota erano pronti all'uso e, particolare importante, finalizzati all'obiettivo principale dell'agenzia: quello di proteggere i bambini e trovare loro una sistemazione sicura e stabile. Il programma STAR (Safe and Timely Adoption and Reunification) serviva proprio a questo, e durante il suo primo anno d'applicazione le migliori agenzie reinvestirono oltre 3 milioni di dollari, riducendo il popolo dei bambini in affidamento a livelli mai visti da tredici anni a quella parte.

L'assessorato per l'Assistenza ai minori ha avuto successo e ha rappresentato la prova provata della versatilità del principio di responsabilità. Di qualsiasi cosa ci si stia occupando, il miglior metodo per raggiungere certi traguardi è quello di comparare i risultati con i precedenti indicatori e poi pretendere dei miglioramenti. Questi criteri di valutazione della responsabilità non solo migliorarono il livello della stessa responsabilità ma anche il morale dei dipendenti. Man mano che un'agenzia si dimostrava più efficace ed efficiente, la gente si sentiva più positiva. A tutti piace fare parte di una squadra vincente.

All'inizio di questo capitolo ho parlato della targhetta sulla mia scrivania con la scritta: SONO RESPONSABILE. Non merito tutti i riconoscimenti ricevuti per ciò che è andato come doveva durante i miei due mandati da sindaco, ma merito di essere considerato responsabile dei risultati del mio ufficio. Ed è ciò che mi aspetto da tutti coloro che lavorano con me.

È il caso di citare un altro particolare del mio ufficio a City Hall. Quasi sepolte tra foto, libri e cimeli della squadra degli Yankees ci sono le stampe di due affreschi del Palazzo Pubblico di Siena, opera di Ambrogio Lorenzetti, intorno al 1330. Uno si chiama *Effetti del cattivo governo in città e in campagna* e rappresenta il caos e la violenza che è lecito aspettarsi da un titolo simile, con un Satana giubilante al centro di quello scompiglio. Nell'altro, *Effetti del buon governo*, i cittadini trascorrono serenamente e al sicuro la loro giornata tipo e sono ritratti mentre praticano il commercio o chiacchierano con i vicini. Ed è straordinario notare quanto questi due affreschi ricordino le foto scattate sette secoli dopo a Times Square prima e dopo la cura.

V
Circondatevi di persone di primissima qualità

Ripensando al passato, ritengo che l'abilità che sono riuscito a sfruttare più delle altre è stata quella di circondarmi di gente di primissima categoria. Il gruppo formatosi l'11 settembre si è dimostrato eccezionalmente forte, considerando soprattutto che moltissimo di ciò che eravamo chiamati a fare dopo il disastro non aveva precedenti.

L'assioma in base al quale il buon lavoro di squadra migliora ciascun componente della squadra stessa si è dimostrato esatto. Non saprei quasi descrivere che cosa ha voluto dire per me sapere di potermi rivolgere a qualcuno nella certezza che ciò che gli avrei chiesto sarebbe stato fatto, senza essere costretto ad alzare la voce o a intervenire successivamente di persona. La prima sera, per esempio, non sapevamo come fare affluire in città tutti i macchinari necessari. Come se ciò non bastasse, alcune delle strade che normalmente avremmo usato erano impraticabili e, a complicare le cose, le auto abbandonate bloccavano il traffico in tutta la zona. Rudy Washington organizzò le cose in modo da fare entrare e uscire i mezzi pesanti e così, quando cominciai ad assicurare ai cittadini che New York si sarebbe ripresa tornando alla sua prosperità, il mio non fu un atto di insulsa millanteria. Poche ore dopo l'attacco la gente vide che stavamo già ottenendo qualche risultato e i cittadini capirono che anche loro avrebbero potuto dare prova di forza e determinazione. Ogni componente del mio staff si accorse che i colleghi si comportavano coraggiosamente e dette a sua volta prova di coraggio.

Di fronte al peggior disastro mai affrontato dalla città di New York sarebbe stato comprensibile (ma non accettabile) se qualche mio collaboratore avesse finto di darsi da fare. Dopo tutto mancavano soltanto tre mesi alla scadenza del mio mandato. Molti di loro avevano corso gravissimi pericoli e la gente era in preda a un autentico shock traumatico. Invece, senza eccezione alcuna, il mio staff si distinse: e non fu un caso.

Da U.S. Attorney avevo assunto oltre centocinquanta legali per il mio ufficio nel Distretto meridionale di New York, e da socio di uno studio legale avevo collaborato all'assunzione di numerosi colleghi. Al dipartimento della Giustizia partecipai all'assunzione di novanta U.S. Marshals (ufficiali giudiziari) e fui personalmente coinvolto nella selezione degli U.S. Attorneys.

Ho sempre cercato di fissare un semplice criterio al quale potevano adeguarsi i collaboratori da me assunti quando dovevano a loro volta assumere qualcuno: quello di trovare la persona più adatta per una certa posizione. Punto. Una critica rivolta a molti politici riguarda la pratica del clientelismo, che non significa semplicemente trovare un posto a chi ti ha dato il suo appoggio politico: significa dare un posto a qualcuno soltanto perché ti ha dato il suo appoggio politico. Naturalmente ho assunto persone che avevano preso parte alla mia campagna elettorale. Dopotutto, se avevano fatto quella scelta era perché condividevano i miei principi: e io volevo che i miei collaboratori credessero nei miei valori, in tutto quello che – come avevo promesso agli elettori – avrei fatto se mi avessero eletto. Ma non ho assunto nessuno solo perché aveva preso parte alla mia campagna elettorale o vi aveva contribuito finanziariamente.

La stessa pressione viene esercitata sui leader imprenditoriali. Un consigliere d'amministrazione ha un figlio in cerca di lavoro o un vecchio amico che vorrebbe un posto di tutto riposo. Come i vincitori delle elezioni hanno degli obblighi nei confronti di chi li ha votati, così i leader societari devono sentirsi impegnati con gli azionisti a darsi onestamente da fare per assumere il personale più qualificato. E se il figlio del consigliere d'amministrazione ha i requisiti in ordine, che lo si assuma. L'unico criterio al quale mi attengo è quello del rendimento del dipendente e quindi non respingerei la candidatura della persona più adatta a un incarico solo per una questione di parentela, per lo stesso motivo per cui non assumerei la persona meno adatta in forza di una parentela. Farebbe bene ad adeguarsi a questo criterio anche chi lavora in aziende private. Si sbaglia a ritenere di avere fatto una cortesia trovando un posto a qualcuno non all'altezza: non hai certo fatto un favore a nessuno se poi la tua azienda si trova in difficoltà, o peggio, per colpa di una persona non all'altezza che tu hai fatto assumere.

Analizzate i punti di forza e quelli di debolezza (compresi i vostri)

Nel capitolo III ho accennato alla commissione per il periodo di transizione prima del mio avvento al ruolo di sindaco, affidata a Denny Young, il cui lavoro non si è certo limitato alla preparazione di una lista dei candidati più qualificati per ciascuno dei più importanti incarichi: ho cercato di immaginare in anticipo chi avrebbe preso parte ai miei meeting, di capire chi avrei gradito avere accanto e come questi collaboratori avrebbero interagito tra di loro. Volevo gradevoli organizzatori e cocciuti bastian contrari, persone conosciute da anni e persone mai viste prima, individui esperti nei misteri dell'amministrazione cittadina e altri che non avevano mai nemmeno preso in considerazione questo argomento. Ma soprattutto cercavo di accoppiare il miglior soggetto al lavoro a lui più adatto.

«Tutti i giudici federali hanno qualcosa in comune: sono Democratici o Repubblicani» amava ripetere il giudice MacMahon. Intendendo dire che ogni giudice, indipendentemente dal suo talento o dalla sua equanimità, si trova dove si trova solo grazie al filtro del compromesso. Solo che, una volta indossata la toga di giudice federale, molti cominciano a ritenere di essere stati scelti da Dio e non dal Presidente. Leader di tutti i tipi, dai direttori generali agli allenatori e a volte anche qualche sindaco, corrono il rischio di convincersi di avere ottenuto quell'incarico per intervento divino. «Sopra tutto, tieni il tuo servo lontano dai peccati di presunzione e fai che questi peccati non abbiano il sopravvento su di me» si legge nel Salmo 19. Quando sei stato scelto per un posto di leader non pensare che sia stato Dio a fare questa scelta. È proprio in casi del genere che bisogna far ricorso all'umiltà. Quali sono le mie debolezze? Come posso porvi rimedio?

Appena assunta la carica di sindaco contavo di poter gestire con sufficiente efficacia i cosiddetti «assessorati in uniforme», e questo sia per le esperienze fatte in collaborazione con la polizia, sia per avere tanti amici e parenti poliziotti o vigili del fuoco. Avendo avuto in passato la responsabilità di grosse organizzazioni sapevo di avere una specie di congenita abilità di gestire le crisi, dalle bufere di neve agli scioperi. Ma in altri casi, come per esempio per districarmi tra i meandri dello sviluppo economico o del bilancio, avevo veramente bisogno di aiuto. Dovevo in sostanza ricorrere alla forza altrui per ovviare alla mia debolezza.

Per scegliere i migliori bisogna cominciare con l'analisi dei propri punti di forza e delle proprie debolezze, in modo da rendersi conto dei settori in cui si hanno le maggiori esigenze. L'obiettivo è quello di bilanciare le proprie debolezze con le altrui forze e poi di dare una valutazione globale del team che si è messo in piedi. Anche se probabilmente di amministrazione cittadina ne sapevo più di quanto non pensassi io stesso, ciò non si attagliava a quello che di solito sapevo dei processi da me portati in aula. Da avvocato o da procuratore mi sentivo incerto fino a quando non avessi saputo tutto ciò che c'era da sapere su un certo processo. E quindi, quando ho messo in piedi il mio primo staff, ho cercato di ovviare a questa lacuna.

Un leader vuole che tutti i suoi manager siano forti. Non vuole mettere alla guida dei vari uffici, compresi quelli che conosce meglio, degli *yes-men*. Se considerate i nomi da me scelti per il vertice della polizia, per esempio, vedrete che corrispondono a tre leader senza peli sulla lingua: e questo anche se il settore era quello che conoscevo meglio. Non si tratta di assumere dei leader forti soltanto per i settori con i quali non avete ancora familiarità. In questi settori dovrete quindi mettere a capo gente particolarmente esperta, perché oltre ad avere la responsabilità dell'ufficio dovrà insegnarvi i trucchi del mestiere. Al tempo stesso questa persona dovrà capire che, anche se non conoscete la materia nei dettagli, è la vostra filosofia che dovrà applicare.

Per tutti questi motivi, oltre che per il fatto di avere ereditato un passivo di 2,3 miliardi di dollari, mi dedicai con particolare cura a scegliere il primo responsabile del Bilancio. Affidai l'incarico di reperire i candidati più adatti a Mike Hess, che aveva lavorato con me nell'ufficio di U.S. Attorney e poi era stato socio del mio stesso studio legale. Per questa delicatissima posizione sottoposi a colloquio sei persone, un numero piuttosto alto dopo la scrematura iniziale, considerando che stavamo assumendo centinaia di persone in soli due mesi. Dopo una lunga valutazione rimasero in gara due candidati, Abe Lackman e Marc Shaw.

Lackman aveva lavorato a lungo al Senato dello Stato di New York. Era un teorico del bilancio e, prima di trasferirsi nella capitale Albany, aveva vissuto a New York prendendo familiarità con le finanze della megalopoli. Shaw aveva una conoscenza più diretta del bilancio cittadino attuale essendo stato direttore del Bilancio per il Consiglio comunale all'epoca della mia elezione. A parte ciò, aveva lavorato con Abe ad Albany e i due erano amici. Ma quando chiesi loro se se la fossero sentiti di lavorare insieme, uno come responsabile e l'altro come vice, scoprii che l'incarico di vice sarebbe stato considerato «una sconfitta» sia dall'uno che dall'altro. A quel punto propendevo per Abe, filosoficamente Repubblicano e accomunato a me dalla stessa idea fissa di ridurre le dimensioni della macchina amministrativa e abbassare le tasse. New York era l'unica città americana dove le riduzioni fiscali erano impopolari e io avevo bisogno di un direttore del Bilancio che invece ci credesse come ci credevo io. Ma mi rendevo ugualmente conto che avevo bisogno sia di Abe sia di Marc. Avevo già deciso di nominare l'economista John Dyson vicesindaco con delega allo Sviluppo economico e sentivo che l'impiego di Abe e Marc avrebbe significativamente rafforzato l'ufficio.

Allora ebbi un'idea. Offrii ad Abe l'incarico di direttore del Bilancio e a Marc quello di assessore alle Finanze, non quindi di vice bensì di responsabile di un assessorato. Poi creai uin gruppo di supervisori del Bilancio, qualcosa di simile a un gabinetto ristretto, composto dal vicesindaco allo Sviluppo economico, dal vicesindaco alle Operazioni, dal direttore del Bilancio, dall'assessore alle Finanze, da quello alle Relazioni sindacali oltre che da me. In tal modo sia Abe sia Marc avrebbero potuto valutare tutte le decisioni di bilancio che avrei preso. Accettarono entrambi, con mia grande soddisfazione.

Dare vita a una dinamica che tiri fuori il meglio da ogni protagonista è una delle sfide più difficili per un leader. Non basta individuare e attrarre i grandi ruoli. Far sì che il risultato ottenuto dal lavoro di due individualità sia superiore alla loro somma aritmetica è frutto di un'attività in parte consapevole e in parte inconscia. A me piace dare vita a inattesi matrimoni professionali. Criticare qualcuno orientato in senso quantitativo perché si preoccupa poco della qualità significa metterlo a disagio; facendolo invece lavorare con qualcuno orientato in senso qualitativo si otterranno spesso risultati migliori. Ogni ambiente di lavoro che punti in alto attira individui relativamente indipendenti, abituati a comandare. Costringerli a lavorare insieme crea tensione e la tensione alimenta soluzioni creative, dal momento che ognuno cerca di perfezionare il progetto.

Uno degli esempi più significativi dell'equilibrio di personalità e capacità professionali riguarda la decisione più delicata e complessa che io abbia mai dovuto prendere nell'assegnare un incarico.

Quella dell'assessore al dipartimento di Polizia di New York è una carica di altissima responsabilità: con i suoi oltre 40.000 agenti il dipartimento è l'organizzazione di polizia municipale più grande e complicata del mondo. E quando nell'estate del 2000 Howard Safir lasciò l'incarico di assessore, dovetti prendere una grave decisione.

Il bilancio della gestione Safir era più che attivo. I reati erano stati sensibilmente ridotti, grazie all'opera iniziata da Bill Bratton, il mio primo assessore alla Polizia. Negli anni di Howard i reati più gravi erano scesi dai 293.874 del 1996 ai 202.106 del 1999, l'ultimo anno pieno di Safir, e gli omicidi erano calati del 40 per cento.

Howard avrebbe visto più che volentieri come successore Joe Dunne, all'epoca capo del dipartimento ossia il poliziotto di grado più elevato. Joe, un bestione pieno di umanità, era in polizia da trentun anni, aveva lavorato nei distretti più difficili e si era guadagnato il rispetto e l'affetto di tutti.

Il suo principale concorrente era Bernie Kerik, con un passato prossimo più che lusinghiero alla guida degli Istituti penitenziari. Nel giro di soli due anni e mezzo aveva ulteriormente migliorato i risultati raggiunti da primo viceassessore, riducendo la violenza in carcere dell'80 per cento dal 1998 al 2000, tagliando radicalmente gli straordinari e facendo calare le assenze per malattia. Aveva insomma messo in piedi una splendida organizzazione.

Come al solito mi consultai con i più stretti collaboratori, oltre che con altre persone del cui giudizio mi fidavo. Metà di loro erano per Joe, l'altra metà per Bernie. Un giorno feci seguire a quella del mattino una riunione più ristretta, nel mio ufficio in municipio, e chiesi ai partecipanti di dirmi con la massima franchezza chi avrei dovuto scegliere e perché. In quell'epoca mancava un anno e mezzo al termine del mio secondo e ultimo mandato. Al dipartimento di Polizia avevamo ottenuto straordinari successi, ma mi rendevo conto con una certa preoccupazione di quanto fosse sempre più difficile confermarli. A un certo punto è impossibile abbassare ulteriormente i numeri: non si possono eliminare del tutto i reati, anche se noi ci muovevamo come se invece fosse possibile. Dovevo quindi trovare qualcuno che non si dimostrasse mai compiacente o soddisfatto.

Joe Dunne era un poliziotto preparatissimo che aveva cominciato dalla gavetta; Bernie Kerik assicurava una ventata di novità. Nominare Kerik avrebbe però potuto creare qualche malcontento perché, nonostante fosse anche lui un poliziotto, lavorava da diversi anni agli Istituti penitenziari. La scelta di Bernie sarebbe apparsa non ortodossa anche per un altro motivo: quando aveva lasciato il Dipartimento aveva il grado di detective, e non quello di comandante di uno dei cinque distretti amministrativi o di viceassessore. E infine, anche se si trattava di un uomo particolarmente intelligente e creativo, non era laureato.

Si crearono due fazioni, i cui componenti andarono avanti a discutere per giorni: il che era esattamente ciò che avevo sperato. Poi avvenne qualcosa che non avevo previsto: il «Times» pubblicò un articolo nel quale venivano riportate le dichiarazioni dei componenti dei due schieramenti. Anche se l'articolo conteneva qualche inesattezza e attribuiva a due partecipanti alle riunioni il candidato sbagliato, era chiaro che l'impensabile era avvenuto. Qualcuno aveva parlato.

La cosa avrebbe potuto avere effetti devastanti. Uno dei due candidati, una volta nominato assessore al dipartimento di Polizia, avrebbe saputo chi gli era stato contrario, avrebbe cioè dovuto lavorare con coloro che preferivano un altro al suo posto. L'escluso, contestualmente, avrebbe maturato un forte risentimento nei confronti di quelli che gli si erano schierati contro.

Alla riunione del mattino, il giorno in cui apparve l'articolo del «Times», Denny Young perse il controllo: e bisognava conoscere il suo carattere calmo e riflessivo per capire quale cataclisma fosse per lui esprimere una tale rabbia. Denny chiese che l'autore della soffiata si comportasse coerentemente e desse le dimissioni, ma non fu mai possibile attribuire alla soffiata una paternità. Pensandoci bene capimmo che probabilmente uno dei partecipanti alla riunione ne aveva parlato con un suo collaboratore, il quale aveva informato il giornale o a sua volta aveva riferito il contenuto della riunione a qualcun altro che aveva informato il «Times»: il che spiegava probabilmente perché almeno due delle posizioni fossero state invertite. Comunque fossero andate le cose, mi infuriai terribilmente. Nulla del genere era mai accaduto prima e l'episodio rischiava di mettere in pericolo anche la sicurezza del Dipartimento.

Feci allora qualcosa che non avevo mai fatto e che non avrei più fatto. Sollevai tutti dalla decisione, allo scopo di proteggere sia i miei consiglieri sia i due candidati, e dissi ai miei consiglieri che da quel punto in poi avrei deciso personalmente e autonomamente. Avrei cioè parlato a lungo e separatamente con i due candidati, per poi decidere. Conoscevo bene sia Joe sia Bernie, ma volevo parlarci a quattr'occhi per qualche ora. Nell'articolo era stata correttamente riferita la mia posizione neutrale, quindi Joe e Bernie sapevano che ero tuttora sinceramente indeciso.

Passai molto tempo con ognuno di loro. Poi, giovedì 17 agosto, dissi al mio capo di gabinetto: «Metti agli atti: ho deciso». Ma non gli dissi su chi era caduta la mia scelta né quando avrei dato l'annuncio. Il giorno dopo feci sapere a Bernie e Joe che li avrei chiamati la sera stessa, l'annuncio l'avrei dato l'indomani, sabato. Ma continuai a non dire a nessuno dei due su chi di loro fosse caduta la mia scelta, perché non volevo rischiare un'altra soffiata né che il prescelto risultasse il candidato di qualcuno.

Attesi fino alle 23, ora cioè in cui i giornali non avrebbero più fatto in tempo a dare la notizia l'indomani mattina. Ero al Club Macanudo e avevo in tasca il numero di entrambi. Dissi a Tony di chiedere al direttore di lasciarci usare il suo ufficio. Al tavolo era rimasta soltanto Judith, mi chinai su di lei sussurrandole: «Ho scelto Bernie» e poi raggiunsi nell'ufficio del direttore Tony e gli chiesi di comporre il numero di Joe Dunne. Quando me lo passarono, comunicai a Joe che stavo per offrire l'incarico a Bernie, ma che avevo la massima stima in lui e volevo che diventasse il primo vice di Bernie. Poi chiamai Bernie e gli offrii l'incarico, chiedendogli di telefonare a Joe Dunne al termine della nostra conversazione e di proporgli di lavorare al suo fianco come primo vice. Bernie lo chiamò e Joe accettò. Dopo di che parlai di nuovo con entrambi, chiedendo loro di venire da me l'indomani mattina per dare insieme l'annuncio.

Di solito non scelgo i vice, perché preferisco che siano gli assessori a nominare i loro più stretti collaboratori, ma durante i colloqui precedenti avevo chiesto a Bernie e Joe se se la sarebbero sentita di fare da vice all'altro, ottenendo in entrambi i casi un «sì». Tante persone di calibro minore non avrebbero accettato. Qualcosa mi diceva che se avessi convinto i due a lavorare insieme avrei ottenuto il meglio da ciascuno di loro.

Le ragioni che mi avevano portato a scegliere Bernie sono complesse, oltre che legate a fattori chimici e istintivi. Come dissi a Joe, se l'avessi conosciuto da tanto come conoscevo Bernie probabilmente avrei scelto lui. Ma allo stesso tempo consideravo un elemento positivo la lunga assenza di Bernie dal dipartimento di Polizia. La polizia spesso si trasforma in una specie di isola ed è di conforto sapere che al suo interno c'è chi non si sente legato soltanto al dipartimento ma anche al sindaco e alla città.

Joe avrebbe rappresentato la scelta più sicura. Se Bernie non avesse funzionato, la cosa avrebbe avuto conseguenze più serie, essendo stata quella del suo nome una scelta anticonvenzionale. Ma se avevo scelto lui era perché pensavo fosse in grado più di Joe di prendere in mano un'organizzazione apparentemente spremuta e tirarne fuori nuove energie. Bernie aveva secondo me maggiori possibilità di dialogo con gli agenti, avendo fatto il detective per le strade e non il burocrate alla Centrale. Ma io stesso non sapevo se sarebbe riuscito a farsi considerare uno di loro, di interagire come se fosse rimasto un agente di pattuglia.

Un giorno parlavo con lui al telefono ma non riuscivo a capire bene quello che mi diceva. «Da dove diavolo stai parlando?» gli chiesi. Era salito in cima al ponte di Brooklyn, dove la polizia è costretta a volte a bloccare gli aspiranti suicidi, proprio come faceva una volta mio zio quando era in forza all'unità d'Emergenza. Più tardi Bernie mi spiegò che Joe Vigiano, lo stesso che avrebbe perso la vita l'11 settembre, e altri componenti dell'unità d'Emergenza l'avevano sfidato a seguirli in un'esercitazione di salvataggio degli aspiranti suicidi. Questa forma di leadership, nella quale si manifesta la volontà di sobbarcarsi anche ai compiti più duri, viene percepita da tutto il dipartimento.

Bernie arrestava la gente. In piena notte usciva per verificare se i suoi uomini si proteggevano con le giuste misure di sicurezza durante un'operazione. Non lo faceva in cerca di pubblicità, lo faceva e basta.

Imparate dai grandi team

Lo sport ha avuto un ruolo fondamentale nello sviluppo del mio pensiero. Sono un appassionato di baseball, l'ho studiato tutta la vita. Il baseball, e il football, il golf, il basket, la boxe, oltre a gratificarmi enormemente hanno fatto per me da laboratorio per capire quali idee e strategie da leadership funzionano.

L'idea del lavoro di squadra e il senso dell'equilibrio che ne deriva, per esempio, mi ha sempre accompagnato da U.S. Attorney, durante le campagne elettorali e poi da sindaco. Le squadre di successo non vengono mai messe in piedi attorno a un'unica persona. Anche fuoriclasse assoluti come Michael Jordan e Babe Ruth hanno bisogno di forti strutture di supporto: e la prova della loro leadership è nel fatto che i compagni di squadra giocavano meglio con loro che in altre squadre.

Esistono anche elementi di condizionamento psicologico. Quando un processo in cui sostenevo l'accusa finiva male, o qualche strategia messa in atto da sindaco non raggiungeva il suo obiettivo, o quando qualcuno commetteva un errore o quando dicevo qualcosa che veniva frainteso, allora pensavo al baseball e riflettevo sul fatto che anche i battitori più forti mancano due volte su tre la palla. I migliori lanciatori perdono certe partite, e le perdono male. C'è molto da imparare quando capita di rialzarsi da terra dopo una caduta e si sa riprendere a camminare senza sbandamenti.

Quando persi la mia prima corsa alla poltrona di sindaco mi sembrò quasi di avere perso il titolo delle World Series di baseball. E avere avuto la peggio per soli tre punti di percentuale fu al tempo stesso esilarante e devastante. La notte delle elezioni mi venne in mente la sconfitta degli Yankees nel 1976: erano assenti dalle World Series dal 1964 e il ritorno nella primissima categoria li aveva caricati, ma ciò nonostante fecero una pessima figura perdendo quattro incontri di seguito contro i Cincinnati Reds, l'ultima grande rappresentativa messa in piedi dalla Big Red Machine. Gli Yankees vinsero poi nel 1977 e 1978 mettendo in campo praticamente la stessa squadra con l'aggiunta di Reggie Jackson. Tutti questi giocatori, come Thurman Munson, Lou Piniella e Winnie Randolph, molti dei quali non avevano mai partecipato a una World Series, si misero in evidenza proprio nel 1976. L'esperienza che si fa in battaglia ha un valore incalcolabile ed è difficile da ripetere. È dura capire in anticipo se quelli che ti circondano sopporteranno la pressione. Molte buone squadre, specialmente quella degli Yankees nel corso degli anni, cercano giocatori con esperienza di playoff, anche se quello che stanno giocando non è il loro miglior campionato.

Ripensando all'11 settembre capisco che gran parte della preparazione dei miei collaboratori si spiega proprio con le regole che espongo in questo libro. Ma anche con il fatto che avevo avuto oltre sette anni e mezzo per farli arrivare a quel punto di preparazione, per mettere alla prova il nostro coraggio e imparare dalle crisi precedenti.

Ogni leader ha collaboratori più rodati di altri e il leader più intelligente incoraggerà gli esperti a dispensare la loro saggezza ai meno esperti. Un modo per farlo è quello di parlare e scambiarsi consigli, ma il modo più efficace è quello rappresentato dall'esempio.

Phil Rizzuto, il mitico «Scooter» del baseball, mi raccontò una volta questo aneddoto. Gli Yankees perdevano 9 a 0 e avevano ancora un turno di battute dopo quello degli avversari. Lui stava raggiungendo sconsolato la posizione interbase durante il nono inning, e dava le spalle alla pedana mentre le riserve si scambiavano lanci di riscaldamento. Poi notò al centro del campo Joe DiMaggio e immediatamente pensò: «Vinceremo». Ogni volta che a suo parere le cose si mettevano male gli bastava guardare DiMaggio per pensare: «So che possiamo vincerlo, quest'incontro». Tale era l'abilità di leader del fuoriclasse.

Leadership ed equilibrio insieme è più facile riscontrarli nelle squadre, accertare cioè se gli allenatori, i proprietari e i giocatori anziani stanno dando i risultati voluti. L'attività di un grande magazzino o di una banca è meno trasparente. Il crollo della Enron ha dimostrato come anche le società che operano alla luce del sole, quelle i cui ricavi, *cash flow* e introiti dovrebbero essere sotto gli occhi di tutti, possano benissimo «oscurare» questi dati. Le squadre sportive invece vincono o perdono in un certo giorno ed entrano nelle statistiche, quindi in teoria i risultati della loro leadership o dell'assenza di leadership sono sotto i riflettori.

Gli incontri sostenuti dagli Yankees dal 1996 al 2001 rappresentano una specie di manuale di leadership. L'accoppiata George Steinbrenner e Joe Torre ha dato vita a successi superiori a quelli ottenuti da ciascuno di loro con altre squadre. Credo che nessuno dei due conosca l'importanza del proprio contributo al lavoro dell'altro.

George è quello che assegna implacabilmente i compiti. In un'epoca come la nostra di giocatori super-pagati e dotati di enorme potere, lui è forse l'ultimo dei proprietari in grado di imporre loro le sue regole e i suoi valori. Il suo è uno stile decisamente all'antica. Vince Lombardi motivava la squadra con la paura e il rispetto, in quest'ordine. I suoi giocatori non sapevano nemmeno perché avevano paura di lui, ma l'avevano e lo rispettavano e lo stesso vale per George. A volte ci si dimentica che ha giocato a football e ha allenato le squadre delle università Purdue e Northwestern e che quindi il suo stile non è certo inatteso. È irritante e a volte fa andare su tutte le furie i giornalisti sportivi, ma la tecnica funziona. Poi c'è l'altro George, quello che aveva cercato di tirare fuori dai guai Darryl Strawberry, quello che aveva facilitato il ritorno di Dwight Gooden, quello che persino a distanza di anni si assicura che i suoi giocatori se la passino bene. Anche i giocatori con i quali è entrato in rotta di collisione possono contare sulla sua generosità e, successivamente, sulla sua lealtà. Come George, benché in maniera diversa, tutti i suoi giocatori avvertono la sua lealtà verso di loro. George non li lascia nei momenti difficili.

Poi c'è Joe Torre. Sebbene conosca personalmente sia lui che il fratello e le sorelle, prima di leggere il suo libro ero all'oscuro della storia di maltrattamenti che aveva segnato la sua famiglia d'origine. Se Joe sa trasmettere così bene la calma è perché vuole evitare discussioni, proprio a causa della sua dura infanzia. Joe cerca nei suoi giocatori il lato positivo, il consenso. I giocatori che hanno paura di George o che gli tengono il muso possono rivolgersi a Joe in cerca di appoggio. Lui è anche un eccezionale tecnico di baseball e i giocatori sanno quindi di poter contare su un piano da seguire. La squadra ha insomma un boss esigente e un manager balia, ciascuno dei quali è un esponente particolarmente rappresentativo del proprio stile di leadership.

È sufficiente fare caso ai risultati ottenuti da ciascuno di loro senza l'altro per capire il successo della loro accoppiata. Era un passato costellato di sconfitte quello del manager Joe Torre, quando arrivò in casa Yankees. Joe continuò a fare ciò che aveva fatto con i Braves, i Mets e i Cardinals, ma con gli Yankees ebbe successo. George, dal canto suo, aveva vinto con gli Yankees il titolo nazionale nel 1976 e nel 1981 e le World Series nel 1977 e nel 1978, ma dal 1982 al 1995 la squadra aveva attraversato un periodo di vacche magre senza precedenti: una fase ancora peggiore del periodo difficile negli anni Sessanta e Settanta che mi aveva fatto tanto soffrire. Facendo lavorare George e Joe insieme, i risultati parlarono da soli: dal 1996 al 2001 gli Yankees hanno vinto quattro World Series su sei e sono stati a un passo dal conquistarne cinque o addirittura tutte e sei.

Qualcosa del genere successe durante i miei anni da U.S. Attorney: io ero quello che chiedeva conto agli altri e Denny Young era il fratello maggiore di tutti. Se ero stato troppo duro con qualcuno, questo qualcuno si rivolgeva a Denny il quale mi avrebbe calmato, dicendomi a volte di non esagerare. Nel ruolo di U.S. Attorney l'obiettivo non era quello di motivare i collaboratori per farli lavorare di più, in quanto il Distretto meridionale di New York poteva già contare su gente motivatissima oltre che caratterizzata da una forte etica del lavoro, ma di dirigere, concentrare e assistere il personale decidendo, al contempo, come utilizzare ognuno degli assistenti.

Alcuni capi assumono soltanto quelli che la pensano come loro, ma un leader deve sapersi circondare anche di personale non allineato ideologicamente. Da sindaco ho avuto molti Democratici in posizioni chiave come i vicesindaci John Dyson e Ninfa Segarra o l'assessore ai Trasporti Iris Weinshall, moglie del senatore Democratico di New York Charles Schumer. Lo stile è importante come l'ideologia ed è essenziale quindi l'obiettività nel valutare pregi e difetti di qualcuno. So bene che il desiderio di attivare le diverse iniziative a volte mi fa lavorare in maniera frenetica. Uno dei motivi per i quali lavoro così bene con Denny ormai da una ventina d'anni è che lui si comporta esattamente al contrario di me, valuta sempre tutti i pro e i contro prima di dare l'OK a un'iniziativa. Se assomigliassi di più a lui forse farei bene a lavorare con uno che somigli di più a me.

Dirigere i collaboratori mi piace anche perché non si può mai dire in anticipo chi lavora bene da solo e chi invece se la cava meglio in coppia. A volte persone molto diverse tra loro formano un'équipe armoniosa, mentre quelli con molti punti in comune è difficile farli lavorare nella stessa stanza. Da sindaco mi accorsi con interesse dello sbocciare di uno splendido rapporto di lavoro tra Denny Young e Tony Carbonetti. Tony è un soggetto gregario e superattivo, un giovane carico d'energia che cerca sempre il modo di concludere un affare. Denny è invece il tipo flemmatico e attento a tutto ciò che dice o che fa. Anche se Tony e Denny apparivano terribilmente diversi, le loro erano due personalità splendidamente complementari: e mentre Denny metteva a freno l'esuberanza di Tony, questi metteva un po' di pepe nella meticolosità di Denny.

Affidare un lavoro a una persona non significa solo trovare ciò che si adatta maggiormente alle caratteristiche di questa persona, ma anche ciò che si adatta maggiormente alle vostre esigenze. Dopo la mia prima elezione, da più parti fui sollecitato a scegliermi

Paul Crotty come vicesindaco alle Operazioni. Oltre a essere mio amico da venticinque anni, Paul era stato assessore all'Edilizia privata e poi alle Finanze nell'amministrazione Koch. C'era chi, come il consulente politico David Garth, insisteva perché prendessi come braccio destro Paul in quanto disponeva di quell'esperienza di amministrazione cittadina che a me mancava. Lo volevo nella mia giunta, Paul. Ma non alle Operazioni, incarico che intendevo affidare a Peter Powers il quale, oltre a essere Repubblicano come me, capiva quali modifiche intendessi apportare. Ero convinto che l'eccessiva conoscenza dell'amministrazione cittadina, anche se importante per mandare avanti il programma una volta stabilito, avrebbe limitato la creatività necessaria a trovare nuovi modi di governare la città.

Nello staff del sindaco il vice con delega alle Operazioni è quello al quale sono affidate le competenze più ampie. Ha la responsabilità di più enti e più dipendenti di tutti gli altri vice, ha un cocktail di incombenze da far girare la testa: Edilizia, Sanità, Servizi sociali, Nettezza urbana e una decina di altri settori. Avevo più fiducia in Peter che in me stesso, sapevo che era l'uomo giusto e non mi sbagliavo. A Paul Crotty affidai l'incarico di Rappresentante legale e organizzai poi il lavoro dell'amministrazione in modo che questa figura di dirigente fosse sempre presente alle nostre riunioni: in tal modo Paul avrebbe potuto usare la sua esperienza per guidarci nei meandri dell'amministrazione cittadina.

Peter fu oggetto di un'altra delle più importanti decisioni che ho mai dovuto prendere per assegnare un incarico alla persona più adatta. Un episodio che conferma il principio in base al quale non bisogna accettare che le qualità, vere o presunte, di una persona condizionino l'utilizzo di questa persona.

L'organizzazione della mia prima campagna per la carica di sindaco ebbe inizio il 1° febbraio 1989. Ci riunimmo nello studio legale di Peter e dissi agli amici che volevo candidarmi a sindaco. Era abbastanza chiaro che Peter sarebbe stato il presidente del Comitato elettorale e Ken Caruso il suo vice. Denny invece avrebbe svolto le funzioni di rappresentante legale mentre John Gross, essendo arrivato tardi all'appuntamento, sarebbe stato il tesoriere, incarico in genere rifiutato da tutti. Consigliere politico divenne Guy Molinari, il presidente del Distretto di Staten Island che per primo aveva fatto il mio nome come possibile candidato alla poltrona di sindaco. Sapevamo di non sapere nemmeno che cosa stavamo facendo ed eravamo partiti già in ritardo. Ma dai primi sondaggi emerse che precedevamo Ed Koch, sindaco uscente e potenziale avversario. Eravamo quindi galvanizzati, ma pensavamo di avere bisogno di un maggior numero di professionisti.

Russ Schriefer e Rich Bond hanno preso parte nel 2000 alla campagna che ha portato alla Casa Bianca George W. Bush. Guy li conosceva bene, sapeva che erano brave persone e li assumemmo. Ma per una serie di motivi, non ultimo dei quali le mie lacune, tipiche del candidato inesperto, ci trovammo all'improvviso superati nei sondaggi.

In una calda serata di fine giugno ci trovammo a Sutton Place nell'appartamento di Arnie Burns, che in quel momento era presidente della mia campagna elettorale. Molti dei presenti mi consigliarono di sbarazzarmi di Schriefer e Bond per affidare l'incarico di consulente a Roger Ailes. Più di una volta in occasione di qualche cena, una delle quali a casa sua, mi ero visto con Roger e ogni volta ci ripetevamo quanto ci piaceva Ronald Reagan e quanto condividevamo le sue idee politiche. Lui aveva partecipato alla campagna elettorale di Reagan, io avevo lavorato con Reagan a Washington e quindi avevamo in comune anche questa esperienza.

La mia correttezza mi impediva però di destituire persone che non avevano fatto nulla di male, anche perché mi rendevo conto che il cattivo andamento della campagna aveva in gran parte a che fare con me. Allora mi sedetti a un tavolo con i due e spiegai loro che volevo che Bond passasse più tempo a New York, invece di venire a fare il supervisore un giorno alla settimana. Le cose andarono avanti per tre o quattro settimane, ma la campagna continuava ad andare male. Non avevamo un messaggio coerente, eravamo lenti nella ricerca delle persone alle quali assegnare i posti chiave e buttavamo soldi per iniziative che non rispecchiavano il mio modo di pensare o lo spirito della campagna, come per esempio la scelta di un impegnativo quartier generale.

Alla fine decisi che i miei collaboratori avevano ragione. Bisognava cambiare.

Mi venne una nuova idea, sulla base di un consiglio ricevuto tanto tempo prima. Non l'avevo allora preso in considerazione, ma quell'idea d'improvviso si era manifestata, rappresentando un punto di svolta sia della mia campagna elettorale, sia anche del mio modo di intendere il management. Il consiglio ricevuto era il seguente: il responsabile di una campagna elettorale non può essere un estraneo. Deve, al contrario, essere qualcuno del quale ti fidi istintivamente e al tempo stesso qualcuno che ti conosce e ti capisce. Ciò detto, mi venne automaticamente da pensare a Peter Powers. Di fiducia in lui ne avevo in abbondanza, come altrettanto a fondo lui capiva me. E, a parte questo, sentivo che l'uomo era destinato alla carriera politica: avevamo condotto insieme campagne al liceo e all'università, a lui la politica piaceva e aveva innato l'istinto organizzativo.

Molti mi dettero del pazzo. Candidarsi a sindaco di New York è terribilmente complicato e Peter non si era mai dedicato a un'impresa di quelle dimensioni. In effetti a lui piaceva lavorare in proprio, nell'ambito del suo studio legale. Avevamo passato ore e ore a tavola, dopo mangiato, e lui spesso mi spiegava quanto gli piacesse dare vita autonomamente a qualcosa e non dover rispondere a qualcuno. Nulla nel suo passato professionale lasciava ritenere che fosse in grado di mandare avanti una grossa organizzazione. Ma io lo conoscevo ed ero certo che fosse perfetto per quell'incarico.

Lo nominai quindi direttore della mia campagna elettorale. Arnie Burns ne divenne presidente con accresciute responsabilità, perché avevamo bisogno di un uomo anziano e saggio come lui, che era anche un eccezionale organizzatore di raccolte di fondi. Ray Harding si trasferì nei nostri uffici, ripetendo con frequenza leggermente minore del solito quella frase che gli piaceva tanto: «È l'ora del dilettante qui al Bijou». E insieme prendemmo Roger Ailes come consulente.

Quello era quindi il nucleo della mia macchina elettorale, un nucleo che si dimostrò di straordinaria efficacia. Anche se i mesi impiegati per metterlo in piedi ci costarono forse l'elezione nel 1989, la squadra seppe dimostrare il suo valore nel 1993. Quattro anni dopo partecipai alla campagna elettorale per il secondo mandato con la stessa squadra, nella quale avevo inserito David Garth al posto di Roger Ailes che aveva deciso di mettere in piedi un network televisivo. E anche questa sostituzione mi fornì un'interessante lezione sul tema «Come trovare a una certa persona l'incarico che più gli si confà». Garth e Ailes avevano in comune una totale dedizione al lavoro. Garth vive, respira, dorme e sogna la campagna elettorale in corso. Lavoravamo insieme fino alle tre o alle quattro del mattino, poi magari alle sei mi telefonava. Garth non ignorava mai ciò che sapeva il candidato, mentre al contrario il candidato ignorava certe cose che lui sapeva. Garth non lavorava per chiunque fosse disposto ad assumerlo, in lui doveva avvenire una certa reazione chimica. Nel nostro caso, fortunatamente per me, questa reazione avvenne.

Una delle difficoltà del lavorare con Garth era nella sua esclusività, nel senso che non ammetteva che ci fosse qualcuno tra lui e me. Ma tutti quelli che avevano lavorato con lui mi raccomandarono di insistere perché invece creassi questo diaframma. Fu Peter il diaframma, e mi affrettai subito a spiegargli che ovviamente io e David avremmo quasi sempre comunicato direttamente senza intermediazioni. Ma la decisione finale, per esempio quella sullo spot pubblicitario oppure sui capitali da investire e sulla loro destinazione, andava presa insieme a Peter. Garth sulle prime oppose resistenza e la cosa fu motivo di frizioni: ma non potevamo fare altrimenti e alla fine la mossa si rivelò vincente.

Il curriculum non è tutto

La scelta di Peter Powers come responsabile di una delle campagne elettorali più difficili che si possano immaginare conferma uno dei miei più forti convincimenti: il curriculum di una persona non può dirti tutto sul suo conto. L'istruzione, per esempio, è fondamentale. Considero i libri e le conoscenze che facciamo con lo studio un passaggio fondamentale nel processo di sviluppo delle idee, come spiego meglio in un successivo capitolo di questo libro. Ma ciò non significa che qualcuno, spedito dai genitori in un'università particolarmente prestigiosa, sia necessariamente brillante come qualcuno che invece ha tratto le sue conoscenze dalla propria intelligenza e dalle proprie esperienze di vita.

Paul Curran era stato uno dei miei predecessori nel ruolo di U.S. Attorney del Distretto meridionale di New York, e quindi il mio capo. Da assistente che ero divenni suo assistente esecutivo. Curran era sempre alla ricerca di giovani legali che avessero dato dimostrazione di fermezza nei momenti di difficoltà. «Un ragazzo che ha preso buoni voti studiando giurisprudenza alle facoltà serali vale tre lauree ad Harvard» soleva ripetere. E questo non per criticare gli atenei elitari, dai quali escono giovani di primissima qualità. Più semplicemente, il giudice Curran riteneva che circondarsi di laureati alle serali significava scavare sotto la superficie di quelli che assumi come tuoi collaboratori.

Troppi leader, per mancanza di coraggio, si lasciano sfuggire candidati dall'insolito curriculum. È più comodo assumere un giovane munito di pedigree che uno sprovvisto: se il primo dovesse poi dimostrarsi non all'altezza chi l'ha assunto può sempre dire: «Come facevo a saperlo? Quello era laureato a Princeton». I leader invece che si mettono dalla parte dei loro collaboratori, anche di quelli che compiono errori, possono godere dei vantaggi che dà l'avere assunto la persona in assoluto migliore per quel particolare lavoro.

Al datore di lavoro può essere utile prendere atto dei risultati universitari di un dipendente all'inizio di carriera, anche perché ci sono pochi altri elementi sui quali basarsi. Ma ben più importanti sono i risultati ottenuti precedentemente in altri settori. Per questo consideravo fuori luogo le riserve di molti sul conto di Bernie Kerik solo perché non era laureato. Bernie era stato istruttore delle forze speciali a Fort Bragg, aveva preso parte alle più clamorose operazioni antidroga del dipartimento di Polizia di New York, aveva diretto la prigione più grande del New Jersey e nei suoi cinque anni da assessore agli Istituti penitenziari aveva ridotto del 93 per cento la violenza nelle carceri. Una serie impressionante di risultati, e ciò nonostante c'era ancora chi sottolineava il fatto che vent'anni prima Bernie non aveva frequentato l'università. Quando nominai Bernie Kerik avevo assunto tanta di quella gente da potermi considerare immune da questo tipo di critiche. Un leader deve avere fiducia nelle proprie decisioni sulla scelta delle persone, deve sapere che la sua decisione si rivelerà quella giusta otto o nove volte su dieci e sarà pronto ad assumersi la responsabilità quelle rare volte in cui la decisione si rivelerà sbagliata.

Non attribuire troppa importanza a un curriculum può significare a volte non nutrire pregiudizi in senso opposto: non diffidare, cioè, di qualcuno soltanto perché ha un curriculum di tutto rispetto. Nel 1985 assunsi come sostituto U.S. Attorney Bill Simon. Suo padre, William E. Simon senior, segretario al Tesoro all'epoca in cui lavoravo per l'amministrazione Ford, era un personaggio incredibile. Come se non gli bastasse avere lavorato con due presidenti degli Stati Uniti, aveva messo in piedi una fiorentissima società d'investimenti, era stato in pratica l'inventore del *leveraged buyout* (rilevazione di una compagnia con capitale di prestito), aveva donato in beneficenza centinaia di milioni di dollari e aveva fatto parte per trent'anni del Comitato Olimpico degli Stati Uniti.

Ho il massimo rispetto per chi, di famiglia umile, si è mantenuto agli studi lavorando e poi si è fatto strada nella vita. Lo stesso rispetto nutro per chi lavora duro, nonostante possa contare su genitori ricchissimi e quindi su un background da privilegiato. Chi nasce potendo contare su un personale fondo fiduciario di dieci milioni di dollari, i cui interessi gli garantiscono un reddito annuo di un milione di dollari o giù di lì, non ha bisogno di guadagnarsi un cent lavorando, ma può passare il tempo guardando incontri di baseball. È quello che avrei fatto io, diavolo, se qualcuno mi avesse intestato un fondo del genere.

Quando chiamai Bill per un colloquio di lavoro ebbi l'impressione di trovarmi davanti a un giovane che voleva veramente dare dimostrazione delle sue possibilità. E lo assunsi subito, certo che avrebbe fatto una bella carriera. Lo vedevo in ufficio anche alle 11 di sera o durante i fine settimana, ogni volta che c'ero io c'era anche lui. Si offriva di istruire nuovi processi e non tardò a dimostrarsi uno dei più indefessi lavoratori del mio ufficio, oltre che un bravissimo ragazzo. Fui orgoglioso di essere stato uno dei suoi primi supporter quando decise di partecipare alle primarie per la carica di governatore della California: carica che andò proprio a lui, e con un ampio margine.

Motivate i collaboratori

In un mondo perfetto coloro che assumi arrivano ogni giorno in ufficio desiderosi di lavorare il più possibile, considerando il lavoro ben fatto alla stregua di una gratificazione personale. Ma il nostro non è un mondo perfetto. Un leader, anche se ha sempre scelto le persone giuste, deve continuare ad attizzare il fuoco. Si può fare in tanti modi e io li ho usati tutti.

Nel 1998 a New York furono registrati 629 omicidi, il numero più basso dal 1963 quando il totale era stato di 548 (per farsi un'idea, nel 1993 c'erano stati 1946 omicidi.) Nominato assessore alla Polizia, Bernie Kerik si pose come obiettivo quel numero. Aveva tutti i motivi, comprensibilissimi, per volere ridurre il più possibile il numero dei delitti, oltre a un incentivo tutto particolare: voleva migliorare i risultati del suo predecessore, Howard Safir (così come Safir non aveva mai perso di vista le statistiche del suo predecessore, Bill Bratton). A luglio, con un calo dell'11,7 per cento rispetto al 2000, il totale degli omicidi era inferiore di un'unità rispetto a quello registrato nello stesso mese del 1998. E il 2001 si concluse con un totale di 642. Una cifra confortante, perché significava 29 omicidi in meno rispetto all'anno precedente e 24 meno di Chicago che ha cinque milioni di abitanti meno di New York. Alla fine di quell'anno mi aspettai quasi che Bernie magnificasse agli abitanti di New York le gioie di una tranquilla notte di Capodanno in casa.

La concorrenza continua è uno dei motivi per i quali si rende consigliabile una certa frequenza di avvicendamenti. A parte gli scontri che ebbi, o che mi furono attribuiti, con Bill Bratton, se non ci fossero stati avvicendamenti al vertice della polizia non avremmo ottenuto quella flessione dei reati. Sostituire Bratton con Safir e quest'ultimo con Kerik fece sì che ciascuno di loro cercasse di migliorare i successi di chi l'aveva preceduto. Anche prima dell'entrata in carica di Safir, sui giornali erano apparsi articoli sull'arresto del calo dei reati, anche perché sembrava impossibile che potessero calare ulteriormente. Dei tre assessori alla Polizia, Howard Safir era il più competitivo. Leggeva questi articoli ed era alla costante ricerca di nuove strategie per abbassare ancor di più quelle cifre.

Di solito questo tipo di concorrenza è amichevole e signorile, ma la vita ci può rendere astiosi. Il che può anche non guastare, purché non si perda di vista l'interesse dell'organizzazione come priorità assoluta. Si sa che Babe Ruth e Lou Gehrig non si rivolsero la parola per anni, ma questi due fuoriclasse formarono ugualmente una delle coppie più redditizie nella storia del baseball. Finché un bel giorno non appianarono i dissidi, e questo avvenne in occasione della cerimonia in onore di Lou Gehrig, quella dell'«uomo più fortunato sulla faccia della terra».* Nella mia amministrazione non mancarono certo gelosie e animosità, come avviene in ogni istituzione e soprattutto in quelle i cui componenti mirano a ottenere risultati prestigiosi. Sarà compito del leader tenere sotto controllo questa competizione e indirizzarla al raggiungimento di un buon risultato.

Far sì che i dipendenti affrontino con una certa regolarità le sfide professionali mi consente di centrare due obiettivi. Il primo è quel-

* Lou Gehrig indossò per l'ultima volta l'uniforme degli Yankees il 4 luglio 1939, meno di un mese dopo avere appreso dai medici di essere affetto da una sclerosi amiotrofica laterale. Quel giorno si svolse una cerimonia in suo onore, alla presenza di 61.808 spettatori, e Lou circondato da giocatori ed ex giocatori degli Yankees rivolse al pubblico, tremando per l'emozione, queste parole: «Da due settimane leggete sui giornali le brutte notizie che mi riguardano. Eppure oggi mi considero l'uomo più fortunato sulla faccia della terra».

lo dell'accresciuta esperienza, sia del dipendente che mia. Non è un caso se il collaboratore chiamato ad affrontare queste sfide, e a vincerle usando la propria testa, migliora sensibilmente il suo rendimento. Alcuni manager preferiscono sottrarre i dipendenti a tutte le fasi decisionali, tenendoli fuori della stanza quando vengono discussi temi importanti e uscendo poi per annunciare che la situazione verrà risolta, ma senza spiegare come è stata presa quella decisione. Sono gli stessi manager che poi si sorprendono se i dipendenti prendono tante «decisioni sbagliate» o non affrontano le situazioni come vorrebbero loro.

Il secondo obiettivo centrato è quello che lo staff trae vigore dalle sfide che si presentano con una certa regolarità. Molti a City Hall avevano lavorato con me, per me, accanto a me e perfino sopra di me in vari altri incarichi. Le loro personalità e il loro modo di porsi nei confronti del lavoro erano diverse, ma una caratteristica comune ai migliori tra loro era quella di considerare il lavoro qualcosa di più di una semplice transazione di tempo e denaro. I manager chiedono molto dai dipendenti. Vogliono, e si aspettano, che il loro staff si consideri parte di un organismo più grande di loro stessi, qualcosa di meritevole, qualcosa forse di perfino più importante.

Consideravo compito del mio ruolo di manager anche quello di creare un ambiente di lavoro stimolante e gradevole. L'unico sistema per attirare e trattenere giovani brillanti era quello di inserirli in un ambiente che consentisse loro di brillare. Imparai subito con quanta facilità anche il dipendente più motivato può ribellarsi contro un ambiente che gli impedisce di dimostrare le sue doti.

Dopo la campagna del 1989 andai a lavorare da White & Chase, venerando studio legale fondato nel 1901. Pieno di eccellenti avvocati al servizio di clienti di prim'ordine come i New York Jets, lo studio non aveva abbandonato quello stile all'antica che l'aveva caratterizzato per decenni. I moduli andavano riempiti in un certo modo e il dipendente doveva indossare la giacca ogni volta che usciva dalla propria stanza, anche solo per andare alla toilette.

Beth Petrone, mia assistente esecutiva per diciotto anni, mi aveva seguito lasciando l'ufficio di U.S. Attorney e considerava le regole interne di quello studio legale troppo restrittive. Per lei non era divertente e per me non era gratificante. I miei collaboratori rimangono con me anche perché lavorare con me è una specie di avventura e il bisogno di creare quel senso d'avventura è ancora più fondamentale quando non si ha la possibilità di compensare i dipendenti come meriterebbero.

Lasciammo quindi White & Chase, trasferendoci alla Anderson Kill dove ci occupammo di cause interessanti di ogni tipo. Rappresentammo la AT&T in due processi antitrust. Assistetti Willie Mays in una causa civile da lui intentata contro la società per la quale firmava gli autografi, e vincemmo. Rappresentai un asso del football, il *quarterback* Jim Kelly, nell'azione legale contro un ex consulente finanziario con il quale aveva litigato e la risolvemmo.

A parte il senso d'avventura e il divertimento c'è anche un altro elemento che contribuisce sensibilmente alla motivazione del personale: l'affidamento di responsabilità. Se, durante la professione privata, volevo far lavorare con me i migliori associati aumentavo le loro responsabilità. I giovani legali vengono mandati raramente in tribunale. Io incoraggiai il mio primo studio legale, Patterson Belknap, ad aderire a un programma della Procura distrettuale e della Società di aiuto legale per il patrocinio gratuito in appello: in tal modo i giovani avvocati facevano esperienza e gradivano lavorare per noi.

Esiste un particolare tipo di sfida che attrae soprattutto i migliori e i più preparati. L'ufficio dell'U.S. Attorney nel Distretto meridionale di New York è il più prestigioso degli Stati Uniti, quello dove vorrebbero lavorare i giovani che si sono laureati con il massimo dei voti: ragazzi e ragazze che hanno un'altissima considerazione di se stessi perché hanno avuto successo all'università e pensano di avere sempre ragione. Il segreto per mantenere alto il loro interesse è quello di sottoporli a continue sfide, permettendo così loro di dimostrare di essere in gamba come credono.

Le istituzioni con spirito di corpo e morale alto possono essere terribilmente positive, ma se il leader non sta attento rischiano di trasformarsi in trabocchetti. Se le persone particolarmente motivate non vengono messe sufficientemente alla prova possono indulgere all'autocompiacimento e all'arroganza, a pensare più o meno istintivamente «noi siamo migliori di voi». Quando il rendimento peggiora e lo staff procede per forza d'inerzia, i componenti dello staff non si rendono conto che il loro livello qualitativo è diminuito. Da qui l'esigenza di spingerli a nuove conoscenze professionali, a scalare nuove montagne. Il che può rappresentare un delicato sforzo di equilibrio. Voi, per esempio, volete che i vostri collaboratori si rendano conto di quale speciale significato abbia lavorare per il dipartimento di Polizia di New York e per l'FBI, oppure giocare nella squadra di Notre Dame. Ma al tempo stesso volete evitare che pensino di potere riposare sugli allori soltanto perché hanno raggiunto una di queste posizioni. Un leader deve essere parte dell'organizzazione, ma rendendosi conto che questa organizzazione esiste per un altro scopo, non solo per la soddisfazione di chi vi lavora. Il morale non è un fine in sé, se si cerca di ottenerlo è per migliorare il rendimento. Non può essere un retropensiero, deve al contrario rimanere centrale a tutto ciò che fate da leader.

Sotto la presidenza di Jimmy Carter regnava un diffuso senso di inquietudine. Nessuno sapeva governare il Paese, si cercava di dare il meglio solo per non peggiorare la situazione. Poi, quando alla Casa Bianca andò Ronald Reagan, all'improvviso gli americani cominciarono a credere che certi traguardi fosse effettivamente possibile tagliarli. Era possibile cioè guardare l'Unione Sovietica dall'alto in basso, se ne poteva parlare senza sottintesi, i sindacati potevano essere costretti ad agire responsabilmente, si potevano ridurre le tasse nella speranza che i contribuenti avrebbero preso per la destinazione dei loro dollari decisioni più intelligenti di quelle del governo federale. Il Paese sentiva che quello in carica era un Presidente a tutti gli effetti. Reagan capì che in gran parte questo stato d'animo rifletteva ottimismo. Ciò non significava che i leader dovessero lavorare in un perenne stato di allegria, ma che avevano trovato sistemi per tenere su il morale. Anche questo faceva parte dei loro compiti.

Benché i miei lavorassero il doppio di prima e fossero pagati molto meno, lo facevano perché si trattava di un lavoro gratificante. Dall'impiego pubblico si può trarre un certo tipo di gratificazione sconosciuto altrove.

La brava gente è mossa da una combinazione di altruismo e interesse personale. La parte altruista viene dalla consapevolezza che si sta aiutando qualcuno, che il tuo talento viene usato a fin di bene. È questo ciò che provano i poliziotti e i vigili del fuoco di New York, ciò che provavano molti miei stretti collaboratori. Per ciò che riguarda la seconda parte, specialmente ai livelli più alti – vicesindaci, assessori, viceassessori, consiglieri anziani – si avverte un'euforia nel fare qualcosa d'importante, qualcosa che viene dagli altri notata e rispettata. Da sindaco mi resi conto dell'importanza fondamentale di queste due motivazioni.

Ogni qualvolta un dipendente comunale compiva un gesto coraggioso o comunque di qualche rilevo, come salvare un bambino oppure trovare in un taxi lo spartito della *Valchiria* con gli appunti a mano di Placido Domingo e restituirlo al tenore, chiamavo l'autore del gesto alla conferenza stampa quotidiana e costringevo in tal modo i media a occuparsi della notizia positiva che aveva visto protagonista un dipendente comunale. Qualcosa del genere dava il senso dei rapporti tra il singolo e la collettività, un altro sistema questo per mantenere alto il morale. Nello stesso momento in cui comunichiamo con la cittadinanza, gli agenti a casa guardano con i loro familiari i telegiornali nei quali si parla del bel lavoro svolto dai loro colleghi.

Una delle mie prime conferenze stampa la tenni insieme con l'assessore Bratton a East Harlem, per congratularmi con alcuni agenti che avevano affrontato le fiamme di un incendio per salvare qualcuno. Mezz'ora dopo mi telefonò Howard Safir, che allora era assessore ai Vigili del fuoco, per protestare affermando che gli agenti non avrebbero dovuto buttarsi tra le fiamme: non possedevano l'equipaggiamento adatto. Quando Howard divenne assessore alla Polizia tenemmo insieme diverse conferenze stampa per complimentarci con agenti che si erano comportati più o meno allo stesso modo, e in nessuna occasione gli risparmiai i miei commenti.

Mi piacciono i film sulla mafia, come *Il Padrino*, o i serial televisivi come *I Soprano* ma, avendo ascoltato per migliaia di ore i mafiosi in carne e ossa, direi che la qualità di leader che viene attribuita a certi personaggi principali è spesso esagerata.

Non sono mai riuscito a formarmi un'opinione sufficientemente completa su John Gotti per giudicare il suo effettivo spessore di leader in quel perverso settore nel quale aveva scelto di operare. Ma è fuor di dubbio che Gotti, pur se più violento di molti mafiosi, aveva fatto suoi alcuni principi della leadership. Una volta guidavo per le vie di Little Italy avendo accanto la scrittrice Gail Sheehy quando rimanemmo imbottigliati nel traffico a Mulberry Street e notai John Gotti seduto davanti a un caffè. Il tavolino non era contro il muro dell'edificio, ma in mezzo al marciapiedi e lui se ne stava seduto con due compari. Mi vide, mi rivolse il suo famoso sorriso sardonico e con i due indici mi fece un gesto, come per dirmi «vergogna, mi stai spiando». Gli feci un saluto con la mano, chiedendo poi a Gail se aveva afferrato la situazione. Uno o due giorni prima avevano sparato a Gotti dalle parti dell'altro suo ritrovo abituale. E lui quel giorno si era esposto agli occhi di tutti, alla luce del sole, per dimostrare di non avere paura. Mi venne in mente una scena di *MacArthur, il generale ribelle*, quella in cui Gregory Peck nei panni del generale fa il suo tanto atteso ritorno nelle Filippine e viene portato al fronte. «Ma quello crede davvero di rimanere illeso?» si chiede uno dei suoi aiutanti. «Certo che lo crede, maledizione» gli risponde un commilitone.

MacArthur dalla parte del bene e Gotti da quella del male stavano dicendo in pratica la stessa cosa: io non ho paura e quindi non devi averne nemmeno tu. Questo è anche il motivo per il quale correvo dove divampavano le fiamme di un incendio o era crollato un edificio. Sapevo che il mio gesto avrebbe motivato i soccorritori, avrebbe detto loro: «Capisco ciò che stai passando, e se tu devi essere qui devo esserci anch'io».

VI
Riflettete e poi decidete

Fare le scelte giuste rappresenta la parte più importante della leadership. Su questo si basa ogni altro elemento, dallo sviluppare e comunicare le proprie idee al circondarsi di persone di prim'ordine.

Uno dei passaggi più insidiosi del decidere non è rappresentato dal «cosa» ma dal «quando». Indipendentemente dal tempo a mia disposizione per prendere una decisione, non la prendo mai se il tempo non sta per scadere.

Di fronte a una decisione importante cerco sempre, prima di prenderla, di valutare le alternative e in questa fase non ho paura di cambiare idea anche più di una volta. Molti sono tentati di decidere su un certo argomento solo per uscire dal disagio dell'indecisione: in linea di massima direi che quanto più tempo si ha a disposizione, tanto più la decisione dovrà essere ponderata.

Come ho spiegato nel capitolo II, la riunione del mattino mi serviva anche per guidare le decisioni. E dal momento che costringevo il mio staff a vedermi ogni giorno, le decisioni non potevano essere evitate. Alcuni sindaci avevano la tendenza a rinchiudersi nel proprio ufficio, protetti all'esterno dal capo di gabinetto o dal primo vicesindaco. Prima di parlare con il sindaco bisognava rivolgersi a uno di questi due personaggi per sapere da loro quali argomenti il sindaco non intendeva trattare.

Lo stesso accade in molte grandi società. Invece di tirarsi su le maniche, dicendo «Okay, sono qui per prendere una decisione», certi amministratori delegati si riparano dietro una falange di vicepresidenti che li proteggono dal rischio di prendere la decisione sbagliata. Il rinvio diventa una specie di *forma mentis* che si propaga all'interno dell'organizzazione. L'essere pronti a prendere una decisione ha invece effetti positivi. Senza nemmeno che glielo chiedessi, molti vicesindaci e assessori applicavano la loro interpretazione della riunione del mattino, manifestando così la loro volontà di ascoltare i problemi, prendere decisioni e correre il rischio di rivolgere proposte impopolari.

Il vertice di qualsiasi organizzazione ha spesso l'obbligo di comunicare direttamente con il pubblico. Anche se sarebbe preferibile che lo facesse personalmente, un amministratore delegato di un'azienda privata che non ha grandi doti di comunicatore può cavarsela delegando l'incarico a qualcun altro. Nel settore pubblico invece il sommo responsabile deve esporre la sua faccia, che gli piaccia o meno. Da sindaco mi sono spesso sentito rivolgere la critica di mettere ogni volta in piedi una specie di *one man show*, mentre è vero l'esatto contrario. La mia amministrazione era organizzata in commissioni e le decisioni erano quindi collegiali, il che non significa che a volte non discutessimo animatamente prima di prenderle. Ma prima di decidere ascoltavo sempre le opinioni di tutti e così facendo acceleravo l'applicazione dei programmi.

Un esempio. I parchi di New York sono sempre stati al centro degli interessi della mia amministrazione. Quasi tutto ciò che avevo maggiormente a cuore come la qualità della vita, i nuovi criteri di sviluppo economico, la sicurezza dei bambini e perfino la riduzione dei reati, era esaltato da bei parchi pubblici ben curati. Durante gli otto anni della mia amministrazione la città di New York ha acquisito nuovo verde pubblico per un totale di 825 ettari: a titolo di paragone aggiungo che durante i quattro anni di amministrazione del mio predecessore il totale di verde acquisito fu di 150 ettari, e nei dodici anni di amministrazione Koch di soli 706 ettari. Quando prestai giuramento, i parchi pubblici erano classificati per il 69 per cento «accettabilmente puliti»; alla scadenza del secondo mandato la percentuale era salita al 91. Creammo decine di giardini pubblici in tutti e cinque i distretti amministrativi, tra i quali l'Hudson River Park di Manhattan, da Battery Park alla 59ª strada, il Brooklyn Bridge Park che alla fine raggiunse un'estensione di oltre due chilometri lungo la riva dell'East River, e la Bronx River Greenway, lunga quasi dodici chilometri.

Nel 2001 annunciai che il parco sulla sponda di Manhattan dell'East River sarebbe stato rinnovato e intitolato all'ex sindaco di New York, John Lindsay, morto nel dicembre 2000. Il parco aveva bisogno di cure dal momento che il muro di contenimento stava cominciando a sgretolarsi. C'erano diverse opinioni su come procedere e per questo ci riunimmo per decidere.

I tecnici firmarono un rapporto nel quale si chiedeva l'immediata chiusura del parco. L'assessore al Verde pubblico, Henry Stern, la considerò un'esagerazione dicendosi convinto che il parco sarebbe potuto rimanere aperto cinque o dieci anni prima che il muro cominciasse davvero a cedere e che, in ogni caso, la gente che voleva godersi il parco avrebbe potuto farlo almeno fino alla fine dell'estate, se non oltre.

In altre organizzazioni la decisione sarebbe stata rinviata: funziona così quando il modello procedurale ha lo scopo di proteggere il vertice. Molti alti dirigenti avrebbero evitato una discussione, non vedendo di buon occhio che i collaboratori litigassero con loro o tra di loro. Il capo restio avrebbe chiesto a ognuno di scrivere un promemoria, per poi effettuare nuovi studi. A quel punto a provocare l'azione sarebbe stata l'inerzia: i cittadini, cioè, avrebbero usufruito del parco a loro rischio e pericolo, oppure il parco stesso sarebbe stato chiuso ma i lavori non avrebbero avuto inizio.

Quella particolare riunione fu piuttosto animata, ma convocare le parti significò costringerle a mettere le carte in tavola. E, una volta stabilito che avevo a disposizione sufficienti dati e che tutte le parti avevano potuto esprimersi, presi una decisione. Avrei chiuso il parco dando immediatamente inizio ai lavori che quindi si sarebbero svolti durante i mesi invernali, concludendosi in tempo perché i cittadini potessero fruire del verde in estate.

Decidere sarebbe semplice, se fosse sempre possibile la scelta tra bene e male, tra giusto e sbagliato. Nella realtà, invece, la decisione di un leader deve essere multidimensionale, di solito tra due o più rimedi imperfetti e basandosi su criteri che comprendono un ampio raggio di obiettivi e plausibilità. Nel 1999 la gara per la *nomination* Repubblicana alle presidenziali si stava facendo più serrata, in ballo erano rimasti due uomini con tutte le carte in regola per mettersi alla guida del Paese. Li conoscevo entrambi e dovevo scegliere quale dei due appoggiare.

John McCain era ed è un mio vecchio amico. Lo consideravo un eroe, sia per ciò che aveva sofferto nei suoi cinque anni e mezzo di prigionia ad Hanoi sia per ciò che aveva poi realizzato come senatore e come uomo. La sua era stata una di quelle esperienze che ti distruggono o fanno di te un grand'uomo: nel caso di John si era realizzata in tutta evidenza la seconda ipotesi. Più lo conoscevo e più capivo che uomo genuino fosse. Nei mesi precedenti la campagna elettorale parlammo della sua idea di candidarsi alla presidenza.

Non conoscevo altrettanto bene il governatore George W. Bush. Proprio per conoscerlo meglio andai a trovarlo ad Austin e il personaggio mi colpì immediatamente. Nell'estate del 1999 decisi che aveva molte più chance di battere Al Gore, se non altro perché il nome Bush aveva immediatamente unito il Partito repubblicano. E Bush entrò in campagna elettorale potendo contare sull'appoggio di due Stati grossi e importanti come Texas e Florida. Mi sentivo vicino anche al fratello di Bush, Jeb, governatore della Florida: avevo partecipato alla sua campagna elettorale e lui in passato aveva aiutato me.

Durante la sua campagna elettorale del 1998 per la conferma a governatore del Texas, George W. Bush aveva dimostrato un notevole *appeal* politico, oltre a mietere consensi presso l'elettorato ispanico. Pensai quindi che potesse essere un candidato trasversale, l'unico che il Partito repubblicano potesse esprimere. Oltre a ciò, Bush aveva capito benissimo quale sarebbe stato il tema centrale della campagna del 2000: l'istruzione. Vi aveva dedicato la sua attenzione da governatore, facendo un buon lavoro. Il segreto del successo alle presidenziali consiste nell'individuare l'argomento più accattivante per gli elettori. Troppo spesso i candidati tentano una riedizione della precedente campagna elettorale, ma è una battaglia destinata alla sconfitta. Nel 1992 Bill Clinton mise a frutto la ripetizione del suo slogan: «È l'economia, stupido». Per il 2000 pensai che quello giusto dovesse essere: «È l'istruzione, stupido» e Bush aveva le carte in regola per farlo suo.

Ma soprattutto, parlando a lungo con lui, scoprii che il governatore Bush era un uomo di sicuro spessore. Sapevo che i media l'avrebbero sottovalutato, come avevano fatto nel caso di Ronald Reagan. Soprattutto i media degli Stati dell'Est, perché il modo di esprimersi di Bush sembra fatto apposta per alimentare i loro pregiudizi. Questi media scambiano la finzione con la sostanza e la patina con l'eleganza e la loro abitudine di snobbare chi non preme certi pulsanti di solito gioca a vantaggio del candidato snobbato.

In conclusione, anche se mi sentivo più vicino a John McCain e probabilmente l'avrei appoggiato, se avesse avuto buone probabilità di battere il vicepresidente Gore, gli dissi che mi sarei schierato a fianco del governatore Bush, ma gli assicurai che non avrei assolutamente mai detto nulla di negativo nei suoi confronti né avrei preso parte a una campagna in chiave anti McCain. Poi feci sapere a George Bush che avrebbe potuto contare sul mio appoggio. Gli dissi che ero un buon amico di John McCain e gli spiegai il perché della mia decisione: cioè che lui, Bush, aveva maggiori probabilità di vittoria. Dissi anche a entrambi che sarei stato lieto di poter concorrere in qualche modo a una loro accoppiata: fino a quel momento infatti non era ancora stato fatto il nome di Dick Cheney come candidato alla vicepresidenza e secondo me un *ticket* Bush-McCain sarebbe stato perfetto.

Una volta presa la decisione bisognava metterla alla prova. Non appena cominciai ad appoggiare Bush il mio rapporto con John prese progressivamente a incrinarsi. Parlando con me, non mi risparmiava commenti, a volte ironici e a volte pungenti, sul mio mancato appoggio. Poi avvenne qualcosa che appianò queste crepe, ma ne aprì delle altre in casa Bush. Avvicinandosi le primarie di New York, all'interno del Partito repubblicano si formò un movimento tendente a escludere McCain dalla partecipazione. Lo Stato di New York ha delle regole bizantine sulle primarie presidenziali, tanto che da ventiquattro anni non si registrava sull'argomento alcuna contestazione, e nel partito c'era chi intendeva proteggere Bush lasciando fuori McCain. La cosa mi sembrò scorretta e per alcuni supporter di Bush questa mia posizione rappresentò la prova di un mio surrettizio appoggio a John. Nulla di più sbagliato, la mia era soltanto una sincera e onesta opinione. A parte ciò, ero convinto che Bush a New York avrebbe battuto McCain e la vittoria sarebbe risultata più limpida senza l'esclusione di John.

Alla fine la partecipazione di Mc Cain alle primarie fu ammessa. Ma subito dopo gli strateghi della campagna di Bush a New York cominciarono ad attaccare McCain per avere votato contro i fondi alle ricerche sul cancro alla mammella. Nelle contee di Nassau e Suffolk, a Long Island, questo è un argomento particolarmente sentito perché il numero di residenti colpite dal tumore alla mammella sembra essere sproporzionatamente superiore alla media. Mi chiesero di unirmi alle critiche a McCain, e la cosa sarebbe risultata a dir poco stonata considerando che all'epoca io stesso dovevo vedermela con il cancro.

Rifiutai. Anzitutto perché John non aveva votato contro i fondi alle ricerche sul cancro ma contro un pacchetto di provvedimenti, una specie di grosso albero di Natale, che comprendeva anche questa spesa: e il «no» rifletteva la sua abituale avversione a caricare di spese l'amministrazione nazionale. Giudicavo inoltre non necessario quel tipo di campagna negativa. Bush avrebbe sicuramente battuto McCain a New York e non aveva alcun bisogno di rimediare un occhio nero per aver voluto attaccare un pupillo non solo dei media ma anche dell'elettore indipendente: lo stesso elettore, cioè, del quale voleva assicurarsi il voto. John mi telefonò per ringraziarmi. «Continuo a pensare che dovresti appoggiare me invece di Bush» mi disse, «ma ti rispetto veramente per non esserti associato a quella campagna negativa.» Per un certo periodo divenni sospetto agli occhi degli uomini di Bush, i quali criticavano sottovoce il mio appoggio secondo loro poco convinto.

Mi misi subito seriamente al lavoro e credo che alla fine questi stessi critici abbiano rispettato le mie decisioni. John sicuramente le rispettò. Mi sembrava di camminare su una corda sospesa nel vuoto, ma era una corda onesta. E il governatore Bush vinse le primarie a mani basse.

La battaglia contro il cancro

Dovetti prendere decisioni tra le più difficili della mia vita nel corso di alcune straordinarie settimane della primavera 2000. L'attività decisionale è un ordito i cui fili sono tutte le regole per diventare un leader e quindi spiegherò in dettaglio le decisioni tra loro interconnesse che ho dovuto prendere in quelle settimane. Alcune riguardavano questioni di vita o di morte, nel senso letterale dell'espressione, e altre comportavano delle scadenze: questo breve periodo consente quindi di valutare compiutamente i miei criteri decisionali.

Mercoledì 26 aprile il dottor Alexander Kirschenbaum del Mount Sinai Hospital mi telefonò, pronunciando quelle parole che nessuno vorrebbe mai udire: «I risultati della sua biopsia sono positivi». Per un secondo equivocai, dal momento che tutti siamo portati ad associare «positivo» con le buone notizie. Poi fui schiacciato dal peso della rivelazione: avevo un cancro alla prostata.

Mio padre era morto di cancro alla prostata diciannove anni prima, all'età di 73 anni. Questo tipo di cancro uccide ogni anno circa 37.000 americani e quindi agli uomini che hanno superato i 45 anni viene consigliato di effettuare regolarmente l'analisi del PSA, l'antigene specifico della prostata. Quelli più a rischio, cioè i neri o coloro che hanno avuto familiari colpiti da questo tumore, dovrebbero sottoporsi a questo test una volta l'anno dai 40 anni in su.

Nel mio caso la diagnosi precoce fu il risultato di una visita di controllo. Ho una vertebra in cima alla spina dorsale che ogni cinque anni circa mi dà fastidio e in quei giorni si era risvegliata, anche perché lavoravo moltissimo per la campagna elettorale. Giovedì 6 aprile mi sottoposi a una visita di controllo, durante la quale mi prelevarono del sangue per le analisi (tra cui quella del PSA) e mi fecero un'ispezione rettale digitale: ma non perché il medico avesse qualche sospetto, visto che non presentavo alcun sintomo. Al termine, anzi, il dottore mi disse: «Prima di visitarla pensavo di trovarle la pressione alta, considerando la tensione alla quale lei è sottoposto in questo periodo. Invece la pressione è regolare e la prostata appare al tatto normale. Sembra tutto a posto».

Il giorno dopo ero al volante, diretto a una raccolta di fondi presso il Binghamton Country Club, nella parte occidentale dello Stato a tre ore circa da New York, quando squillò il cellulare. Era il medico, che mi informava sui risultati del PSA: sono valori elevati ma non elevatissimi, disse, molto probabilmente nulla di cui preoccuparsi. Aggiunse che stava partendo per una settimana di vacanze e che, al ritorno, mi avrebbe fissato degli esami specifici con un urologo.

In macchina con me c'era Judith, che all'epoca lavorava per la multinazionale farmaceutica Bristol-Myers Squibb e conosceva moltissimi medici di New York. Le riferii con calma ciò che avevo appena udito. C'erano altre persone, in auto, e non volevo che lo venissero a sapere. «Judith, anche se rientreremo dopo la mezzanotte domani voglio andare da un dottore» le dissi. Mi ricordò che l'indomani era un sabato. «Non m'importa, voglio cominciare subito senza perdere tempo.»

Judith telefonò a un suo caro amico che conoscevo anch'io, Burt Meyers, specialista di malattie infettive al Mount Sinai Hospital, che mi avrebbe poi fatto da consigliere dopo l'attacco dell'11 settembre. Dissi a Judith di farsi raccomandare da lui un urologo, autorizzandola a spiegare a Burt il perché ne avevo bisogno. La mattina dopo fui visitato dal dottor Kirschenbaum che mi prescrisse dieci giorni di Cipro, la medicina diventata poi famosa in occasione dei plichi all'antrace. «Non possiamo fare subito la biopsia e scoprire esattamente di che si tratta, Alex?» gli chiesi. «No» mi spiegò, «perché valori modestamente elevati come questi sono spesso provocati da un'infezione. E il Cipro guarirà l'infezione.» I valori del PSA possono salire per molte cause, anche per l'irritazione della prostata, e quindi non si è necessariamente in presenza di un tumore. Dopo i dieci giorni di Cipro tornai a farmi un PSA: se i valori fossero scesi voleva dire che si era effettivamente trattato di un'infezione.

Ricordo esattamente dove mi trovavo quando il dottor Kirschenbaum mi telefonò per comunicarmi i risultati. Era il giovedì santo ed ero stato alla messa serale nella chiesa di St Vincent Ferrer, sulla Lexington Avenue, con Judith e Tony Carbonetti. Poi insieme eravamo andati a cena da Gino's, poco distante sulla Lexington. Eravamo a tavola quando squillò il cellulare. I valori erano ancora alti.

Judith si fece passare il telefono, chiedendo al dottor Kirschenbaum tutte le informazioni di cui avevo bisogno. A quel punto lei aveva già fatto su Internet mille ricerche sul cancro alla prostata, sulle percentuali di sopravvivenza e così via. Fissai una biopsia per la mattina di martedì 25 aprile, subito dopo Pasqua. Judith mi aveva informato che a volte il campione di prostata usato per la biopsia non è intaccato dal tumore e il referto di conseguenza risulta sbagliato, quindi chiesi che mi venisse prelevato il più alto numero possibile di campioni. Davanti all'ospedale trovai un cronista, che mi chiese il motivo della mia presenza. Non ho mai saputo se si fosse trovato lì per caso o se invece avesse ricevuto una soffiata del mio arrivo.

Alle quattro del pomeriggio del 26 aprile ero seduto nel mio ufficio a City Hall quando il dottor Kirschenbaum mi telefonò per comunicarmi quell'infausta diagnosi e, dopo avermi spiegato qualche particolare, mi chiese se avrei preferito vederlo di persona. Avrei sicuramente voluto vederlo, ma non me la sentivo di andare da lui perché avevo già ricevuto qualche telefonata di giornalisti che volevano sapere perché mi ero fatto fare una biopsia. Il medico mi propose di vederci a Gracie Mansion e alle sei circa del pomeriggio lo ricevetti. Mi descrisse in dettaglio ciò che aveva trovato, mi fece un disegno della prostata per spiegarmi che il tumore aveva sede in una certa zona e non in un'altra, mi enumerò i vari trattamenti ai quali avrei potuto sottopormi e concluse sottolineando che una decisione avrei potuta prenderla soltanto io.

Mi girava la testa, ma non ebbi il tempo di assorbire quanto avevo appena saputo perché dovetti interrompere il colloquio, e lasciare il medico solo nel mio ufficio, per ricevere i rappresentanti del Corpo consolare. Mi trovai così a pronunciare un discorso, e a posare per cento foto con i consoli, davanti alla stanza dove avevo appena saputo di essere affetto da un cancro mortale, lo stesso che aveva ucciso mio padre. Poi tornai dal dottor Kirschenbaum, il quale mi disse che avrei dovuto effettuare altre analisi.

Era questa la parte più angosciosa, perché da tali analisi si sarebbe capito se il cancro si era propagato oltre la prostata. «Da ciò che posso vedere e capire sono virtualmente certo di no» mi rassicurò il dottore.

«Che cosa intende per "virtualmente certo"?» gli chiesi.

«Be', diciamo che esiste una possibilità su cento.»

Sentendo questa risposta pensai subito «E come faccio a sapere di non rientrare in quell'1 per cento?». Quando ti dicono che hai un cancro non ti senti l'uomo più fortunato del mondo. Gli chiesi di fissarmi le analisi per il giorno seguente.

Non avevo avuto molto tempo per commiserarmi. Oltre al discorso ai consoli e alle foto, per quella sera avevo assicurato la mia presenza all'anteprima di una commedia. Accettare di fare queste cose pochi minuti dopo avere saputo di avere un cancro fu una delle prime «decisioni» assunte. Non avrei permesso alla malattia di prendere il sopravvento.

Da mesi mi stavo preparando per le elezioni senatoriali suppletive di New York, essendosi reso vacante il seggio del senatore Daniel Patrick Moynihan. Avevo raccolto ingenti fondi e non vedevo l'ora di prendere parte a quella che si prospettava come un'avvincente gara contro Hillary Clinton. Contemporaneamente la mia vita personale stava entrando in una fase che si sarebbe potuta definire «interessante», per usare un *understatement*.

La prima decisione che un paziente con la prostata malata è chiamato a prendere riguarda il tipo di trattamento. Esistono in pratica tre possibilità: intervento chirurgico, radiazioni o terapia ormonale. Con l'intervento, definito prostatectomia totale, viene asportato l'intero organo. A chi sceglie le radiazioni si presentano altre tre possibilità: bombardare tutta l'area con radiazioni dall'esterno, prendere di mira la zona esatta affetta dal tumore con radiazioni di protoni oppure impiantare i cosiddetti «semi radioattivi». La terapia ormonale, infine, serve a rallentare la produzione di testosterone. Può essere somministrata da sola o associata con gli altri due trattamenti.

Ogni metodo ha i suoi pro e contro, con vari effetti collaterali e diversi livelli d'efficacia. Vanno considerati molti fattori, come la dimensione e il grado di aggressività del tumore, l'età del paziente, il tipo di vita che conduce e la sua salute generale. Per molti malati di cancro alla prostata anche la scelta del tipo di trattamento è una tortura.

La mia scelta del trattamento era in parte condizionata dall'incertezza se interrompere o meno la corsa al seggio di senatore. Senza rendermene conto razionalmente, stavo valutando le tre opzioni con un occhio fisso sul Senato. Mi sorpresi a pensare: «Se scelgo l'intervento chirurgico dovrò stare via sei settimane, poi passerò luglio e agosto in convalescenza e quindi non potrò scendere nuovamente in campo prima di settembre, non potrò prendere parte alla raccolta di fondi e potrò dare un addio al Senato».

Cominciai a riflettere sull'eventualità di non guarire completamente in tempo utile e non potermi quindi dedicare diciotto ore al giorno, come mia abitudine, alla campagna elettorale: un'attività, cioè, nella quale io cerco di stancare fisicamente il mio avversario. Poi, ovviamente, tutte le proiezioni sugli effetti collaterali si basavano sulle percentuali. Alcuni pazienti si riprendono in fretta dalle conseguenze degli effetti collaterali mentre altri impiegano dei mesi combattendo con problemi urinari, stanchezza, a volte con il dolore puro e semplice. E se in questa categoria di pazienti fossi rientrato io?

La radioterapia ha dei particolari effetti collaterali, che avrebbero molto probabilmente limitato la mia attività. E, anche se cominciavo a preferire le radiazioni rispetto all'intervento chirurgico, mi venne da pensare: «Magari potrei protrarre la terapia a base di Lupron e rimandare a dopo le elezioni qualsiasi trattamento sceglierò». I medici mi dicevano che non era necessaria una decisione immediata, ma rispondevano senza esitazione di no quando chiedevo loro se fosse possibile rimandare il trattamento di sei mesi.

A quell'epoca i media si occupavano in maniera assurda della mia malattia, chiedendosi quale terapia avrei scelto e se e come questa terapia avrebbe influito sulla mia corsa al seggio senatoriale. La qualità dei servizi giornalistici era da telenovela e i media dimenticavano facilmente, purtroppo, che era una vita umana quella della quale disquisivano con tanta disinvoltura. Ben presto smisi di leggere questi articoli. Come prima cosa, moltissimi contenevano errori, al punto che i cronisti parlavano di me con medici da me mai visti o sentiti. In secondo luogo, la saturazione delle notizie sul mio conto stava diventando caotica a causa dell'interesse nazionale per quel seggio di senatore. I cronisti cercavano di seguirmi a Baltimora, dove mi facevo visitare da medici del Johns Hopkins. Altri cercavano di venire in possesso delle mie richieste di rimborso spese mediche per capire a quali specialisti mi stavo rivolgendo. Altri ancora telefonavano agli ospedali cittadini per sapere se mi fossi messo in contatto con qualcuno dei loro medici. I network televisivi volevano essere presenti durante la terapia e mi chiesero se avessi qualcosa in contrario alla presenza di una telecamera durante la risonanza magnetica o in altre occasioni decisamente private... perfino durante l'ispezione digitale rettale. Anche se ero abituato a muovermi in una casa di vetro, l'intensità di quel continuo stato di osservazione cominciava davvero a ripercuotersi sul mio giudizio e sulla possibilità di concentrarmi sulle opzioni terapeutiche che mi si presentavano.

Si faceva strada in me l'idea che fosse sbagliato permettere che la corsa al Senato, per quanto importante, potesse condizionare le decisioni sulla mia salute. Ricevetti consigli da ogni parte, sia da gente che sperava disperatamente di vedermi superare Hillary Clinton nei sondaggi sia da chi pensava soltanto alla mia salute. Il consiglio più sensato fu quello di Ken Caruso, rimasto un mio caro amico dopo essere stato uno dei miei assistenti all'ufficio di U.S. Attorney. Quando mi servono molti punti di vista ai quali riferirmi avviene spesso che la posizione di una certa persona sia quella che alla fine faccio mia. In questo caso fu quella di Ken a cristallizzare il mio modo di pensare.

Era stato diverso tempo in Inghilterra e questo l'aveva sottratto alla mia quotidiana ricerca di consiglio. Venne a trovarmi a City Hall, il 18 maggio, e non esitò a darmi la sua opinione. «Ti dico subito come la pensa uno come me che finora ha seguito la faccenda da lontano e sui giornali» esordì. «Non mi importa se sarai senatore, sindaco o che altro. Non potrai fare nulla se non sarai vivo, e in salute. Sei un mio amico, metti la salute avanti a tutto.» Decisi che la salute sarebbe stata la mia prima preoccupazione, e che per potermene occupare a mente sgombra non potevo partecipare alla gara per il Senato.

Fu sufficiente avere stabilito quella priorità per farmi prendere altre decisioni, e la prima fu che la mia terapia avrebbe compreso anche gli ormoni.

Prendere questa, di decisione, contribuì sensibilmente ad assicurarmi una certa pace psicologica. Una volta acquisita quella sicurezza potei dedicarmi ad altre decisioni. Stavo prendendo delle pillole, Casodex, che avevano cominciato a ridurre il testosterone nel mio organismo chiudendo la valvola di accesso alla prostata. Era questa la premessa alla mia prima iniezione di Lupron, e serviva proprio a impedire che il Lupron invadesse la prostata. L'iniezione mensile di Lupron restringe la prostata precludendo la produzione di testosterone, il principale ormone maschile. Ciò è importantissimo sotto il profilo psicologico, perché la prima volta che ascolti la tua diagnosi pensi sempre che il cancro si impossesserà del tuo corpo. Sapere invece che la propagazione è stata bloccata consente al paziente di prendere decisioni sulle terapie future con mente più lucida, non si ha cioè l'impressione che le cellule tumorali si moltiplichino e attacchino ogni secondo che tu perdi per prendere in considerazione la possibilità di scegliere altre terapie. Il Lupron da solo non è però una terapia praticabile per molti dei colpiti da cancro alla prostata: la maggioranza dei ricercatori lo considera infatti una cura temporanea e quindi non viene di solito usato da solo, a meno che il paziente non sia in età particolarmente avanzata.

Mi stavo orientando verso le radiazioni, senza per questo perdere di vista l'intervento chirurgico: in termini di percentuale direi 60/40. Ma siccome preferisco non decidere finché mi è consentito riflettere, decisi che avrei assunto il Lupron in modo da non dovere prendere l'altra decisione in maniera affrettata. E siccome per le radiazioni occorre qualche mese di preparazione, assumere il Lupron mi sarebbe valso da preparazione se alla fine avessi scelto la radioterapia. Se al contrario avessi optato per l'intervento e mi fossi fatto operare a luglio o agosto, il Lupron si sarebbe rivelato inutile, ma non mi avrebbe comunque fatto male.

La mattina di venerdì 19 maggio, senza parlarne a nessuno tranne che a Judith, andai a farmi la prima iniezione di Lupron, un'iniezione in profondità nel muscolo del fondoschiena. Qualche ora più tardi, annunciai che non avrei partecipato alla gara per il Senato.

Una volta cominciata la terapia del Lupron mi ci volle del tempo per trovare la tranquillità necessaria alla scelta della terapia. Ma ora che per me il semaforo del Senato aveva smesso di lampeggiare avrei potuto prendere quella decisione più in privato: o, se non proprio così, almeno con un minimo di solitudine. Nel corso delle iniezioni la mia prostata fu esaminata più volte per stabilire se il Lupron continuava a ridurne le dimensioni. Una volta ristretta al massimo, e ci vollero tre mesi, fu possibile passare alla fase successiva.

Per sgombrarmi la mente e prepararmi alle radiazioni decisi di interrompere per un mese le immersioni quotidiane nello studio delle terapie per la prostata. Non dico che questa emersione mi «ringiovanì», ma ero riposato come deve esserlo il sindaco di una grande città che sta assumendo il Lupron prima della terapia anticancro. Judith e io ritornammo da molti dei medici che mi avevano visitato e ponemmo loro nuove domande. Discutemmo dell'intervento e delle varie forme di terapia radiante come i «semi interni», i bombardamenti esterni a base di protoni e alcune loro combinazioni. Parlai con il dottor John Blasko, che con il collega Haakon Ragde aveva perfezionato la terapia non chirurgica dell'impianto transperineale dei semi. Mi vidi con Christine Jacobs, amministratore delegato della Theragenics Corporation che produce questi semi, e lei mi mise in contatto con specialisti di mezza America. Dopo avere parlato con tutti i medici telefonai al dottor Kirschenbaum per informarlo. «Mi dica chi ha visto e io le dirò quale terapia le ha consigliato ognuno di loro» mi propose. Gli feci una decina di nomi ed effettivamente attribuì a ognuno di questi medici la terapia raccomandata. Considerate tutte le opzioni decisi per i semi associati alle radiazioni esterne, per essere sicuro di fare tutto il possibile per uccidere le cellule tumorali presenti nella prostata.

Preferii questa terapia all'intervento che, pur asportando il cancro dalla prostata, non garantisce che altre cellule tumorali non si annidino all'esterno della zona asportata. In tal caso sarei dovuto tornare in un secondo tempo per le radiazioni e non ne avrei potuto farne molte perché, una volta asportata la prostata, la loro quantità doveva essere ridotta. Preferii quindi l'impianto dei semi nella prostata, per aumentare le probabilità che il tumore fosse ucciso.

Per l'impianto scelsi il dottor Richard Stock del Mount Sinai, e la scelta è indicativa di certe mie idee sul management. Il dottor Stock era più giovane di quasi tutti gli altri medici che mi avevano visitato, ma scelsi lui perché sono convinto che la generazione che segue quella degli ideatori di un'innovazione spesso migliora questa innovazione. Nel mio caso, gli ideatori della terapia dei semi eseguivano uno *scanning* della prostata per individuare il punto dove impiantare i semi prima dell'intervento. La generazione successiva, invece, impiantava i semi non dopo lo *scanning* ma in tempo reale, in base a ciò che trovavano una volta penetrata la prostata. E questo mi faceva venire in mente le migliorie apportate dagli assessori alla Polizia alle innovazioni dei loro predecessori.

Decisi che, una volta impiantati, i semi sarebbero stati integrati da venticinque radiazioni esterne, cinque alla settimana per cinque settimane, sia per continuare a uccidere le cellule tumorali all'interno della prostata, sia per operare allargando di uno o due centimetri l'area nella quale era stato trovato il tumore.

La mattina del 15 settembre 2000 arrivai di buon'ora al Mount Sinai Hospital per l'intervento. In sala operatoria trovai i dottori Kirschenbaum e Stock, insieme a un certo numero di assistenti e infermiere, e strinsi le mani a tutti loro. Considerando la gravità della situazione ebbi la surreale impressione di trovarmi in campagna elettorale. Come prima cosa mi dettero una dose di sedativo preoperatorio e mi praticarono un'iniezione spinale di anestetico. Trovandomi alla presenza di tanta gente giovane la mia nudità mi provocava un leggero imbarazzo. Quando il sedativo cominciò a fare effetto mi fecero sdraiare ed ero mezzo addormentato quando vidi che stavano portando un carrello sul quale troneggiava un grosso televisore. Si era tanto parlato e scritto della mia terapia che qualcuno era arrivato a propormi di dare il nulla osta a che l'intervento fosse teletrasmesso, cosa alla quale mi ero naturalmente opposto. Vedendo quel televisore pensai «Oh Dio, sto per finire sul canale New York 1, qualcuno mi ha venduto!». Ma prima di addormentarmi del tutto ricordai che quel monitor serviva proprio per l'intervento. Sollevato, caddi nell'oblio. Due ore dopo il dottor Stock mi svegliò per informarmi che l'operazione era riuscita perfettamente.

In questo stesso modo ho preso decisioni d'affari, professionali e politiche tutta la vita. Era come decidere le procedure per la vendita degli sportelli per le scommesse ippiche o il modo di amministrare la miniera di carbone che mi era stata assegnata in gestione quando facevo l'avvocato. In un caso e nell'altro cercai di trovare il tempo e la libertà di prendere la decisione più informata possibile.

Ma al contempo, se si fosse reso necessario sarei stato pronto a muovermi anche con un preavviso molto inferiore. Se quel fatidico mercoledì il medico mi avesse detto che avevo un cancro che si stava propagando rapidamente e mi avesse consigliato di farmi operare il giorno dopo, non ci avrei pensato su un momento. Ma questo era un altro tipo di decisione. Ogni medico mi aveva detto che il mio era un cancro che si muoveva lentamente, cosa che mi era stata confermata dalle ricerche sui libri. Anche se non avessi fatto nulla, avrei avuto abbastanza tempo per decidere senza peggiorare la prognosi.

Fare il sindaco mi aiutò a superare quei mesi, perché avevo delle responsabilità verso le persone che facevano affidamento su di me, e contribuì a non farmi pensare sempre e solo al cancro, impedendomi così di commiserarmi. Sono fermamente convinto che non bisogna mai essere disonesti con se stessi. Bisogna vedersela con la propria paura. L'avere dichiarato apertamente di avere un cancro, poi, aveva provocato manifestazioni di sostegno e solidarietà tali da rafforzarmi. Molti ai quali viene diagnosticato un cancro sentono il bisogno di nasconderlo: come se il fatto che la gente lo ignori lo renda meno reale, o per timore che il datore di lavoro possa rinfacciarvelo oppure che gli amici vi compatiscano eccessivamente. Nascondendolo, la paura aumenta. Se dite «Ho paura di fare quel discorso», oppure «Ho paura di prendere quella decisione» o ancora «Ho paura di fare i conti con il cancro», allora potete cominciare a farci i conti.

Nel mio caso ho potuto contare sulle persone a me vicine. Judith Nathan e Denny Young mi sono stati di enorme aiuto. Beth Petrone, Kate Anson, Sunny Mindel, Tony Carbonetti e Manny Papir (il vicecapo di gabinetto) mi sono stati al fianco e non soltanto sul lavoro. Un aiuto l'ho avuto anche dagli agenti addetti alla mia scorta, gli stessi che mi accompagnavano alle sette del mattino a fare le radiazioni. Hanno rappresentato un motivo di gratitudine le parole affettuose rivoltemi al telefono o per iscritto da migliaia di persone. Ero in macchina sulla 86ª strada e stavo svoltando sulla East End Avenue quando mi chiamò Hillary Clinton per esprimermi la sua solidarietà. Molti di questi che si erano messi in contatto con me per fornirmi consigli avevano avuto il cancro alla prostata: e tra loro c'erano dei noti personaggi che non avevano mai rivelato di essere stati affetti da quel male.

Ma, indipendentemente dalla tua disponibilità o meno a parlare della terribile malattia che ti ha colpito, alla fine sei tu a doverla affrontare. Gli altri possono aiutarti a interpretare i sintomi, possono manifestarti solidarietà per gli effetti della terapia; ma con tutto il sostegno morale che puoi ricevere ci saranno notti in cui ti sveglierai spaventatissimo. Il mio modo di affrontare la paura è quello di prenderne atto, ammettere di avere paura per poi valutare le opzioni che mi si presentano. Il cancro alla prostata è un male spaventoso, ma almeno ci puoi fare i conti in diversi modi.

Anche se non nascondevo ciò che stavo passando, molti particolari privati li ho tenuti per me. Sono il senso di privacy e l'attenzione alla sensibilità altrui a farci capire cosa conviene far sapere e cosa invece non conviene. Alcuni componenti dello staff devono avere capito ciò che stava succedendo, ma con loro non ne ho mai parlato. Una volta, ricordo, stavo andando nel Bronx per una manifestazione elettorale di Guy J. Velella, senatore dello Stato di New York. Velella era attaccato dai media per l'inchiesta a suo carico aperta dal District Attorney di Manhattan e aveva bisogno del mio appoggio. Ero stato male tutto il giorno e appena salito sul pulmino capii che sarei dovuto rimanere a casa. Circa cinque chilometri dopo l'autista accostò per farmi scendere di corsa e vomitare sul marciapiedi. Ero terribilmente imbarazzato, ma mi rassettai alla meglio e andai alla manifestazione. Giravamo per le strade su un camion, in piedi sul cassone, e mentre salutavo la folla temetti di svenire da un momento all'altro: ma mi tenne in piedi il pensiero di dovere rispettare l'impegno. A posteriori direi che la lotta contro il tumore è stata la mia personale forma di preparazione all'11 settembre.

Cercai di stringere i denti, ma in certi momenti gli effetti della terapia furono durissimi. Nelle due prime settimane, stranamente, soffrii così poco da farmi temere che i semi impiantati non fossero abbastanza potenti. Sapevo da ciò che avevo letto che avrei dovuto provare un forte bruciore, ma non sentivo quasi nulla. Informai il dottor Stock, che mi disse di aspettare qualche altro giorno. Non sbagliava.

Il 9 ottobre 2000 partecipai alla parata del Columbus Day con il senatore McCain e l'onorevole Rick Lazio, che aveva preso il mio posto nella gara per il seggio senatoriale di New York. Ci fermammo in una tavola calda e mi precipitai al gabinetto: il dolore era tale che riuscivo a malapena a rimanere in piedi. Temetti di non potere continuare a marciare con gli altri, anche perché non avevo preso alcun antidolorifico e sicuramente non ce l'avrei fatta ad arrivare alla fine. Mi avevano prescritto il Vicodin, presi una compressa dal flacone, la divisi in due e ne mandai giù una metà. Cinque minuti dopo il dolore era passato e potei aggregarmi di nuovo alla parata.

Alla fine andai a pranzo in un ristorante di Little Italy con John McCain e il suo staff. Bevvi mezza bottiglia di vino, dimenticandomi di avere preso il Vicodin, e dopo un po' ci mettemmo tutti a cantare. Una lezione che ho appreso da John McCain, e che lui ha a sua volta imparato trovandosi a lungo faccia a faccia con la morte, è quella di godersi la vita finché ci è possibile. Ero deciso a farlo.

Pensai ai miei eroi e al loro modo di affrontare malattie e handicap, in particolare in pubblico. Quando mi sedetti per scaricarmi dalle spalle il peso della paura e della preoccupazione per parlarne a qualcuno, questo qualcuno fu Judith. Fu lei a prendersi maggiormente cura di me. Andammo insieme per la prima volta a vedere un incontro degli Yankees il 18 luglio 1999. Avrete già capito a questo punto che lei era una tifosa degli Yankees da prima di conoscermi e quel giorno Dave Cone inanellò una serie di splendide battute, un segnale questo di ciò che sarebbe poi avvenuto. E quando Orlando Cabrera, interbase di Montreal, fece il suo ventisettesimo out mi misi a gridare come un matto. Quando vado allo stadio a vedere un incontro di baseball ho l'abitudine di mangiare le arachidi senza sbucciarle, e il fatto che Judith mi sia rimasta accanto nonostante questa mia discutibile abitudine la dice lunga sul suo conto. Quando, meno di un anno dopo, ricevetti quella terribile diagnosi capii quale bisogno si abbia di un partner in circostanze del genere. Non so come avrei fatto senza di lei.

Oltre ad avere un'enorme carica di umanità, Judith si intende di medicina. Fu così che si attaccò a Internet, telefonò a tutti i medici che conosceva per avere consigli e raccomandazioni, analizzò le diverse terapie. Mi accompagnò in pratica da ciascun medico, consultandosi con lui e facendosi mostrare le tavole anatomiche. Fece domande che a me non sarebbero mai venute in mente e a volte le chiesi di ritelefonare lei al medico, perché capiva quelle faccende molto più di me. Riempì di appunti un taccuino alto così e divenne la mia cassa di risonanza di ciò che avevamo saputo. Mi aiutò ad apportare modifiche alla dieta (ripeti con me: pomodori cotti = lycopene, un antiossidante che secondo i ricercatori può aiutare a prevenire il tumore alla prostata e altri tumori) e insieme decidemmo quali vitamine assumere, oltre al regime alimentare che seguo tuttora per impedire il ritorno del cancro.

Tutto ciò mi fu di enorme aiuto. Ed è al tempo stesso indicativo del mio modo di prendere una decisione, approfittando cioè al massimo del tempo a disposizione per considerare il maggior numero possibile di alternative. Un leader che prende decisioni può a volte dare l'impressione di non chiedersi mai quale dovrà essere la mossa successiva. Io invece, quando devo affrontare decisioni delicate, mi macero a volte nel dubbio, faccio numerosi esami di coscienza e, come dicevo, mi prefiguro gli esiti delle possibili alternative. Ma, una volta presa la decisione, tiro avanti. È come se dentro di me scattasse un interruttore, tutte le mie energie vengono dedicate all'attuazione della decisione, senza star lì a logorarmi nel dubbio di avere preso la decisione giusta.

Oggi mi dà grande soddisfazione aiutare i malati di cancro, in particolare quelli con il cancro alla prostata. Continuo a documentarmi e mi fa piacere dare utili informazioni su come prevenire, curare o far regredire il decorso della malattia. Posso dispensare consigli su quel processo decisionale al quale concorrono moltissimi fattori, dalle probabilità di sopravvivenza alla durezza degli effetti collaterali fino alle conseguenze di ordine familiare.

È importante non perdere il senso dell'humor. Il cancro alla prostata colpisce soltanto gli uomini e, sia per la parte anatomica interessata sia per la natura delle analisi diagnostiche, induce gli altri alle battute. Perché le analisi, come dicevo, sono fondamentalmente due: quella del sangue, alla ricerca dell'antigene specifico della prostata (PSA), e l'ispezione rettale digitale. Inutile spiegare in che cosa consista quest'ultima. Un giorno fui invitato alla Borsa di New York per pubblicizzare una campagna nazionale di sensibilizzazione sul cancro alla prostata. Avevo accanto Tony Carbonetti, il mio capo di gabinetto, e appena detti il colpo di martello al gong che segna l'inizio e la fine delle contrattazioni Tony mi fece sapere ciò che pensava sul secondo tipo di analisi diagnostica: «Sul mio fondoschiena c'è un tatuaggio sul quale si legge "Solo uscita"».

Gli uomini si spaventano quando vengono a sapere di avere il cancro, c'è poco da fare. È una malattia scoraggiante ed è giusto avere paura, chiedersi «Perché proprio io?». Ciò che non è giusto è evitare di farsi visitare per paura di sapere, come fanno molti.

Il cancro è un male particolarmente insidioso. Il fatto che le cellule si rivoltino contro di te ti fa sentire in qualche modo vittima di un tradimento. Vivere in questo mondo comporta una certa percentuale di rischi inevitabili, ognuno di noi può essere investito da un'auto o colpito da un fulmine. Ma se si parla con un certo numero di pazienti di cancro, ed è una delle cose più intelligenti che possa fare un uomo al quale è stata diagnosticata la stessa malattia, si scoprirà che la tentazione di non parlarne è quasi irresistibile. E invece bisogna resistere a questa tentazione, soprattutto se siamo chiamati a prendere una decisione di vita o di morte.

Questa sensazione di essere vittima di un tradimento si manifesta in diversi modi. Ogni doloretto, ogni piccola fitta, ci fa pensare al peggio. La domenica dopo avere appreso il risultato della biopsia ero andato con mio figlio Andrew al campo di golf Harbor Links. Stavo giocando particolarmente bene, cosa che mi capita di rado, ed eravamo alla quarta o quinta buca quando cominciai a sentire un dolore alla schiena. Pensai subito che il cancro si era propagato alla schiena, poi avvertii uno strano dolore alle dita ed ebbi la certezza che anche in quel caso era il cancro a farmi soffrire. Cominciai a chiedermi se per caso non stessi diventando pazzo. Per questo è importantissimo avere contatti con quelli che soffrono dello stesso male.

Cinque giorni dopo la diagnosi, Howard Safir, mio amico da vent'anni, ricevette la stessa bruttissima notizia: cancro alla prostata. Passammo insieme ore a discutere le varie possibilità che ci si presentavano. Parlai con i suoi medici, lui parlò con i miei e mettemmo a confronto gli effetti collaterali. Howard mi raccontò che pochi giorni dopo avere avuto la diagnosi aveva cominciato a fargli male un alluce e, dopo avere passato una notte in bianco per il dolore e per il terrore che il cancro si fosse esteso al piede, era andato di prima mattina a farsi visitare. Il medico scoppiò a ridere. «Caro Howard, se il cancro fosse arrivato all'alluce tu non staresti qui davanti a me» gli disse. Si trattava infatti di una sciocchezza e il giorno dopo il dolore scomparve.

Poter contare sulla solidarietà di chi è passato attraverso la stessa esperienza è importantissimo quando si pone in prospettiva la propria vita. Ricordo una delle mie riunioni settimanali dedicata alla polizia. Sedevo come al solito in una delle poltroncine rosse e Howard era seduto alla mia sinistra. All'improvviso lo guardo, lui mi guarda e scopriamo che stiamo entrambi sudando: capii allora che avevamo una vampata di calore, anche se nessuno se n'era accorto. Due o tre settimane dopo l'inizio del trattamento a base di Lupron si viene colpiti da queste vampate che durano da due a quattro minuti e, anche se i medici ti avvertono che devi aspettartele, le prime ti colgono sempre di sorpresa. Col tempo però ti ci abitui, anche se sono fastidiose.

Dopo la battaglia la mia vita è cambiata, e per molti motivi. A parte e oltre i cambiamenti più ovvi, sono entrato spesso in quella prospettiva filosofica che ci dà il riflettere sulla nostra condizione di esseri mortali. E ho perfezionato la capacità di compartimentare le sfide da affrontare: la diagnosi di cancro, la corsa per il Senato, il fallimento del mio matrimonio. Senza dimenticare che, tra le molte altre cose, ero anche sindaco di una città grandissima e complicata.

Succedeva così che, mentre me ne stavo nel mio ufficio immerso nell'autocommiserazione, arrivava affannato qualcuno per informarmi che un agente o un vigile del fuoco era rimasto ferito nel crollo di un edificio o qualche episodio analogo. Questo non solo mi consentiva di riacquistare immediatamente il senso della realtà, ma mi faceva concentrare su come affrontare meglio quella particolare emergenza. Cancellai pochissime manifestazioni o apparizioni pubbliche e continuai a tenere un'agenda quotidiana fitta d'impegni, anche se leggermente abbreviata per consentirmi di schiacciare un sonnellino o due.

Siate pronti a premere il grilletto quando il tempo sta per scadere

Un leader deve trovare un punto d'equilibrio tra la velocità e la riflessione. Uno degli aspetti dell'attività decisionale riguarda proprio sapere che cosa fare quando non rimane molto tempo per riflettere. Nel 1986 rappresentavo la pubblica accusa nel processo all'ufficio Contravvenzioni, uno dei più clamorosi casi di corruzione amministrativa a New York. Alla prima udienza la difesa presentò un'istanza per trasferire in un'altra città la sede del dibattimento, sostenendo che gli imputati, politici e burocrati, non avrebbero avuto un giusto processo con una giuria composta da cittadini di New York. E propose una rosa di sedi alternative, tra le quali Buffalo e Hartford. I miei assistenti avrebbero voluto discutere la faccenda tra di noi, ma non io. E mentre loro cominciavano a scambiarsi pareri, mi alzai in piedi. «Sono d'accordo, vostro onore» dissi. «Cambiamo pure sede processuale, in modo che nessun'ombra gravi su questo processo.»

I miei rimasero sorpresi, ma l'istinto mi aveva detto che sarebbe stato difficile riuscire a ottenere la condanna degli imputati processandoli a New York, e in particolare a Manhattan. È la città più grande del mondo, ma con i suoi otto milioni di abitanti annovera più spostati di ogni altra città. E i giurati nutrono una naturale simpatia, anche se mal riposta, per gli uomini dei quali sentono da anni i nomi. Non dimentichiamo che perfino John Gotti, il tristemente noto boss della famiglia Gambino, è stato assolto due volte da giurie di New York.

La scelta della sede cadde su New Haven, Connecticut, e i giurati furono selezionati ad Hartford nello stesso Stato. E alle prime mosse della difesa capii perché smaniassero tanto per cambiare sede processuale. La loro strategia era determinata dalla sensibilità politica degli imputati, che ordinavano sondaggi su tutto. Avevano stabilito così quale percentuale di newyorchesi conosceva il caso e quanti di loro si erano formati un'opinione. Avevano fatto fare un sondaggio anche su di me, per sapere quale posizione occupavo nella classifica dell'uomo della strada.

Ciò che la difesa non aveva capito era che per formare una giuria accettabile bisognava fare affidamento su quel 10 o 20 per cento di cittadini i quali, pur avendo le carte in regola per far parte di una giuria, non conoscevano il caso e non si erano ancora formati un'opinione. A New York quella percentuale significa un sacco di gente e c'era quindi la possibilità che venisse scelto a far parte della giuria uno di quegli spostati di cui sopra. Se tu sei il difensore e vuoi che la giuria non riesca a raggiungere un verdetto unanime devi soltanto trovare un giurato decisamente contrario: ed è più facile trovarlo (o trovarla) a New York piuttosto che a New Haven.

Mi resi conto che gli imputati stavano trattando il loro processo alla stregua di una campagna politica. Un errore strategico, questo: un avvocato che seleziona una giuria difficilmente individua la persona che non è mai riuscita ad andare d'accordo con nessuno. John Gross, mio collega all'ufficio di U.S. Attorney e mio socio nello studio legale Anderson Kill, una volta rappresentò l'accusa in un processo di corruzione tra i membri della polizia. Uno dei giurati, ogni volta che veniva l'ora di deliberare, correva letteralmente a rifugiarsi in gabinetto, rifiutandosi di uscirne. Il giudice a quel punto fu costretto a prendere atto dell'impossibilità di raggiungere un verdetto unanime, e successivamente un'altra giuria, dopo una ragionevole riflessione, giudicò gli imputati responsabili di tutti i capi d'accusa.

Quando seppi quali città aveva proposto in alternativa la difesa capii istintivamente che ognuna di loro sarebbe stata preferibile a New York. E accettare l'istanza della difesa prima che avesse il tempo di ritirarla ci aiutò a vincere il processo.

L'esigenza di decisioni rapide è ovviamente più sentita in occasione di crisi. La gente ha paura, è incerta e vuole rendersi conto che qualcuno ha in mano la situazione. Mentre la città stava facendo i conti con le conseguenze dell'11 settembre, l'*anchorman* Tom Brokaw e altri personaggi di rilievo della politica e dell'informazione cominciarono a ricevere per posta buste contenenti spore di antrace. Ciò di cui New York non aveva proprio bisogno era un altro motivo di panico. Immediatamente decisi di non fare vedere in TV gli addetti all'apertura di queste buste, imbacuccati in quelle loro tute per il trattamento di materiali tossici e nocivi, tute purtroppo sempre più familiari per gli spettatori televisivi, che facevano assomigliare i tecnici a personaggi lunari. Avrebbero provocato una reazione esagerata. E per questo corsi sempre sul luogo dove erano state individuate queste buste.

Anche se un leader dovrebbe sfruttare tutto il tempo a disposizione prima di prendere una decisione, il processo decisionale deve avere subito inizio. Se una decisione va presa entro cinque giorni, l'ora in cui dare inizio alle ricerche e alle valutazioni del caso scatta subito e non tra quattro giorni.

Avevo ventisei anni quando divenni sostituto U.S. Attorney. Portavo i baffi, era il 1970. Il capo, Mike Seymour, implorava i suoi giovanissimi assistenti di tagliarseli. «Dai, fallo» mi diceva, «*Just do it*», prima ancora che questa frase diventasse lo slogan della Nike. Sbagliava sempre per eccesso di cose da fare e ci ripeteva che se avessimo scelto la strada dell'azione invece di quella dell'esitazione saremmo stati uomini di legge migliori, gente migliore e migliori un po' in tutto.

A questo precetto mi sono attenuto da sindaco. Quando sorgeva un problema cominciavamo subito ad affrontarlo, anche se dibattevamo e discutevamo sulla migliore soluzione. Secondo me questo tipo di approccio è stato uno dei fattori che hanno contribuito a stabilire nella cittadinanza un certo grado di fiducia nei vertici amministrativi. A volte alla gente basta vedere che i problemi vengono affrontati, anche se alla fine non sono sempre d'accordo sui risultati. Per questo motivo tenevo ogni giorno una conferenza stampa. Secondo alcuni questa pratica forniva troppe opportunità ai detrattori della giunta, ma io ero intimamente convinto che se in città si determinava qualche problema era importantissimo far vedere che al timone c'era qualcuno.

Usate la tensione creativa

Durante alcune riunioni del mio staff ristretto volavano a volte parole grosse. Considero utilissime le discussioni e le provoco di proposito per sentire su qualsiasi argomento l'intera gamma di opinioni. Prendo sempre una decisione migliore se ascolto tre o quattro punti di vista: e se chi sostiene un certo punto di vista lo fa in maniera appassionata e sanguigna, tanto meglio.

Non puoi dare vita a una discussione animata se i partecipanti alla riunione pensano che la conclusione è stata già decisa. Se i tuoi sanno che finirai per fare tua l'opinione della persona più elevata in grado o di quella che ti conosce da più tempo, non sviscereranno mai la questione come tu vorresti.

City Hall Park, vicino alla punta meridionale di Manhattan, risale alla fine del Seicento ed è una splendida macchia verde di tre ettari e mezzo inserita nel patrimonio immobiliare più densamente popolato al mondo. Il parco purtroppo ha cominciato a risentire degli effetti dell'abbandono all'inizio del XX secolo, dopo che i progetti di recupero avevano trovato un ostacolo dietro l'altro. Aveva anche perduto la fontana centrale, trasferita nel 1920 nel Crotona Park (Bronx). Nel mio discorso del 1998 «Sullo stato della città» promisi che avrei riportato il parco al suo antico splendore.

Questo prevedeva lavori per un totale di oltre 10 milioni di dollari e non mi sorprese scoprire che diversi esponenti della mia amministrazione avevano idee diverse sul recupero del giardino pubblico. L'assessorato ai Parchi rispose al vicesindaco Rudy Washington facendogli sapere che voleva procedere in un certo modo, mentre la Società per lo sviluppo economico e altri uffici optavano per un'altra soluzione. Tutti presero a schierarsi e fu ben presto chiaro che erano in molti a osteggiare il progetto di Rudy. Inoltre, tutti ricorsero al vecchio trucco di prendermi da parte per sostenere una tesi o l'altra. Ma non ci caddi. Li lasciai discutere e scannarsi e alla fine stabilii che si sarebbe seguito il progetto di Rudy. La decisione lasciò la bocca amara a molti e direi che sorprese gran parte della mia amministrazione. Ma il parco fu riaperto nel 1999, più bello di prima: avevamo anche riportato al centro la fontana «trafugata».

Sbaglia chi pensa che i fatti dell'11 settembre abbiano trasformato in docili *yes-men* i componenti di uno staff come il mio, con le loro opinioni e la tendenza a discutere un po' su tutto. Alla fine del settembre 2001 le nostre riunioni del mattino, trasferite nel frattempo al molo 92 (sedevamo attorno a un tavolo pieno di piatti di bacon e insaccati, che nessuno fino allora aveva avuto il coraggio di portare in segno di rispetto alla mia dieta da convalescente di cancro), cominciarono ad assomigliare alle agitate risse intellettuali dei precedenti sette anni e mezzo.

Tra i tanti esempi, quello che sto per citare riguardava i problemi di traffico nella parte bassa di Manhattan. L'Holland Tunnel era stato chiuso al traffico per consentire il movimento dei mezzi pesanti che lavoravano a Ground Zero e dei camion che portavano via tonnellate di detriti. Se a ciò si aggiunge la rafforzata sorveglianza agli altri ingressi a Manhattan, le strade impraticabili chiuse attorno al luogo del disastro e la distruzione del treno PATH che portava al World Trade Center, si ha un'idea di quale incubo fosse ormai nella zona il traffico. Il 26 settembre decidemmo che non si poteva andare avanti così, bisognava assolutamente prendere qualche misura.

Iris Weinshall, assessore ai Trasporti, propose di proibire dalle 6 di mattina a mezzogiorno l'accesso alle auto con a bordo soltanto il guidatore. Joe Lhota si disse a favore della proposta. «Dobbiamo fare così» dichiarò. «Il traffico è talmente ingorgato che perfino i mezzi d'emergenza hanno problemi a farsi strada.»

Il vicesindaco Tony Coles era invece contrario. «Questa soluzione mi trova scettico» disse. «Ci sono altri sistemi per scoraggiare il traffico, come per esempio incentivare l'uso di treni e metropolitane.»

La pensava così anche Larry Levy. «Proibire l'accesso alle auto equivale a dire "Non potete venire".»

Bernie Kerik concordava in pieno con loro. «Le restrizioni mandano un segnale controverso. Da una parte diciamo a tutti che devono tornare in città, tornare alla normalità. Dall'altra però impediamo loro di venire se a bordo dell'auto c'è una sola persona.»

Lhota tornò alla carica. «Per afferrare la situazione dovreste vivere fuori Manhattan, il vostro modo di ragionare risulterebbe capovolto. Il traffico è rallentato già nella contea di Suffolk, la polizia di Stato si infila letteralmente sotto le auto per controllare con uno specchio che non vi siano attaccati esplosivi, impiegano trenta secondi per ogni veicolo. Iris mi ha fornito i dati, questa mattina tra le sei e mezzogiorno il 65 per cento delle auto dirette a Manhattan aveva a bordo soltanto il guidatore.»

John Dyson, un ex vicesindaco passato dopo l'11 settembre a occuparsi dell'economia cittadina, si schierò dalla parte dei contrari alle restrizioni. «Applicandole, Joe, strangoleresti l'economia di New York» fece osservare a Lhota.

«Ma c'è una flessione nell'uso della metropolitana, a fronte di un aumento del numero delle auto» ribatté Joe.

Dyson: «Prova a chiederti perché. La gente ricorda ancora la tragedia provocata dal gas sarin nella metropolitana di Tokyo. Bisogna fare i conti anche con quello che passa per la testa della cittadinanza».

Coles: «Proibire il traffico automobilistico sarebbe veramente regressivo. Dobbiamo pensare a incentivi e non lanciare un segnale sbagliato impedendo l'entrata in città».

Intervenni per la prima volta: «In queste due settimane abbiamo fatto un ottimo lavoro ripetendo il messaggio del ritorno alla normalità, e ora rischiamo di prenderci in giro non ricordando più che siamo in emergenza. L'Attorney General ha detto che ci troviamo in una situazione di "pericolo chiaro e attuale" e non è una frase in codice. Si creerà una forte aspettativa nelle settimane o mesi che il Presidente dedicherà alla preparazione della guerra in Afghanistan, poi un bel giorno l'America colpirà. Nella prima come nella seconda fase potranno esserci attentati ai ponti e ai tunnel e sarebbe più facile gestire questa nuova emergenza avendo in circolazione meno auto».

Joe Rose, presidente della commissione per la Pianificazione, ci ricordò che esistevano «altri meccanismi, come le tariffe da congestione»: ossia aumentare le tariffe d'accesso durante le ore di punta e ridurle nelle altre ore.

Lhota: «Ci sono sistemi alternativi per entrare a Manhattan, certo. Miglioriamo e intensifichiamo le corse di vaporetti, sfruttando così l'accesso via mare, finora troppo trascurato».

Tirai le somme. «Non esiste una soluzione perfetta. Senza le restrizioni il traffico sarà disastroso e nessuno vorrà venire in città. Con le restrizioni si scoraggia certa gente dal venire a Manhattan senza che per questo il traffico migliori sensibilmente. Aspettiamo i dati di Iris prima di prendere una decisione. Per il momento direi di provare per una settimana ad applicare la sua proposta e vediamo se funziona. Non credo che sia così terribile ricordare alla cittadinanza che siamo in emergenza, perché lo siamo davvero.»

Le restrizioni ottennero il risultato sperato, ridussero cioè la mole di traffico senza per questo risultare particolarmente onerose se non per qualche pendolare. Le auto con il solo guidatore si riempirono di passeggeri e la gente cominciò a usare più frequentemente e razionalmente i mezzi pubblici. Seguendo il consiglio di Joe Lhota la rete dei vaporetti contribuì ad alleviare il peso del traffico su gomma e raggiunse forse la massa critica di utenti necessaria a trasformarsi in un'opzione permanente. Poi, con l'allentarsi della crisi, si allentarono anche le restrizioni.

A volte, per stimolare il dibattito che ti consentirà di prendere una decisione informata, è necessario farsi da parte. Durante la crisi dei missili a Cuba, il Presidente Kennedy ricevette dal fratello un insolito messaggio: esci dalla stanza. Bobby Kennedy, in sostanza, faceva notare al fratello che i suoi collaboratori avevano cominciato a dirgli ciò che secondo loro il Presidente voleva sentirsi dire. L'argomento era così delicato che ogni componente dello staff di Kennedy non si azzardava in sua presenza a pronunciarsi a favore o contro la guerra nucleare. Nessuno voleva essere accusato in un secondo tempo di essere stato falco o colomba, di avere cioè auspicato la linea dura o al contrario di avere proposto una serie di concessioni. Il Presidente Kennedy lasciò la stanza.

Io a volte ho fatto la stessa cosa. Durante le campagne elettorali, per esempio, mi sono reso conto che spesso ottenevamo maggiori risultati durante le riunioni del mattino se io ero da qualche altra parte. I presenti si sentivano cioè più liberi di osservare ad alta voce che il candidato, cioè io, la sera prima aveva sbagliato tutto, che in televisione aveva un'aria stupida, che non aveva saputo rispondere efficacemente a una domanda. Quindi mi facevo da parte e successivamente Peter Powers o David Garth mi sintetizzavano i risultati della riunione.

Ascoltate gli altri fino alla fine

Una volta presa una decisione la devi rispettare. Ma prima di prenderla metti bene in chiaro che ti riservi il diritto di cambiare idea anche su argomenti che sembrano ormai cotti e mangiati.

Quando fui eletto sindaco, i buchi di bilancio consuntivo e preventivo mi fecero decidere di ridurre le uscite della città, una cosa che non avveniva dal 1981, ma non avevo alcuna intenzione di ripetere gli errori commessi durante la tristemente nota crisi fiscale degli anni Settanta. Così esclusi subito due aree da questi tagli. Mi rifiutai cioè di comprimere ulteriormente le voci di bilancio dell'edilizia: quando in passato era stato commesso questo errore ci si accorse che si era speso molto di più per rimettere in sesto le infrastrutture di base dopo il loro deterioramento di quanto si sarebbe speso per la costruzione ex novo di strade e ponti. La seconda area era quella della polizia. La città era strangolata dai reati e non solo non avevo intenzione di apportare tagli a quel bilancio, ma sapevo che al dipartimento sarebbero arrivati nuovi fondi.

Oltre a queste due aree c'era poi quella dell'istruzione. E la percentuale del bilancio cittadino da destinare ogni anno alle scuole pubbliche era fissata da una legge statale. Potevo quindi ridurre le spese in altri settori, ma non potevo intaccare la quota destinata alle scuole.

Tra le spese di capitale, le scuole e la polizia se n'era già andata una sostanziosa fetta del bilancio complessivo, che allora ammontava a 32 miliardi di dollari. Dovevo quindi essere inflessibile nel tagliare le spese in tutti gli altri settori. I responsabili di ogni ente mi descrivevano gli orrori che si sarebbero scatenati se avessi ridotto anche di un solo centesimo la loro dotazione, ma il bilancio doveva per legge essere in pareggio se non si voleva correre il rischio che le finanze cittadine fossero assorbite dallo Stato.

Come prima mossa incidemmo in profondità un po' dappertutto, compresa la DAS, divisione dei Servizi per l'AIDS. Francamente non sapevo con esattezza di che cosa si occupasse questa divisione, che comunque appariva sull'elenco preparato dall'ufficio Gestione e bilancio, nel quale si spiegava in dettaglio come regolarsi per avere il bilancio in pareggio. I tagli sarebbero stati illustrati per la prima volta nella proposta di bilancio, in febbraio, dopo di che avrei invitato vicesindaci e assessori a discuterne. La decisione finale l'avrei presa all'atto della pubblicazione del bilancio esecutivo, in maggio.

La DAS rientrava nelle deleghe del vicesindaco Fran Reiter, la quale si oppose ai tagli con un appassionato intervento che si articolava in tre punti. Anzitutto ci spiegò esattamente quale fosse l'attività della divisione e aggiunse che il dipartimento assisteva i cittadini nella ricerca di aiuto economico da altre fonti, come gli enti di beneficenza. In secondo luogo, la DAS era in grado di ridurre la quantità e il livello di inabilitazione dei newyorchesi affetti da HIV e AIDS così da rendere autosufficienti alcuni cittadini, il che avrebbe contribuito a ridurre il peso economico sostenuto dalla città. Infine, la DAS cercava di ottenere rimborsi dal governo federale, e in certa misura anche da quello statale, oltre che da fonti private. Se avessimo risparmiato il bilancio della DAS non avremmo nell'immediato aiutato quello della città, ma a lungo termine l'impatto sarebbe stato significativo, sotto l'aspetto umanitario oltre che sotto quello fiscale.

Fran aveva esposto degli argomenti efficaci e logici, proprio come fa un buon avvocato quando elenca i motivi per i quali la corte dovrebbe decidere in un certo senso. Applicando il principio «Ascolta gli altri fino alla fine» avevo sfruttato altri punti di vista sul perché era necessario continuare a finanziare la DAS come prima. Ma questo sarebbe anche stato uno dei casi cosiddetti di «decisione tramite discussione». Un diverso modo di vedere era emerso infatti a proposito del ruolo più appropriato dei dipendenti pubblici. Abe Lackman, direttore del Bilancio, riteneva che non avremmo dovuto stipendiare personale che cercava contemporaneamente di attirare capitali pubblici e privati, nel momento in cui la città stava riducendo il livello quantitativo dei dipendenti. Raccomandò quindi sostanziosi tagli alla DAS, che per lui era fonte di spese inutili: i paladini privati della causa, sosteneva Abe, avrebbero potuto esercitare più efficacemente pressioni sulle fonti pubbliche e private per ottenere fondi da usare nella lotta all'AIDS.

Secondo Fran, questo assunto aveva una sua validità solo teorica, perché in pratica nessuno riusciva a ottenere gli stessi risultati della DAS. I tagli avrebbero abbassato il livello dei servizi ai malati di AIDS, e al tempo stesso si sarebbe ridotto il flusso di fondi federali privati destinato alla città. Ero d'accordo con lei e i fatti alla fine le dettero ragione. Ripristinai quindi i vecchi finanziamenti e alla città andarono ogni anno circa 100 milioni di dollari dei fondi cosiddetti Ryan White.

Questa decisione dimostra anche l'importanza di circondarsi di gente forte e indipendente. Se Fran non fosse stata così risoluta nell'affrontare gli scettici dell'amministrazione non sarebbe stato possibile riattivare i finanziamenti. Lei dovette vedersela all'inizio anche con me, convinto come Abe che sarebbe stato meglio lasciare certe iniziative ai privati, soprattutto in una città al verde come era New York nel 1994.

Preferivo che le nostre battaglie interne rimanessero com'erano, cioè interne. Era importantissimo infatti presentarsi al pubblico come un fronte compatto. Ci sarebbe sempre stato qualcuno in disaccordo con le decisioni di un leader; e far sapere all'esterno esattamente la posizione di ogni esponente dell'amministrazione su un certo argomento, e con chi questo esponente avesse scontri dialettici, finiva per facilitare troppo coloro che cercavano di sfruttare a proprio vantaggio le divisioni della giunta.

Proprio perché volevo che i nostri scontri si svolgessero dietro le quinte venivo a volte criticato per avere assunto persone riluttanti dal dissentire con me. Questo, oltre a rappresentare una distorsione interpretativa del mio stile di management, era offensivo per le persone che assumevo. Il riserbo di queste persone su ogni disaccordo con me veniva considerato all'esterno una forma di deferenza. Io la definisco lealtà, nei confronti miei e della città.

La vicenda del bilancio della DAS comprende un episodio che la dice lunga sulla città di New York. Un grosso gruppo venne un giorno a protestare per i presunti tagli ai servizi per i malati di AIDS: ma a quel punto Fran aveva vinto la sua battaglia e non solo i tagli erano stati cancellati, ma i fondi aumentati. Peter Powers, saputo della manifestazione di protesta in programma quella mattina, mi propose di scendere in strada e spiegare ai manifestanti che le spese erano state aumentate, non diminuite. «Magari diranno qualcosa di positivo sul tuo conto» aggiunse. Dopo tutti quei tagli avevamo quasi una manifestazione al giorno e quella era quindi un'occasione per illustrare un programma senza tagli.

Dissi a Peter che, se proprio voleva scendere in strada, era il caso di portarsi una copia del bilancio esecutivo perché i manifestanti non si sarebbero fidati della sua parola. Peter scese e mostrò al capo dei manifestanti la copia del bilancio, sottolineando i fondi in più alla DAS. «Molte grazie» disse quello, «ma oramai che siamo qui la manifestazione la facciamo ugualmente.» E la protesta andò avanti per un'ora, tra grida «Più soldi! Più soldi!». Alla fine il leader andò a cercare Peter per ringraziarlo.

Il caso DAS si annovera tra i numerosi casi in cui sono stato persuaso a cambiare idea. Ed è un paradosso interessante. Un leader deve essere abbastanza forte da prendere le sue decisioni e farle applicare anche se impopolari. Ma deve anche essere tanto sicuro di sé da cercare l'opinione altrui e magari cambiare idea senza timore di passare per debole.

All'inizio del mio primo mandato decisi che per il recupero della città era importantissimo ridurre il numero dei sex shop, che rallentavano lo sviluppo di altre iniziative commerciali dappertutto, e in particolare a Times Square. Joe Rose, assessore alla Pianificazione, aveva stilato un rapporto dal quale emergeva in dettaglio quanto costavano alla città questi shop in termini di mancata attività economica. Tracciammo una mappa dei sex shop in tutta la città e cominciammo a cercare dei sistemi per limitarne il numero, convinti di potere sfruttare il rapporto Rose per giustificare le restrizioni. Fosse stato per me li avrei eliminati tutti o quasi. Guardando la mappa e vedendo quanti di questi esercizi avremmo dovuto chiudere, Joe Rose e Paul Crotty mi fecero capire che la mia proposta era impraticabile: se avessimo tentato di chiuderli tutti avremmo corso il rischio che un giudice bocciasse il nostro progetto e avremmo dovuto ricominciare daccapo.

Joe e Paul proposero invece di creare a Midtown una zona in cui i sex shop potessero rimanere aperti, il che da una parte avrebbe eliminato le potenziali preoccupazioni che la nostra legislazione potesse essere giudicata oppressiva, e dall'altra ci faceva ottenere il risultato voluto. Dal momento che la zona indicata nella proposta riduceva l'area disponibile per i sex shop, limitandone in pratica la presenza nelle sole aree non residenziali, gli affitti nelle altre strade di Midtown sarebbero aumentati. Ma alla fine sarebbero aumentati anche nella zona dei sex shop, rendendo gli affitti troppo onerosi per loro: il libero mercato sarebbe riuscito a ottenere ciò che non era possibile con la zonizzazione. Decisi che Joe e Paul avevano ragione e demmo vita a questa zona. Negli anni seguenti, ogni volta che i titolari dei sex shop ci portarono in tribunale, il giudice regolarmente citò questa piccola zona cuscinetto a dimostrazione che le nostre norme non erano particolarmente restrittive.

Ma non tutte le decisioni hanno alle spalle lo stesso iter. Alcune si basano su oggettivi dati statistici, altre su pura intuizione. Fran Reiter, per esempio, aveva strutturato la sua presentazione del DAS in modo da soddisfare le mie esigenze di prove empiriche. Aveva preparato fatti e cifre. Altre decisioni però non possono essere confortate da una presentazione di quel tipo. Potrebbe non esserci tempo a sufficienza o la proposta potrebbe essere così innovativa da non essere ancora avvalorata da dati statistici. Un leader non deve pretendere che la validità di ogni idea sia dimostrabile in qualche modo prima di farla propria, se non vuole correre il rischio di tagliare fuori ogni forma di innovazione.

Le decisioni importanti e complicate richiedono sia l'analisi statistica sia l'intuizione. Le statistiche possono fornire i dati necessari, ma se non si fa ricorso all'intuizione, che si acquisisce con l'esperienza, ci si riduce a sputare formule come un computer. Consideriamo le decisioni che ho dovuto prendere dopo che mi era stato diagnosticato il cancro alla prostata. Le ho basate sulle statistiche e sulle analisi contenute nelle migliori ricerche disponibili, ma su questa base ho spalmato uno strato di intuizione soggettiva riguardante quale fosse il trattamento giusto per me: e ho preso la decisione nei miei termini, quando ho voluto io.

VII

Promettete poco e mantenete molto

Il 1998 fu per i New York Yankees un anno indimenticabile, nel quale ottennero risultati che nessuna squadra di baseball della Major League aveva mai potuto vantare. Uno strano anno, in un certo senso. Persero i primi tre incontri; il loro più forte battitore, Darryl Strawberry, si ammalò di cancro al colon e la squadra fu coinvolta in una terribile rissa a Baltimora. Ciò nonostante, dopo avere travolto i San Diego Padres nella finale delle World Series, avevano fatto registrare uno score complessivo di 125/50, un numero record di vittorie.

E se Joe Torre, sull'onda del trionfo, avesse dato inizio alla campagna del 1999 annunciando che gli Yankees avrebbero vinto più incontri dell'anno precedente? Da quel punto di vista l'annata sarebbe stata deludente, anche se il loro 1999 fu più straordinario del 1998. Infatti, oltre ad aggiudicarsi nuovamente il titolo delle World Series (stavolta battendo i Braves), gli Yankees persero soltanto uno degli incontri del dopo campionato, terminando 11/1 nei play-off e nelle World Series. Nonostante uno score di «sole» 98 vittorie contro 64 sconfitte in campionato, disputarono le loro migliori partite quando la posta in gioco era più alta, pur dovendo subire una incredibile serie di avversità: il cancro alla prostata di Joe Torre, la morte dei padri di tre giocatori (Paul O'Neill, Scott Brosius e Luis Sojo) e i continui problemi di salute e legali di Strawberry. E il trionfale esito della stagione fu motivo di maggiore soddisfazione proprio perché inatteso.

Un leader deve saper gestire non soltanto i risultati, ma anche le aspettative.

A Wall Street il gioco dell'aspettativa si è trasformato in una specie di forma d'arte. Le società offrono la loro «guida» agli analisti che prevedono ogni trimestre entrate e guadagni. Il loro obiettivo è quello di abbassare di pochi cent per azione queste previsioni in modo che la società, una volta resi noti i risultati ufficiali del trimestre, possa vantare un successo inesistente. Il problema è che, sentendo ogni volta la società gridare «al lupo, al lupo!», gli investitori daranno per scontato che i risultati trimestrali supereranno le previsioni degli analisti. Così, se una società prevede un guadagno di 1 dollaro e 50 per azione, l'investitore darà per scontato che il guadagno sarà di 1,60 e si regolerà di conseguenza. Se alla fine il guadagno risulterà di 1,55 la società potrà vantare il successo, ma l'investitore si sentirà truffato di 5 cent.

Proprio per questo un leader deve fornire cifre il più possibile esatte in sede di previsione e, se alla fine sbaglierà, dovrà sbagliare soltanto per difetto: nel senso che i risultati di un'iniziativa dovranno risultare superiori a quelli annunciati, e non inferiori.

Il 12 luglio 2001 presentai ufficialmente il bilancio alla commissione di Controllo finanziario dello Stato di New York. Fissai le entrate per l'anno fiscale 2001 a 40.640.000.000 di dollari, mentre per i successivi quattro anni la mia previsione fu la seguente:

Anno fiscale 2002: $ 39.698.000.000
Anno fiscale 2003: $ 39.713.000.000
Anno fiscale 2004: $ 40.976.000.000
Anno fiscale 2005: $ 42.228.000.000

Pensavo davvero che New York avrebbe dovuto aspettare il 2004 per eguagliare i risultati del 2001? No, certo. Ma una delle mie regole era proprio quella di sottostimare le previsioni d'entrata, in modo da costringere i miei collaboratori a contenere i costi. Prevedendo entrate basse potevo criticare le spese non necessarie e mantenere un regime amministrativo sobrio, anche in tempi di vacche grasse.

Troppo spesso, nel settore pubblico come nel privato, le organizzazioni collocano le loro previsioni su uno scenario ideale. Dopo un anno particolarmente fruttifero una città farà massicciamente ricorso al prestito per poi, quando le entrate calano in modo imprevisto, essere costretta ad aumentare le tasse per ripianare i debiti. Oppure una società può assumere personale e ristrutturare i suoi uffici anche quando non può fare affidamento su un bis del recente felice passato.

Ci sono state occasioni in cui mi sarebbe convenuto politicamente prevedere entrate molto più alte. E sarebbe stato anche giustificabile durante il mio secondo mandato, in considerazione dello sviluppo economico di New York. Il boom di Wall Street e l'impennata del valore della proprietà immobiliare avevano in effetti riempito le casse del Comune. Ma scelsi ugualmente di non migliorare i dati delle previsioni d'entrata, anche se facendolo avrei potuto guadagnarmi benemerenze politiche, aumentando i finanziamenti a certi gruppi d'interesse. Il Ragioniere generale di New York si era candidato a sindaco e nell'ultimo anno del mio mandato aveva fatto molta campagna: durante la quale, di tanto in tanto, si lamentava dell'eccessivo indebitamento di New York. Ma basta confrontare questo debito con quello di altre grandi città per concludere che godevamo invece di una salute relativamente buona. Relativamente alle entrate, la percentuale del nostro debito era nel 2001 del 14,1 per cento. Quelle che seguono sono invece le percentuali di altre città: Chicago, 19,3; Houston, 18,9; Phoenix, 23,2. Erano più indebitate di New York anche San Antonio, Dallas, Detroit, Honolulu, San Jose, Indianapolis, Jacksonville, mentre le uniche con una percentuale leggermente inferiore erano Philadelphia (13,7) e Los Angeles (12,9). Ciò nonostante, il candidato sindaco fece preparare delle relazioni contenenti cupe previsioni. Che non trovavano però riscontro nel giudizio sul debito cittadino dato dalle *bond agencies*, che meglio di altri sanno interpretare certe cifre: e devono saperlo fare, dal momento che i loro clienti si basano sui loro giudizi per investire miliardi di dollari. Dal 1993 alla data della mia relazione del luglio 2001 sia Moody's che Standard & Poor ci fecero salire nella loro classifica.

Se avessi voluto disarmare i critici a proposito del debito cittadino, pur sapendo che sbagliavano, avrei potuto fornire proiezioni di entrate più alte riducendo in tal modo il pagamento dei debiti, in quanto espressi in termini di percentuale delle entrate. Mi rifiutai di farlo, perché gonfiare le previsioni di entrata avrebbe significato accentuare la propensione alla spesa dei cittadini.

C'è un'altra buona ragione per contenere le previsioni di entrata, oltre a quella di porre un freno al bilancio. Le aspettative contenute ci fanno affrontare meglio gli imprevisti. Meno di due mesi dopo la mia presentazione alla commissione di Controllo finanziario di questi dati «sottostimati», l'economia cittadina fu scossa da una imprevedibile calamità: gli attacchi dell'11 settembre. Un bilancio di previsione ottimistico avrebbe reso le finanze di New York molto più vulnerabili alle conseguenze dell'attentato al World Trade Center. E invece, grazie al contenimento delle previsioni, ripianare il buco di bilancio creato dal disastro fu difficile ma non impossibile.

Redigere un bilancio preventivo significa predire il futuro. Far collimare le previsioni con i risultati può rivelarsi insidioso. In altri settori è molto più facile: un'iniziativa la si annuncia soltanto una volta che i risultati sono stati acquisiti. La si prova, la si perfeziona, si attende almeno una prima serie di risultati e poi la si annuncia. Qualcosa, cioè, di molto simile alla produzione di un lavoro teatrale. Se possibile i produttori non fanno esordire lo spettacolo direttamente a Broadway, ma partono da un'altra città dove c'è minore attesa e ci lavorano su per un po', prima che la posta in gioco si faccia troppo alta.

È vero comunque che in certe circostanze l'annuncio di un'iniziativa, pubblica o privata, è fine a se stesso. L'annuncio potrebbe avere una sua importanza sul piano delle pubbliche relazioni e fa sapere in giro ciò che tu pensi che la tua organizzazione sia in grado di realizzare. Dimostra che le tue aspettative sono elevate e che tu le consideri tanto realizzabili da parlarne pubblicamente. Talvolta, per mettere alla prova me stesso e i miei collaboratori, ho volutamente esagerato nelle promesse o quanto meno ho dato questa impressione. Forse il titolo più indovinato per questo capitolo sarebbe stato «Promettete strategicamente». Ma come regola generale ho sempre evitato di parlare di ciò che ho fatto finché non ho raggiunto un risultato concreto.

A volte le altrui aspettative trascendono le capacità di chi è chiamato a un certo compito. Nello sport professionistico, da un giocatore che ha firmato un grosso contratto con una nuova squadra si attendono miracoli da un giorno all'altro. Un tale fenomeno è particolarmente diffuso a New York, a causa della costante attenzione dei media e delle aspettative dei tifosi.

Dopo avere mancato per un soffio il quarto titolo consecutivo nel 2001, il management degli Yankees ebbe un'intensa attività post campionato che comprese tra l'altro l'acquisto del prima base Jason Giambi, il quale firmò un contratto di sette anni per un compenso complessivo di 120 milioni di dollari. Minore attenzione attirò invece un altro acquisto, quello del terza base dei Mets, Robin Ventura. La stagione 2002 degli Yankees si aprì con tre incontri disputati a Baltimora: ne vinsero due, ma Giambi stentò a entrare in partita mentre Ventura realizzò due fuoricampo.

Andai a vedere l'incontro successivo, giocato in casa. Giambi ancora una volta disputò una gara opaca e, nonostante la vittoria della sua squadra, i tifosi alla fine si misero a scandire un nome, «Tino», quello cioè del giocatore che Giambi aveva rimpiazzato. E questo, si noti bene, soltanto al quarto incontro di campionato in uno sport in cui viene considerato un risultato eccezionale azzeccare un tentativo su tre. Ventura fu invece accolto con grande calore.

In un caso, come si vede, i risultati erano stati inferiori alle aspettative e nell'altro superiori. Nonostante nessuno dei due giocatori avesse in qualche modo favorito queste aspettative, promettendo per esempio di realizzare un certo numero di fuoricampo, i tifosi avevano in mente obiettivi differenti. A un terzo del campionato Giambi aveva realizzato 15 fuori campo (dei quali due decisivi per il risultato finale) e le sue statistiche personali erano di assoluta eccellenza. I tifosi applaudirono entusiasticamente sia lui, per avere accontentato le loro aspettative, sia Ventura per essere andato addirittura al di là delle stesse.

A volte può essere strategicamente vantaggioso differire l'annuncio di un'iniziativa. Come il giocatore di poker cerca di non fare capire il punto realizzato prima di mettere le carte in tavola, così al leader conviene spesso aspettare l'ultimo momento prima di rendere noto il progetto al quale sta lavorando. Un principio, questo, al quale mi sono attenuto dovendo condurre contemporaneamente diverse inchieste ai tempi in cui ero U.S. Attorney. È raro che i procuratori annuncino in anticipo le loro inchieste, in quanto hanno bisogno del maggior tempo possibile per raccogliere le prove prima che testimoni e imputati scompaiano dalla circolazione o perdano la memoria.

Da sindaco mi accorsi che il mio stile e quello di Bill Bratton, primo assessore alla Polizia, erano decisamente diversi. Lui annunciava i suoi programmi con squilli di trombe e rullar di tamburi, al fine di tenere ancora più alto il morale e indicare una rotta. Io davo inizio al programma, mi accertavo che funzionasse, facevo qualche piccola messa a punto e infine lo annunciavo, rendendo così possibili le modifiche a lungo termine. Quando decisi di rendere la vita difficile ai lavavetri, per esempio, non dichiarai questa mia intenzione. Pianificai prima l'iniziativa e, vista la resistenza dei vertici del dipartimento di Polizia, chiesi loro di formulare un programma. Quando tornarono con una soluzione praticabile detti il via libera. Alla fine rendemmo pubblico quel programma con un annuncio, in cui venivano spiegati certi miglioramenti dei quali la cittadinanza aveva già cominciato ad accorgersi senza che nessuno glielo dicesse.

Un piccolo rischio al quale si va incontro con una strategia del genere è quello di perdersi parte del merito dei risultati raggiunti. La gente potrebbe avere pensato, e alcuni effettivamente lo pensarono, che i lavavetri erano scomparsi di loro iniziativa e che io ne avevo approfittato per prendermene il merito. Di solito, comunque, c'è tempo a sufficienza per acquisire i meriti, una volta accertato che il programma effettivamente funzioni.

Nei primi due mesi del 2001 le cifre relative alla criminalità erano in veloce calo: risultato non da poco, considerati i nostri progressi in quei sette anni. E molto di questo successo supplementare era da attribuire alla ricerca e all'arresto di persone colpite da mandato di cattura, specialmente per i reati più gravi: un tipo di attività, questo, a lungo trascurato dagli occupatissimi poliziotti. Quando dopo un paio di mesi cominciammo a registrare i primi risultati, il dipartimento di Polizia avrebbe voluto renderli noti. Ufficiali e agenti erano ferventi seguaci del metodo Compstat e dei suoi criteri di responsabilità e, comprensibilmente, avrebbe fatto loro piacere in sede di bilancio dell'attività istituire una nuova voce, «mandati eseguiti», della quale potere andare fieri. Decisi che conveniva aspettare almeno fino al quarto o quinto mese. Se il trend si fosse confermato sarebbe stato più che giusto annunciare quei successi, ed è esattamente ciò che avvenne. Se invece, al contrario, ci fossimo precipitati a rendere noti i primi risultati e poi il trend si fosse invertito, avremmo dovuto rispondere a imbarazzanti domande sui motivi del fallimento dell'iniziativa.

Gestire le aspettative sapendo fin dall'inizio che cosa aspettarsi è stato importantissimo in occasione della riforma del welfare. A metà degli anni Novanta oltre 1.100.000 abitanti di New York, all'incirca uno su sette, ricevevano qualche forma di assistenza pubblica. Al termine del mio secondo mandato questo numero, per la prima volta dal 1967, era sceso sotto la soglia del mezzo milione. Il contratto sociale, a mio modo di vedere, è reciproco. A ogni diritto corrisponde un obbligo, a ogni privilegio un dovere. E una forma tradizionale di welfare, un assegno che arriva senza in pratica alcuna obbligazione da parte del destinatario, priva il cittadino di questo rapporto. Nel senso, cioè, che o il cittadino non conosce l'esistenza di questo rapporto tra privilegio e dovere, e in tal caso tu non l'aiuti certo a prenderne conoscenza; oppure lo conosce, e tu l'aiuti a dimenticarsene. Questo cittadino, in sostanza, non si sente collegato alla società e i contribuenti finanziano un sistema che dà loro l'impressione di mantenere una sottoclasse permanente.

Dopo la mancata elezione del 1989 ho studiato attentamente questo argomento. E nel 1993, durante la nuova campagna elettorale, ho approntato insieme con il consigliere anziano Richard Schwartz un ampio programma di riforma del welfare. A distanza di pochi anni sembra finanche ovvia la nostra idea: quella, cioè, che è paternalistico e anche crudele consegnare soldi senza nemmeno sperare di ricevere qualcosa in cambio, quasi che i destinatari di sana e robusta costituzione siano in qualche modo al di sotto delle aspettative nutrite da ciascun altro membro della società.

Ritenevamo che la città avesse il diritto di ricevere dal titolare del sussidio qualcosa in cambio. E fu questa la genesi del programma cittadino *workfare*. Appena nominato sindaco chiesi a Paul Crotty di svolgere uno studio per appurare fino a che punto potevo permettermi di chiedere ai titolari di sussidio di svolgere un lavoro. Volevo, cioè, sapere se esisteva una norma federale che mi proibisse di chiedere loro di eseguire lavori pubblici, come avevano fatto con l'amministrazione Lavori pubblici di Roosevelt. Ci sono tanti di quei lavori da fare, in città. E c'era tanta gente che riceveva l'assegno di mantenimento: non potevamo farglieli fare, quei lavori? Paul mi fece sapere che la legge lo consente, entro certi limiti relativi alla retribuzione minima. Nessuno aveva mai fatto nulla del genere a New York, né nel resto del Paese era mai stato tentato nulla di simile su scala così ampia. Negli anni Sessanta, ai tempi del sindaco Lindsay, si tendeva a evitare qualsiasi motivo di frizione e quello del welfare era considerato un istituto «di facile accesso». Si spiega quindi perché quel semplice modulo, che richiedeva soltanto un'autodichiarazione di stato di bisogno, abbia di fatto raddoppiato in Comune il numero delle pratiche da evadere.

Decidemmo di diffondere il concetto di *workfare*, un'idea sviluppata con il programma «America Works». La AW era una società privata che trattava contratti a base rendimento e riceveva il grosso dei finanziamenti se, e soltanto se, trovava al destinatario del sussidio un posto di lavoro dove l'interessato rimanesse almeno sei mesi. I destinatari frequentavano sedute di orientamento e seminari sulle attitudini lavorative, e America Works si poneva come intermediario nel caso fossero sorti problemi come la puntualità o l'assistenza all'infanzia.

Gli ambienti liberal erano scandalizzati dall'idea che America Works «traesse profitti dal welfare». Ma questi profitti erano una conseguenza dei posti di lavoro che la società trovava ai suoi assistiti e l'idea mi piacque subito. Chi non era in grado, o non aveva voglia, di trovare un lavoro stabile avrebbe dovuto prendere parte al Work Experience Program, dedicando venti ore la settimana ad attività come la pulizia dei parchi o il centralino di un ufficio.

Richard Schwartz e io dovemmo subito vedercela con le dimensioni dell'iniziativa. Sapevamo, tanto per cominciare, che con un milione di assistiti dal welfare sarebbe stato impossibile trovare un lavoro stabile a tutti. Quindi, invece di annunciare che per una certa data avremmo tolto un certo numero di persone dall'elenco degli assistiti trovando loro lavoro, cominciammo a trovarglielo. Soltanto nel marzo 1995, sicuri ormai dell'efficacia del programma, annunciammo l'iniziativa di riforma del welfare. E il mese di marzo 1995 segnò l'inversione di tendenza sulla tabella del calo degli assistiti dal 1993 al 2001. Attendemmo un anno prima di rendere pubblico il programma, apportandovi in continuazione qualche piccolo correttivo.

Quando nel 1997 mi candidai al secondo mandato gli elenchi del welfare comprendevano trecentomila nomi in meno rispetto al 1993. Se nella campagna elettorale precedente avessi annunciato la mia intenzione di ridurre in tale misura la popolazione degli assistiti, il «New York Times» avrebbe pubblicato un editoriale dandomi del pazzo e aggiungendo che, se per caso ci fossi riuscito, avrei gettato la città nel caos. Il fatto è che già da allora ci credevo veramente, anche se forse non sarei stato in grado di prevedere il numero esatto. Ma non volevo fare promesse non sapendo né quanto tempo avremmo impiegato a mantenerle né a quanta gente avremmo trovato lavoro. Una volta accertatolo, una volta cioè acquisita la sicurezza che il sistema era in grado di fornire posti di lavoro e di individuare coloro che ne avevano bisogno, fornimmo dati statistici coerenti e la cittadinanza cominciò a capire.

E i numeri si rivelarono incredibili. Durante la mia amministrazione oltre 600 mila persone uscirono dagli elenchi della pubblica assistenza, e il totale scese così da 1.112.490 a 497.113: nella classifica per abitanti, una città con quella popolazione si piazzerebbe al sedicesimo posto negli Stati Uniti (per strano che possa sembrare, il disastro dell'11 settembre ha aumentato il numero degli assistiti di sole 1200 unità). Il nostro programma ebbe anche vistose conseguenze in termini di riassetto sociale, consentendo a molti cittadini di recuperare la dignità dell'etica lavorativa.

Un'altra ragione che mi faceva preferire l'annuncio dei risultati invece dell'annuncio delle intenzioni, oltre a quella rappresentata dal guadagno di tempo e spazio per perfezionare nuovi programmi, era la possibilità di perseguire una certa strategia senza dover attendere che attorno ad essa si determinasse il consenso. Ogni iniziativa ha i suoi sostenitori e i suoi detrattori: un progetto potrà sembrare «positivo» quanto si vuole, ma ci sarà sempre una fazione che si sentirà in qualche modo defraudata.

L'iniziativa di riforma del welfare, per esempio, appare in superficie una di quelle alle quali è possibile tranquillamente attribuire la vieta qualifica di «vincente». Gli assistiti avevano ricevuto i soldi dei quali avevano bisogno e ritrovato la dignità che conferisce il lavoro, i contribuenti si erano resi conto che le tasse da loro pagate non erano state gettate nell'East River e gli abitanti di New York potevano contare su parchi più puliti e altri servizi del genere. Ma non tutti la videro in tal modo. Quelli che campano curando «gli interessi» degli assistiti – gli esponenti cioè dell'«industria della compassione», come li ho una volta definiti – non gradirono il progetto. Che non piacque nemmeno ai politici seguaci di quella scuola di pensiero secondo la quale mostrarsi sensibili alle esigenze degli oppressi significa mantenerli in uno stato di dipendenza permanente. Se avessimo atteso che fossero tutti saliti a bordo, la riforma non sarebbe mai nemmeno partita.

Paul Crotty mi è stato molto utile in sede di applicazione di questa strategia di leadership. Eravamo rimasti in contatto anche dopo la conclusione della nostra collaborazione con il giudice MacMahon e, dopo la mia nomina a sindaco, lo presi con me come rappresentante legale: in pratica, il consigliere incaricato di dirmi ciò che era fattibile e ciò che non lo era in base alla legislazione cittadina e statale. Paul ha sempre sostenuto che un leader deve tirare dritto e comandare, non certo in modo arrogante e non senza farsi spesso consigliare e indirizzare. Ma, secondo lui, un leader che non prende una decisione senza avere prima sentito tutte le parti, espresso tutte le riserve e risolto tutti i contenziosi legali è un leader che abdica alle sue responsabilità. Io la pensavo già così da procuratore e Paul non fece altro che rafforzare i miei convincimenti.

Un giorno, alla vigilia della mia prima elezione, mi si parò davanti in campagna elettorale un tipo mai visto, il quale mi fissò negli occhi annunciandomi che l'inferno si sarebbe ghiacciato prima che New York avesse avuto un sindaco Repubblicano. Stanchissimo com'ero, gli strinsi la mano dimenticandomi subito le sue parole. Poi nel gennaio 1994, primo mese del mio primo mandato, sulla città si abbatterono dodici tempeste di neve. Quando, la mattina del 1° febbraio, scoprii al risveglio che stava nevicando mi misi a pensare alle parole dello sconosciuto: sapeva forse qualcosa che io non sapevo? Poi, quando nell'ultima parte della mia amministrazione la neve scomparve, mi misi a pensare alle strategie Repubblicane e ai programmi di lavoro anche per ridurre il carico di neve sulla città.

Il 9 febbraio New York dovette affrontare la peggiore tempesta di neve di un inverno già di per sé durissimo. Volevo essere certo di potere contare su un numero sufficiente di persone in uniforme destinato a tenere libere le strade per gli spalaneve, oltre che a consigliare la popolazione a tenersi lontana da ponti e tunnel. Andai quindi alla Centrale di polizia, ma mi dissero che non c'erano gli estremi per dichiarare lo stato d'emergenza. Più tardi, in piena notte, telefonai a Paul per chiedergli se fosse dello stesso parere. «Fregatene e dichiara l'emergenza» fu la sua risposta. «Se qualcuno poi vorrà portarti in tribunale, lo faccia pure. Il sindaco sei tu, fai ciò che va fatto.» Dichiarai lo stato d'emergenza.

Promettete soltanto se potrete mantenere

Questa norma sembra talmente ovvia che non meriterebbe nemmeno di farne cenno, ma troppe volte ho visto un leader violarla. Alla lunga le grandi promesse retoriche compromettono l'autorità del leader. Un pubblico ufficiale che si impegna solennemente a far calare di una certa percentuale i reati o a creare un certo numero di posti di lavoro potrà avere buona stampa per un paio di giorni: ma se poi i risultati non rispecchiano le previsioni, quel leader avrà dato a tutti l'impressione che non ci si possa fidare della parola del capo.

Un fenomeno, questo, che ha avuto diverse manifestazioni nei giorni seguenti all'attacco al World Trade Center. Quando fu chiaro che gli aerei erano stati dirottati, la Federal Aviation Administration ordinò l'immediata sospensione dell'attività negli aeroporti statunitensi. Erano le 9,40 del mattino, ora della costa orientale.

Cinque ore più tardi, alle 14,30, la FAA informò che il traffico aereo sarebbe ripreso a mezzogiorno dell'indomani, mercoledì 12 settembre. Quel giorno, invece, la FAA permise soltanto una limitata riapertura dello spazio aereo commerciale nei giorni successivi, per far sì che gli aerei dirottati l'11 settembre potessero raggiungere la loro destinazione. Alle quattro del pomeriggio di venerdì 14 settembre la FAA aveva riattivato soltanto qualche volo dell'aviazione generale.

Le compagnie aeree avrebbero voluto assicurare ai loro passeggeri che la vita sarebbe tornata quanto prima alla normalità. Era la mossa giusta. Io stesso me lo ripetei più e più volte in quelle prime, caotiche settimane: ma mi impegnai soltanto dopo avere avuto la certezza che ciò che promettevo alla cittadinanza sarebbe avvenuto. Spesso, nell'approssimarsi della scadenza di un termine, può succedere a qualcuno di farfugliare qualcosa per tacitare le gente che vuole risposte. Io faccio del mio meglio per anticipare queste domande: ma se non sai le risposte devi essere tanto onesto da ammetterlo.

I mezzi di trasporto e le vie di comunicazione subirono un collasso in conseguenza del disastro del World Trade Center. Una delle decisioni prese, come ho spiegato meglio nel capitolo VI, fu quella di limitare l'entrata e la circolazione a Manhattan nelle ore di punta alle auto con più di una persona a bordo, oltre alla chiusura totale dell'Holland Tunnel. In quel caso si scontravano due esigenze altrettanto legittime. Da una parte era importantissimo, pensavo, il ritorno alla normalità: gli abitanti di New York avevano subito un attacco, nel senso letterale oltre che sul piano psicologico, e molte cose che fino a quel giorno si erano date per scontate, come la possibilità di un ragionevole pendolarismo, avevano assunto un'importanza ancora maggiore nel momento in cui si erano trasformate, da attività quotidiane che erano, in un bel ricordo di attività quotidiane. Dall'altra parte, però, la parte bassa di Manhattan non era in grado di sopportare il traffico di un tempo: i camion carichi di macerie dovevano avere la possibilità di allontanarsi da Ground Zero, quelli con i pesanti macchinari dovevano avere la possibilità di entrarvi e diverse strade e grandi direttrici di traffico rimasero chiuse.

Da qui, l'importanza di non eccedere nelle promesse. Certo, mi sarebbe piaciuto accontentare tutti annunciando: «Tutto a posto, tutto finito, potete tornare a Manhattan passando dall'Holland

Tunnel». Ma il piacere che avrebbe provato la cittadinanza ascoltando queste parole sarebbe scomparso al primo imbottigliamento. La gente avrebbe avuto la sensazione che la vita era tutt'altro che tornata alla normalità e, peggio ancora, avrebbe perduto la fiducia nei suoi leader.

Per me divenne una regola non promettere senza avere la certezza di mantenere. Ricordo quanto ero agitato la prima volta che Bill Bratton e io rendemmo noti i dati sulla criminalità. Ridurre i reati era stato il principale cavallo di battaglia della mia campagna elettorale e volevo quindi essere certo che i dati da comunicare fossero veramente significativi. Era il settembre 1994 e avevamo raggiunto quelli che oggi potremmo considerare risultati modesti con tecniche abbastanza rudimentali, se paragonate a quelle successivamente sviluppate grazie a Compstat. Al dipartimento di Polizia erano eccitatissimi per i progressi registrati e avrebbero voluto rendere pubbliche le cifre, ma preferii attendere fino a quando non avessi avuto la certezza che ai due mesi di buoni risultati che ci preparavamo ad annunciare non fosse seguito un mese con un incremento del 20 per cento dei reati.

Alla fine, convinti della concretezza del successo ottenuto, organizzammo una conferenza stampa. E proprio mentre i vertici del dipartimento di Polizia si trovavano nella Blue Room del municipio per rendere noti i dati statistici, arrivò la notizia di una sparatoria in una stazione della metropolitana di Grand Central Terminal. Non morì nessuno, ma era stata una sequenza terrificante anche perché a sparare era stato un signore in giacca e cravatta.

Non fu questa l'unica occasione in cui avvenne qualche fattaccio di cronaca proprio mentre stavamo annunciando dati statistici incoraggianti. Mi rendevo perfettamente conto di quanto importanti, e fra loro correlati, fossero la sensazione di una riduzione dei reati e la loro effettiva riduzione: per questo li ho affidati entrambi alle cifre e a una tangibile qualità della vita.

Non trasformate una vittoria in una sconfitta

Uno dei motivi per i quali non amo annunciare le mie aspettative prima di conoscere i risultati è perché così facendo un leader rischia di trasformare uno sviluppo positivo in una delusione.

Divenuto assessore all'Istruzione, Rudy Crew promise che avrebbe migliorato di una percentuale tra il 5 e il 10 per cento i risultati delle prove di lettura nelle scuole. La situazione delle scuole era già in via di miglioramento e quindi una tale proposta sarebbe potuta apparire modesta; ma il sistema scolastico era a New York in un tale stato di sfacelo che ogni miglioria sarebbe stata entusiasticamente accolta. I risultati in effetti migliorarono: ma solo del 3,6 per cento, e la stampa non aveva dimenticato la promessa di quella percentuale tra il 5 e il 10 per cento. Così il «New York Times» se ne uscì con il titolo «Il miglioramento dei risultati è il più basso degli ultimi anni». E quello che era stato in effetti un passo in avanti, che avrebbe potuto avere positivi effetti psicologici su un sistema allo sfacelo, finì per sgonfiarsi avendo tradito le aspettative.

Tra i doveri del leader c'è anche quello di far sapere al suo staff che tipo di comportamento si aspetta da loro. Ai dipendenti si può chiedere di usare il buon senso, ma non di prevedere idee e preferenze del capo: hanno cioè diritto a una chiara comunicazione di ciò che il capo si aspetta da loro. E i miei collaboratori hanno capito che, per quanto io possa essere fissato con l'affidabilità delle statistiche, non gradisco che vengano fatte promesse in termini numerici prima di avere la dimostrazione che quei numeri sono raggiungibili.

Il rischio di trasformare una vittoria in una sconfitta non è solo una questione d'impressione e di conseguenze sul morale. A volte una previsione azzardata può veramente fare del male. Ricandidandomi nel 1997 consideravo la campagna elettorale un elemento decisivo. Volevo vincere, naturalmente, ma volevo anche ottenere una maggioranza più alta possibile come viatico per ciò che avevo in mente di realizzare durante il secondo mandato.

Il 3 novembre 1997 lessi sul «New York Times» una frase attribuita al mio esperto di sondaggi, Frank Luntz, il quale prevedeva che «al suo cliente andrà almeno il 60 per cento dei voti alle elezioni di domani». Leggerla e preoccuparmi fu tutt'uno. Sapevo che a quel punto i sondaggi mi attribuivano il 62-63 per cento e quindi dal punto di vista di Frank quella previsione era stata perfino prudente. Ma, oltre a violare il principio di non promettere nulla fin quando non si è certi, rischiava di ridurre la mia messe di voti. Perché quell'articolo lo stavano leggendo anche i Democratici orientati a votare per me e, a quel punto, avrebbero potuto decidere di restarsene a casa oppure di esprimere un voto di simpatia per il mio avversario. E anche i miei sostenitori più accesi avrebbero potuto essere indotti a non andare al seggio elettorale, dal momento che i miei stessi sondaggisti garantivano una vittoria con ampio margine.

I risultati delle elezioni furono poi positivi, mi accaparrai il 58 per cento dei voti e quattro dei cinque distretti amministrativi. La percentuale dei neri che avevano votato per me si era quadruplicata rispetto a quella del 1993. E, pur essendo la mia avversaria un'ebrea, a me andò il 70 per cento dei voti della comunità ebraica e la percentuale dei suffragi femminili passò dal 46 al 54. Per me, inoltre, votarono quattro Democratici su dieci.

L'errata previsione del 60 per cento da parte di Frank ebbe minori conseguenze di quanto temessi, anche se purtroppo ci fu chi, tra i tanti resoconti della vittoria, la ricordò. Il «Times» scrisse così di una «notevole vittoria, anche se non quel successo storico che avevano previsto i suoi consiglieri».

Avrei preferito che Frank non dicesse nulla. Rimane il fatto che la mia sconfitta del 1989 e la mia vittoria nel 1993 fecero registrare una percentuale più alta di quella ottenuta in entrambe le sue elezioni dall'unico candidato Repubblicano diventato prima di me sindaco di New York, John Lindsay (che, tra l'altro, per il secondo mandato era passato al ticket dei Democratici.)

«Non capisco come diavolo ti è venuto in mente di fare una cosa del genere» dissi a Frank dopo averlo convocato. Lo diffidai dal farlo un'altra volta, spiegandogli quanto possa essere dannoso esagerare con le promesse. Ma non è facile fare la ramanzina a Frank, perché lui è il tipo che con la sua sincerità fa sbollire la rabbia altrui. A volte c'è chi, di fronte a contestazioni come le mie, risponde «Veramente non lo sapevo» oppure «Non sono stato io, hanno frainteso le mie parole». E questo spesso ti manda ancora più in bestia perché chi dice «non sono stato io» mente e così facendo offende oltretutto la tua intelligenza. Frank invece disse subito: «Sono stato io, ho sbagliato, ho fatto la cosa più stupida al mondo. Non avrei dovuto e farò di tutto per migliorare la situazione».

È il modo migliore per gestire un errore.

Bernie Kerik, l'assessore alla Polizia, era uno dei miei più stretti collaboratori ed è un caro amico. Mi sorprese quindi leggere sul «New York Post» una sua dichiarazione, affidata all'editorialista Jack Newfield, secondo la quale il suo obiettivo era quello di fare scendere nell'anno seguente, il 2001, il numero degli omicidi sotto la soglia di 600. Nel 1993, l'anno precedente la mia elezione a sindaco, c'erano stati 1946 omicidi; nel 2000 erano scesi a 673. Un bel successo, indubbiamente. Ma se quelli del 2001 fossero stati 601? Se cioè l'obiettivo di Bernie non fosse stato raggiunto, nonostante il calo del 70 per cento rispetto al 1993, con il contestuale aumento della popolazione e il miglioramento del 10 per cento rispetto perfino ai dati del 2000? Non volevo trasformare un successo in una sconfitta, non volevo leggere titoli del tipo «La polizia manca il suo obiettivo sul calo dei delitti».

Bernie sapeva benissimo che cosa pensavo di queste stime e mi spiegò come era nata quella previsione del calo sotto i 600 omicidi. Essere un personaggio pubblico significa anche, in particolare a New York, dover resistere alle pressioni dei media. Pur di assicurarsi un bel titolo i cronisti non esitano a mettere un assessore contro il sindaco o viceversa. Il giornalista Jack Newfield stava preparando per il canale HBO uno speciale sulla «squadra catturandi», che nell'ambito dell'operazione Condor stava ottenendo notevoli successi togliendo dalla circolazione gli individui pericolosi. Newfield disse a Kerik che, sulla base dei dati fino a quel momento acquisiti, per la prima volta dal 1963 si prevedeva un anno con meno di 600 omicidi. «È presto per dirlo», «Speriamo di sì», «Preferisco non fornire cifre premature» furono le parole di Bernie. E aggiunse che gli avrebbe fatto un enorme piacere se il totale degli omicidi fosse effettivamente sceso sotto quota 600. Il giorno seguente apparve questo titolo «Kerik mette KO i delitti e si impegna a far scendere il totale sotto i 600 per la prima volta dagli anni Sessanta.»

L'obiettivo dell'assessore alla Polizia, in teoria, è quello di zero omicidi. Chiedete ai familiari di un ucciso se considerino accettabile quell'unico omicidio. Il giorno seguente, prima della conferenza stampa, spiegai a Bernie perché non mi piaceva impegnarmi su un certo numero. Successivamente cercai di smorzare le aspettative, spiegando ai cronisti il nostro dovere di non nutrire speranze irrealistiche. Loro chiesero a Bernie se pensasse ancora che gli omicidi potessero scendere sotto quota 600, e lui rispose: «Sono d'accordo con quanto ha detto il sindaco».

Sapete quale fu il giorno dopo il titolo del «Post»? «L'obiettivo di Kerik irrita Rudy»! Questa è la leadership inquadrata dai riflettori dei media. Per la cronaca, nel 2001 ci furono 642 omicidi. Vale a dire un calo del 4,3 per cento rispetto ai 671 del 2000, un notevole miglioramento sotto tutti i punti di vista, soprattutto se si considera che rispetto al 1993 il calo era già stato superiore al 60 per cento: e non quell'ipotetico miglioramento che era stato fatto credere ai lettori. Ma correndo subito ai ripari, e grazie all'atteggiamento lineare di Bernie, riuscimmo a portare l'attenzione dei lettori sulla flessione degli omicidi invece che sulla finta promessa.

Dopo avere sconfitto i Cleveland Indians nelle World Series del 1995, gli Atlanta Braves fecero incidere nei loro anelli la dicitura «Squadra degli anni Novanta». Alla fine degli anni Novanta risultò che il titolo del 1995 era stato l'unico da loro conquistato nell'intero decennio.

VIII
Maturate forti convincimenti e trasmetteteli

I grandi leader esercitano la loro leadership con le idee. Il bagaglio di idee è terribilmente importante quando c'è da mandare avanti una grossa organizzazione. Chi lavora per voi, chi da voi si attende risposte, i media e perfino gli avversari hanno il diritto di sapere che tipo di mondo voi prefigurate.

Nell'America politica di oggi può a volte essere insidioso avere forti convincimenti. Un politico che li espone corre due grossi rischi: che cioè gli obiettivi che di questi convincimenti sono il corollario non vengano raggiunti (e in tal caso si parlerà di fallimento) e che troppi elettori la pensino diversamente da lui. Ma la leadership non significa avere successo in ogni iniziativa né ottenere il consenso per ogni iniziativa intrapresa.

L'importanza di maturare forti convincimenti è uno dei motivi per i quali preferisco personalmente i politici che hanno ottenuto risultati concreti al di fuori della politica. Coloro che hanno trascorso in politica tutta la vita spesso non diventano pensatori ma artisti da strapazzo. Perdono la capacità di concentrazione. I giovani che abbracciano subito la politica rappresentativa perdono spesso la capacità critica.

In ogni occasione bisogna come prima cosa accertare la sostanza dei fatti, considerandola sotto ogni punto di vista e assorbendola prima di decidere quale posizione si voglia prendere. Una volta decisa questa posizione, è più che giusto offrire il proprio punto di vista sotto la luce migliore. Ma evitate di mettervi a studiare il modo migliore di presentarlo, quel punto di vista, se ancora non avete deciso qual è.

Esistono a questo proposito tre fasi importantissime. Prima fase:

maturare i convincimenti. Seconda fase: comunicarli. Terza fase: agire, un tema questo che sviluppo nel prossimo capitolo intitolato «Siate voi stessi il vostro uomo». In questo invece mi concentrerò sulle prime due fasi.

Maturate forti convincimenti

Le idee alla base della vostra leadership si possono sviluppare in tanti modi. Possono, come molte delle mie, provenire dai genitori. Oppure da amici, insegnanti, religiosi, perfino da avversari.

Per i primi diciotto anni la mia vita è stata attraversata da due importanti vocazioni: quella del medico e quella del sacerdote. Entrambe riflettevano un pensiero da me maturato nel corso di quegli anni: che per essere felice e realizzato avrei dovuto servire una più alta causa, mettermi cioè al servizio degli altri. Mio padre ha sempre aiutato il prossimo, trovando un lavoro al vicino di casa o accompagnando un parente in ospedale. E anche se i miei genitori non erano particolarmente osservanti sotto il profilo religioso, entrambi avevano fatto proprio il messaggio della Chiesa di fare esperienza della grazia dando agli altri. Un impegno, questo, che mi hanno trasmesso.

Al liceo, il Bishop Loughlin di Brooklyn, discutevo spesso di religione e di servizio cristiano con uno dei miei insegnanti, fratello Kevin, o con il mio amico Alan Placa. Alla fine mi impegnai a prendere i voti con i padri Montfort (a Bay Shore, Long Island), un ordine religioso che opera nei paesi più poveri. Alan invece sarebbe entrato dai Christian Brothers, ma a me non piaceva fare le cose a metà: se dovevo fare il prete avrei aiutato i più poveri e derelitti. Ricordo che avevo una mezza idea di trasferirmi ad Haiti o in Africa. Poi però, pensandoci bene, mi resi conto di un problema: non ce l'avrei fatta, cioè, a sopprimere il mio interesse appena sbocciato per l'altro sesso. Pensai quindi di non essere probabilmente ancora pronto e mi iscrissi al Manhattan College, nella speranza di essere forse più disponibile al celibato da lì a due anni.

Al college cominciai a seguire i corsi di preparazione alla facoltà di medicina. Ma per quanto mi piacesse imparare la biologia, alla scienza preferivo le idee. Alan e io scherzando pensammo di appendere alla porta un cartello con la scritta «Filosofi in libertà», mettendoci in affitto a ore nei panni di avversari retorici. A quei tempi non concepivo altro modo di fare il medico che non fosse la chirurgia, che comunque pur con tutte le sue attrattive mi sembrava una disciplina in certa misura meccanica. Avevo idee ristrette, immagino, e non mi rendevo conto di quanto la medicina possa essere creativa. Accantonai quindi l'idea e, visto che avevo cominciato a uscire con le ragazze, capii che nemmeno la vocazione religiosa faceva per me. Al suo posto, cominciai a rendermi conto che lo sbocco naturale della mia passione per la discussione era un settore per me assolutamente nuovo: la giurisprudenza, dove avrei potuto esprimere compiutamente questo entusiasmo.

Appena cominciai a pensare di fare l'avvocato temetti però di impelagarmi in sterili esercizi di cultura mnemonica applicata a polverosi e oscuri codici. Ciò nonostante seguii alcune lezioni di storia e storia costituzionale americana e mi resi conto di avere sottovalutato le discipline giuridiche. Ma solo dopo l'iscrizione alla facoltà di giurisprudenza capii quale arricchimento filosofico può dare la professione legale.

Il college prima e la facoltà di giurisprudenza poi alimentarono la mia passione per la civiltà occidentale. Arrivai alla conclusione che tutti i pilastri della civiltà occidentale, come la libertà politica e religiosa, la democrazia elettiva, l'importanza della proprietà privata e un sistema di economia liberale, hanno in comune la stessa radice: che tutti, cioè, discendono dal principio della dignità dell'essere umano. Ha quindi un senso che una società che crede nei diritti e nel valore dell'individuo consenta ai cittadini di eleggere i loro leader, di decidere in che cosa credere, di avanzare il diritto di migliorare le proprie condizioni di vita. Ciò che nella democrazia mi affascinava maggiormente era la necessità di inventarla, dal momento che non esiste in natura.

Quella invenzione poggiava sulle idee sviluppate dalle grandi religioni. Il giudaismo aveva contribuito alla nozione del dialogo aperto tra Dio e l'essere umano, e ciò ha come corollario naturale l'idea che l'individuo meriti che il Creatore gli dedichi del tempo e cioè che l'essere umano abbia un suo valore. Per i cristiani Dio si è fatto addirittura uomo, un'idea straordinaria questa: noi esseri umani siamo così importanti che Dio ha voluto camminare in mezzo a noi. E il cristianesimo si è diffuso perché l'umanità si è accorta del modo in cui cambiava la vita dei cristiani. Quando i non credenti gettarono i primi cristiani in pasto ai leoni si stupirono della serenità con cui le vittime accettavano il loro destino. I primi martiri furono eccezionali testimonial del cristianesimo. Allo stesso modo, la ferma posizione di Martin Luther King contro il razzismo e per la non violenza rappresentò una efficacissima testimonianza dell'idea di cristianesimo. Mise gli americani davanti a uno specchio. Mostrò loro la contraddizione tra la promessa di uguaglianza e la pratica del razzismo. Cominciai così a considerare la legge un modo per dare corpo alle idee migliori dell'essere umano.

Notevole importanza nello sviluppo dei miei convincimenti ebbe la filosofia classica. Mi coinvolse in particolare lo studio dei filosofi greci, dai presocratici in poi. E addentrandomi nel sistema giuridico romano, che ha fatto da base alla maggior parte delle legislazioni europee, e nel sistema giuridico inglese dalle cui radici si è sviluppato quello americano, ho capito come le idee possano contribuire alla loro reciproca crescita. È stato, il mio, un risveglio emozionante.

Un ulteriore contributo alla formazione del mio pensiero è venuto dai dibattiti (i non newyorchesi li chiamerebbero litigi) con vecchissimi amici come Peter Powers e Alan Placa. Per chi voglia mettere alla prova la consistenza e la validità delle proprie idee è importantissimo vederne smontare la logica da persone intelligenti. Trovarsi fin dall'inizio delle guide intellettuali è altrettanto importante. Lloyd MacMahon, Mike Seymour, Paul Curran, Harold Tyler e Bill Smith hanno avuto su di me un notevole ascendente sia con i fatti che con le parole. E una parte hanno avuto anche molti dei miei colleghi al dipartimento della Giustizia e all'ufficio di U.S. Attorney. È stato un processo graduale e senza soste.

Il mio obiettivo di leader è sempre stato quello di applicare in concreto le mie idee e la mia filosofia. Da sindaco ho insistito perché quelli del mio staff si concentrassero sulle finalità istituzionali dell'ufficio o della divisione affidati alla nostra supervisione. In politica, più ancora che negli affari, alle nostre osservazioni viene risposto troppo spesso che «si è sempre fatto così». E io mi sono posto come obiettivo quello di accompagnare ogni iniziativa con un perfezionamento dei miei impegni, di integrare le mie solide convinzioni con dei piani operativi specifici. Un buon esempio di quanto sopra è rappresentato dalla vicenda della scuola pubblica.

Il sistema scolastico di New York non avrebbe potuto essere migliorato se non fosse stata fatta chiarezza sui suoi obiettivi, sulla sua intrinseca missione. Obiettivo di un sistema del genere sarebbe dovuto essere quello di istruire al meglio milioni di adolescenti: e invece esisteva soltanto per dare lavoro ai suoi addetti e per assicurare questo posto di lavoro, indipendentemente dal rendimento. Ciò non significa che in questo sistema non fossero presenti, a ogni livello, notevoli professionalità. C'erano, e questo è il principale motivo di rammarico. A soffrire maggiormente della situazione erano infatti proprio coloro che si dedicavano anima e corpo al loro lavoro.

Le piccole migliorie apportate ebbero solo un valore simbolico, nella migliore delle ipotesi, fin quando non decisi di riunire i responsabili attorno a un tavolo e affermare una volta per tutte che la finalità del sistema scolastico era quella di istruire i giovani. Le soluzioni tampone possono a volte fare più male che bene; il sistema aveva bisogno di un nuovo modo di pensare, doveva riconoscere di non essere preposto alla salvaguardia dei posti di lavoro, ma all'arricchimento intellettuale dei giovani. Soddisfazioni e rischi devono avere come origine il rendimento degli studenti. Se si prende in mano un sistema scassato e lo si modifica perché possa in qualche modo tirare avanti, si riducono le probabilità di arrivare a una soluzione concreta e duratura. Per questo non accetto di poter controllare solo in parte un certo progetto. Le scuole dovrebbero trasformarsi in una struttura municipalizzata, come l'amministrazione dei Servizi ai minori o il dipartimento dei Vigili del fuoco, in modo che la città possa attuare soluzioni concrete.

Michael Bloomberg, il mio successore, ha raggiunto un accordo che gli consente un parziale controllo sulla scuola e in particolare sulle politiche scolastiche, grazie al diritto di nominare la maggioranza delle autorità in questi istituti. In tal modo ha potuto dare un indirizzo generale al sistema e assumere dirigenti che condividevano i suoi obiettivi. Si tratta di un bel passo avanti, tale da contribuire al miglioramento del sistema scolastico. Io l'avrei accettato, come ha fatto lui, per poi cercare di ottenere di più. Gli insegnanti detengono ancora un efficace *management control*, cioè godono di una certa autonomia. Avevano il posto assicurato, avevano respinto le proposte di retribuzione commisurata al merito e mantenuto inalterato quel sistema standard di finanziamento che non ha la flessibilità necessaria per premiare gli insegnanti migliori.

Visto che non riuscivo ad assicurarmi quella supervisione della quale sentivo la necessità, mi sono dato da fare per attuare modifiche tali da costringere il sistema scolastico a porsi come obiettivo primario l'istruzione dei giovani e a responsabilizzare gli addetti in ogni fase di questo processo. Come prima cosa feci accettare ai soprintendenti, cioè i dirigenti dai quali dipendono i presidi, il principio della retribuzione in base al merito e quello della fine della inamovibilità assicurata. E loro mi obiettarono che non era facile raggiungere quei risultati se non si potevano premiare o punire i loro sottoposti. Non scherzo. A quel punto potemmo convincere i presidi che porre fine all'inamovibilità permanente e accettare la retribuzione in base al merito avrebbe consentito loro di svolgere con maggiore efficacia le loro funzioni. È ovvio che senza la stessa flessibilità per premiare e incoraggiare gli insegnanti c'è ben poco che un soprintendente o un preside possa fare. Ma è pur sempre un inizio, tale da creare le basi per il tentativo del mio successore di acquisire ulteriori competenze sul sistema scolastico.

Gli stessi criteri ho adottato nell'esaminare la finalità degli ospedali di New York: chiedendomi cioè a che cosa servissero. In moltissime città circa il 5 per cento, al massimo, dei letti d'ospedale ricade sotto la giurisdizione del Comune. La percentuale a New York si aggirava tra il 20 e il 25, e questa è una delle ragioni per cui la spesa sanitaria annuale pro capite era da noi di 4720 dollari rispetto alla media di 3775 dollari delle altre città. Gli ospedali dovrebbero servire a curare i malati. Purtroppo, il potente sindacato dei lavoratori ospedalieri era convinto che scopo dell'istituzione fosse quello di dare lavoro al più alto numero possibile di persone. Non volevano cioè un sistema in cui l'infermiera migliore avesse un aumento di stipendio superiore a quello dell'infermiera peggiore. L'aumento di produttività dei migliori dipendenti avrebbe potuto far risaltare il fatto che i dipendenti peggiori non svolgevano i loro compiti.

Erano così numerosi i lavoratori del sistema ospedaliero che fui in grado di ridurre il totale di 12 mila unità, migliorando al tempo stesso i servizi. In alcuni ospedali vi era un numero di dipendenti superiore del 20 per cento rispetto al necessario. E, a conferma dell'esistenza di posti di lavoro creati artificiosamente, c'erano dipendenti addetti a posti letto vuoti. Con me si tornò a tenere conto unicamente della vera finalità degli ospedali: in tal modo, concentrandoci sulle esigenze dei pazienti, ogni nostra iniziativa contribuì al miglioramento dei risultati: dalla chiusura in attivo durante i miei ultimi tre anni di mandato (dopo anni di deficit di routine) alla piena disponibilità di tutte le strutture, al dimezzamento del tempo d'attesa per le terapie prenatali.

Assegnare troppe persone a un determinato lavoro riduce sensibilmente la qualità del rendimento. Si può essere tentati di pensare «Che male c'è, se gli addetti sono più del necessario?», ma chi se ne sta con le mani in mano incoraggia gli altri a fare altrettanto. L'eccesso di personale si accompagna ovunque a una forte presenza sindacale e non è certo un bene. È forse positivo assegnare più chirurghi del necessario a un intervento? Oppure infilare più piloti nella cabina di pilotaggio? Ogni sistema funziona al meglio quando viene usato un numero giusto di addetti, e con i soldi risparmiati tagliando i posti non necessari è possibile finanziare il sistema stesso o premiare i lavoratori più meritevoli. Oltre a ciò, un surplus di forza lavoro complica le cose per i lavoratori più efficienti: il loro rendimento peggiora, oppure si cercano un altro impiego.

Come nel caso della scuola pubblica, il sistema ospedaliero poteva contare su molti, eccellenti lavoratori. Ma obiettivo del sistema stesso era quello di tutelare la salute, non di fornire e mantenere posti di lavoro. Capire questa mentalità e far valere il mio punto di vista decisamente diverso furono per me due risultati di enorme importanza nei successivi rapporti con il sistema e con i suoi dirigenti sindacali.

Alcuni convincimenti si sviluppano secondo un iter ben preciso. Con l'esperimento e l'errore si arriva ad accettare che una certa nostra idea era sbagliata. È ridicolo ritenere che cambiare idea su un certo argomento equivalga a una dimostrazione di debolezza: è invece un'indicazione di onestà intellettuale, non di assenza di spina dorsale. Parimenti, una volta che ci si accorge di avere sbagliato e ci si forma una nuova opinione, bisogna essere disposti ad articolare questa opinione e a mantenerla anche se si dovesse dimostrare impopolare.

Un valido esempio di quanto sopra l'ho avuto durante il mio primo mandato. Dal 1990 al 1993 furono uccise a New York oltre 8300 persone: a titolo di paragone, ciò significa in quei quattro anni 1500 persone in più di quelle che sarebbero state uccise durante i miei otto anni da sindaco. La cittadinanza era spaventata e chiedeva misure. Divenne di moda in tutto il Paese il concetto di «poliziotto di quartiere», l'idea cioè che il cittadino si senta più sicuro se vede un agente fermo all'angolo della strada. È più probabile che il negoziante parli della presenza di teppisti all'amico agente Joe, che gira a piedi per le strade della zona e conosce un po' tutti. È una teoria rassicurante, una di quelle ben impacchettate che hanno una loro ragion d'essere politica. E ha inoltre una sua indubbia validità, purché non tenda a trasformare il poliziotto in assistente sociale.

Ben presto, però, questa teoria divenne una specie di icona del *politically correct* nelle grandi città, mettendo quelli che consideravano sgradevole l'attività di polizia in condizione di trattarla alla stregua di un eufemismo. Per costoro i poliziotti erano tutti per definizione discutibili e il solo concetto di sbirro li innervosiva. Se lo si intendeva invece come una sorta di assistente sociale, l'immagine dello sbirro ai loro occhi finiva in qualche modo per sparire. Ma i poliziotti non sono delle timide mammole, il loro compito è quello di assicurarsi che la legge sia rispettata. La loro è una figura autoritaria, anche se opera nell'ambito di limiti fissati dalla legge e dalla Costituzione. Ma l'idea era seducente e anch'io l'accettavo, prima di diventare sindaco: prima, cioè, di avere analizzato i dati relativi ai distretti di polizia che usavano il sistema Compstat.

La verità è che il poliziotto di quartiere non risolve il problema della criminalità. Una città può contare soltanto su un certo numero di agenti, non se ne può cioè permettere di più. Se alcuni di questi agenti vengono impiegati per starsene impalati agli angoli delle strade, si riduce automaticamente il numero di quelli impiegati per la prevenzione o repressione di reati più gravi. E c'è un altro problema. La presenza visibile e stabile di questi poliziotti di quartiere non rassicura soltanto i cittadini onesti, ma anche i criminali che, conoscendo i prevedibili orari e itinerari di questi agenti, possono programmare molto più agevolmente le loro iniziative illecite.

Di questo mi convinsi a proposito della sempre più reiterata richiesta di mettere un poliziotto su ogni treno della metropolitana. Sembrava una buona idea e per un certo tempo la feci mia. Poi scoprii che il 65-70 per cento dei rati commessi nella metropolitana avvenivano non sui treni, ma sui marciapiedi e nelle stazioni. E quindi il cittadino rapinato sul marciapiedi poteva al massimo salutare con la mano il poliziotto impotente a bordo del treno che gli passava davanti al naso.

Tutto ciò mi convinse che i poliziotti andavano impiegati non dove erano richiesti ma dove c'era bisogno, un bisogno da accertare secondo precisi criteri. Le cifre sono incontrovertibili. Compstat ha dimostrato che la maniera migliore per combattere i reati è quella di inviare in fretta gli agenti nei punti caldi. E anche se mi piace snocciolare dati statistici, mi basterà citarne uno solo: omicidi, furti, furti d'auto e sparatorie sono scesi di circa il 70 per cento, o ancora di più, dal 1993 al 2001. Una volta convinto che il nostro approccio era quello giusto tirai dritto, anche se quelli abituati alla presenza dell'agente Joe all'angolo della strada si lamentavano perché ora arrestava i criminali di notte, invece di farsi una bella chiacchierata con loro di giorno.

Riesaminate i vostri convincimenti: un'odissea politica

Il mio scetticismo sul poliziotto di quartiere rappresenta l'esempio di un forte convincimento che mi sono creato soltanto dopo avere esaminato i fatti da vicino, concludendo che non potevano essere messi in discussione. Ma lo sviluppo di un convincimento può seguire un sentiero più tortuoso, un'evoluzione che può non essere la stessa per tutti, ma è ciò nondimeno indiscutibile per chi ha sufficiente onestà intellettuale da riconoscerlo. A volte questi convincimenti sono scomodi, perfino dolorosi. Possono farti abbandonare una posizione sostenuta a lungo e perfino rovinare un'amicizia. Ma un vero leader, sincero e onesto, non allontanerà un convincimento che emerge soltanto perché lo mette a disagio.

È così che sono diventato Repubblicano.

I miei genitori erano conservatori nel modo di ragionare, ma mio padre si diceva Democratico perché «loro sono dalla parte dei lavoratori». Votarono entrambi per Eisenhower e mia madre si iscrisse addirittura al Partito repubblicano. All'emergere di John F. Kennedy, prima, nel 1956, come quasi candidato alla vicepresidenza e poi, nel 1960, come candidato Presidente, votarono per lui. E mia madre, vittima della magia di Kennedy, diventò Democratica. Alla fine degli anni Cinquanta, durante le audizioni di Jimmy Hoffa che videro il leader sindacale fronteggiato da Bobby Kennedy, ero ancora un adolescente, ma le seguii con enorme interesse. Poi, nel 1964, collaborai alla campagna elettorale che avrebbe portato R.F.K. al Senato e più o meno in quel periodo fui per la prima volta eletto: per la precisione, a responsabile di distretto Democratico nella contea di Nassau. Avevo ventun anni.

Ma i partiti stavano cambiando e io con loro. Nel 1972 entrai in cabina elettorale per votare George McGovern, perché sapevo che non ce l'avrebbe fatta. Dissi agli amici che se avessi pensato che il mio voto poteva risultare determinante l'avrei dato a Nixon: ma dal momento che così non era, ed essendo io un Democratico abituale, votai il loro candidato. Provai però una strana sensazione, mi sembrò di avere votato più per nostalgia che per una scelta razionale. Dentro di me avevo capito di non essere più un Democratico. Votare McGovern fu un aspetto della mia metamorfosi politica. Non avrei dovuto votare per lui, non volevo, le sue idee in politica estera non collimavano con le mie. Non si rendeva pienamente conto del pericolo rappresentato dall'Unione Sovietica, non capiva che l'America doveva rimanere forte e non poteva continuare a smilitarizzarsi in attesa della sfida al comunismo. Eppure in quel periodo quella di McGovern era la posizione della maggioranza all'interno del Partito democratico.

Un anno dopo o giù di lì mi presentai all'ufficio elettorale e chiesi di registrarmi come elettore Repubblicano e non più Democratico. Allora come adesso erano così pochi a New York i non Democratici che la signora allo sportello non sapeva bene che cosa fare. Mi disse che avrei dovuto iscrivermi ex novo, come se avessi cambiato indirizzo. Ci impelagammo in una discussione assurda, finché finalmente mi dette un'altra scheda. Andai a riempire il modulo e, al momento di barrare con una X la casella corrispondente al partito, mi fermai: non potevo barrare quella del Partito democratico, ma non me la sentivo nemmeno di passare ai Repubblicani.

Peter Powers, il mio migliore amico, era Repubblicano da sempre e avevamo discusso di politica per una vita, sempre su posizioni opposte. Avevo perfino scritto una rubrica liberal per il giornale del mio college. Il Partito repubblicano si occupa solo dei ricchi, pensai: che c'entravo io con i ricchi? Certo in politica estera, oltre che in campo sociale e in quello della «legge e ordine», la pensavo come i Repubblicani. Ma questi, con l'eccezione di Nelson Rockefeller, erano considerati insensibili alle istanze dei poveri e dei lavoratori insieme con i quali ero cresciuto a Brooklyn e nella Contea di Nassau. Riportai lo sguardo sul modulo e passai alla riga successiva. A quell'epoca non potevo iscrivermi al Partito conservatore. Pensai di barrare la casella Liberal, ma come partito mi suonava un po' troppo di sinistra. Allora barrai quella del Partito indipendente. Il processo di passaggio ai Repubblicani era incominciato.

Il giudice Harold R. Tyler prestò servizio dal 1962 al 1975 nel Distretto meridionale di New York, lo stesso dove ero in forza io come sostituto U.S. Attorney. Nel 1975 Tyler divenne viceministro della Giustizia, cioè il numero due di Edward H. Levi durante la presidenza Ford. A quel punto io lavoravo da cinque anni all'ufficio di U.S. Attorney e se n'erano ormai andati molti dei miei amici, alcuni dei quali a Washington.

Non avevo mai discusso un processo presieduto dal giudice Tyler ma lo conoscevo, e gli scrissi chiedendogli di entrare a far parte del suo staff. Non riuscivo a immaginare come l'avrebbe presa, ma sentivo il bisogno di una nuova sfida professionale. Mi rispose chiedendomi di andare da lui a Washington per un colloquio: era l'estate del 1975. Quando mi offrì un posto da associato non sapevo nemmeno che tipo di lavoro fosse, ma capivo che mi si stava presentando l'opportunità di osservare, e a un livello relativamente elevato, il funzionamento della macchina governativa federale. Mi disse che un associato l'aveva già, Togo West, ma gliene serviva un altro che facesse da supervisore in circa la metà degli uffici che dipendevano da lui, soprattutto in materia di diritto penale. Togo era un avvocato civilista e si occupava degli uffici riservati alle cause di diritto civile, al bilancio e a molti altri settori. Ma al dipartimento della Giustizia quelli erano tempi di nuove sfide, l'epoca delle udienze della commissione Church, le indagini del dopo Watergate sui metodi dei servizi di Sicurezza. Al dipartimento stava per essere creato un nuovo ufficio per l'integrità pubblica e una sezione di monitoraggio e revisione dei conti.

Facevano capo a Tyler tutti gli U.S. Attorneys, gli US Marshals oltre alla DEA (Drug Enforcement Administration, che all'epoca stava passando dei guai), e lui aveva bisogno di un altro assistente con esperienza di azioni penali. Accettai l'incarico e, per la prima volta in vita mia, lasciai New York e dintorni. Avevo appena cominciato questo nuovo lavoro quando Togo mi informò con un gran sorriso che il mio ufficio era lo stesso occupato pochissimi anni prima da John Dean, implicato nel caso Watergate. Mi chiesi se per caso fosse pieno di microspie. Mi sembra ancora di rivederlo, quell'ufficio, in tutti i particolari, compresi i mobili di finta pelle rossa. A volte, lavorando fino a tardi, mi sembrava di avvertire la presenza dei fantasmi del Watergate.

Presi a frequentare un mucchio di Repubblicani, tra i quali il mio caro amico Jay Waldman che ora è giudice federale a Philadelphia. All'epoca Jay era capo di gabinetto di Dick Thornburgh, il sostituto Attorney General con delega alla divisione Criminale. Mi colpirono per la loro bravura, i Repubblicani. Lavoravano duro ma, incredibile a dirsi, tenevano conto delle esigenze del cittadino. Quell'immagine dei Repubblicani moralmente inferiori ai Democratici era un frutto dei miei pregiudizi da newyorchese, mentre ora potevo formarmi un'idea personale osservando da vicino gli esponenti dei due partiti e i partiti stessi.

Con Jay parlavamo a lungo dei due partiti e alla fine decisi che quello Repubblicano meglio si attagliava alle esigenze del Paese, soprattutto a livello presidenziale. Mi resi conto che i Repubblicani portavano al governo persone maggiormente dotate in quanto il partito non aveva gli stessi obblighi di quello Democratico, né doveva subire le pressioni alle quali erano esposti i Democratici, costretti a diluire le qualità di quelli che portavano al governo affidando loro incarichi simbolici. Ogni Presidente Democratico è soggetto a una quantità di spinte e controspinte, soprattutto dai sindacati che vogliono dire la loro nelle nomine e dai gruppi di interesse che l'hanno appoggiato in campagna elettorale e ora si mettono in fila, pretendendo posizioni di prestigio. Con ciò non voglio dire che i Repubblicani entrano in carica senza avere contratto debiti di riconoscenza, ma solo che questi debiti di solito non li hanno contratti con chi vuole o ha bisogno di un posto di lavoro pubblico. Un Presidente Repubblicano, in sostanza, può scegliere da una piattaforma di talenti molto meno condizionata di quella Democratica.

Ho dovuto insomma superare il serio pregiudizio antirepubblicano che si matura se si vive a New York. E ora che mi trovo dall'altra parte, me ne accorgo con maggiore chiarezza. Un numero elevatissimo di persone mi fa sapere che sono l'unico Repubblicano per il quale abbiano mai votato, e molte di loro hanno sessanta o settant'anni. In vita loro gli sarà capitato qualche volta di imbattersi in uno o due Repubblicani migliori dei Democratici, ma non li hanno ugualmente votati: un pregiudizio viscerale, insomma. Per me si è trattato soltanto di ammettere che le mie idee erano più affini a quelle del Partito repubblicano. Fu così che nel 1976 votai per la prima volta un candidato Repubblicano alla presidenza, Gerald Ford, e poi nel 1980 Ronald Reagan. In quella circostanza cambiai nuovamente la mia registrazione presso l'ufficio elettorale, passando definitivamente dagli Indipendenti ai Repubblicani. Da allora ho sempre votato alle presidenziali per un Repubblicano, anche se per altre scadenze elettorali mi sono concesso qualche deviazione.

Se mi addentro in questi particolari non è per cantare le lodi del GOP, il Grande Vecchio Partito (anche se vale la pena dare un'occhiata al sito www.rnc.org). È chiaro che ogni schieramento politico può vantare esponenti seri, brillanti e di buona indole. Ciò che ho voluto dimostrare è che i convincimenti non sempre ti passano davanti o ti vengono a sbattere in faccia. Il sentiero è spesso solitario, difficile, perfino doloroso e in contrasto con il modo in cui ci proponiamo a noi stessi. Ma il luogo da cui un leader intellettualmente onesto esercita la sua leadership è la dimora dei convincimenti autentici.

Comunicate forti convincimenti

Un leader non può limitarsi a stabilire un indirizzo ma deve anche comunicarlo. Non può *sic et simpliciter* imporre la propria volontà, e anche se potesse non sarebbe questo il modo migliore per esercitare la sua leadership. Deve imbarcare gli altri a bordo della sua nave, entusiasmarli con le sue idee e guadagnarsene l'appoggio. Costoro a propria volta ispireranno quelli a loro vicini e quanto prima tutti si concentreranno sullo stesso obiettivo. Lo sforzo partirà dall'interno, il che significa in genere un appoggio più convinto di quello che potrebbe venire da chi finge di darsi da fare per compiacere il suo superiore.

Esprimere la propria posizione è uno degli strumenti più efficaci ai quali può ricorrere un leader, e ciò è apparso chiarissimo nei giorni successivi alla tragedia del World Trade Center. Cercai di spiegare l'enormità di quanto accaduto e puntai il dito contro i responsabili. Lunedì 1° ottobre 2001 pronunciai un discorso davanti all'assemblea generale delle Nazioni Unite, convocata per una seduta straordinaria sul terrorismo, per esporre con una dichiarazione di principio gli obiettivi americani. I presenti in quella sala erano e sono abituati alle ambiguità e quasi sempre questo ha una sua giustificazione, nel senso che le grandi questioni mondiali sono complicate e difficilmente si prestano a soluzioni in bianco e nero. Ma quella volta non c'era spazio per le ambiguità: dovevamo vedercela con il male assoluto. Volevo sfidare il rifiuto dell'ONU di prendere una posizione decisa e senza compromessi e a volte non hai altra scelta oltre a quella di riaffermare i tuoi convincimenti. Cercai di guardare negli occhi il più alto numero possibile di delegati, specialmente quelli che secondo me avevano maggiormente bisogno di sentire ciò che stavo per dire. Quella gente viveva a New York, aveva visto ciò che era successo. Quella che segue è una parte del mio intervento:

L'11 settembre 2001 New York, città unica al mondo, è stata vittima di un vile attacco, di un atto di guerra unilaterale. Sono andate perdute migliaia di vite umane innocenti di uomini, donne e bambini di ogni razza, religione ed etnia. Tra loro vi erano persone originarie di ottanta nazioni. Ai rappresentanti di queste nazioni esprimo oggi le mie condoglianze e quelle di tutti i newyorchesi che vi sono vicini e soffrono con voi. È stato l'attacco più feroce della storia, che ha provocato un numero di vittime più alto di Pearl Harbor o del D-Day.

Non è stato soltanto un attacco a New York o agli Stati Uniti d'America, ma a essere attaccata è stata la stessa idea di società civile, libera e aperta a tutti.

Questo malvagio attacco pone a rischio l'essenza e gli obiettivi delle Nazioni Unite. Il terrorismo ha le sue fondamenta nella violazione persistente e deliberata dei diritti umani fondamentali. Con i proiettili e le bombe, e ora anche con gli aerei dirottati, i terroristi negano la dignità della vita umana. Il terrorismo prende soprattutto di mira le culture e le comunità che praticano apertura e tolleranza. Inquadrare nel mirino civili innocenti significa prendersi gioco degli sforzi di coloro che cercano di vivere in pace da buoni vicini, sfidare l'idea stessa di vicinato.

Questo attacco massiccio si proponeva di fiaccarci il morale. Ma non c'è riuscito, ci ha reso anzi più forti, più determinati, più decisi.

Ci sentiamo tutti ispirati dall'eroismo dei nostri vigili del fuoco, dei nostri agenti di polizia, dei nostri soccorritori, oltre che di civili dei quali potremmo non sapere più nulla, impegnati quel giorno a salvare 25 mila vite umane: la più efficace operazione di salvataggio della nostra storia. La determinazione, la risolutezza e la leadership del Presidente George W. Bush ha unito l'America e tutte le persone civili di questo mondo.

La risposta di molte delle vostre nazioni, dei vostri governanti e dei vostri connazionali, che nei giorni successivi all'attacco hanno voluto spontaneamente dimostrare il loro appoggio a New York e all'America, e la vostra comprensione di ciò che va fatto per rimuovere la minaccia del terrorismo ci danno la grandissima speranza che saremo noi a vincere.

Vorrei sottolineare che la forza della risposta americana proviene dai principi ai quali ci atteniamo.

Gli americani non appartengono a un solo gruppo etnico.

Gli americani non appartengono a una sola razza e non professano una sola religione.

Gli americani provengono da tutte le vostre nazioni.

A definirci americani sono i nostri convincimenti, non le origini etniche o la razza o la religione. I nostri convincimenti in materia di libertà religiosa, politica ed economica: è questo che fa di uno di noi un americano. I nostri convincimenti in materia di democrazia, di cogenza della legge, di rispetto per la vita umana: è così che si diventa americani. Sono proprio questi principi, e le opportunità che questi principi offrono a tanti di noi di crearci migliori condizioni di vita per noi e le nostre famiglie, che fanno dell'America e di New York «una città che splende su una collina».

Non esiste al mondo nazione o città che abbia assorbito tanti immigrati in così poco tempo quanti ne ha assorbiti l'America. E gli immigrati continuano ad arrivare, a frotte, in cerca di libertà, di opportunità di lavoro, di rapporti sociali onesti, di cortesia.

Ciascuna delle vostre nazioni ha fornito cittadini agli Stati Uniti e a New York. Credo di poter portare ciascuno di voi da qualche parte a New York dove potrà trovare una persona del suo stesso Paese, villaggio o città, che parla la sua stessa lingua e professa la stessa religione. In ognuno dei vostri Paesi ci sono molti che si sentono americani nell'animo, nel senso che condividono i nostri stessi principi.

Ed è al tempo stesso tragico e perverso vedersi attaccati dal terrorismo proprio per questi principi, in particolare quelli di libertà religiosa, politica ed economica.

Si sentono minacciati dalla nostra libertà perché sanno che se prendesse piede tra la loro gente distruggerebbe il loro potere. E quindi ci colpiscono per evitare che queste idee raggiungano i loro popoli.

Il migliore deterrente a lungo termine contro il terrorismo è la diffusione dei nostri principi di libertà, di democrazia, di cogenza della legge e di rispetto della vita umana. Quanto più questi principi si propagheranno nel mondo, tanto più ci sentiremo sicuri. Sono idee potentissime che, una volta attecchite, non si possono più fermare.

Proprio l'aumento di episodi di terrorismo e di gruppi terroristici, secondo me, è da mettere soprattutto in relazione con la diffusione in molte nazioni di queste idee di libertà e democrazia, in particolare negli ultimi quindici anni.

I terroristi non hanno idee o ideali con i quali combattere la libertà e la democrazia. La loro unica difesa consiste nel colpire civili innocenti, distruggendo in massa vite umane e sperando in tal modo di dissuaderci dal perseguire ed espandere la libertà.

Le Nazioni Unite devono inchiodare alle loro responsabilità ogni Paese che appoggi il terrorismo o si dimostri indulgente, se non vorranno fallire nella loro missione di *peacekeeper*.

A ogni nazione che appoggi il terrorismo dovrà essere inflitto l'ostracismo.

Ogni nazione che rimane neutrale nella lotta al terrorismo dovrà essere isolata.

È giunta l'ora «di unire le nostre forze per il mantenimento della pace e della sicurezza mondiali», come si legge nella Carta delle Nazioni Unite. Non è più il tempo di ulteriori approfondimenti o di vaghe direttive. La prova della brutalità e dell'inumanità del terrorismo, del suo disprezzo per la vita e per il concetto di pace, si trova sotto le macerie del World Trade Center a meno di tre chilometri da qui.

Pensate solo a quelle macerie, a quella crudele e insensata perdita di tante vite umane… e ora vi chiedo di scrutarvi nell'animo e riconoscere che in materia di terrorismo non c'è spazio per la neutralità. O si è con la civiltà o con i terroristi.

Da una parte c'è la democrazia, l'impero della legge e il rispetto per la vita umana. Dall'altra la tirannia, le esecuzioni arbitrarie, gli stermini.

Noi siamo dalla parte della ragione, loro da quella del torto. C'è poco da girarci attorno.

Il mio obiettivo era quello di illustrare con parole semplici la posizione dell'America, spiegando che cosa rischieremmo se non difendessimo i nostri valori. E la possibilità di parlare alle Nazioni Unite è stata preziosissima.

Coloro che mi hanno eletto non avevano bisogno soltanto di notizie importantissime sui mezzi di trasporto, sul calcolo delle vittime, sul pericolo dell'antrace e sul futuro di New York. Avevano anche il diritto di conoscere le mie idee su ciò che era avvenuto e ciò che c'era da aspettarsi. Per questo ho pronunciato quel discorso alle Nazioni Unite e non altrove, senza perdermi in tanti complimenti. Non sempre agli altri piace ascoltare delle idee, a volte si preferirebbe udire delle banalità. Ma non sempre ciò che è facile coincide con ciò che è meglio.

Lunedì 17 settembre, a sei giorni dalla tragedia, riaprì la Borsa merci. La Borsa si trova a un solo isolato dalle Torri gemelle e molti suoi operatori avevano perso la vita. La polvere delle macerie era ancora alta e quell'edificio nel quale ci trovavamo era il simbolo di quella stessa libertà che i terroristi avevano cercato di sottrarci. Tutt'altro che scoraggiati, i trader di Borsa erano tornati al lavoro e mi guardavano in attesa di qualche mia parola.

Cercai di comunicare loro proprio le mie idee. «Una delle peggiori infamie nella storia dell'umanità è stata perpetrata contro la popolazione della nostra città» dissi loro. «E la scelta dell'obiettivo non è stata casuale. Le torri del World Trade Center rappresentano il simbolo più riconoscibile della capitale finanziaria mondiale. La libera iniziativa è sempre stata, fin dai primi giorni, un aspetto importante della vita di New York. È il motore della nostra prosperità. Ha reso possibile per generazioni di immigrati la realizzazione del sogno americano. È qualcosa della quale dovreste essere orgogliosi di fare parte.»

I terroristi non colpivano soltanto edifici o vite americane, ma soprattutto idee americane. A intimorirli non era soltanto il nostro successo, ma la nostra franchezza e la nostra libertà. Chi ci ha attaccato era minacciato dalle tre principali caratteristiche della nostra società. La prima è quella del sistema democratico elettorale mediante il quale scegliamo i nostri governanti. La seconda è quella della libertà religiosa, che comprende anche quella di non essere religiosi. La terza è il sistema capitalistico e il nostro successo di nazione ricca, che comprende il successo nel sollevare la gente dalla povertà. L'antitesi, cioè, di ciò in cui credono i terroristi.

Ogni volta che comunico, io spiego la filosofia prioritaria che sottende ciò che dico, in modo che i miei interlocutori possano comprendere e concordare con le mie idee oppure dissentirne. L'obiettivo era ed è quello di integrare anche le decisioni più semplici nell'ambito delle mie idee fondamentali. Ma in ogni fase della mia carriera ho cercato sempre di essere il più possibile disponibile e franco (i cronisti direbbero «brusco»). E qualcosa sull'arte di comunicare i propri convincimenti l'ho imparata.

Siate diretti e abolite i filtri

Uno dei grandi vantaggi del sindaco di New York è quello di poter comunicare direttamente. Essendo il mio un lavoro di tale visibilità, non avevo bisogno di farmi schiavo dei media per piatire un'intervista. Un leader che non sa sfruttare l'etere o attirare gente a un meeting rischia di delegare ai media il compito di formare la sua immagine pubblica. Un individuo esposto ai riflettori come il sindaco di una grande città è in grado di dare un'immagine completa di sé, assicurandosi in tal modo che la stampa sia solo una delle componenti della sua attività decisionale.

A ogni leader piace avere i media dalla sua parte, poiché questo gli rende il lavoro più semplice e gli risparmia di prendersi schiaffi in faccia ogni mattina quando legge i giornali. Ma se sei alla guida di una grossa organizzazione ci sarà sempre qualcuno che nutre pregiudizi nei tuoi confronti e che ti presenta quindi in una cattiva luce. Non si tratta necessariamente di antipatia personale, benché a volte ci sia anche quella, e verrebbe da chiedersi perché tanti giornalisti votano a sinistra del pubblico al quale si rivolgono. Probabilmente la maggioranza dei cronisti che si occupano dell'attività del governo, e spesso anche di quella delle società, nutre pregiudizi verso l'organizzazione. La tendenza istintiva, ogni qual volta c'è spazio per l'interpretazione, è quella di dare per scontato che tu stia facendo qualcosa di sbagliato o ti stia approfittando di qualcuno. Quindi devi trovare il modo di controbilanciare questo pregiudizio. Uno dei migliori è quello di far passare il tuo messaggio direttamente, senza il filtro dei *laudatores*, dei portavoce, dei *focus groups* o del «gobbo» televisivo.

Durante le primarie del 1989 ricevetti qualche consiglio da un venerando giornalista di una TV locale, Gabe Pressman, anche se lui non si è forse nemmeno reso conto di avermelo dato. La campagna del mio avversario, Ron Lauder, mi aveva costretto sulla difensiva. Gabe m'intervistò e gli spiegai la mia posizione. «Non deve rimanere imbottigliato in questo tipo di campagna» mi disse al termine dell'intervista. «Più spiegherà le cose e più la gente capirà che cosa lei sta facendo e perché. Faccia sentire al pubblico ciò che ha da dire, perché lei ha buoni motivi per fare ciò che fa: anche se non concordo su tutti.» Fino a quel giorno avevo incaricato altri di rispondere alle critiche che mi venivano indirizzate, ma da allora in poi spiegai la mia posizione con parole mie.

La prima volta che mi candidai a una carica politica pensavo che parlare in pubblico non avrebbe rappresentato un problema. Avevo discusso molte cause e mi era piaciuto, specialmente in Corte d'appello. Le avevo discusse davanti al primo, secondo, terzo e undicesimo Circuito, alla Corte d'appello dello Stato di New York, alle due istanze d'appello della città di New York e perfino davanti alla Corte suprema. A volte per preparare queste cause rimanevo in piedi tutta la notte, senza che mi sembrasse di lavorare. Me la cavavo bene con giudici e giurie, anche sotto il fulminante attacco di un bravo avversario o di un giudice, e pensavo quindi che sarebbe stato abbastanza facile cavarsela con gli elettori.

Cominciai con il fare ciò che avrei fatto da avvocato, cioè documentarmi il più possibile, preparando le risposte alle domande più insidiose che la stampa e gli avversari politici avrebbero potuto «spararmi». Ciò che non avevo capito era la differenza tra la persona tranquilla davanti alle domande e quella nervosa, e il fatto che lo stato d'animo dell'una o dell'altra non ha nulla a che vedere con la preparazione a queste domande. È soltanto una questione di fiducia in se stessi.

Per i miei discorsi scrivevo qualche pagina, qualcun altro le rivedeva e poi sgobbavamo insieme per limare il linguaggio. Migliorai le mie prestazioni di oratore politico quando presi a regolarmi come facevo in tribunale: raccoglievo il materiale, preparavo una scaletta, poi buttavo via tutto e parlavo a braccio. Mi infastidiscono quelli che leggono i propri discorsi perché mi piace capire chi sono veramente, che effetto mi fanno quando parlano e non quando leggono. E ora, ogni volta che devo comunicare un'idea, mi sento più onesto perché non leggo un testo preparato in precedenza ma esprimo direttamente ciò che penso.

Qualcosa imparai anche durante la preparazione ai faccia a faccia politici. Nell'estate del 1989, appena mi si presentava l'occasione tra un impegno elettorale e l'altro, andavo a trovare in ufficio il mio consigliere media, Roger Ailes, che l'anno precedente aveva partecipato alla campagna elettorale di George Bush Sr. E lui mi preparava ai dibattiti, sottolineando l'importanza di mostrarsi sempre all'offensiva e di condurre le domande verso l'argomento di cui volevo parlare. E mi riprendeva con una telecamera, come se fossi stato il moderatore o il candidato avversario. In tal modo ho imparato lezioni importantissime, e in particolare una.

Ci stavamo preparando a un faccia a faccia televisivo con il mio principale avversario, Ron Lauder. «Signor Giuliani» attaccò Roger nei panni del giornalista, «da U.S. Attorney lei non ha mai avuto voce in capitolo né responsabilità di qualche tipo in materia di istruzione. Direi anzi che, a parte l'essere andato a scuola, di istruzione lei non sa nulla. Ha un suo programma in questo settore?»

«Ce l'ho, certo, e lasci che glielo illustri» risposi subito. «Primo, riforma del Consiglio superiore dell'Istruzione; secondo, fare questo; terzo, fare quello...»

Quando terminai Roger si mise ad applaudire. «Grande risposta, sono d'accordo su tutto. Ti do un bel 10 in istruzione e uno 0 in comunicazione. Questa non è la Corte d'appello degli Stati Uniti, Rudy. I giudici si ricorderanno questi quattro punti, se li annoteranno. Ma la gente a casa non guarda la televisione con il taccuino in mano. Istruzione? Rispondi subito: che cosa ti fa venire in mente? Bambini. Giusto. Hai due minuti e a questa domanda si risponde come segue: "Mi stanno molto a cuore i bambini, anch'io ho dei bambini. Mi sono sempre piaciuti e mi stanno a cuore. E mi rendo conto che il futuro della nostra città poggia sui bambini di oggi. Quindi il fulcro della mia riforma dell'istruzione riguarderà proprio i bambini". Che poi tra l'altro è anche vero e gli spettatori lo sentiranno in cuor loro. Una risposta del genere è molto più efficace della tua dissertazione. Se ti avanza tempo spiega anche i tuoi quattro punti, ma prima mettiti in collegamento con il pubblico.»

Roger mi spiegò che un candidato, ogni volta che gli viene dato il microfono, riceve l'equivalente di 100 mila dollari di pubblicità. Due minuti, se bene impiegati, sono sufficienti per comunicare le fondamenta filosofiche del tuo messaggio. Particolari e sostanza sono importantissimi: devono esserci, se non vuoi correre rischi. Ma c'è un tempo per conquistare i cuori e le menti e un tempo per i particolari e di volta in volta bisogna scegliere.

Preparandomi a questi dibattiti ero nervoso, temevo di non sapere tutto ciò che mi sarebbe servito sapere. Mi tenevo vicino montagne di libri e di documenti, deciso com'ero ad avere una risposta per tutto. Roger era disgustato. «Ma butta via quei maledetti libri! Oramai sai più di ciò che un candidato, e forse anche un sindaco, deve sapere. Basta con queste storie di tasse, di criminalità o di trasporti urbani. Credi che il sindaco Koch sappia tutte queste cose? Tu non devi fare altro che alzarti in piedi, sfruttare le nozioni che ti sei fatto e il figurone sarà garantito.» Aveva ragione, come al solito.

Mi insegnò anche a comunicare direttamente e, sul piano emotivo, onestamente. Quando cominciammo a girare i primi spot elettorali leggevo il «gobbo», come facevano quasi tutti i candidati. «Non ci pensare proprio» intervenne Roger. «Togliti gli occhiali e mettiti a parlare e sarà tutta un'altra cosa. Se sei arrabbiato, comunicalo. Triste, comunicalo. Depresso, comunicalo. Fai vedere alla gente che sei un essere umano e il resto verrà da sé.»

Dopo le elezioni del 1989 Mike Seymour mise in piedi un gruppetto di consiglieri e mi dette le fotocopie di un capitolo de *I mille giorni di John F. Kennedy alla Casa Bianca*, la biografia di John F. Kennedy scritta da Arthur M. Schlesinger. L'avevo già letto, quel libro, ma rileggere quel capitolo ebbe un'enorme importanza. Schlesinger raccontava di come Kennedy, prima di un importante discorso, si prendeva un pomeriggio di svago per farsi una nuotata in piscina e un bel massaggio. Durante la campagna del 1993 cominciai a seguire questo esempio meglio che potevo, prendendomi del tempo libero per trovare il giusto atteggiamento mentale prima di un importante discorso.

L'esperienza di quella campagna contribuì a cambiare il mio modo di pronunciare i discorsi politici. Come ho detto, nelle aule di giustizia ero piuttosto efficace. A volte gli studenti di giurisprudenza si mettevano in viaggio per venire a sentire le mie requisitorie conclusive in occasione di importanti processi, come quello per corruzione contro Friedman, e le trovavano efficaci. Ma, passato in politica, non riuscivo a raggiungere gli stessi livelli. Tutto quell'imparare a memoria e quella meticolosa enfasi mi tenevano a distanza. Trattavo ogni parola come se fosse stata incisa sul monumento a Washington, tutto ciò che dicevo doveva essere preciso. Con la pratica raggiunsi un certo grado di abilità e, in occasione del discorso della mia investitura a sindaco, risultai un oratore politico passabile, ma tutt'altro che eccezionale. (Per fortuna il mio figlioletto Andrew, che all'epoca stava per compiere sette anni, attirò l'attenzione generale mettendosi a correre attorno al leggio e ripetendo il mio slogan: «Così dev'essere e così sarà».) Non capivo. Ero passato da quasi incompetente a mediocre a piuttosto bravo, ma non riuscivo apparentemente a raggiungere i miei livelli di oratore giuridico. Sapevo che avrei potuto fare di meglio.

Mi misi allora a lavorare con Elliot Cuker, un mio amico attore. E lui mi fece notare che ogni anno pronunciavo tra i duecento e i trecento brevi discorsi. Andavo a una cena ufficiale e dovevo alzarmi in piedi e pronunciare un discorso. Con poco tempo a disposizione per prepararmi riuscivo a essere divertente e rilassato e il discorso esprimeva perfettamente le mie idee, risultando a volte addirittura ispiratore. Ma poi, quando dovevo pronunciare un discorso davvero importante, tornavo a essere retorico, pesante, poco spontaneo. Sapevo che Elliot, come prima di lui Roger, aveva ragione, ma non sapevo come porvi rimedio.

I discorsi «Sullo stato della città» segnarono il passaggio a un'oratoria più efficace. È un tipo di discorso, quello, troppo impegnativo per poterlo improvvisare e a me serviva per uno scopo più delicato: sfruttavo cioè il suo «telaio» per l'organizzazione e la pianificazione dell'intero anno. Lo articolavo con gli stessi criteri usati da grandi manager e grandi finanzieri come Jack Welch o Warren Buffett per le loro relazioni annuali: in modo cioè da comunicare direttamente agli azionisti i risultati dell'anno passato e i progetti per quello a venire. Elliott mi convinse che quello era proprio il tipo di discorso che non dovevo leggere: altri sì, se proprio non potevo farne a meno, come per esempio quelli pronunciati davanti a piccoli gruppi senza nemmeno sapere di che cosa si occupassero. Ma quelli «Sullo stato della città» avrei dovuto pronunciarli a braccio.

«Rudy, hai sviluppato tu, hai creato tu tutto questo. È dentro di te!» Elliot mi fece notare poi un altro aspetto. Parlare senza una traccia scritta e senza un leggio comporta un certo rischio e per il pubblico può essere un'esperienza stimolante. Se si va a teatro a sentire Pavarotti o Domingo l'emozione che proviamo è in parte dovuta al desiderio di accorgersi se il tenore a un certo punto stona. Per questo esistono ancora le rappresentazioni pubbliche. E il pubblico viene elettrizzato anche dalla prospettiva di assistere alla *defaillance* di un oratore che dimentica il motivo per cui si trova là o si mette a balbettare. Gli spettatori si «sintonizzano» e dedicano maggiore attenzione.

Sapevo che aveva ragione: ma se mi fossi dimenticato qualcosa?

In questo caso, propose, stamperemo e distribuiremo al pubblico un elenco contenente tutti i punti principali del tuo discorso e se te ne dimentichi uno se lo leggeranno lì sopra. Obiettai che la stampa avrebbe potuto pensare, e scrivere, che il punto che avevo dimenticato mi stava meno a cuore degli altri, ma mi resi conto che stavo cercando una scusa qualsiasi per non abbandonare la calda coperta del testo scritto. Ed Elliot mi disse di non preoccuparmi delle reazioni della stampa.

La prima volta in cui parlai a braccio fu in occasione del discorso «Sullo stato della città» che tenni nel 1996. Disponevo di un testo scritto, che avevo poggiato sul leggio per servirmene come traccia, ma a un certo punto mi staccai dal leggio mettendomi a camminare. Il discorso ebbe successo, anche se i giornalisti non credevano ai loro occhi e cercavano qualche «gobbo» nascosto. L'anno seguente Elliot mi consigliò di fare addirittura a meno del podio, ma non me la sentivo di abbandonare del tutto la stampella del leggio, anche se avevo un anno in più di esperienza di discorsi. Durante i tre mesi di preparazione mi ero esercitato alla vecchia maniera. Poi la mattina del discorso presi la decisione e ordinai di togliere il leggio.

Fu quello uno dei miei discorsi più gratificanti e rappresentò un punto di svolta. Riuscii a comunicare direttamente, senza l'artificio di un testo scritto o la distanza del leggio. Per la prima volta mi considerai un efficace oratore politico e cominciai veramente a trovare gradevole pronunciare discorsi.

Ma questo tipo di comunicazione è solo uno dei tanti modi di trasmettere idee. Nel 1993, subito dopo le elezioni ma prima che entrassi in carica, decisi con i miei consiglieri una nuova strategia, perché erano tempi duri e servivano modifiche radicali. Peter Powers, Cristyne Lategano (che all'epoca era la mia responsabile delle comunicazioni), David Garth e io decidemmo che dovevamo entrare nel tinello delle famiglie per spiegare loro che cosa stavo facendo e perché. Sapevamo che quel primo anno sarebbe stato duro, avremmo dovuto combattere per conquistare il cuore e la mente dei cittadini, per far loro condividere le mie idee, anche se l'esperienza all'inizio sarebbe risultata dolorosa. Non potevo permettere che a spiegare fossero i media. Sapevamo che si sarebbe dato vita a uno stereotipo di questo genere: «Sindaco Repubblicano, tipo duro al quale piace ferire la gente. Perché taglia tutti questi programmi? Perché fa questo? Perché fa quello?».

Decidemmo quindi che avrei comunicato direttamente con la

cittadinanza, spiegando che anche i migliori programmi non possono essere avviati da una città economicamente ridotta sul lastrico. Stavamo perdendo posti di lavoro a migliaia, ben 313.000 tra il 1990 e il 1993. Spiegai a un gruppo di scolari che non aveva alcun senso studiare dalla mattina alla sera per diplomarsi, se poi avrebbero dovuto inserirsi in un sistema economico esangue che non offriva posti di lavoro.

Questi argomenti colpivano la gente quando parlavo faccia a faccia con qualcuno. Mi feci dare una rubrica settimanale dalla stazione radio WABC, poi un'altra mensile su WCBS. In televisione mi intervistavano una volta la settimana su Fox, WPIX. Pronunciai più discorsi che potei, andai a ogni cena e a ogni riunione possibile, a volte tre in una stessa sera. Una tradizione di New York è l'incontro con il sindaco fuori Manhattan durante la campagna elettorale o in circostanze d'emergenza. Prendemmo l'abitudine di tenere le riunioni municipali mensili a rotazione in uno dei cinque distretti amministrativi e rispettammo questa procedura per otto anni, con l'unica eccezione di settembre 2001. E rimediai a quell'eccezione tenendone due a novembre: in totale tenni 96 di queste riunioni, divise in parti uguali nei cinque distretti.

Tutto ciò aveva lo scopo di farmi comunicare senza filtri o diaframmi con la cittadinanza, che avrebbe potuto così rosolarmi a fuoco lento mentre io avevo la possibilità di affrontare direttamente i loro problemi. Ripetevo ai miei interlocutori, il più frequentemente e chiaramente possibile, i principi ai quali si sarebbe richiamata la mia amministrazione. Durante il primo anno del mio primo mandato «Newsday» pubblicò una foto nella quale mi si vedeva dietro un microfono e con gli auricolari. «Giuliani in onda» si leggeva nella didascalia. Queste tre parole divennero uno dei miei slogan preferiti, perché sintetizzavano la mia volontà di superare i quotidiani per comunicare direttamente con i cittadini.

L'importanza della lingua

Le parole hanno per me un'enorme importanza. Mi piace leggere, mi piace il linguaggio, la semplice soddisfazione delle parole nel giusto ordine. Scegliere una parola piuttosto che un'altra è un gesto importante.

Uno che ci sa fare con le parole è Frank Luntz, responsabile dei sondaggi durante le mie campagne elettorali del 1993 e 1997. Uno dei principali obiettivi che si prefigge è quello di trovare la forma migliore per illustrare idee controverse. Ha anche un suo sistema per misurare le reazioni di fronte a certe parole. Chiude in una sala alcuni *focus groups* e chiede loro di premere certi pulsanti mentre vi ascoltano, concentrandosi su ciò che piace loro e ciò che invece non gradiscono. Se dite qualcosa del tipo «I bambini mi stanno a cuore» la freccia sale, se invece dite «Questo non si fa» la freccia scende. Essendo rimasto in fondo all'anima un legale, non mi sfugge l'importanza di un rilevamento del genere. In un contratto, una certa parola può essere oggetto di una vertenza che si trascina per cinque anni. Da giovane assistente mi è capitato spesso di ascoltare conversazioni telefoniche intercettate e sapevo bene che una parola poteva essere decisiva per stabilire se un certo reato era stato commesso oppure no. Quel tipo aveva effettivamente detto di sì alla proposta di far fuori quell'altro? Oppure no?

Io comunque la penso diversamente sulle parole. Solo pochi nella mia amministrazione l'avevano capito, ma ciò non mi aveva fatto deflettere. Uno dei miei obiettivi era quello di cambiare certe mentalità e se ti imbarchi in un'impresa del genere non puoi permetterti di arruffianarti la gente, anche se ciò significa usare termini che a questa gente non piacciono.

Prendiamo per esempio la parola *voucher*, ossia ricevuta di pagamento, coupon.* Luntz mi mostrò una serie di dati dai quali risultava che, se in sede di discussione della politica scolastica avessi usato un altro termine al posto di *voucher*, i miei interlocutori avrebbero reagito più positivamente (o meno negativamente). Se avessi detto a un certo numero di persone che avrei restituito loro i soldi spesi per l'istruzione dei figli, permettendo loro di scegliere la scuola alla quale iscriverli, il 70 per cento l'avrebbe definita una buona idea. Se invece avessi parlato di un *voucher* da utilizzare, solo il 40 per cento avrebbe risposto positivamente. E questo perché quella parola era stata demonizzata, nel senso che sia la Confederazione degli insegnanti sia l'Associazione nazionale dell'i-

* Si allude qui a un programma varato nel 1998 dai Repubblicani per avviare la trasformazione del sistema scolastico negli Stati Uniti: alle famiglie bisognose viene dato un *voucher* o assegno per pagare l'educazione dei figli scegliendo tra istituti pubblici e privati, in concorrenza con il sistema scolastico pubblico uguale per tutti, appoggiato dai Democratici e dai sindacati della scuola. La legge relativa è stata approvata nel 2002. [*N.d.R.*]

struzione l'avevano considerata come una specie di minaccia di riduzione dei finanziamenti alle scuole. La parola *voucher* era quindi diventata tabù.

Ciò nonostante mi rifiutai di abbandonarla e continuo a usarla. Vinceremo la battaglia ingaggiata con i genitori sulla scelta della scuola quando la parola *voucher* perderà questa sua connotazione negativa. È una battaglia perduta, quella di chi cerca mille eufemismi, perché dietro le paure che questa parola suscita c'è quel contorto modo di ragionare che impedisce l'adozione dei programmi *voucher*. Chi si dice contro i *voucher* di solito non li capisce. Noi che invece crediamo nel concetto abbiamo il dovere di tagliare gli artigli a questa parola e di neutralizzare l'irrazionale reazione che suscita. E l'unica maniera per farlo è di pronunciarla, quella parola, di discuterla, di scoprire perché è tanto temuta. E più numerosi saranno a pronunciarla, meno i suoi avversari potranno sfruttarla a fini propagandistici.

Questo mio modo di considerare le parole, l'idea di sfruttarne il vantaggio retorico, risale all'epoca in cui lavoravo nell'ufficio di U.S. Attorney. La prima volta che rinviai a giudizio un certo numero di persone per reati di criminalità organizzata, nel 1983, usai durante una conferenza stampa la parola «mafia.» Le associazioni per i diritti civili degli italiani la presero malissimo e scrissero lettere di fuoco a me e ai miei capi al dipartimento della Giustizia. Scoprii che esisteva il divieto di usare il termine «mafia», divieto messo addirittura nero su bianco dal ministro della Giustizia John Mitchell verso la fine degli anni Sessanta. Si temeva, in sostanza, di offendere i venti milioni di italoamericani che con la criminalità organizzata non avevano nulla a che fare.

Sono particolarmente sensibile alle pressioni che gli italoamericani devono subire quando si tratta di criminalità, è un peso che portano – anzi portiamo – sulle spalle. Ma più ci pensavo e più mi rendevo conto che la maniera migliore per esorcizzare la parola «mafia» era quella di usarla, spiegando al contempo ciò che ogni persona di buon senso sa già: che di quell'organizzazione, cioè, fa parte una bassissima percentuale di italiani e di italoamericani. È più o meno la stessa percentuale di criminali che si annovera negli altri gruppi etnici. A conti fatti, «mafia» vuol dire solo che italiani e italoamericani sono esseri umani. Una volta accettato questo postulato, gran parte dell'aura di mistero che circonda questa parola scompare.

La parola può avere un enorme peso simbolico. Per questo ribattezzammo «centro per il Lavoro» tutti gli «uffici Welfare» e la cosa mi stava a cuore più di quanto gli altri potessero capire. La metamorfosi filosofica che mi portò tra le file Repubblicane aveva tra l'altro come fondamento un'altra idea implicita in una parola: si trattava di *entitlements* o «diritti acquisiti», quelli cioè che rientrano nel welfare. Negli anni Settanta, da privato cittadino, cominciai a convincermi che New York si avviava alla distruzione in conseguenza della predicazione degli *entitlements*. Si era affermata una scuola di pensiero che confinava il popolo nella povertà. Il postulato di questa scuola di pensiero era il seguente: «Queste sono le scale per uscire dalla cantina, ma noi chiuderemo la porta della cantina e ti terremo prigioniero perché abbiamo bisogno che tu voti per noi, che ci renda più importanti, che ci acclami». Questo mi diceva la parola *entitlements* ed è un altro esempio del potere del linguaggio.

Mantenete la parola

Un leader vale quanto la sua parola. Quando si tratta di comunicare idee e convincimenti, la parola del leader non è soltanto un pegno di fiducia, ma uno strumento importantissimo per diffondere quel messaggio. Una delle prime discussioni che avemmo nella mia amministrazione riguardò la fusione dei dipartimenti di Polizia. A New York ne esistevano tre: oltre al dipartimento di New York, la Transit Police che pattuglia la metropolitana e la Housing Police che si occupa di agglomerati abitativi. Il trionfo della burocrazia, anche perché ognuna di queste tre polizie aveva il suo sindacato e il suo contratto di lavoro. E, soprattutto, non era quello il modo migliore di proteggere la cittadinanza.

Chi vende droga in un casermone popolare la vende probabilmente anche nei bar e nelle stazioni della metropolitana. Chi oggi violenta una donna in un casermone popolare, domani ne violenta un'altra nel corridoio di un edificio privato e dopodomani un'altra ancora in metropolitana, non deve essere perseguito da tre diversi uffici che rispondono a tre diversi capi e possono scambiarsi informazioni come possono tenersele per sé. Il problema era anche quello della scarsa flessibilità di ciascuno di questi tre corpi: se i reati calavano del 20 per cento nella metropolitana ma salivano del 20 per cento nelle case popolari, non potevamo assegnare alla sorveglianza di queste ultime gli agenti della Transit Police. Il «prodotto poliziesco finito» non era quindi certo dei migliori, per non parlare della difficoltà delle trattative per il rinnovo dei contratti di lavoro delle tre categorie.

Conoscevo i pregi del dipartimento di Polizia di New York già dai tempi in cui lavoravo come U.S. Attorney. Ed ero convinto che avremmo dato vita al migliore corpo di polizia urbana del mondo se avessimo potuto esercitare la nostra influenza sui responsabili dell'organizzazione e del personale di ciascuno dei tre diversi corpi. E non parlo solo per orgoglio campanilistico. Esistono diversi motivi per spiegare l'eccellenza del dipartimento di Polizia di New York. Anzitutto va ricordato che con i suoi 41.000 effettivi ha un organico superiore a quello dell'FBI ed è in grado di svolgere compiti impensabili per altri corpi di polizia. Se c'è bisogno di far convergere in un certo posto duemila agenti per evitare che scoppi una rivolta, il dipartimento ha l'esperienza, il materiale umano e l'equipaggiamento per farlo.

Un altro vantaggio è che all'interno di New York confluiscono le giurisdizioni di cinque contee. Nella Florida meridionale, per esempio, Miami ha la sua polizia, ma poi c'è quella di Dade County e quelle all'interno della contea medesima. Lo stesso vale per Los Angeles, Chicago e per molte grandi città all'interno di contee ancora più grandi. Da noi, se un reato viene compiuto a Brooklyn non c'è bisogno di coordinare gli sforzi e decidere a chi spetta la competenza delle indagini. Non esiste cioè la polizia della Kings County che cerca di estromettere il dipartimento di New York o si rifiuta di metterlo a conoscenza di un'eventuale pista.

Questi vantaggi li stavamo perdendo a causa dell'esistenza della Housing Police e della Transit Police. Alcuni sindaci prima di me avevano tentato, inutilmente, di fondere tra loro i tre corpi. A opporsi erano stati i responsabili dell'edilizia popolare, i gruppi di sostegno civile, i sindacati. Ma quella unificazione era basata su un'esigenza logica inoppugnabile.

Come prima cosa dovevamo accertare come procedere sul piano giuridico. Le manovre che mettemmo in atto furono molto complicate: per sintetizzarle, dirò che riuscimmo a tirare dalla nostra parte la Housing Police, ma che si rese necessaria una tattica diversa con quelli della Transit Police. Minacciarono di portarci in tribunale, annunciarono ad alta voce che mai e poi mai si sarebbero fusi con il dipartimento di Polizia di New York. In pratica mi sfidarono a fare qualcosa. E feci qualcosa.

I fondi della Transit Police erano assegnati con diverse percentuali dal Comune, dallo Stato di New York e dal governo federale. Feci sapere alla Transit Authority che stavamo per esercitare il diritto di cancellazione. La città di New York, in sostanza, non avrebbe pagato la sua quota e se la Transit Authority voleva agenti sui treni avrebbe dovuto pagarseli, senza più fare affidamento sui contributi comunali. Quelli pensarono che alla resa dei conti avrei ceduto, non potendo permettermi le conseguenze politiche di una metropolitana senza polizia. Ma erano abituati a trattare con sindaci eletti con l'appoggio dei sindacati e che quindi non potevano opporsi a uno dei più potenti di questi sindacati. Di fronte alla mia minaccia di sospendere i contributi con i quali venivano in parte pagati i loro stipendi, e sapendo che stavo organizzando un sistema alternativo di polizia, si convinsero che facevo sul serio e alla fine trattarono i termini di questa fusione.

Vincemmo una battaglia che nessuno pensava di poter vincere.

Subito dopo dovemmo guadagnarci la fiducia di quelli che si opponevano al progetto, nel quale credevano di cogliere ogni tipo di motivazione: per esempio, la volontà di ridurre il numero degli agenti nelle aree abitate da minoranze oppure nelle case popolari. Io invece aumentai la presenza della polizia in molti quartieri delle minoranze (e le cifre dimostrarono poi ai critici più ostinati che proprio in quelle aree si era avuta la più notevole riduzione dei reati), non però in quanto abitati dalle minoranze ma perché erano i quartieri più bisognosi di aiuto nella lotta al crimine.

Ebbi poi un incontro con i delegati delle case popolari, che ce l'avevano con me per la fusione del loro corpo di polizia, e spiegai che non potevo su due piedi controbattere ciascuna delle loro critiche. Non avevo cioè in quel momento le risposte e le soluzioni per i catastrofici scenari che stavano ipotizzando, ma assicurai loro che quanto prima mi avrebbero ringraziato. Sei anni dopo, con il calo del 70 per cento degli omicidi, furono in molti a ricordare queste conversazioni.

La fusione non sarebbe stata possibile se la Transit Police avesse pensato che stavo bluffando. E invece si convinse che avrei interrotto l'erogazione dei contributi a suo favore e decise di accettare la fusione. Dopo di che in pratica tutti, dagli stessi poliziotti ai contribuenti ai viaggiatori della metropolitana, cominciarono a campare meglio: tutti, con l'unica eccezione di chi commetteva reati sulla metropolitana.

Nei primi mesi della prima presidenza Reagan i controllori del traffico aereo minacciarono di entrare in sciopero, mettendo in ginocchio l'intero sistema di trasporto aereo nazionale. Era l'estate del 1981 e io avevo la qualifica di sostituto Attorney General, il numero 3 nella gerarchia del dipartimento della Giustizia. Lo sciopero veniva minacciato ormai da qualche giorno e il dipartimento aveva quindi approntato un elaborato piano che prevedeva denunce in sede civile, e in qualche caso anche penale, se l'agitazione avesse avuto pesanti conseguenze. Eravamo pronti a mobilitare lo FBI e gli US Marshals per proteggere gli impianti e io avevo personalmente coordinato diverse ingiunzioni, una di competenza della Corte federale e le altre affidate a diversi Stati.

Il 3 agosto 1981 13.000 dei 17.500 controllori del traffico aereo aderenti alla PATCO (Professional Air Traffic Controllers Organization) abbandonarono il posto di lavoro. Il Presidente Reagan convocò una riunione di gabinetto. William French Smith, l'Attorney General, mi portò con sé per aiutarlo a spiegare la nostra strategia, e con noi venne anche Ted Olson che all'epoca era a capo dell'ufficio dei Consiglieri legali. Si aprì una lunga discussione, ciascuno espresse la propria opinione, ma era chiaro che il Presidente aveva già deciso che cosa fare.

All'improvviso, quando la riunione stava per concludersi, il Presidente Reagan si rivolse all'Attorney General. «Non prestano giuramento, i controllori?» gli chiese.

«Che cosa intende dire, signor Presidente?» gli chiese a sua volta Bill Smith.

«Non devono prestare giuramento, come tutti coloro che lavorano per gli Stati Uniti, con la promessa di non scioperare contro il governo del Paese?»

Smith mi guardò e io guardai lui. Nulla di tutto questo era emerso dalle nostre ricerche legali. Pensai al documento che avevo firmato e, ora che il Presidente l'aveva citato, mi ricordai di avere effettivamente pensato come fosse strano che, oltre a prestare il solito giuramento, bisognasse promettere di non scioperare. Dissi allora di essere sicuro che i controllori avevano firmato quel giuramento, perché tutti noi lo avevamo firmato. Il Presidente chiese una copia del documento. Uscii in fretta dalla sala, chiamai l'ufficio Personale al dipartimento della Giustizia e dissi di tirarmi fuori un modulo di assunzione comprendente il giuramento.

Mandai uno dei nostri collaboratori a prenderlo. Contemporaneamente il ministro dei Trasporti, Drew Lewis, si assicurò che al suo dipartimento venisse usato lo stesso modulo per l'assunzione dei dipendenti. Mostrammo il documento al Presidente, ma nessuno poteva prevedere ciò che si accingeva a fare. Ancora oggi mi chiedo come facesse a sapere di quella promessa perché, sebbene anche il Presidente giuri, sono certo che non deve impegnarsi a non scioperare. Ma, come il tempo avrebbe dimostrato in più di una circostanza, il Presidente Reagan sapeva più cose di quante si potessero immaginare.

Alle 11 del mattino Reagan tenne una conferenza stampa nel Rose Garden, per annunciare che i controllori che non fossero tornati al lavoro entro quarantott'ore, cioè entro le 11 di mercoledì mattina, sarebbero stati licenziati. «Vi leggo il solenne giuramento prestato da ciascuno di loro all'atto dell'accettazione dell'incarico» disse. E lesse: «Non parteciperò ad alcuno sciopero contro il governo degli Stati Uniti o un suo ufficio e non vi parteciperò fin quando rimarrò un dipendente del governo degli Stati Uniti o di un suo ufficio».

Il Congresso aveva nel 1955 sancito la rilevanza penale di uno sciopero del genere e la relativa legge era stata confermata nel 1971 dalla Corte suprema. Ciò nonostante i dipendenti federali continuavano a organizzare scioperi, compreso quello dei dipendenti della Biblioteca del Congresso o del Poligrafico federale. Anche i controllori del traffico aereo nel 1970 si erano dati malati in massa. E ora, all'improvviso, il Grande Comunicatore si era alzato a leggere quel giuramento firmato da tutti i controllori in sciopero. Fu un colpo da maestro. Il Presidente Reagan sarebbe stato un eccellente avvocato da dibattimento. La stampa al completo, sempre pronta a combatterlo, ora gli mangiava nella mano. All'improvviso fu come se i controllori fossero stati sorpresi a tradire il loro Paese. «Hanno infranto il giuramento» mormoravano tutti. «Hanno infranto il giuramento.»

Quella sera partecipai a «Nightline» per illustrare la posizione dell'amministrazione Reagan. Era presente anche il presidente della PATCO, Robert Poli, un tipo simpatico. Dibattemmo i pro e i contro dello sciopero, parlammo degli scioperi contro gli Stati Uniti e delle richieste contrattuali che prevedevano, tra l'altro, un aumento uguale per tutti di 10.000 dollari l'anno, la pensione piena dopo vent'anni di lavoro e una settimana lavorativa di quattro giorni e trentatré ore. Durante la discussione Poli fece capire che considerava quello di Reagan un bluff, che cioè il Presidente non avrebbe mai licenziato i controllori in sciopero.

Quella notte a Washington faceva un caldo bestiale. Poli e io lasciammo insieme gli studi della ABC, proprio di fronte all'Hotel Mayflower. Mentre ci stringevamo la mano per salutarci gli dissi che mi dispiaceva che i suoi associati fossero in sciopero, e speravo si potesse trovare una via d'uscita. Poi aggiunsi: «Spero che lei non equivochi su quanto sto per dirle, non lo consideri cioè un tentativo di riaprire la trattativa... ma sbaglia. Il Presidente Reagan non sta bluffando».

Gli chiesi di ascoltarmi un momento e dirmi poi se mi sbagliavo. «Avete trattato per due settimane con un gruppo di persone che rappresentava il Presidente, gente che non sa bene che cosa fare. Alcuni gli hanno detto le stesse cose che gli ha detto lei, cioè che non può dare seguito alla sua minaccia. Ma stasera, rientrato a casa, si guardi la registrazione della dichiarazione che Reagan ha letto nel Rose Garden, guardi i suoi occhi: e vedrà che sbaglia, Poli, e che il Presidente farà ciò che ha annunciato. Qualsiasi iniziativa lei abbia deciso di prendere non la prenda perché pensa che il Presidente bluffi. C'ero anche io in quella stanza, l'ho osservato decidere, l'ho guardato negli occhi. È convinto, convintissimo di ciò che fa. E lei sbaglia se crede che la pressione del pubblico o dei sindacati gli faranno cambiare idea.»

«Non sa di che cosa sta parlando, ragazzo mio» fu la sostanza, se non la lettera, del commento di Poli.

Nel gabinetto Reagan ci fu chi lo attaccò per quell'ultimatum. Sostennero che non avrebbe potuto mantenere la sua minaccia e che, dopo la sua inevitabile marcia indietro, gli americani si sarebbero convinti che aveva bluffato. In pratica gli stavano consigliando di mettere in guardia i sindacati, minacciandoli se del caso, ma senza per questo assumere una posizione troppo decisa che non gli consentisse se necessario di fare un passo indietro. Ma il Presidente mise subito in chiaro che, se non avesse tenuto duro, in futuro la sua credibilità ne avrebbe sofferto. E se avesse deciso l'FBI di scioperare? Oppure la Marina? Era una questione di principio: se lavori per il popolo degli Stati Uniti devi rinunciare al diritto di sciopero. Il Presidente Reagan guardava al futuro, decidendo che era preferibile vedersela con i controllori di volo, per quanto devastante fosse il loro sciopero, piuttosto che con un ente di polizia o di sicurezza o con l'ospedale dei reduci di guerra.

Il Presidente Reagan non stava bluffando, ovviamente. Licenziò oltre 11.000 controllori aderenti alla PATCO e il piano alternativo d'emergenza preparato dal governo per non bloccare il traffico aereo funzionò alla perfezione. Per questo è così importante credere in ciò che si dice. In quel modo Reagan bloccò da solo lo schema sindacale volto a minacciare illegalmente il popolo degli Stati Uniti. Credo sapesse che resistendo al sindacato e parlando sul serio avrebbe raggiunto esattamente questo risultato. Quell'esperienza ebbe su di me un notevole effetto e mi fece capire l'importanza di comunicare onestamente. Ogni leader è impegnato con una certa regolarità in trattative e troppo spesso durante le trattative certe posizioni vengono assunte solo per fare scena. Per questo le parole sono tanto importanti. Gli altri devono capire che tu intendevi dire esattamente ciò che hai detto.

Confezionate il messaggio a misura di chi l'ascolta

Tra le responsabilità del leader c'è quella di andare incontro alle esigenze di coloro sui quali esercita la sua leadership. L'importante non è modificare il messaggio in funzione dei destinatari, ma esporlo in modo che possa essere compreso da coloro ai quali è diretto.

A volte il sistema migliore per far passare un messaggio è quello di non aprire bocca, ma lasciare che parlino le tue azioni. Sabato 4 agosto 2001 nei pressi di Sunset Park, a Brooklyn, avvenne un'assurda tragedia. Un agente fuori servizio alla guida di un furgone travolse Maria Herrera, di 24 anni, il suo bambino di 4 anni Andy Herrera e la sorella sedicenne Dilcia Pena, mentre attraversavano la 3ª strada. Maria era all'ottavo mese di gravidanza e, nonostante un intervento di parto cesareo, non fu possibile salvare il bambino che portava in grembo. La polizia fece sapere che il tasso alcolemico dell'agente era il doppio del massimo consentito: venne accusato di omicidio e di moltissimi altri reati.

Come se l'episodio non fosse di per sé abbastanza inquietante, si scoprì che molti agenti di quel distretto bevevano regolarmente alcolici nel parcheggio del commissariato e frequentavano un vicino go-go bar nonostante fosse stato dichiarato off-limits. Ero furibondo. Mentre molti, eccellenti poliziotti si sforzavano di ridurre i reati guadagnandosi la fiducia della cittadinanza, non solo quegli agenti di Brooklyn si comportavano come teenager senza controllo, ma uno di loro era accusato di avere sterminato una famiglia intera.

La rabbia e la delusione di Bernie Kerik erano pari alle mie. Il mercoledì aveva identificato tredici agenti di quel distretto e stava per adottare nei loro confronti sanzioni disciplinari. Per placare l'ira della cittadinanza avevo deciso di annunciare che avremmo quanto prima preso delle misure, ma quando Bernie mi telefonò per anticiparmi le sanzioni che stava per adottare io ero nel bel mezzo di un barbecue a Gracie Mansion, in onore dei dipendenti di un ufficio municipale. Bernie si offrì di venire da me, ma non mi sembrò appropriato fare quell'annuncio nel corso di una festa. Gli dissi che avrei fatto aprire il municipio e ci saremmo potuti vedere lì invece che al numero 1 di Police Plaza, dove ha sede la Centrale di polizia.

Il capo di una grande organizzazione della quale si occupano spesso i media dovrebbe capire che ciò che dice in televisione, alla radio o davanti al taccuino di un cronista non rappresenta soltanto un messaggio rivolto al pubblico, ma anche un promemoria per i suoi dipendenti. Anche loro infatti guardano la televisione, ascoltano la radio e leggono i giornali. Capii che parlare al pubblico, e ai media, dalla sede del potere avrebbe mandato con la maggiore energia possibile il messaggio che quel comportamento criminale non sarebbe stato più tollerato, e che chiunque avesse violato la legge ne avrebbe reso conto davanti alla giustizia.

La necessità di comunicare con chiarezza fu particolarmente avvertita nei giorni immediatamente successivi all'attacco al World Trade Center. I cittadini avevano un disperato bisogno d'informazioni: tutti, dall'uomo che una volta andava al lavoro passando per un tunnel e ora dopo la sua chiusura non sapeva che itinerario seguire, alla giovane donna diventata improvvisamente vedova e i cui bambini non avevano più un padre. L'informazione doveva essere esatta, ma a volte sorgevano problemi creati da delicate questioni di sensibilità e buon gusto.

Un esempio è dato dai certificati di morte dei dipendenti comunali dispersi sotto le macerie del World Trade Center. Poche settimane dopo l'11 settembre, durante la riunione del mattino, il vicesindaco Bob Harding ci aveva fatto presente che, secondo quanto gli aveva riferito il capo dei servizi amministrativi, il Comune continuava a tenere sul libro paga i dipendenti in uniforme – in pratica, agenti e vigili del fuoco – dati per dispersi. Lo stesso dirigente gli aveva proposto di cancellare quei nomi, così da poter cominciare immediatamente a corrispondere agli eredi i benefici pensionistici. In tal modo sarebbe stato anche possibile sanare certe situazioni come, per esempio, quella di un dipendente disperso con diciannove anni di anzianità. Se, in un caso del genere, non avessimo stabilito una regola valida per tutti e la vedova avesse impiegato un anno prima di ottenere il certificato di morte dello scomparso, avrebbe avuto diritto a una pensione di reversibilità calcolata su diciannove anni o su venti?

La proposta mi apparve sulle prime immorale. Con quale coraggio avremmo potuto chiedere a una vedova in lacrime di firmare un certificato di morte prima che lei fosse preparata ad accettare quella situazione? Ma, per quanto atroce, la proposta era ragionevole. A un certo punto la realtà andava affrontata e le ferite di chi aveva perduto una persona cara dovevano cominciare a rimarginarsi. Tutto sommato, poi, la vedova di un vigile del fuoco caduto in servizio aveva diritto a una pensione a vita di 60.000 dollari al netto delle tasse, oltre a un risarcimento di un milione di dollari. Sussidi aggiuntivi erano elargiti dal Twin Towers Fund e da altri fondi creati nell'occasione, insieme con l'assistenza legale gratuita, un'assistenza per la pianificazione finanziaria, consulenze gratuite, campo estivo per i figli e una serie di altri *benefits* accessori. Non si trattava quindi di convincere quella gente ad accettare quanto prima una misera offerta. Ma quella soluzione mi lasciava ugualmente a disagio e cominciai a spiegare a Bob dove il capo dei servizi amministrativi si sarebbe potuto ficcare quelle tabelle e quei grafici. A quel punto disse la sua Tom Von Essen, assessore ai Vigili del fuoco, uno dotato del meraviglioso dono della sintesi. «Non possiamo comunicare a una vedova che il marito non è più sul libro paga del Comune, se non è pronta ad ammettere che è morto» disse. Alla fine decisi quindi di respingere il consiglio di Bob, lasciando agli interessati la libertà di stabilire quando accettare la nuova realtà.

Altre idee prevedevano un tipo di comunicazione più diretta. Durante una conferenza stampa convocata per annunciare la riapertura della Stuyvesant High School, uno dei fiori all'occhiello del sistema scolastico pubblico di New York, a pochi isolati di distanza da Ground Zero, lodai pubblicamente il capo dell'avvocatura del ministero dell'Istruzione, Harold Levy. Con Levy ero stato più volte in disaccordo, ma riconoscere i meriti quando è giusto farlo è una delle regole importanti della comunicazione di idee. Dissi ai presenti che Levy aveva partecipato attivamente a ogni fase dei lavori per accertare la sicurezza della scuola, in modo che potesse essere riaperta il più presto possibile. Sottolineai anche che era venuto a ogni riunione, aveva valutato l'impatto sugli studenti di ciò che era accaduto e aveva una serie di consulenti dei quali avvalersi in caso di necessità.

Il che mi dette da pensare. Non vorrei atteggiarmi a psichiatra, ma ogni qual volta mi chiedevano che cosa dire ai bambini a proposito dell'11 settembre, consigliavo sempre di parlare con onestà e franchezza. A proposito in particolare degli studenti della Stuyvesant High School aggiunsi che secondo me non era sbagliato riaprire quella scuola, anche se i ragazzi avrebbero avuto ogni giorno davanti agli occhi gli enormi macchinari per la rimozione delle macerie. «I ragazzi devono affrontare questa realtà» dissi. «Va spiegata loro nella maniera giusta, con la dovuta sensibilità. Proteggerli da questa realtà significherebbe impedire loro di sapere che cosa potrebbe attenderli quando diverranno adulti. Penso quindi che con gli adolescenti ci si debba comportare onestamente.»

IX
Siate voi stessi il vostro uomo

Avendo rappresentato la pubblica accusa a livello federale per oltre dieci anni, per non parlare delle due parentesi al dipartimento della Giustizia, ho fatto il callo a quelli che ce l'hanno con me. E capivo di avere fatto un buon lavoro se questo risentimento veniva da più parti: criminalità dei colletti bianchi, gangster, politici corrotti, trafficanti di stupefacenti. A volte, l'unico modo che ha un pubblico accusatore per capire che sta facendo un buon lavoro, come per esempio affrontare cause difficili o incriminare imputati che piacciono ai cittadini, è quello di constatare che la gente non muore d'amore per lui.

La politica elettiva, d'altra parte, è una gara di popolarità. Ciò non significa che un leader (di una società privata, pubblica o di qualsiasi altro tipo) debba fiutare in continuazione il vento. Tutt'altro. Un leader viene scelto perché chi l'ha messo in quel posto si fida del suo giudizio, del suo carattere, della sua intelligenza, non delle sue doti di sondaggista. E un leader ha il dovere di sfruttare questi attributi, un dovere che è l'ideale prosecuzione di una lezione impartitami da mio padre quando ero bambino, una lezione che da allora ha trovato numerosissime applicazioni e si può sintetizzare così: sii tu stesso il tuo uomo.

Questo significa in particolare comunicare onestamente e con sincerità. Quando pronuncio un discorso o partecipo a una cerimonia sono lo stesso Rudolph Giuliani che i miei collaboratori o i miei amici conoscono. Per questo ho deciso un bel giorno di parlare a braccio e non leggere più dal podio un testo scritto. Voglio che il pubblico mi veda e voglio vedere il pubblico, essere in grado di creare un'atmosfera il più possibile spontanea.

Della suddetta linea di condotta c'è poi un'applicazione più profonda. Essere il tuo uomo – o la tua donna, naturalmente – significa non entrare mai nell'ordine di idee di dover sacrificare i tuoi principi.

I politici di New York da sempre hanno idealmente sul capo un berretto da baseball a doppio uso: Yankees da una parte, Mets dall'altra. Io non ne sono mai stato capace. Sono da sempre tifoso degli Yankees, anche se la casa dove sono cresciuto era distante meno di due chilometri da Ebbets Field, lo stadio dei Brooklyn Dodgers. Mio padre veniva da Manhattan ed era un affezionato tifoso degli Yankees. Mia madre, subito dopo il matrimonio, lo convinse a trasferirsi a Brooklyn: che a quei tempi equivaleva a invitare un Capuleti nel palazzo dei Montecchi. E mio padre, al quale quel trasloco non è mai andato giù, decise di vendicarsi di mia madre e dell'intera sua famiglia – abitavano tutti a Brooklyn ed erano fedeli tifosi dei Dodgers – facendomi crescere nel culto degli Yankees. Mi comprò la loro divisa a righine, la collezione di figurine con i giocatori degli Yankees e mi narrò le gesta di Babe Ruth, Lou Gehrig, Joe DiMaggio, Red Ruffing, Bill Dickey, Waite Hoyt, Yogi Berra e Phil Rizzuto.

Se vuoi che tuo figlio cresca con un carattere di ferro (e magari anche con qualche nozione di pugilato) la maniera migliore è quella di mandarlo in giro con un berretto degli Yankees dalle parti di Ebbets Field. Chi non si interessa di baseball, o chi non ha mai vissuto a Brooklyn, potrebbe pensare che esagero nel descrivere i pericoli che si corrono facendo il tifo per gli Yankees in territorio Dodgers. E invece non esagero. Se mio padre mi dette a suo tempo lezioni di pugilato fu proprio perché potessi difendermi dai tifosi dei Dodgers. Una civile discussione sui rispettivi meriti di Carl Furillo e Hank Bauer poteva in un batter d'occhio trasformarsi in una rissa sanguinosa. Sono stato gettato nel fango e pestato. Esito a raccontarlo, perché qualcuno potrebbe pensare che me lo sono sognato, ma vi assicuro che sono andato vicinissimo al linciaggio. In seguito sono tornato più di una volta in quel posto, che allora era un prato sul quale poi è sorta una stazione di servizio. Avevo cinque anni e stavo giocando in quel prato quando fui afferrato da quattro o cinque ragazzetti che mi sbatterono contro un albero, infilandomi poi un cappio attorno al collo. Mia nonna era alla finestra e, vedendo quella scena, si mise a gridare finché quelli non scapparono. Tutto era successo perché indossavo la tenuta degli Yankees. Molti anni dopo, entrato in politica, non ho mai nascosto le mie preferenze e spero di essermi meritato il rispetto dei tifosi dei Mets perché hanno capito che mi comporto onestamente: sono cioè un tifoso la cui fede sportiva non evapora a seconda delle circostanze.

Date l'esempio

Non potete chiedere a chi lavora con voi di fare qualcosa che voi stessi non avete alcuna voglia di fare. Tocca a voi fissare uno standard di comportamento.

Negli otto anni che mi hanno visto sindaco della città più grande e complicata d'America, tutte le indagini che hanno portato all'incriminazione di qualcuno dei 250.000 dipendenti comunali è stata aperta dal mio dipartimento Inchieste: e questo nonostante New York rientri nella legislazione dei leggendari U.S. Attorney del Distretto meridionale e di quello orientale, Democratici nominati dal Presidente Clinton e dal ministro della Giustizia Janet Reno.

L'importanza di dare l'esempio è uno dei motivi per i quali io insisto sempre per pagare.

Questo principio va ricordato spesso al ristorante. Accettare una tazza di caffè e un cheeseburger dal proprietario di una tavola calda che ha votato per me non è cosa che pregiudichi la mia integrità morale (semmai quella fisica, visto che dopo il cancro devo seguire una certa dieta). L'autore dell'offerta dovrebbe infatti sapere di non poter sperare, così facendo, in un trattamento preferenziale. Si potrebbe obiettare forse sull'aspetto morale, ma non certo su quello legale, dell'accettare un dono da chi non si attende nulla in cambio. Ma una volta che il proprietario di un ristorante si rifiutò categoricamente di portarmi il conto, lasciai sul tavolo una somma ampiamente sufficiente a pagare il pranzo e aggiunsi anche una bella mancia.

A volte però spingo all'estremo questa linea di condotta. Il mio amico Jon Sale ha frequentato con me la facoltà di Giurisprudenza, dopo la laurea ha partecipato ai lavori per l'*impeachment* nel caso Watergate e ora è uno stimato penalista di Miami. Jon racconta ogni tanto un episodio accaduto a noi due, in compagnia delle rispettive signore. Nel 1990, dopo la mancata elezione a sindaco, lavoravo in uno studio legale. Eravamo andati a un party nel New Jersey e, sapendo che avremmo fatto tardi, avevamo preso due camere in albergo. Al termine del party, prima di tornare in albergo, ci venne voglia di mettere qualcosa sotto i denti. Trovammo un posto aperto tutta la notte, prendemmo un boccone e venne l'ora di pagare.

Niente conto. Lo chiesi di nuovo. Niente. Insistetti: «La prego, mi serve il conto». Ancora niente. «Mi porti il conto!» Mi misi a discutere con il proprietario, un greco grande e grosso, insistendo perché mi lasciasse pagare mentre lui era deciso a non volerlo fare. «Lei è stato un grande U.S. Attorney, avrebbero dovuto eleggerla sindaco.» Era insomma l'opposto di quel tipo di *Seinfeld* che mangia e poi dice: «Ti amo, niente conto!».

Non ricoprivo incarichi pubblici, elettivi o meno. Mi trovavo oltretutto nel New Jersey, che non è nemmeno il mio Stato. Ma la cosa mi dava fastidio. Alla fine andai alla cassa e dissi al proprietario: «Senta, lei mi sta rendendo la vita difficile. Mi vuole per favore dare questo conto?». Seccato mi porse finalmente la ricevuta: 25 dollari. Portai con aria solenne la mano alla tasca e scoprii che era vuota: avevo lasciato in albergo il portafogli con i contanti e le carte di credito. Mi avvicinai a Jon. «Dammi trenta dollari, ti prego» gli sussurrai. E lui scoppiò a ridere quasi istericamente. «E già, ora è tutto chiaro» disse tra una risata e l'altra. «Grazie per concedermi di pagare, proteggendo così la tua integrità morale.» Dopo mi resi conto di avere forse esagerato un po', una tazza di caffè offerta da un ristoratore riconoscente non avrebbe compromesso i miei principi e al ristoratore avrebbe fatto un gran piacere.

Da sindaco ho preteso alti standard di rendimento dai miei più stretti collaboratori e dai titolari degli assessorati più importanti. Avevamo ereditato una città in condizioni critiche e per il suo futuro cullavamo progetti ambiziosi. Volevo sfruttare al massimo l'opportunità che ci era stata offerta. Durante quel primo anno ho lavorato ogni fine settimana, in otto anni ho saltato solo un giorno di lavoro, quello in cui mi sottoposero a quel piccolo intervento durante la terapia anticancro (e il giorno dopo partecipai alla sfilata dello Steuben Day insieme con George Steinbrenner e al parlamentare Rick Lazio). Nei giorni della radioterapia andavo in ospedale alle sette del mattino per poi trasferirmi in ufficio e lavorare fino al pomeriggio, quando interrompevo per un sonnellino. Durava dalle due alle quattro ore, il sonnellino, ma non ho mai saltato un giorno di lavoro e spesso mi rimettevo alla scrivania nel tardo pomeriggio o di sera. Non mi sono mai preso una settimana intera di riposo e la «vacanza» più lunga è stata un viaggio di quattro giorni dopo l'elezione del 1977.

Nessuno deve fare il supereroe, beninteso. Come tutti gli altri, un leader non dovrebbe lavorare fino al punto di non farcela più e quindi, quando necessario, deve staccare. La durata di questa pausa varia da persona a persona. Molti leader si godono le loro brave ferie, e io non me la sono mai sentita di criticare il Presidente Reagan per i periodi che passava nel suo ranch o il Presidente Clinton per le sue vacanze a Hilton Head. I leader hanno diversi modi di recuperare le energie.

Nessun leader dovrebbe chiedere agli altri ciò che lui non se la sente di dare o fare. Se lavoravo tante ore al giorno è perché avevo tanto da fare e anche perché mi piace il mio lavoro. Ma c'è un altro motivo non trascurabile, cioè il livello di «contagio» subito dalle persone delle quali mi circondavo.

Peter Powers divenne il mio primo vice nel 1994 e fu per me un sollievo potermi ciecamente fidare di un braccio destro come lui. Peter abita nell'Upper East Side di Manhattan, a circa un isolato di distanza da Gracie Mansion. Spesso ci vedevamo per lavoro da me a tarda sera, dopo cena, e andavamo avanti fino a notte inoltrata. In un certo senso queste riunioni erano la continuazione delle discussioni che avevamo al liceo, al college e alla facoltà di Giurisprudenza, con la frequente partecipazione di Alan Placa. Eravamo tre amici che commentavano con molta partecipazione personale gli argomenti di attualità, scambiandoci a volte i ruoli per affinare le nostre virtù retoriche.

Anni dopo, Peter mi ricordò una di queste nostre riunioni a Gracie Mansion. Lo avevo salutato sulla porta, verso le due di notte, con un «Ci vediamo alla riunione del mattino» e lui tornando a casa aveva pensato: «È tardi, sono stanco: Rudy, che è il mio migliore amico da quasi quarant'anni, non avrebbe potuto per una volta dirmi "Prenditi una mattinata di libertà"?». Poche ore dopo, diciamo verso le sei e mezzo, Peter si sveglia ancora immusonito, si stropiccia gli occhi e accende il televisore. E mi vede rilasciare un'intervista in diretta davanti a una centrale idrica, dove sono corso appena saputo che si era aperta una falla. Allora pensa ad alta voce: «Come posso prendermela con un bastardo del genere, che lavora più di tutti noi?».

Anche Joe Lhota, che ha fatto carriera nella mia amministrazione arrivando all'incarico di vicesindaco con delega alle Operazioni, aveva un atteggiamento simile nei confronti del lavoro. Per lui era normale rispondere entro cinque minuti a una e-mail, anche alle tre di notte. Una volta gli chiesero il segreto per lavorare con soddisfazione alle mie dipendenze. «Semplice» rispose, «basta alzarsi cinque minuti prima di Rudy e andare a letto cinque minuti dopo di lui.» Semplice, forse: ma non facile.

Nel dare l'esempio è importantissimo, più dell'atteggiamento o dello scrupolo, il fatto di svolgere personalmente alcuni degli impegni che affidate agli altri. Se riuscite a fare quello che fanno i vostri collaboratori, e lo fate come i migliori di loro, le vostre capacità di leader ne traggono notevole beneficio. Ciò non significa che dovete primeggiare in tutto. In un sistema complicato ciò sarebbe non solo impossibile ma indesiderabile: un leader ha bisogno degli esperti e del loro bagaglio di esperienza e non deve mai interferire nella loro attività o indebolire la loro posizione. Mettersi alla guida di un'impresa vuol dire che gran parte del tuo tempo dovrà essere occupata dalle mansioni specifiche del leader: ciò nonostante, non è opportuno che il leader trascuri le trincee per dedicarsi unicamente al grande quadro d'insieme.

Da U.S. Attorney andavo in aula a discutere i processi, anche quelli d'appello. Mi occupavo di quelli più difficili e non dei più semplici, e non solo per fiducia nella mia abilità di rappresentante dell'accusa, ma perché sapevo che in tal modo avrei avuto maggiori possibilità di diventare titolare dell'ufficio. Un ufficio che rappresenta in aula il dipartimento della Giustizia degli Stati Uniti.

La reputazione del Distretto meridionale di New York non aveva e non ha tuttora eguali. È il Distretto che attira i migliori legali e ognuno di loro è abituato al suo ruolo di star. Un po' come gli Yankees, i cui giocatori hanno sempre e ovunque occupato le prime posizioni. Ci vuole un grande leader come Joe Torre per armonizzarli in una grande squadra. E non guasta che Joe sia stato a suo tempo eletto miglior giocatore dell'anno, oltre che miglior battitore e All Star per ben nove volte.

Gli U.S. Attorneys di solito non discutono personalmente molti processi, specie quelli celebrati nei grandi distretti, essendo troppo impegnati nelle loro mansioni di titolari dell'ufficio. È a volte l'Attorney General a chiedere che l'U.S. Attorney si occupi personalmente di un processo. Da sostituto Attorney General mettevo in chiaro, ogni volta che accadeva, che era stato il Presidente o il mio capo a volere una cosa del genere. A me accadde soltanto una volta, da U.S. Attorney. Verso la fine del 1983 un movimento inglese di protesta adì la Corte federale di New York, allo scopo di bloccare lo schieramento di missili Cruise in Inghilterra. Erano assistiti in giudizio da Anne Simon e Ramsey Clark, quest'ultimo ex Attorney

General con Lyndon Johnson, e a loro si erano poi aggregati due rappresentanti Democratici del Congresso, Ted Weiss (New York) e Ron Dellums (California). Tra i chiamati in giudizio c'erano il Presidente Reagan e il suo segretario alla Difesa, Caspar Weinberger. L'Attorney General decise che sarebbe stata una buona idea farmi andare in aula a discutere la causa. È quello che feci, e l'azione legale degli inglesi alla fine fu respinta.

Da U.S. Attorney ho discusso sei processi d'appello. Ma mi sono preso anche altri incarichi, come quello di andare in Arizona a raccogliere una deposizione di Joe Bonanno. Un anno dopo Bonanno si rifiutò di venire a testimoniare sull'esistenza e la struttura della mafia. Assistito dall'avvocato William Kunstler, il leggendario boss mafioso sostenne che il suo cuore era troppo debole e malato per consentirgli di presentarsi in aula e a conferma di questa sua impossibilità presentò attestati medici di ogni tipo. Il nostro perito medico di parte era di parere contrario e quindi facemmo visitare Bonanno da Tim Weld, noto cardiologo oltre che fratello di William Weld, governatore del Massachusetts. E quando il cardiologo ci assicurò che l'ottantenne Bonanno aveva uno dei cuori più robusti che avesse mai visto, tornai a Tucson per avvertirlo che rischiava una condanna per disprezzo della corte. Il giudice Richard Owen, in effetti, lo condannò poi a quattordici mesi per rifiuto di testimoniare. Il dottor Weld, tra l'altro, non si era sbagliato: Bonanno visse ancora quattordici anni.

Devo ammettere che mi piaceva moltissimo andare in aula a discutere un processo. Anche durante il periodo da sostituto Attorney General al dipartimento della Giustizia cercai di cogliere questa opportunità e coronai il sogno di ogni pubblico accusatore quando discussi davanti alla Corte suprema il caso *Bell contro gli Stati Uniti*.

Non c'è maggiore motivazione dell'esempio di un leader per i suoi collaboratori. Presentarsi in aula equivaleva a inviare un messaggio ai giovani assistenti che lavoravano con me: «Sa fare quello che facciamo noi, forse anche meglio di noi. E ci piacerebbe un giorno saperlo fare come lui». Qualcosa del genere ebbe sicuramente un notevole effetto su di me quando ero io stesso un giovane assistente. Paul Curran, l'U.S. Attorney con il quale lavoravo, discusse personalmente alcuni processi, tra i quali quello a carico di Carmine Tramunti, allora al vertice della famiglia Lucchese. Un'impressione ancora più notevole mi fece Curran quando discusse un processo istruito da me, quello contro Frank Waters che avevo rinviato a giudizio per spaccio di eroina e cocaina. Questo Waters era un agente federale della Narcotici coinvolto nella French Connection. Paul Curran decise di discutere il caso di persona, anche se era uno di quei processi che nemmeno gli U.S. Attorneys non contrari ad andare in aula si sarebbero accollati. Paul perse perché uno dei due unici testimoni scomparve e l'altro era un ex agente federale condannato a sua volta per traffico di droga: ma si guadagnò l'ammirazione dei suoi assistenti per avere avuto il coraggio di prendere in mano una faccenda così scottante.

Divenni U.S. Attorney nel 1983. Nel 1985 decisi che l'organizzazione del mio ufficio era in pratica completata ed ero quindi pronto a incrociare i guantoni sul ring del mio primo processo nel nuovo ruolo. E mi capitò proprio il processo giusto.

Ci stavamo dedicando in pratica a tempo pieno a un caso importantissimo, al termine del quale avevamo rinviato a giudizio otto capi della criminalità organizzata appartenenti alle principali famiglie di Cosa Nostra. Un caso al quale ero molto sensibile, sia per il mio modo di pormi nei confronti di questi criminali, sia perché l'avevo portato avanti fin dall'inizio.

Gran parte del materiale a disposizione di un U.S. Attorney emerge verso la metà dell'inchiesta, dopo cioè l'attività preliminare svolta da corpi investigativi come la polizia locale o l'FBI. Nel caso specifico a consentirmi il salto in avanti fu la lettura di un libro nel mio appartamento a Washington. Fu il libro a darmi l'idea di usare l'arma del RICO (quelli che seguono in televisione la serie *I Soprano* la conoscono bene), che sta per Federal Racketeer Influenced and Corrupt Organizations Act, la legge cioè varata per colpire il racket e la corruzione. La *ratio* di questa legge è più o meno la seguente: ogni organizzazione criminale è più pericolosa per la società di quanto non lo siano i suoi singoli aderenti, perché continuerà a delinquere anche dopo che i criminali saranno stati assicurati alla giustizia. Con il RICO è possibile perseguire anche i fiancheggiatori e non soltanto coloro che commettono i reati dai quali l'organizzazione trae i suoi profitti. Joe Bonanno era autore di un libro di memorie, *Uomo d'onore*, scritto incredibilmente bene, nel quale dal capitolo XII al XVIII viene spiegata nei dettagli la struttura della «Commissione». Mi resi conto che questa descrizione dell'organizzazione delle famiglie rappresentava una specie di mappa di quelle caratteristiche della mafia per combattere le quali il RICO era stato specificamente creato. E appena nominato

U.S. Attorney potei far cadere Bonanno nella sua stessa trappola letteraria.

Il caso era uno dei pochi ai quali mi ero dedicato fin dall'inizio e conoscevo quindi perfettamente i vari stadi dell'indagine. Affidai i dettagli della preparazione del processo a Mike Chertoff, attualmente assistente Attorney General con John Ashcroft: eravamo padroni della materia e potevamo contare su ore e ore di prove su nastro. Ero il *dominus* di questo importantissimo processo e contavo di ottenere tutte le condanne che avrei chiesto, quando mi atterrò sulla scrivania un caso ancora più delicato e difficile.

Il 10 gennaio 1986, all'interno della sua auto ferma al bordo della Grand Central Parkway, fu trovato privo di conoscenza e accasciato sul volante Donald Manes, presidente del distretto di Queens. Manes, leader del distretto più popoloso di New York e del locale Partito democratico e soprannominato per questo «King of Queens», perdeva sangue da un taglio che lui stesso si era fatto al polso sinistro. Sapeva che avevamo in corso un'inchiesta tale da fare tremare l'intera città ai più alti livelli e aveva cercato di togliersi la vita prima che arrivassimo a lui.

Amico intimo di Manes era Geoffrey Lindenauer, viceresponsabile dell'ufficio incaricato della riscossione delle contravvenzioni per divieto di sosta: un ufficio da tempo focolaio di corruzione in quanto destinatario di piccole somme in contanti alle quali era quindi difficile risalire. Quando un informatore ci disse di avere pagato alcune mazzette a Lindenauer ci si presentò l'occasione di porre fine a quell'andazzo e il 14 gennaio arrestammo Lindenauer con l'accusa di corruzione.

A marzo Lindenauer tirò finalmente in ballo i suoi complici. Si dichiarò colpevole di due dei 39 capi d'accusa che gli avevamo contestato e ci spiegò con inquietante precisione i particolari delle sue mansioni di esattore per conto di Donald Manes. Ci enumerò le società che avevano pagato mazzette per stipulare «contratti» con il suo ufficio, ci fece i nomi dei ristoranti dove aveva ricevuto buste gonfie di banconote, che poi si era diviso con Manes nei gabinetti del municipio di Queens.

Non avevo ancora incriminato Manes, per due motivi. Il primo era che speravamo di convincerlo a collaborare in segreto con noi, dandoci così ulteriori informazioni sull'organizzazione. In secondo luogo, Manes era psicologicamente distrutto e temevo che un'incriminazione potesse indurlo a qualche gesto inconsulto. Pochi giorni dopo che Lindenauer aveva ammesso le sue responsabilità, Donald Manes tentò nuovamente il suicidio conficcandosi nel cuore un coltello dalla lama lunga 30 centimetri. Stavolta purtroppo il suicidio riuscì.

Le dichiarazioni di Lindenauer ci consentirono d'incriminare Lester Shafran, ex direttore dell'ufficio Riscossione contravvenzioni, e Michael Lazar, magnate immobiliare, a suo tempo assessore ai Taxi e limousine. Ulteriori indagini portarono al coinvolgimento di altri personaggi. Il 9 aprile toccò a Stanley Friedman, il più potente grande elettore newyorchese e intimo amico del sindaco Koch. Friedman, benché fosse stato uno dei vicesindaci di Abe Beame, non aveva mai partecipato a un'elezione e ciò nonostante nessuno come lui aveva il potere di consacrare un leader. E lui, sfruttando la sua posizione di responsabile del Partito democratico per il Bronx, nonché la dedizione di numerosi funzionari elettivi, aveva trasformato un ufficio comunale in una centrale del racket.

Friedman faceva il lobbista per alcune aziende titolari di appalti con il Comune. Ed era anche il principale azionista di una di queste aziende, la Citisource Inc., che produceva apparecchi portatili per l'emissione di contravvenzioni. Incriminammo Friedman per tentata corruzione di Lindenauer e Manes allo scopo di assicurare commesse alla Citisource. Ma nonostante l'incriminazione ufficiale, Friedman rimase sicuro di sé fino a dimostrarsi arrogante, nella convinzione di venire prosciolto.

Il processo a suo carico era in calendario contemporaneamente a quello alla Commissione mafiosa, e lui era imputato insieme con Lester Shafran, Michael J. Lazar e Marvin B. Kaplan, presidente quest'ultimo della Citisource Inc. Non avevamo però elementi di prova su nastro magnetico. Il testimone principale, Lindenauer, aveva seri problemi di credibilità, sia per essere lui stesso complice degli imputati, sia per i suoi brutti precedenti di mendacio e falsa testimonianza. E, soprattutto, gli imputati potevano contare su un collegio di difesa di prim'ordine guidato da Thomas Puccio, un avvocato con il quale avevo rapporti di amichevole rivalità. Tom era venuto al mio matrimonio e qualche anno dopo io avevo preso parte ai funerali del figlio, morto in tragiche circostanze. Anche se non eravamo amici in senso stretto, io rispettavo le sue doti di investigatore e di legale.

Quando Manes si tolse la vita io stavo dedicando quasi tutto il mio tempo all'inchiesta sull'ufficio Riscossione contravvenzioni, che ebbe un'accelerata non appena la stampa la rese di dominio pubblico. Puccio era reduce dal successo riportato nel secondo processo a Claus von Bulow ed era quindi dato per favorito in quello a carico del suo cliente, Friedman. E nelle fasi preliminari del processo i due miei assistenti incaricati, Bill Schwartz e David Zornow, furono messi sotto pressione dal giudice Whitman Knapp: lo stesso, cioè, che aveva dato il nome a quella commissione Knapp sulla corruzione nella polizia, creata in seguito ai casi del «Principe della città», di cui ho parlato.

Un U.S. Attorney, come ho già detto, si sente spesso nelle condizioni di un manager di baseball. Non deve cioè semplicemente far scendere in campo i migliori giocatori, ma quelli più indicati per una certa situazione: e io dovevo avere la lucidità di giudizio e il potere necessari a sollevare alcuni dal loro incarico e trasferire altri dove mi sarebbero stati più utili. Un mio assistente sarebbe potuto andare benissimo per indagare su un caso, ma per discuterlo in aula sarebbe stato più indicato un altro. Un certo tipo di processo avrebbe richiesto un pubblico accusatore dotato di un certo tipo di personalità, cioè più agguerrito o più dotato di qualità espositive.

Schwartz e Zornow erano due eccellenti rappresentanti dell'accusa, ma non avevano mai avuto tra le mani un caso di quella portata e complessità, e quindi, proprio a causa delle pressioni perché il processo venisse celebrato al più presto, sarebbe stato necessario affiancare loro un collega con maggiore esperienza. E più passava il tempo, più mi convincevo che l'esito di quel processo era legato in grandissima parte al modo in cui l'avremmo discusso. Non potevamo permetterci errori. Cominciai quindi a pensare a chi affidare la responsabilità della squadra della pubblica accusa e compilai un elenco dei miei assistenti, cominciando dai più esperti.

Una mattina, sotto la doccia, stavo riflettendo sulla sfortuna di non potermi occupare personalmente del processo, essendo impegnato in quello della Commissione mafiosa. Poi, ricordo, all'improvviso mi sgombrai la mente, per così dire, e considerai la questione dal punto di vista del manager. Cercai cioè di considerare il mio ufficio come se ognuno dei componenti, me compreso, facesse parte di una collezione di talenti e abilità, senza tenere conto di chi avrebbe preferito fare una certa cosa e chi un'altra.

E anche se emotivamente mi costava molta fatica separarmi da un caso come quello della Commissione che avevo tanto a cuore, non mi ci volle molto a prendere una decisione, una volta riuscito a considerare la faccenda da una prospettiva «esterna». Con la massima obiettività, cioè, ero proprio io il più indicato a rappresentare l'accusa nell'aula del processo all'ufficio Riscossione delle contravvenzioni.

Per i processi nei quali il principale testimone è anche uno degli imputati servono legali esperti che sappiano giocare al meglio le proprie carte. Il vostro testimone sarà fatto a pezzi dalla difesa e a voi toccherà ricostruirlo se non volete che la sua testimonianza perda completamente valore. Il nostro teste, Lindenauer, avrebbe dovuto deporre sulle mazzette concordate a favore del suo ufficio. Nel controinterrogatorio la difesa avrebbe dimostrato che parte di queste mazzette erano state intascate dallo stesso Lindenauer, il quale inoltre aveva truffato alcune persone vantando un'inesistente laurea in psicologia, aveva approfittato di donne che si erano rivolte a lui in cerca di aiuto e aveva mentito in sede di compilazione di certi moduli ufficiali. Lindenauer sarebbe insomma stato attaccato per giorni e giorni e, una volta sceso dal banco dei testimoni, nessuno gli avrebbe più creduto. Ma diceva la verità e avremmo quindi dovuto ricostruire la sua attendibilità presentando convincenti elementi di prova e frammenti di informazioni in grado di corroborare la sua testimonianza.

A quel punto avrei dovuto gestirmi al meglio e decidere l'allocazione ottimale delle risorse. Ero anche tentato di prendere parte a entrambi i processi, ma mi resi presto conto che avrei dovuto dedicarmi esclusivamente a quello all'ufficio Contravvenzioni. Quel processo e le mie incombenze di U.S. Attorney erano più che sufficienti a riempirmi la giornata. Dovevo smetterla di sognare come sarebbe stato bello ottenere una condanna al processo delle contravvenzioni e poi far condannare i capi delle cinque famiglie mafiose, mandando avanti contestualmente l'ufficio di U.S. Attorney più grande e prestigioso degli Stati Uniti.

Sarebbe stato bello, certo. Ma tra le responsabilità di un leader c'è anche quella di conoscere i propri limiti e di fidarsi dei propri collaboratori. Partecipare a entrambi i processi sarebbe stato splendido, ma perderne uno perché non mi ci ero dedicato a sufficienza avrebbe avuto effetti devastanti non soltanto per me, ma per tutti i magistrati del Distretto meridionale di New York. Mike Chertoff si occupò quindi del processo alla Commissione e io di quello all'ufficio Contravvenzioni.

Il primo giorno che mi presentai in aula, gli imputati avanzarono una mozione volta al trasferimento del processo dal Distretto meridionale di New York. Io accettai immediatamente e venne scelta come nuova sede quella di New Haven, Connecticut. Sul piano personale il trasferimento non era gradevole, perché nel gennaio di quell'anno era nato Andrew, il mio primo figlio, e mi sarebbe piaciuto stare il più possibile accanto a lui. Ma sapevo che nella nuova sede avrei avuto maggiori probabilità di vittoria.

Se mi dilungo nei particolari di questo processo è perché ha avuto un'importanza decisiva nello sviluppo del mio pensiero. Probabilmente, se non vi avessi preso parte non mi sarei poi candidato alla carica di sindaco di New York.

Proprio durante il processo, infatti, cominciai a considerare seriamente quell'eventualità. Una sera stavo passeggiando su un prato di New Haven insieme con i colleghi dell'accusa: era uno dei rari momenti di riposo che ci prendevamo prima di tuffarci nuovamente nella preparazione di quella vertenza che sembrava occupare ogni momento della nostra giornata. E mentre camminavo, leggermente distanziato dagli altri, ripensavo agli squallidi, esasperanti particolari di quello scandalo che era divenuto emblematico di tutti i mali dell'amministrazione di New York. E mi venne da considerare che avrei potuto fare molto di più, se fossi stato sindaco, per combattere la corruzione pubblica. «È una situazione che potrei rimettere a posto» pensai. Non sapevo nemmeno io che cosa intendessi per «rimettere a posto». L'idea era ancora a uno stadio talmente embrionale che non riuscivo a formularla compiutamente. Ma provavo un'avversione viscerale per la corruzione, che per decenni aveva consentito a certi politici di gestire per il proprio tornaconto gli uffici pubblici dei quali erano stati messi a capo.

Fu un pensiero fugace, quello. Non avevo mai partecipato a un'elezione pubblica e a New York per ogni Repubblicano ci sono cinque Democratici. A parte ciò, mi piaceva il lavoro di U.S. Attorney. Decisi quindi di non pensarci più e dedicarmi anima e corpo al processo.

Il mio bambino fu l'oggetto di un serio incidente al processo Friedman, un episodio rivelatore della gestione della vertenza da parte della difesa. Un mercoledì, a una settimana dal Thanksgiving, io pronunciai per otto ore di seguito la mia requisitoria. Il giorno successivo, giovedì, fu interamente dedicato alle arringhe dei quattro difensori. Il venerdì mattina ci fu la mia replica, un'ora e mezzo, dopo di che il giudice affidò il verdetto alla giuria e la mandò in camera di consiglio alle due e trenta del pomeriggio.

Anche David Zornow aveva come me un bambino piccolo e così sabato mattina le nostre mogli ce li portarono a New Haven. La giuria avrebbe deliberato per l'intero fine settimana, nella speranza di concludere i lavori prima del Thanksgiving. E noi dovevamo restare nelle vicinanze del tribunale, sia pure in compagnia dei nostri cari, nel caso che i giurati fossero riusciti a raggiungere un verdetto prima del previsto. Quella sera i telegiornali di New York mandarono in onda immagini di me e Zornow che spingevamo la carrozzina e la cosa mandò in bestia Friedman, il quale chiese che bimbi e carrozzine fossero tenuti alla larga dal processo perché influenzavano la giuria.

Una mossa del genere era indicatrice dell'atteggiamento globale della difesa. Nessun giurato leggeva giornali di New York, ma il collegio di difesa affrontava il processo in base a ciò che appariva sui giornali o in televisione, come se si fosse trattato di una campagna elettorale.

La domenica vi fu un altro episodio divertente. La giuria era ancora in camera di consiglio e quel giorno i Giants incontravano i Broncos di Denver, preludio al Super Bowl di quel campionato. La giuria continuava a rivolgerci domande, quindi non potevo andarmene in albergo per vedere la partita in TV. Di fronte al tribunale erano parcheggiati i camion delle stazioni televisive e un tecnico mi invitò a entrare per vedermi la partita sul monitor. Accettai e trovai seduto davanti allo schermo Michael Lazar, uno degli imputati. Mi chiesi se fosse opportuno trovarmi lì insieme a qualcuno che stavo cercando di mandare in galera. Lo guardai, lui guardò me, e dissi: «Sia io che lei a questo punto non abbiamo più voce in capitolo, il processo è ormai nelle mani della giuria, giusto?». E ci mettemmo a fare il tifo per i Giants, che superarono i Broncos con una splendida meta. Lazar mi invitò poi alla sua festa di compleanno, che avrebbe celebrato il giorno dopo, ma mi resi conto che mi sarei trovato a disagio e declinai l'invito.

La sera di lunedì capimmo da alcune domande inoltrateci dalla giuria che la sentenza era imminente. Il giorno seguente la giuria tornò in aula verso le dieci del mattino, comunicando al giudice di avere raggiunto una decisione unanime. I pronostici ci erano sfavorevoli, secondo la stampa il verdetto era reso incerto dai problemi di credibilità di Lindenauer: ma ai giornalisti era sfuggita l'importanza delle prove da noi raccolte e non capivano quanto fosse complessa quella testimonianza. La stampa prevedeva in linea di massima l'assoluzione degli imputati, ed è comprensibile quindi il mio lieto stupore quando la giuria li giudicò invece colpevoli tutti e quattro.

Un paio di giorni dopo, alla sfilata dei grandi magazzini Macy's per il Thanksgiving, mi venne nuovamente l'idea di candidarmi a sindaco. Portavo sulle spalle il piccolo Andrew e mi resi conto che la gente mi riconosceva. Ero abituato a vedere ogni tanto uno sconosciuto salutarmi, avevo incriminato i membri della Commissione e rappresentato l'accusa in altri processi di mafia, oltre a essere apparso piuttosto spesso in televisione: non ero quindi un volto ignoto. Stavolta però era diverso. Sembrava che tutti sapessero chi ero e venivano a stringermi la mano e a ringraziarmi. All'epoca non ero in grado di valutare il fenomeno, perché durante il processo ero rimasto a New Haven senza dedicare molto tempo ai resoconti giornalistici. Sapevo che apparivamo in TV perché vedevo ogni giorno le troupe televisive davanti al palazzo di giustizia, ma a me stava a cuore capire come il processo venisse recepito dalla giuria, non dalla stampa. Inoltre fin dal primo giorno i servizi giornalistici si erano dimostrati talmente schierati dalla parte della difesa che, scherzando tra noi, prevedevamo che in caso di condanna avremmo letto titoli come «Friedman ricorre in appello».

Sfidate le aspettative altrui

Nel 1958 Lyndon Johnson scrisse per il periodico «Texas Quarterly» un articolo dal titolo *La mia filosofia politica*. Mi colpì in particolare questa frase: «Sono un uomo libero, un americano, un senatore degli Stati Uniti e un Democratico, in quest'ordine». Le decisioni vanno basate sui principi per voi più importanti. Anche per questo motivo le discussioni sulla riforma dei finanziamenti alle campagne elettorali perdono di vista il cuore del problema. Io sono a favore della riforma, ma in ultima analisi il denaro non rende disonesto un uomo onesto, e viceversa.

In politica fa scalpore il caso di un eletto che, avendo ricevuto in campagna elettorale un appoggio finanziario da una certa industria, si schiera su una posizione considerata vicina agli interessi di quell'industria. Si pensa, per esempio, che i contributi elettorali dell'industria del tabacco hanno «comprato» l'appoggio del governo o, quanto meno, una notevole apertura per accedere al governo. Lungi da me sostenere che qualcosa del genere non è mai accaduto, ma succede ben più spesso che un'azienda scelga di dare il proprio sostegno a coloro che considera più vicini ai propri interessi.

In qualsiasi momento dei miei due mandati spuntava fuori qualcuno che mi aveva dato il suo appoggio economico e ora ce l'aveva con me perché non avevo fatto ciò che lui sperava facessi. Non senza ragione Thomas Jefferson descrive la presidenza degli Stati Uniti «una splendida sofferenza» che comporta «la perdita quotidiana di amici». Essere sindaco di New York è tutt'altro che una sofferenza, ma sicuramente comporta decisioni che ti fanno perdere amici. E alla fine devi essere capace di prendere quella che consideri la decisione giusta. Se chi ti ha appoggiato l'ha fatto per le ragioni giuste rimarrà al tuo fianco, anche se in qualche caso tu dovrai agire contro i suoi interessi. E se ritira il suo appoggio non lo vorrai in ogni caso più tra i piedi. Ma non c'è nulla che tu possa fare per fissare questo principio: puoi solo continuare a prendere le decisioni basate su ciò che tu ritieni giusto, e con l'esempio dimostrerai la tua indipendenza.

Sono un grande ammiratore di Alan Simpson, ex senatore del Wyoming, uomo di grande saggezza e notevole senso dell'humor. Alan diceva che in politica la componente più importante è l'onestà del politico e la sua ferma intenzione, una volta eletto, di tradire chi lo ha finanziato. «Tradire» era un verbo decisamente forte e Simpson l'aveva usato per dare maggior vigore al suo assunto: voleva dire in sostanza che la maggioranza di chi ti finanzia la campagna elettorale la pensa come te. E nei casi in cui non la pensa come te bisogna rimanere fedeli ai propri principi a costo di deludere, cioè tradire, il finanziatore.

Per un leader il modo migliore di instaurare un clima d'indipendenza è mettere subito in chiaro che ogni decisione, anche quelle prese dai collaboratori in nome e per conto del leader, devono avere come obiettivo l'interesse dell'organizzazione per la quale si lavora. Da sindaco non mi sono mai stancato di ripeterlo ai miei collaboratori. Non ha importanza se dici no al mio migliore amico o al mio principale finanziatore in campagna elettorale. Sarò sempre al fianco di chi ha detto quel no, perché voglio che le decisioni siano prese in base a considerazioni di merito, non di opportunità.

In politica sfidare le aspettative altrui non si riferisce solo ai finanziatori o ai lobbisti. Può succedere che i tuoi principi divergano dalla linea ufficiale del partito. Ogni leader si trova a dover affrontare una situazione del genere, in cui cioè una decisione opportuna e conveniente non corrisponde alla decisione che per te è quella giusta. Molti fondamenti della mia filosofia, oltre a divergere da quelli dell'elettore medio newyorchese, erano sicuramente in contrasto con quelli di quasi tutti i pubblici funzionari eletti e dei giornalisti. Ma ai miei principi e ai miei convincimenti mi sono sempre rigorosamente attenuto: ridurre le tasse, snellire la composizione del governo, applicare la legge con rigore, accorciare gli elenchi degli assistiti dal welfare, privatizzare i servizi pubblici, valutare gli insegnanti in base al rendimento, favorire la concorrenza e credere nel capitalismo come forza per il raggiungimento del bene.

In alcune circostanze i miei punti di vista divergevano da quelli dei miei amici Repubblicani. Io, per esempio, sono favorevole al controllo delle armi e non perché creda che la libera vendita delle armi sia un incentivo a delinquere: dopo avere perseguito tanti criminali per tanti anni capisco che delinquere è umano. Ci saranno sempre assassini, stupratori e rapinatori che adoperano le armi. Ma non è agevole sostenere che un accesso alle armi semplice e senza restrizioni non amplifica le conseguenze e la micidialità delle armi da fuoco.

Quando si affacciò l'idea di fissare un periodo di attesa tra l'ordinazione e la consegna di un'arma da fuoco, lavoravo al dipartimento della Giustizia e il Presidente era Reagan. E l'idea mi trovò favorevole, contrariamente all'opinione più diffusa all'interno dell'amministrazione. A persuadermi fu soprattutto una ricerca condotta in Canada dalla quale emerse che questo periodo di attesa imposto dal governo alla fine degli anni Settanta aveva ridotto a metà il numero dei suicidi. Per me fu sufficiente a corroborare il convincimento che se qualcuno ha bisogno di una pistola «proprio adesso», questo qualcuno è meglio che la pistola non l'abbia mai.

Non mi fece piacere pormi contro l'opinione prevalente all'interno del mio partito, ma dovevo fidarmi del mio giudizio ed essere deciso a sostenere la mia impopolare opinione. Altre volte ho sfidato le aspettative del mio partito soltanto perché ero convinto che fosse la cosa giusta da fare. Per esempio, poiché credo fermamente che una donna ha il diritto di scegliere, l'11 maggio 1998 ho proposto una legge che riconosceva alle coppie dello stesso sesso quasi tutti gli stessi diritti delle coppie sposate, come per esempio continuare a rimanere nell'appartamento in affitto dopo la morte del partner. E quando la proposta divenne legge rappresentò una delle norme più esaustive, a livello nazionale, in materia di rapporti familiari di coppia.

Non permettete che siano i critici a fissare il vostro ordine del giorno

Nel *Rigoletto* di Verdi il duca di Mantova faceva meditare i cortigiani sulla volubilità femminile con queste parole: «La donna è mobile qual piuma al vento,/muta d'accento e di pensier» (e io canto questa romanza, a giudizio unanime, in tono tutt'altro che provocatorio). Il caso vuole che poco dopo, nell'opera, una donna muoia per essersi fidata del duca. Ciò nonostante, le parole dell'aria verdiana potrebbero riferirsi sia agli elettori sia alla stampa: ma un leader non deve permettere che siano i critici a fissare il suo ordine del giorno.

Una delle decisioni più delicate che abbia mai dovuto prendere è stata quella di appoggiare Mario Cuomo quando nel 1994 si ricandidò alla carica di governatore dello Stato di New York. Le ragioni erano complicate, ma sicuramente a questa decisione fu estranea un'importante considerazione. Dopo avere annunciato il mio appoggio divenni per la stampa liberal una specie di eroe, apparvero articoli nei quali si sottolineava quanto fossi coraggioso, unico e indipendente nell'appoggiare un Democratico. Raggiunsi nei sondaggi vette di popolarità mai toccate. Ma non mi illusi nemmeno per un attimo. Sapevo che l'unica spiegazione di questo improvviso amore della stampa era una sola: stavolta, cioè, quella che per me era la cosa giusta da fare coincideva con la posizione più diffusa e accreditata presso i media. Ma sarei caduto nuovamente in disgrazia non appena avessi ottenuto un risultato non di loro gradimento.

Faccio un esempio. L'élite newyorchese reagì istericamente alla mia decisione di ridurre i finanziamenti al Brooklyn Museum of Art dopo che in una mostra erano state esposte scene di sesso esplicito, oltre a un ritratto della Madonna profanata con escrementi d'elefante. Il *politically correct* non ammetteva che qualcuno potesse pensarla diversamente sull'utilizzo di fondi pubblici per dissacrare un'immagine religiosa. C'era in ballo un'importante applicazione del Primo emendamento. Secondo me il sindaco non ha alcun diritto di impedire a qualcuno di rilasciare una qualsiasi dichiarazione. Esiste il diritto alla libertà d'espressione. E se qualcuno vuole realizzare dell'arte offensiva sulla sua proprietà, utilizzando i propri fondi, il sindaco e la polizia hanno l'obbligo di proteggerlo nel caso in cui qualcun altro cerchi d'impedirglielo. Ma credo esista una differenza tra proteggere il diritto di qualcuno di dissacrare un'immagine religiosa e dover finanziare quella dissacrazione con i soldi delle tasse pagate dai cittadini che da quell'immagine si sentono offesi.

Quando apro un giornale considero sempre *cum grano salis* ciò che leggo. I funzionari pubblici elettivi troppo spesso lasciano che a fissare le proprie linee politiche siano i gruppi editoriali: e ciò vale anche per le società pubbliche, le quali accettano che a decidere la loro posizione siano i media e gli analisti di *brokerage*. È meglio avviare la tua politica lungo i canali sui quali hai imparato a fare affidamento e poi, se la stampa o altri non addetti ai lavori dovessero farti notare qualcosa alla quale non hai pensato, ciò che hai fatto può essere modificato o perfezionato. Se avessi dato ascolto all'opinione prevalente non avremmo ridotto di 8 miliardi di dollari le tasse tra il 1994 e il 2001, né avremmo realizzato i due campi da baseball a Staten Island e a Coney Island, che avevano trasformato due aree abbandonate in centri di altissima fruibilità, oltre che motivo d'orgoglio per gli abitanti di quelle due zone. Né avremmo garantito la sicurezza del municipio nei giorni precedenti all'11 settembre, assumendo provvedimenti per i quali subimmo incessanti critiche, quasi li avessimo presi per soddisfare un capriccio autoritario. Quelle misure invece le applicammo solo dopo avere ricevuto numerosi segnali di possibili imminenti azioni terroristiche.

Di esempi del genere ce ne sarebbero a centinaia. Quindi è bene tenere conto delle opinioni degli editorialisti, ma non devono essere loro a decidere ciò che devi dire o fare. Spesso, al momento di prendere una decisione, so che riceverò delle critiche, ma ho la certezza che i fatti mi daranno ragione. Un leader deve avere sufficiente fiducia in se stesso da pensare che le sue decisioni si dimostreranno giuste. Senza perdere di vista la propria umiltà bisogna accettare il fatto che se a prendere quella decisione sei tu e non un altro è perché, per il momento, al comando ci sei tu e non un altro. Non farai nulla di buono se, come Amleto, non saprai portare il peso delle tue convinzioni. Devi guardarti dall'arroganza, certo. Ma se fai il tuo lavoro con coscienza e serietà devi anche ammettere che forse rispetto agli altri tu ne sai di più e riesci a discernere con maggiore chiarezza e profondità.

X
Lealtà, la virtù completa

All'inizio dell'ultimo semestre della facoltà di Giurisprudenza alla New York University, nel 1968, ebbi una serie di colloqui di lavoro per incarichi che avrebbero dovuto avere inizio in autunno. E per poco non combinai una frittata. Per lo più si trattava di entrare nello staff di un giudice e uno di loro, Lloyd MacMahon, il giudice federale del Distretto meridionale di New York, al termine del colloquio era deciso ad assumermi. Gli promisi una risposta nel giro di ventiquattr'ore. L'idea di andare a lavorare per un mito come il giudice MacMahon mi eccitava, ma non me la sentivo di accettare quell'offerta su due piedi, avendo ancora in programma altri colloqui.

Proprio per esaminare le prospettive di lavoro e farmi consigliare andai in facoltà a parlare con il mio *advisor*, il professor Irving Younger, uno che mentre parlavamo metteva dischi di musica lirica chiedendomi di indovinare da quale opera erano tratte le varie romanze e arie.* Younger non usò mezzi termini: «Non si fa aspettare uno come Lloyd MacMahon» mi disse subito. «Non devi fargli pensare che tu non gli sia riconoscente per l'opportunità che ti ha fornito.» Aggiunse che avrei trovato il giudice molto esigente, forse il capo più severo che mi potesse capitare. «Ma se

* Nel 1988 il professor Younger mi chiese di pronunciare il discorso ufficiale nel corso della cerimonia del conferimento delle lauree alla facoltà di Giurisprudenza dell'università del Minnesota, dove sia lui che sua moglie Judith insegnavano. Accettai perché mi avrebbe fatto piacere rivederlo, ma prima della fine della primavera Younger morì. Pronunciai ugualmente il discorso e sentii che il professore era presente in spirito.

vuoi fare l'avvocato ti insegnerà più lui in un anno di quanto potrebbe insegnarti in dieci anni chiunque altro. E quello che ti insegnerà ti sarà utile per tutta la vita, anche se MacMahon pretenderà molto da te, alzerà la voce, a volte urterà la tua sensibilità e ti metterà a disagio. Richiamalo subito e accetta la sua offerta prima che ci ripensi e la ritiri».

Ritelefonai a MacMahon, lasciando un messaggio sulla segreteria, ma le ore passavano e lui non mi richiamava. La mia preoccupazione svanì la mattina seguente, quando finalmente arrivò la sua telefonata: accettai l'offerta di lavoro e cancellai gli altri colloqui in agenda. Sei mesi dopo facevo il mio ingresso alla Corte federale di Manhattan, a due isolati di distanza dal municipio. Il professor Younger aveva ragione, la mia vita era cambiata per sempre.

Se i neolaureati cercano incarichi del genere, con i quali si guadagna la metà di quanto si guadagnerebbe in uno studio privato, è perché servono a imparare il meccanismo dei processi. Invece, cioè, di dedicare ore e ore a una ricerca di qualche elemento di secondo piano contenuto in una monumentale memoria presentata alla corte, quella corte che non vedrà mai, l'apprendista ha la possibilità di seguire da vicino ogni passaggio di un processo. Si impara molto, quindi, lavorando per un giudice; e si imparava moltissimo lavorando per il giudice MacMahon, sia per la sua personalità esigentissima sia perché era per natura portato a insegnare.

Aveva due aiutanti, il giudice. Io ero l'ultimo arrivato, prima di me era stato assunto da tempo Paul Crotty, e questo staff ridottissimo si chiudeva con l'assistente amministrativa, Millie Babino. Il mio primo stipendio fu di 6900 dollari l'anno, quando me ne andai ne guadagnavo 11.000. E mi sentivo ricco.

Il giudice MacMahon mi fece da maestro sia con l'esempio che con l'insegnamento vero e proprio, instillando in me un senso del servizio pubblico che da allora non mi ha mai abbandonato. Rafforzò alcuni miei principi come quello della lealtà, del lavoro indefesso e degli obiettivi prestigiosi, senza tralasciare qualche lezione di rispetto. Ancora oggi non riesco a chiamarlo in un altro modo che non sia «il giudice MacMahon». Quando, da U.S. Attorney ormai sulla quarantina, discutevo qualche processo davanti a lui e mi convocava nel suo ufficio, mi ripeteva: «Chiamami Lloyd e dammi del tu». Ma non ce la facevo, per me lui rimaneva sempre il giudice MacMahon.

Nel 1968 avevo già partecipato a qualche elezione nel college, avevo vinto e perso, e successivamente avevo avuto qualche assaggio della politica lavorando per John F. Kennedy e poi in occasione della nomina a responsabile Democratico per il distretto della Nassau County, a Long Island, il primo incarico elettivo da me ricoperto. Ma soltanto quando capii quale leader efficace fosse MacMahon – come riuscisse a infondere nei suoi collaboratori fiducia nelle loro possibilità e a farli arrivare là dove non credevano di riuscire mai – cominciai a pensare di potermi un giorno assumere analoghe responsabilità.

Il giudice Mac Mahon tornava dall'aula con una pila di dossier processuali. Aveva un ufficio spazioso e questi dossier li accatastavamo sulla sua scrivania, poi lui sedeva con noi e ci spiegava il suo punto di vista preliminare su ciascuna istanza. «Io mi prendo questi venti dossier e ci lavoro su» diceva. «Tu, Paul, prendi questi quindici e tu, Rudy, gli altri quindici. Appena mi sarò formato un'idea ve ne parlerò.» E ci mettevamo al lavoro, esaminando via via una causa per violazione di un brevetto, una di diritto marittimo, una di risarcimento danni tra cittadini di Stati diversi, una di copyright: tutti i vari aspetti del diritto, insomma.

A volte il giudice ci faceva prendere qualche appunto e non sempre poi aveva chiara la strada da seguire. In alcuni casi la decisione era semplice, «questa mozione la respingeremo, è sciocca e ridicola». In altri casi si dichiarava incerto e ci chiedeva di fare qualche ricerca e comunicargli le nostre conclusioni. Poi stendevamo le rispettive opinioni e lui le discuteva, senza alcuna pietà per le nostre argomentazioni e il nostro stile: «Qui sii più chiaro», «Serve maggiore concisione», «Impara la grammatica».

Grazie ai suoi insegnamenti imparammo piano piano a redigere le decisioni legali. Ci spiegò come una decisione non fosse poi così diversa rispetto a un «argomento» legale, essendo in pratica lo stesso argomento al quale poi bisognerà fare ricorso in sede di appello. Bisogna accettare una posizione o l'altra, scegliendo tra quelle esposte alla corte dal querelante e dall'imputato, e poi difendere il proprio punto di vista. Il giudice MacMahon ci insegnò a pensare secondo logica, cioè a non limitarci a prendere una decisione, ma a rafforzare gli argomenti fondanti di questa decisione e a prevedere le eventuali obiezioni in sede di appello. «Qual è il nostro punto di forza?» ci chiedeva. «Cominciamo da quello e non da qualche considerazione marginale. Dobbiamo convincerli fin dall'inizio.»

Il giudice MacMahon decideva su tutte le sue cause con il codice alla mano, ma quando stendevamo le nostre opinioni capiva che le emozioni colorano i fatti in modo tale che ci era impossibile lasciarle fuori. In altre parole, una volta presa la decisione bisogna esporre i fatti nella luce più plausibile, e lui sottolineava sempre l'importanza di attenersi alla massima semplicità. Non si stancava di spiegarci come i giornalisti strutturano un articolo a piramide: la notizia al primo capoverso e i particolari di seguito, in ordine decrescente d'importanza. Il segreto, insomma, era quello di esporre le faccende complicate in modo tale che la gente le capisse.

I dossier passavano dalla scrivania del giudice ai nostri tavoli. E quando MacMahon entrava nello studio e vedeva le cataste di pratiche a volte commentava: «La produzione è lenta, c'erano quindici istanze in questa pila e ce ne sono ancora dodici. Voglio che scendano a nove». Paul e io cercavamo di dare un assalto più strategico alle pile, perché il giudice programmava queste riunioni con una certa regolarità e seguiva da vicino il nostro procedere.

Nonostante il carico di lavoro, e tutti i suoi altri impegni, MacMahon dedicava molto più tempo degli altri giudici a insegnarci il mestiere. Per fare un esempio, uno dei suoi assistenti curava in studio quasi tutte le cause, in modo che io potessi seguirne in aula una parte e Paul l'altra parte. Quando si discuteva un caso particolarmente interessante, oppure era di scena un avvocato particolarmente brillante, il giudice MacMahon ci portava entrambi in aula. «Non vi preoccupate del lavoro» ci diceva. «Potete riprenderlo stasera o domani, ora voglio che seguiate attentamente Edward Bennett Williams.»*

Una dimostrazione di estrema generosità da parte sua, questa, perché l'assenza di un assistente significava un maggiore carico di lavoro per lui. Ma, d'altra parte, insegnare gli piaceva troppo. Tornati nello spogliatoio per toglierci la toga ci chiedeva come avremmo gestito noi l'udienza alla quale avevamo appena assistito. «Il controinterrogatorio l'avreste articolato su quel punto? Anzi, c'era proprio bisogno, secondo voi, del controinterrogatorio? Avreste fatto deporre quel testimone? Perché all'inizio l'avvocato ha impiegato quindici minuti per illustrare la causa? Troppi, a quel punto la giuria si è già distratta da un pezzo. La migliore occasione per por-

* Il controinterrogatorio al quale Edward Bennett Williams sottopose Jake Jacobson nel processo «Gli Stati Uniti contro John Connally» divenne un libro e a scriverne la prefazione fu Irving Younger.

tare i giurati nella vostra direzione dovete coglierla nei primi cinque minuti, quando vi guardano e sono curiosi di sentire quello che vi esce di bocca. Sfruttatela, quell'occasione, non tenetevi la carta migliore per la conclusione, quando forse soltanto un terzo dei giurati vi starà ad ascoltare.»

A volte organizzava con noi assistenti la lettura di alcuni dei suoi processi di un tempo, compreso quello leggendario in cui, da rappresentante dell'accusa, fece condannare il boss mafioso Frank Costello. Ci dava le copie degli atti, le discutevamo con lui e lentamente sviluppavamo un nostro stile. Discutendo i miei primi processi tornavo con la memoria a quei controinterrogatori, a quelle argomentazioni, a quelle requisitorie e riflettevo su quanto più efficace sarei risultato senza le loro carenze. Dopo due anni lasciai il giudice MacMahon, divenni sostituto U.S. Attorney e nel giro di un mese cominciai a discutere i processi.

Se avessero chiesto a MacMahon a che tipo di futuro professionale stava preparando con il tirocinio Paul Crotty, Ken Caruso, Jim Duff, David Denton, Rudy Giuliani o un qualsiasi altro suo assistente, avrebbe risposto: «A quello di un bravo avvocato da dibattimento abile nel comunicare, nello spiegare, nel semplificare». Pretendeva molto da noi perché ci considerava professionisti, dai quali cioè ci si aspettano risultati di eccellenza. Era a volte considerato una specie di orco perché maltrattava gli avvocati che gli capitavano davanti, ma io l'ho sempre giustificato, anche quando ero il destinatario dei maltrattamenti. Considerava così importante quella professione da non lasciare spazio a errori, un po' come quella del medico. Gli avvocati difficilmente possono emendare i propri errori e a pagare non sono mai loro, ma i clienti. Gli alti standard di professionalità erano quindi frutto del rispetto, e non viceversa. Per questo il giudice MacMahon si arrabbiava assistendo a qualche scadente performance di un avvocato e non gli risparmiava le battutacce.

A volte, così, chiamava davanti alla sua pedana l'avvocato incapace e gli chiedeva: «Dove ha studiato giurisprudenza?». Quello rispondeva Fordham o New York University o Harvard e il giudice gli consigliava di farsi restituire i soldi delle tasse universitarie. Se la difesa era stata veramente da cani si rivolgeva magari al cliente dell'avvocato (ma solo dopo avere reso noto il verdetto) chiedendogli: «Quanto paga per questa assistenza legale?». Quello diceva una certa cifra oppure si rifiutava di rispondere. E il giudice: «Allora dovrebbe farsi restituire i suoi soldi». Se poi un sostituto U.S. Attorney si dimostrava decisamente non all'altezza – e molti di loro sono agli inizi di carriera – lui se ne usciva con un commento del tipo: «È sgradevole trovarsi in circostanze del genere in quest'aula, con gli Stati Uniti d'America privi in pratica di rappresentanza legale».

Era una persona organizzatissima che non si stancava mai di pungolare i suoi collaboratori, pretendendo ciò che loro stessi non sospettavano di poter dare; ma non chiedeva agli altri di lavorare più di lui. Sottolineava l'importanza di studiare i metodi altrui e di sviluppare un proprio stile e delle proprie idee. Era in grado di anticipare i problemi e di decidere quindi il modo migliore di affrontarli. Rispettava i princìpi. Comprendeva l'esigenza di comunicare e persuadere e non si limitava a comandare. A poco a poco il giudice MacMahon stava creando in me le fondamenta di quel leader che speravo di diventare. Mi intimidiva, a volte perfino mi esasperava, ma quando lo lasciai era diventato per me un secondo padre. E una transizione del genere non si determina per caso, un leader deve meritarsela.

Durante la Seconda guerra mondiale MacMahon aveva combattuto in Marina con il grado di tenente di vascello. E a distanza di tanti anni, quando assumeva un assistente, applicava la stessa filosofia del centro addestramento reclute: spezzalo prima di ricostruirlo. Lo faceva con metodo. Un giovane laureato non ottiene un primo incarico così agognato, non diventa cioè assistente di un famoso giudice, se non ha fatto degli studi di giurisprudenza più che buoni. E c'è comunque un baratro tra l'università e il mondo del lavoro. Il rigore del giudice MacMahon si spiegava con il desiderio di plasmare lo stile dell'assistente a somiglianza del suo. Quando il novellino aveva imparato a lavorare con lui aveva anche imparato il diritto. E, ancora più importante, sapeva che ogni complimento che il giudice avrebbe potuto rivolgergli aveva un suo particolare significato. Nel frattempo nasceva una squadra, il giovane assistente legava con quello più esperto, che avendo già fatto quella dura gavetta gli dava consigli utili e sostegno morale, e a entrambi Millie Babino spiegava di volta in volta come evitare di cadere in disgrazia.

Il giudice MacMahon era un insegnante ispirato, un poderoso pensatore, uno splendido protagonista di dibattiti processuali. Erano molte le ragioni della mia ammirazione per lui. Ma se l'amavo e avrei fatto tutto per quell'uomo era per l'attaccamento che dimostrava per i suoi collaboratori. Se avevi fatto il suo assistente ti era amico per la vita. Se lavoravi sodo per lui era perché avevi visto quanto forte fosse il rapporto tra lui e chi ti aveva preceduto. Aveva sempre tempo da dedicare ai suoi ex assistenti e godeva dei loro successi professionali. Molti di loro, un gruppo di professionisti indubbiamente di tutto rispetto, raramente prendevano una decisione delicata senza prima sottoporla a lui. È successo a volte che, presentatomi dal giudice a chiedergli un parere, vedessi uscire dal suo ufficio nientemeno che Paul Crotty, l'assistente che era stato assunto da MacMahon un anno prima di me.

Quando nel 1970 il mio apprendistato ebbe termine non considerai ciò che avevo imparato come «lezioni di leadership». Ma l'ascendente che il giudice aveva avuto su di me era stato fortissimo al punto che, quando assunsi per la prima volta le vesti del leader, mi resi conto che le sue idee e i suoi metodi mi erano entrati nell'inconscio. In particolare, posi la lealtà alla base della mia filosofia di vita.

Abbracciate chi viene attaccato

Un altro leader che seppe esaltare i rapporti di lealtà fu Ronald Reagan. Se qualcuno che lavorava per lui si metteva in un guaio, Reagan non ne pretendeva il licenziamento: e per questo fu anche criticato. Me ne accorsi lavorando al dipartimento della Giustizia durante la sua presidenza e ricordo che pensai: «Lui si assume le conseguenze politiche dei nostri atti in modo che noi ci assumiamo le conseguenze politiche dei suoi». Reagan metteva a rischio la sua popolarità pur di essere leale con chi gli era stato al fianco, lo aveva aiutato a essere eletto, aveva lavorato con lui. E non potete credere quanto ciò abbia fortificato il morale della sua organizzazione.

Quando qualcuno a me vicino viene attaccato scorrettamente, faccio di tutto e anche di più per aumentarne l'importanza. Passo più tempo con lui e, se fa parte del mio staff, vedo se c'è modo di promuoverlo o di pronunciare pubblicamente un discorso dal quale questo qualcuno possa capire quanto mi è caro.

Considerate l'alternativa. Un leader che prende le distanze dai suoi collaboratori può anche guadagnare qualche punto in percentuale di popolarità, ma si dimostra miope. E alla fine nessuno vorrà più lavorare con uno come lui. Quelli potenzialmente migliori si terranno alla larga sapendo che, in caso di guai, finiranno per volare al vento come stracci. E quelli che già lavorano per lui non se la sentiranno di assumere posizioni coraggiose ma si muoveranno con la massima cautela, per evitare il disprezzo o il disinteresse di un capo al quale sta più a cuore l'opinione degli estranei che quella del suo staff.

Prendiamo il caso di Jason Turner. Nel suo ruolo di assessore all'amministrazione Risorse umane curò alcune delle più riuscite iniziative nella storia dell'America urbana in materia di passaggio dal welfare al lavoro. Richard Schwartz e io, durante la mia amministrazione, avevamo dato inizio al programma di riforma del welfare ed eravamo idealmente a metà strada quando arrivò Jason Turner. Fu lui a guidare la trasformazione degli uffici welfare in uffici di collocamento, creando in città ventisette di queste centrali del lavoro. Una metamorfosi brillante e coronata dal successo, ma che fu criticata negli ambienti liberal di New York. Jason aveva fatto esperienza nel movimento per la riforma del welfare con Reagan, e c'era chi non gliel'aveva perdonata. E siccome lui credeva come me nella privatizzazione del maggior numero possibile di attività lavorative, subiva gli strali anche dei dipendenti comunali, che speravano di riuscire a mandarlo davanti al dipartimento Investigativo.

Una denuncia che ricevette riguardava il presunto trattamento di favore che avrebbe riservato a un appaltatore privato, per il quale la moglie aveva lavorato diversi anni prima. Aprimmo un'inchiesta, dalla quale risultò che la moglie non aveva mai lavorato per quella ditta. Un'altra denuncia fu sporta successivamente nientemeno che dal Revisore comunale dei conti – che per una singolare coincidenza si era in quel periodo candidato a sindaco – secondo il quale Turner avrebbe favorito un altro appaltatore, la ditta Maximus. La Corte d'appello respinse all'unanimità la denuncia, stabilendo che «non c'era prova di favoritismi ... nessuna prova che a Maximus sia stata riservata una corsia preferenziale».

Jason era la vittima di chi smaniava per trovare qualcosa che lo costringesse ad abbandonare l'amministrazione comunale. Dovemmo quindi esaminare con la massima attenzione ogni addebito, alla ricerca di qualche eventuale elemento di verità e tentando al tempo stesso di non tradire uno come lui che stava facendo uno splendido lavoro. Immaginate che cosa avrebbe significato sostituire uno come Jason se l'avessi mollato al suo destino: il successore avrebbe avuto paura anche della propria ombra. L'unica accusa che resse fu questa: Jason, che abitava in un altro Stato, aveva preso in affitto una stanza da un amico che era anche il suo vice. Era un'infrazione tecnica, e per me nemmeno quella, perché la *ratio* della norma era quella di impedire che un capo costringesse un collaboratore a stipulare un accordo indebitamente vantaggioso per il capo stesso. E Jason aveva pagato l'affitto a tariffe di mercato. Ciò nonostante la commissione Conflitto d'interessi gli dette una multa di 6500 dollari, lui la pagò e in tal modo fu castigato da chi fino a quel momento aveva inutilmente cercato le prove di inesistenti scorrettezze.

Studiai la situazione. Avevo perseguito funzionari pubblici per illeciti effettivamente commessi, come l'indebito arricchimento a spese della cittadinanza o la creazione di veri e propri feudi dei quali erano a capo. Chi lavora per me sa come la penso sulla corruzione, ma sa anche che non mi faccio intimidire e non abbandono quindi al loro destino quelli che meritano il mio appoggio. Ovviamente, non poteva rimanere nell'amministrazione cittadina chi non pagava le tasse o strizzava i suoi subordinati per farsi consegnare qualche mazzetta, anche se provavo per lui sentimenti di lealtà oppure se mi era simpatico o ancora se stava facendo un buon lavoro.

Nel caso specifico Jason, che aveva bisogno dell'appartamento per un anno, pagava al suo amico un affitto equo e non ci sarebbe stato nulla di male in quel contratto di locazione, se non vi fosse stata quella norma creata, ripeto, per impedire i veri abusi. Bisogna formarsi una propria opinione su ogni situazione, e non reagire in funzione della percezione dei media o dei vostri avversari. Decisi che Jason non aveva in pratica fatto nulla di male, ma non mi limitai a dirglielo e a invitarlo a continuare tranquillamente a lavorare. Convocai invece una conferenza stampa e spiegai nel dettaglio le bizzarre caratteristiche di certe norme. In tal modo Jason si sentì appoggiato da me e quelli che gli stavano alle calcagna, sperando che lo licenziassi o almeno lo censurassi, si resero conto che le loro intimidazioni non avevano funzionato.

Abbracciare chi è sotto attacco ha un duplice obiettivo. Anzitutto, serve a rassicurare chi lavora con voi e quelli che avete in animo di fare lavorare con voi, i quali capiranno che non li abbandonerete, non li tradirete al primo segnale di pericolo. In secondo luogo, facendo vedere a chi vi circonda che vi stringete ancora più forte al collaboratore maltrattato, eliminerete ulteriori incentivi all'attacco.

Schierarsi dalla parte di quelli ingiustamente accusati non era per me una novità. Dopo avere lasciato per la prima volta l'incarico al dipartimento della Giustizia, nel 1970, seguii il mio capo Harold Tyler e venni assunto dallo studio legale Patterson, Belknap, Webb & Tyler. Una delle prime cause alle quali mi dedicai fu la querela presentata da un investitore a carico di un nostro cliente, la rivista «Barron's», nelle persone dell'editorialista principe Alan Abelson e del direttore Robert Bleiberg. Il querelante, dottor Robert Nemeroff, sosteneva che Alan prima di pubblicare i suoi ultimi editoriali aveva «soffiato» notizie negative su certe società, in modo che i destinatari delle sue soffiate potessero sbarazzarsi delle azioni di queste società prima che le loro quotazioni calassero sensibilmente.

Alan era ed è una vera spina nel fianco, gli piace mettere in luce i punti deboli delle società e smontare le notizie messe in giro dagli specialisti delle pubbliche relazioni a sostegno di certe previsioni ottimistiche. È un uomo di talento, oltre che fondamentalmente onesto. La querela era stata appena sporta quando io fui assunto dallo studio Patterson Belknap. Il direttore di «Barron's», Bob Bleiberg, era particolarmente indignato e non voleva limitarsi a vincere la causa: il suo vero obiettivo era quello di ribadire la serietà e l'onestà della sua rivista. Nel nostro studio legale era Robert Sack a occuparsi soprattutto di cause legate al Primo emendamento, ma in quel caso voleva qualcuno che lo seguisse in aula. Si consultò con Harold Tyler e conclusero che il legale perfetto per quella causa ero io. Nel frattempo però la Dow Jones, editrice della rivista, stava considerando l'idea di mettere la faccenda nelle mani di un mastino dei dibattimenti in aula, uno tipo Arthur Liman.

Lessi il testo della querela, parlai con Abelson e Bleiberg e studiai attentamente l'incartamento. Passai ore e ore a leggere su diversi numeri della rivista la rubrica di Abelson e a seguire l'andamento delle azioni delle quali si era occupato: e arrivai a una prima conclusione d'innocenza. Non ci mancavano gli elementi per smontare le accuse, essendo le stesse inconsistenti. Erano state più le volte in cui gli investitori a breve avevano perso delle cifre regolandosi in senso contrario a ciò che Abelson avrebbe poi scritto, cioè acquistando invece di vendere i titoli da lui criticati. Avremmo certo potuto isolare le volte in cui sembrava che gli investitori a breve avevano tratto un vantaggio immediatamente dopo la pubblicazione della rubrica di Abelson: ma non erano loro i soli a disporre delle informazioni esposte da Alan.

Mi eccitava l'idea di trattare una causa così importante e dissi a Bob che sarei stato felice di difendere lui e Alan: per me avrebbe significato partire con il piede giusto nella mia nuova veste di avvocato. Mi vidi nuovamente con loro, illustrando la mia strategia difensiva. Sembrarono apprezzare sia me sia le mie idee e quindi cominciai a mettere in piedi uno staff. All'epoca lavoravo ad altri processi insieme con la mia associata Renee Cohen (che ora, da sposata, si chiama Szybala). Era una ragazza particolarmente intelligente, oltre che veloce come il fulmine, e le chiesi se voleva partecipare con me alla difesa di «Barron's». Ascoltai le sue idee e insieme abbozzammo una strategia, man mano convincendoci di avere le carte in regola per vincere la causa nella maniera decisiva pretesa dal cliente.

Ci rivedemmo nell'ufficio del cliente per esaminare altri documenti. Bleiberg disse qualcosa, intervenne anche Renee, poi il direttore mi fece capire che voleva parlarmi a quattr'occhi. Uscimmo dallo studio. «Non voglio una ragazza di primo pelo come difensore» mi disse. «Voglio dire, si è appena laureata, sembra una ragazzina. Voglio due o tre tuoi colleghi più esperti.»

Bleiberg era un personaggio importante, dalla spiccata personalità, e non volevo rischiare di perdere un cliente del genere. Ciò nonostante gli dissi: «Ascolta, l'ho scelta io e lavora con me. Quindi, se non farà parte del collegio di difesa non ne farò parte nemmeno io». Bleiberg ci pensò un po' su. «Tanto non ero nemmeno sicuro di volere te come difensore» disse poi.

Tornammo nel suo studio e cominciai a radunare le carte, dicendo a Renee che la riunione era terminata. Ero quasi sotto shock, ma non avevo nessuna intenzione di darlo a vedere né di tornare sui miei passi. Feci per andarmene con Renee, la quale non capiva che cosa stava succedendo e perché ce ne stavamo andando. Abelson afferrò al volo la situazione. «Rimani, rimani, rimani» mi disse. Sussurrò qualcosa a Bleiberg, poi i due si ritirarono in un angolo parlottando sottovoce e alla fine tornarono da noi. «Okay, rimanete e terminiamo quello che stavamo facendo» disse il direttore. «Poi ceneremo insieme e vi conosceremo meglio.» Lui e Abelson erano i tipi a cui piace cenare. Alle undici di sera amavano Renee.

La querela si risolse in un nostro successo. Non solo il buon nome di «Barron's» fu completamente ristabilito, ma il querelante e i suoi legali dovettero pagare parte delle nostre parcelle per lite temeraria, oltre che per il loro tentativo di servirsi di un tribunale per mettere il bavaglio a un editore. Il processo divenne un caso di scuola in tema di sanzioni previste dalla Regola 11 a carico di chi intenta una lite temeraria. Bleiberg stabilì una strettissima relazione professionale con Renee, che divenne consulente di «Barron's» in tema di prevenzione delle querele per diffamazione, oltre che per decisioni più squisitamente editoriali. Essermi schierato dalla sua parte non aveva solamente cementato il nostro rapporto, ma aveva fatto contestualmente capire ai nostri clienti che con me potevano contare sulla stessa lealtà: se al momento critico non avevo voltato le spalle alla mia associata, non le avrei voltate nemmeno al cliente.

Ma una cosa è schierarsi al fianco di chi viene attaccato, un'altra è farlo per qualcuno che ha veramente commesso qualcosa che non avrebbe dovuto commettere. Purtroppo, la linea divisoria non è sempre netta. In linea di massima parto dall'idea che chi lavora con me ha diritto al beneficio del dubbio, e se poi risulterà che ha sbagliato ci sarà tempo e modo di chiedergliene conto. Ma se questo qualcuno lo abbandoni alla prima accusa che gli viene rivolta e poi risulta innocente, non riuscirai mai a cancellare la macchia del tradimento. E avrai perso la fiducia di quel collaboratore oltre a quella di chi non è mai stato accusato.

Il 3 luglio 1992 l'agente Michael O'Keefe affrontò in zona Washington Heights, a Manhattan, uno spacciatore ricercato di nome José «Kiko» Garcia. I due lottarono e, quando Garcia estrasse una pistola minacciando di fare fuoco, O'Keefe sparò prima di lui, uccidendolo. I testimoni dichiararono successivamente che Garcia non aveva alcuna pistola e gli abitanti della zona chiesero che l'agente fosse punito. Il sindaco Dinkins andò a trovare la famiglia Garcia e i funerali si svolsero a spese del Comune. O'Keefe era un boy scout, allenava una squadra di baseball di bambini, non saltava mai la messa domenicale e viveva a Queens con la madre. Garcia era un immigrato clandestino con precedenti per droga ed era scomparso durante il periodo di libertà vigilata.

Per quattro giorni sulla stampa popolare furono pubblicate false accuse sul conto di O'Keefe, senza alcuna replica o smentita da parte del sindaco o del dipartimento di Polizia. Nessuno sentì il dovere di sottolineare l'esemplare stato di servizio di O'Keefe e i precedenti penali di Garcia, e anche per questo a Washington Heights scoppiò una sanguinosa rivolta. Quelle due circostanze cominciarono a emergere solo dopo gli atti di violenza.

Per anni, dopo che diventai sindaco, gli agenti mi raccontarono quanto si erano sentiti demoralizzati per quell'atteggiamento del mio predecessore. Non potevano cancellare dalla memoria l'immagine del sindaco, seduto sul divano con i Garcia, mentre prometteva che «giustizia» sarebbe stata fatta. Poi l'inchiesta del Grand Jury stabilì che O'Keefe aveva agito secondo le regole, anzi da eroe. Si scoprì che molti testimoni avevano mentito e altri non si trovavano in posizione tale da potere seguire con lo sguardo la scena, e quindi sostenere quanto avevano sostenuto. Come se non bastasse, spuntò una cassetta registrata nella quale si sentiva l'agente invocare aiuto e chiedere via radio rinforzi alla Centrale. Il sindaco non mise mai quella cassetta a disposizione degli investigatori. Ma, nonostante la completa riabilitazione dell'agente O'Keefe, il danno al morale degli agenti ormai era stato fatto: il capo si era schierato dalla parte di uno spacciatore invece che al fianco di uno di loro.

Dopo la mia elezione a sindaco tenni sempre presente la vicenda O'Keefe-Garcia. In una città con 41.000 agenti di polizia e 250.000 dipendenti comunali è inevitabile che qualcuno di loro si metta nei guai. Mi feci un dovere di applicare il beneficio del dubbio, e anche più, per aiutare chi era nei guai. Se poi aveva sbagliato avremmo fatto i conti, e con le brutte se necessario. Quello della presunzione d'innocenza non era comunque soltanto un diritto dei dipendenti, ma anche un elemento determinante per il loro morale, oltre che per l'organizzazione. Quella rivolta fu la seconda scoppiata in città in due anni e in campagna elettorale promisi che, da sindaco, avrei fatto in modo che non ne scoppiassero altre. (Nel luglio 1999 un blackout spense tutte le luci a Washington Heights e 300 mila persone rimasero senza corrente elettrica per oltre diciotto ore, con 37 gradi di temperatura. E non so descrivere l'orgoglio che provai di fronte alla dimostrazione di civiltà e di buona volontà da parte degli abitanti.)

Il principio di schierarsi al fianco di chi viene attaccato è per me così importante che lo applicherei anche se l'attaccato avesse torto, purché non abbia commesso qualche illegalità. Poi, magari, ci farei un discorso a quattr'occhi e a porte chiuse, ma non lo lascerei certo a fare il capro espiatorio.

Quando ero sindaco sedeva in Consiglio comunale un consigliere di nome Lloyd Henry, un brav'uomo anche se non necessariamente un mio alleato. Tra l'altro era anche un ministro della Chiesa episcopale, il tipo che persino nel bel mezzo di una discussione politica diceva «Prego per te». Quando mi diagnosticarono il cancro alla prostata fece di tutto per venirmi a trovare, abbracciarmi e assicurarmi che stava pregando per me. Era l'ultimo che avreste voluto vedere preso a male parole da uno dei vostri collaboratori, specie con un'aggressione verbale finita su una videocassetta. Ed è esattamente ciò che avvenne.

Le scuole faro, come ho spiegato, sono istituti specializzati che fungono da centri comunitari dopo il termine delle lezioni e sono sovvenzionati dal Comune. L'idea è quella di adibire nelle zone povere la scuola a centro sociale, più o meno la stessa funzione svolta dalle chiese nel Medio Evo. Nell'aprile 1998 Randy Mastro, allora vicesindaco per le Operazioni, aveva come vicecapo di gabinetto Jake Menges. E durante un dibattito abbastanza infuocato in Consiglio comunale sulla distribuzione delle scuole faro, il consigliere Henry chiese che uno dei miei assessori fosse citato a giudizio. E si sentì gridare da Jake Menges, al massimo della tensione, qualcosa del tipo: «Puoi dire addio alla tua scuola faro del cazzo».

Al momento non ci rendemmo conto che New York 1, la stazione televisiva di sola informazione, aveva ripreso e registrato la scena. Quando venni a sapere di quell'alterco mi regolai come mi regolo sempre quando qualcuno che lavora per me si viene a trovare in una situazione potenzialmente delicata. Convocai Jake e gli dissi di spiegarmi esattamente ciò che era accaduto, aggiungendo che se non aveva pronunciato le parole che gli erano state attribuite avremmo dato battaglia. Ma volevo la verità. Mi spiegò di avere perso il controllo dei nervi e di avere effettivamente insultato il consigliere Henry.

Non avrebbe dovuto farlo, è fuori discussione. Anzitutto, non avrebbe dovuto usare quei termini. In secondo luogo, non aveva alcun diritto di mettere in relazione il mancato appoggio di Henry su un'altra questione alle chance dello stesso Henry di vedersi assegnata una scuola faro a uso degli elettori della sua circoscrizione. Devo dare comunque atto a Jake di non avere cercato scuse e questo atteggiamento meritò il mio rispetto. Lui ammise tutto e si disse disposto a scusarsi con il consigliere Henry. Dal punto di vista della leadership, una situazione del genere è complessa perché la trasgressione c'era stata e bisognava decidere come affrontarla. Non si odia una persona per qualcosa del genere, né la si scredita per questo; quindi per decidere come affrontare la situazione bisognava valutarla bene. Fu Jake con la sua sincera ammissione di colpa a risolvere il problema.

Avevo un assessore ai Taxi e limousine, Chris Lynn, decisamente innovativo. I taxisti di New York erano famosi per portare i loro clienti «a fare un giro». Chris fece applicare la Carta dei diritti del passeggero, esigendo che a bordo di ogni taxi venisse affisso un cartello nel quale era elencato tutto ciò a cui il passeggero aveva diritto: un'auto pulita, un taxista che non fumasse e conoscesse le strade cittadine, l'aria condizionata e così via. Mise una pianta della città sui taxi e promosse lezioni d'inglese per i taxisti non anglofoni. Decise anche di stabilire una tariffa fissa per le corse da e per l'aeroporto, in modo da assicurare i passeggeri che il taxista non li avrebbe spellati con delle deviazioni inutili. Era un uomo particolarmente creativo e i suoi programmi erano nell'interesse dei taxisti come dei loro clienti.

Ciò nonostante, però, la stampa non risparmiava Chris, che prima di entrare nella mia giunta faceva l'avvocato penalista. I giornalisti ricordavano la dubbia fama di certi suoi clienti, come spacciatori e altri indesiderabili, e sottolineavano il presunto eccesso di zelo con cui li aveva difesi. E anche se tutto ciò non aveva nulla a che fare con la qualità del suo lavoro di assessore, la stampa – in particolare i quotidiani – non gli dava tregua.

Ogni tanto i giornalisti riuscivano a trovare qualcosa di vagamente scandalistico da attribuirgli, come quella volta in cui litigò in pubblico con il gestore di un parcheggio nei pressi dello Yankee Stadium. Ma più articoli scrivevano, più io lo appoggiavo. Non potevo accettare che fossero i giornali a scegliere i miei rappresentanti di giunta.

Un paio di collaboratori mi dissero che stavo esagerando nell'appoggio a Chris e che avrei dovuto licenziarlo perché stava diventando una specie di handicap per l'amministrazione. Avevano ragione, probabilmente, ma continuava a tornarmi in mente un passaggio dell'autobiografia di Ed Koch, *Sindaco*. Koch racconta di un suo vice che gli aveva voltato le spalle, e poi ricorda senza particolare astio di come lo stesso vicesindaco si fosse presentato strisciando davanti a lui, chiedendo perdono. Non ci fu nulla da fare, Koch lo licenziò senza pensarci su un attimo e prendendolo in giro per il suo inglese all'italiana. E non si assunse la minima responsabilità per averlo a suo tempo preso con sé come vicesindaco, anzi dette la colpa alla commissione selezionatrice che l'aveva raccomandato.

Ripensando a questo episodio decisi che non mi sarei sbarazzato di Chris Lynn. In privato gliele avrei cantate, da quel giorno l'avrei tenuto a freno, ma non potevo umiliarlo e non lo feci. E lui continuò a ricoprire incarichi di responsabilità nella mia amministrazione.

Per un leader non è sufficiente dare e ricevere prove di amicizia e lealtà. La lealtà, per avere un significato, deve essere una dote diffusa tra tutti i componenti di un'organizzazione.

Ogni gruppo di lavoro numeroso soffre di rivalità interne e, se chi vi lavora è dotato e motivato, ci sarà chi penserà di essere il più bravo di tutti. Fino a un certo punto questo fenomeno può essere positivo, perché la concorrenza spesso fa emergere i migliori. Ma quando la rivalità sul lavoro trasforma i colleghi in cecchini, un leader ha il dovere di ricordare a tutti che lavorano per raggiungere lo stesso obiettivo. In tal modo si mette alla prova la lealtà nei confronti dell'organizzazione.

Nei primi tempi della mia amministrazione la città aveva il problema dei venditori ambulanti. Erano decisamente troppi, li trovavi a ogni angolo di strada, ostacolavano il traffico pedonale e toglievano lavoro ai commercianti «stanziali» che pagavano l'affitto dei negozi e contribuivano alle tasse sulle vendite. Bisognava ristabilire un certo equilibrio e investii della questione Rudy Washington. In quel periodo era impegnato in altre iniziative e, secondo alcuni miei collaboratori, sarebbe stato preferibile incaricare qualcun altro. Mi fu fatto notare che un altro dei miei vice, la già citata Fran Reiter, aveva probabilmente più tempo a disposizione per occuparsi degli ambulanti. Lei poi aveva una delega specifica ai rapporti di comunità e uno dei problemi legati agli ambulanti era quello di decidere dove sistemarli. Mi sembrava una questione relativamente minore e accettai il consiglio. Venne creata una commissione per decidere la dislocazione degli ambulanti, ma dopo un paio di riunioni la stampa si accorse che la faccenda era nelle mani di Fran e scrisse che Rudy Washington era stato rimosso per avere incasinato la situazione. A quel punto ne ebbi abbastanza. Tolsi l'incarico a Fran e lo detti a Rudy, suo legittimo titolare, sorbendomi poi le critiche della stampa per l'errore commesso nell'assegnazione dell'incarico.

Ma rimanere al fianco di qualcuno sottoposto a pubbliche critiche alla lunga «paga», perché le critiche lentamente scompaiono mentre la riconoscenza che ti sei guadagnato con la tua lealtà rimane. Più di una volta ho scelto certe persone per certe mansioni, pur sapendo che questa scelta avrebbe attirato critiche. A volte a non piacere ai critici erano proprio le ragioni che mi avevano indotto a scegliere una certa persona.

Sapevo che non sarebbe stata accolta dall'indifferenza generale la promozione di Bob Harding a direttore del Bilancio nel 1998 e successivamente a vicesindaco. Suo padre, Ray Harding, era il capo del Partito liberale a New York oltre che un mio vecchio supporter, amico e consigliere. Secondo me Bob era la persona più indicata per condurre le difficili trattative per il rinnovo di certi contratti di categoria e non avevo alcuna intenzione di nominare qualcuno meno qualificato di lui soltanto per zittire i critici. E avevo anche l'idea che Bob si sarebbe caricato di lavoro per dimostrare che non era stato scelto soltanto in forza del particolare rapporto che legava me e suo padre. E infatti alla fine si dimostrò uno dei miei vice più attaccati al lavoro ed efficienti.

Qualcosa del genere avvenne quando mi scelsi Geoff Hess come Primo consigliere. È il figlio del mio vecchio amico Mike Hess e, immancabilmente, certi giornali riferendosi all'assegnazione di quell'incarico usarono il termine «nepotismo». Geoff all'epoca aveva solo trentun anni, ma vantava già un'esperienza di due anni nel mio ufficio Legale come primo assistente di Denny Young e sapevo quindi in quali mani mi ero messo. Quando un articolo di «Newsday» mise in discussione la nomina di Geoff, pregai di giudicare lui e me in base ai risultati che avremmo ottenuto nell'ambito delle nostre rispettive competenze. Geoff, oltre a voler dimostrare di essere all'altezza del compito, sentì così di avere la fiducia e la stima del suo capo. Si assunse il compito di fare adottare Compstat ad altri venti uffici comunali e insieme con Debbie Kurtz, vice assessore agli Istituti di pena, riuscì a portare a termine quell'incarico in un tempo inferiore al previsto, nonostante il caos dell'11 settembre.

Fiducia e lealtà reciproche creano le migliori condizioni di lavoro. Geoff e Bob facevano parte insieme con me del gruppo rimasto intrappolato al 75 di Barclay Street quando le due torri crollarono e, nelle settimane seguenti, rimasero a lavorare a Ground Zero per me e per la città ogni momento della loro giornata. Non esagero. Alla fine di settembre Geoff tornò a casa dopo un'ennesima giornata lavorativa di venti ore al Centro di coordinamento che avevamo messo in piedi al porto. Sembra che abbia l'abitudine di scaricare la tensione guardando la TV in mutande, e io sono l'ultimo a poterlo criticare. Poco dopo mezzanotte abbassò lo sguardo e si accorse di avere assicurato all'elastico dei boxer il cellulare, il cercapersone telefonico e il cercapersone dell'e-mail. «Tre mezzi di comunicazione sulle mutande... questa sì che è serietà professionale» mi raccontò poi di avere pensato in quel momento.

Non siete pagati per farvi maltrattare

Chiunque abbia assistito a un incontro di baseball tra i Mets e gli Yankees si sarà accorto che i newyorchesi non si vergognano di esprimere un diverso punto di vista. Ebbene, rispetto ad alcune delle assemblee pubbliche da me presiedute in Comune, quegli incontri avevano la levità di un concerto per archi alla Carnegie Hall. A me stava anche bene, ero lì per raccogliere lamentele e proteste e, da newyorchese, apprezzavo le maniere brusche e dirette.

Ma deve esserci un confine tra la discussione animata e lo sviare l'andamento di una riunione pubblica per egoismo o protagonismo. Tenemmo delle assemblee particolarmente tempestose con urla, grida e dimostrazioni di protesta. Una volta i componenti di un gruppo si ammanettarono alle sedie e dovettero essere portati via di peso. Quindi fin dall'inizio fissai una regola: si poteva fare qualsiasi domanda si volesse. Io avrei lasciato che fosse completata, senza interrompere, anche se la domanda mi avesse fatto quasi uscire dai gangheri. Ma chi l'aveva posta aveva poi il dovere di ascoltare rispettosamente la mia risposta, senza interrompermi. In caso contrario sarebbe stato prima ammonito e, alla seconda interruzione, buttato fuori perché non potevo tollerare che sottraesse tempo agli altri quattrocento partecipanti all'assemblea.

Da sindaco avevo l'obbligo di accettare tante cose, ma non gli insulti e gli abusi verbali, e quest'obbligo non l'avevano nemmeno i miei assessori. Non mi stava tanto a cuore il rispetto della mia sensibilità, quanto quel tono civile che mi ero sforzato di instaurare in città. Le assemblee pubbliche si tenevano spesso all'interno di edifici scolastici: quando il pubblico urlava, rumoreggiava o si faceva aggressivo, ricordavo a tutti che ci trovavamo in una scuola e che non stavamo dando un bell'esempio. Una osservazione del genere, improntata a normali principi di civiltà e cortesia, fu considerata nella New York del 1994 una specie di rivelazione. Allora i politici erano abituati a prendersi gli insulti che gli venivano lanciati, anche i più ingiustificati: e quel modo di esprimersi era in un certo senso diventato la lingua ufficiale del Consiglio comunale. Una volta, quando lavoravo in uno studio legale, venne a trovarmi Guy

Molinari, presidente del Distretto di Staten Island: aveva bisogno di alcuni consigli a proposito di una deposizione che avrebbe dovuto rendere davanti al Consiglio comunale. Guy era stato un parlamentare nazionale e membro dell'assemblea dello Stato di New York, era un ex marine, e quindi non era tipo da scandalizzarsi di certe discussioni accese. Dopo la deposizione mi telefonò per dirmi che mai in vita sua aveva visto qualcuno comportarsi in quel modo. «Gli insulti che si lanciavano! Se la prendevano con me ma litigavano anche tra di loro.»

Pensai a un episodio che mi aveva raccontato il giudice MacMahon, di quando aveva presieduto il tribunale che doveva giudicare per traffico di stupefacenti Carmine Galante, boss della famiglia Bonanno. Più di una volta, durante il processo, Galante e i coimputati avevano dato fuori di matto urlando oscenità, tirando oggetti e facendo per lanciarsi contro la pedana del giudice. MacMahon li aveva fatti ammanettare e imbavagliare, poi aveva ripreso l'udienza. A distanza di anni molti giudici gli danno atto di avere stabilito un precedente che consentiva loro di mantenere il controllo dell'aula.

Il Consiglio comunale di New York, in pratica l'organo legislativo mentre il sindaco e la giunta rappresentano l'esecutivo, è composto di 51 consiglieri. Di questi, 45 e a volte 46 erano Democratici e, in quanto tali, non sempre ben disposti nei miei confronti e in quelli della giunta che presiedevo. Un paio di volte i miei assessori erano stati convocati in Consiglio e maltrattati, fatti oggetto cioè di urla, sfottò e insulti. Avendo fissato la regola di non tollerare gli insulti rivolti a me nel corso delle assemblee pubbliche, decisi che una norma del genere andava applicata anche a beneficio di quelli che lavoravano con me.

Così dissi agli assessori: «Se qualcuno vi maltratta a parole vi autorizzo, e vi consiglio, a replicare: "Egregio signore, se continuerà a gridare e a usare questi termini nei miei confronti, mi alzerò e me ne andrò. Io non l'ho trattata così e lei non può quindi continuare a trattare così me". E se quello non si darà per vinto, dovrete andarvene sapendo di potere contare sul mio pieno appoggio».

Nel maggio 2001 Jason Turner comparve davanti a una commissione consiliare. Si stava avvicinando la scadenza dei cinque anni che nel 1996 il Presidente Clinton aveva fissato come limite per la concessione dei benefici del welfare federale. Lo Stato di New York aveva approntato un piano di aiuti per coloro che alla scadenza dei cinque anni non avevano più titolo per ricevere quei benefici, e ci ripromettevamo di convincere a rendersi autosufficienti coloro che si presentavano per usufruire di quel piano. Quando venivano a riempire i moduli, cioè, illustravamo a coloro che avevano ricevuto almeno per cinque anni i sussidi del welfare, e che fossero anche in grado di lavorare, una serie di possibilità di lavoro, o di seminari preparatori, in modo da avviarli verso l'autosufficienza.

Il presidente di questa commissione, Stephen DiBrienza, aveva l'abitudine di gridare contro gli assessori e di prendersela con loro per qualsiasi motivo. E DiBrienza decise di prendere pesantemente in giro Jason, chiedendogli se quelli che allo scadere dei cinque anni non avevano fatto domanda per usufruire del piano statale avrebbero potuto trasferirsi a casa sua. L'assessore chiese pacatamente a DiBrienza di «calmarsi» e per tutta risposta si ebbe un'altra sfuriata. Allora lui e i suoi assistenti si alzarono e uscirono dall'aula.

Il Consiglio comunale ha il potere di convocare davanti a sé un testimone, ma non ha il diritto di maltrattarlo. In altre occasioni gli assessori fecero come Turner, cioè si alzarono e se ne andarono sapendo che, se si fosse reso necessario, li avrei difesi davanti a un tribunale.

I miei assessori sapevano cioè di avere le spalle protette dal capo e potevano permettersi certe mosse azzardate senza timore di essere abbandonati da me. E quando i consiglieri comunali capirono che non avrei permesso che i miei collaboratori venissero maltrattati, le sedute si trasformarono in civili conversazioni sui principali problemi della città.

In un'altra triste occasione non volli tollerare che i miei collaboratori ricevessero critiche ingiustificate: i tragici fatti dell'11 settembre. Quando, dopo il silenzio stordito dei primi giorni, cominciò gradualmente a tornare un minimo di normalità, alcuni giornali cominciarono a porre la questione dei risarcimenti, considerati eccessivi, a favore delle famiglie degli agenti e dei vigili del fuoco periti. Mi sembrò profondamente ingiusto provocare quella nuova sofferenza alle famiglie. Se avessi avuto carta bianca, ogni componente di quelle famiglie avrebbe avuto ciò che gli spettava, sia che si fosse trattato dell'ultimo sguattero del ristorante Windows on the World o di un broker della Cantor Fitzgerald, con stipendio annuo a sette cifre. Ma in quanto sindaco, cioè primo amministratore della città di New York, avevo l'obbligo di preoccuparmi prima di coloro che avevano scelto di lavorare per la città.

Attingendo al Twin Towers Fund, il fondo creato a questo scopo dal Comune, mi affrettai a distribuire i risarcimenti. Per il Thanksgiving avevamo consegnato 46 milioni di dollari alle famiglie del personale in uniforme che aveva perso la vita nel disastro; e a giugno del 2002 erano stati distribuiti più di 155 milioni di dollari. Volevo fare tutto il possibile per onorare l'impegno preso con le famiglie dei dipendenti comunali e riuscimmo almeno a fornire loro un'assistenza finanziaria. Questa nostra rapida risposta alle esigenze delle famiglie si riprometteva di raggiungere tre obiettivi. Il primo era quello di convincere gli altri enti ad attivarsi con altrettanta rapidità. Il secondo era quello di convincere il Fisco a stabilire a beneficio delle famiglie delle norme di utilizzo dei fondi ricevuti. E infine quello di far capire alle famiglie stesse, con la nostra sollecitudine, che pensavamo a loro anche nei giorni di festa: quelli cioè in cui si sentivano particolarmente soli.

Questa vicenda contiene una lezione di management fin troppo ovvia. Il problema, cioè, non era solo quello di stabilire chi aveva diritto a che cosa. Affrontare le immediate conseguenze della crisi era un aspetto dell'equazione, ma pensare al futuro era altrettanto importante. Provate a immaginare che cosa sarebbe successo se il sindaco non si fosse immediatamente dato da fare per le famiglie degli agenti, dei vigili del fuoco e dei soccorritori scomparsi. Chi si sarebbe più gettato tra le fiamme, alla prossima occasione, senza avere la sicurezza che se non ce l'avesse fatta la città si sarebbe presa cura dei suoi familiari? Che gente avrebbe fatto domanda per entrare in polizia, se il sindaco e la città non avessero dimostrato di essere dalla parte loro in caso di necessità? Mostrare riconoscenza a chi aveva dimostrato tanto attaccamento alla città e ai suoi abitanti non era solo la cosa giusta da fare, ma anche l'unica speranza di progresso.

Nel 1970, dopo avere lavorato due anni con il giudice MacMahon, passai al Distretto meridionale di New York come sostituto U.S. Attorney. E una delle prime cause trattate, una storia di evasione fiscale e corruzione, era stata assegnata per una singolare coincidenza proprio al giudice MacMahon. Il mio avversario era Lou Bender, avvocato noto ed esperto, specializzato nella difesa di personaggi di rilievo imputati di complicati reati fiscali. Io avevo ventisei anni, ero decisamente alle prime armi e convinto che quel processo fosse al di sopra delle mie possibilità. Esistevano delle audiocassette a carico dell'imputato, ma il loro contenuto era ambiguo. Toccava all'accusa e alla difesa corroborare o smontare il contenuto di quelle cassette.

Quello era forse il mio quarto processo. Fino ad allora mi ero dedicato a cause varie e tutte minori, come si conviene a un sostituto U.S. Attorney di fresca nomina: una distilleria clandestina ad Harlem, un accoltellamento in alto mare, una rapina in banca. Cause con cinque o sei testimoni che nessuno avrebbe potuto perdere, e che nessuno dovrebbe perdere.

Il mio capo, Mike Seymour, avendo deciso di smaltire la mole di lavoro arretrato, aveva chiesto ai suoi assistenti di occuparsi del maggior numero possibile di processi. Teneva in ufficio una grossa tabella con tutte le vertenze che ci erano state assegnate e le spuntava man mano che si chiudevano. Tutti noi ricevevamo casi troppo complicati e in qualche modo dovevamo sbrogliarcela con le nostre forze.

Quando entrai in aula il giudice MacMahon chiese agli imputati se avevano intenzione di ricusarlo, dal momento che era stato il mio capo. In cuor mio pregavo che l'avvocato Bender facesse davvero istanza di ricusazione, ricordandomi quanto fosse esigente il giudice e non avendo nessuna intenzione di averlo come presidente in un processo così complicato e con un avvocato difensore così agguerrito.

Ma Lou Bender non lo ricusò. «Io la conosco, giudice» disse. «Lei sarà severo con tutti, ma giusto. E probabilmente sarà ancora più severo con lui che con me: quindi non la ricuso.» Ebbi quasi la tentazione di autoricusarmi. Forse esisteva una maniera elegante per esprimere un concetto del tipo: «Sapete, vorrei evitare qualsiasi problema legato alla legittimità della mia costituzione in giudizio...». Ma non ci fu modo di uscirne, tutti quelli che conoscevano MacMahon sapevano che non avrebbe favorito nessuno.

Così ebbe inizio il processo. Lou Bender e io ci demmo dentro da matti, io ad accusare e lui a difendere, finché non giunse l'ultimo giorno del dibattimento, un giovedì. A quel punto Bender sorprese tutti, annunciando che non avrebbe presentato memorie difensive: faceva affidamento, disse, sulla sostanziale insufficienza degli elementi di prova presentati dal governo. Fui preso in contropiede, non sapevo che cosa fare, ero del tutto impreparato a pronunciare la requisitoria.

«Bene, avvocato Bender, allora pronunci la sua arringa conclusiva» disse il giudice. «Andiamo, giudice, mi dia tempo almeno fino a domani» chiese lui. Ma il giudice fu inflessibile. «No, signor Bender. Lei sapeva che non avrebbe presentato una memoria difensiva, quindi pronuncerà la sua arringa ora.»

Intervenni io. «Ma l'accusa non sapeva, Vostro onore, che la difesa non avrebbe presentato la memoria: posso avere tempo fino a domani per la requisitoria?» «No.»

Io e Bender ci sedemmo, come storditi. Pensammo che forse facendo fronte comune, spiegando al giudice che nessuno di noi due avrebbe avuto nulla in contrario a una proroga... Ma lui non sentì ragioni. Pronuncerete arringa e requisitoria ora, disse, la corte ha tempo, la giuria anche e questo processo si chiuderà oggi.

In tal modo MacMahon aveva chiaramente sfavorito l'accusa, che non poteva anticipare quella mossa della difesa. Ma, contrariamente alla mitologia giudiziaria, nelle aule di giustizia non sempre si fa giustizia. Bender si alzò e pronunciò la sua requisitoria: faceva quel lavoro da quarant'anni e non aveva nemmeno avuto bisogno di prepararsi. Anzi, per quello che ne sapevo, poteva benissimo essersi preparato una scaletta, prevedendo che il giudice non gli avrebbe concesso la proroga all'indomani. Quando ebbe terminato mi alzai io. Di solito mi preparo con il massimo scrupolo, ma in quella circostanza dovetti improvvisare senza appunti, senza una scaletta, senza un accidente di niente. Feci del mio meglio per ricapitolare i fatti a beneficio della giuria e cercai di convincerli delle ragioni in favore della condanna. Dopo una novantina di minuti tornai a sedermi e il giudice MacMahon annunciò che la giuria sarebbe entrata in camera di consiglio il giorno dopo. Tornai esausto al mio ufficio. Era stata la mia quarta o quinta requisitoria e non avevo idea se fossi riuscito a essere un minimo convincente o se, come temevo, mi fossi addirittura dimenticato qualche elemento sul quale alla vigilia avevo deciso di puntare.

Il giudice MacMahon morì l'8 aprile 1989, nel periodo in cui la mia prima campagna a sindaco entrava nel vivo. Ora posso rivelare qualcosa che finora avevo tenuto per me.

Quel giovedì sera, attorno alle nove e trenta, sedevo alla mia scrivania nell'ufficio di U.S. Attorney quando ricevetti una telefonata da Joe, il commesso dell'aula dove si era celebrato il processo. «Lo so che per te è stata un'esperienza stressante» mi disse, «ma devo farti sapere una cosa. Tornando nel suo ufficio il giudice sprizzava orgoglio da tutti i pori e si è tolto la toga facendo quasi saltare i bottoni. Diceva che era stata una delle migliori requisitorie che avesse mai ascoltato. Ti ha fatto fare un ottimo tirocinio. Non so se vincerai o perderai la causa, ma lui ha continuato a vantarsi di te con tutti quelli che incontrava. Volevo che lo sapessi, ragazzo mio. Non dire a nessuno che ti ho telefonato.»

Joe riattaccò e il giorno seguente vinsi la causa. Negli anni della nostra amicizia il giudice MacMahon non accennò mai a quel processo e la mia conversazione con Joe fu l'unica comunicazione che ricevetti a proposito della mia requisitoria. Ma in un certo senso la mia carriera è nata da quel processo. Da allora ci ho sempre ripensato ogni volta che mi si presentava un caso difficile. Ho imparato a non leggere documenti a una giuria o al pubblico, ma ad assorbire i fatti e a esporli con le mie parole e la mia voce. Ma fu soprattutto una rivelazione sapere che avevo fatto colpo su una persona che ammiravo tanto come il giudice MacMahon. Non ho mai dimenticato che piacere mi abbia fatto essermi guadagnato la stima di una persona per la quale nutrivo un tale rispetto. Per me ha significato moltissimo.

XI
Matrimoni facoltativi, funerali obbligatori

Il capo Raymond Downey rappresenta l'immagine della categoria «Newyorchesi eroici», ne è in un certo senso il testimonial. È anche grazie a lui, responsabile del comando Operazioni speciali e missioni di salvataggio dei vigili del fuoco, se New York è additata a livello nazionale come modello di reazione rapida e pianificazione d'intervento in occasione di calamità.

Fu il capo Downey a dirigere le operazioni di soccorso dopo l'attentato del 1993 al World Trade Center. Quando a Oklahoma City un ordigno fece saltare il Murrah Federal Building, il capo Downey fu chiamato dalla FEMA (Federal Emergency Management Agency) a prendere in mano la situazione e lui lavorò sul posto per sedici giorni consecutivi. Nel suo ruolo di capo dell'équipe Ricerca e soccorso urbano, a New York, Downey interviene in tutto lo Stato in caso di inondazioni e bufere di neve e a suo tempo ha anche dato una mano per alleviare le sofferenze della popolazione della Repubblica Dominicana, dopo il passaggio dell'uragano Georges.

Il capo Downey è quindi una figura eroica, un'autorità nazionale riconosciuta. Ma se gli chiedete qual è stato il lavoro più importante della sua vita non vi parlerà dei premi ricevuti, delle missioni a rischio e nemmeno di *The Rescue Company*, il libro che in qualche modo è riuscito a scrivere nei suoi pochissimi ritagli di tempo. Vi parlerà invece dei suoi legami familiari.

I Downey sono una famiglia di vigili del fuoco. Due fratelli di Ray, Tom e Gene, sono vigili del fuoco; il figlio Chuck è un tenente della Compagnia pompieri 317; l'altro figlio Jim è un capitano della Compagnia 18 sulla 10ª strada Est. Ed è ovviamente la moglie Rosalie, sposata quarant'anni fa, che il capo Downey deve ringraziare per i suoi trentanove anni di servizio, i cinque figli, i sette nipoti.

Rosalie Downey ha dovuto sopportare lunghe separazioni dal marito, impegnato spesso in prima linea. Ricordo di avere visto una volta il capo Downey dopo il crollo di un edificio a Houston Street, lavorava sul posto da due giorni senza interruzioni e gli chiesi come si sentiva. Bene, rispose, ma purtroppo non sono riuscito a vedere mia moglie. Allora mandai un biglietto a Rosalie, pregandola di scusarlo per la lunga assenza al servizio della cittadinanza. Stasera quindi non onoriamo solo le straordinarie imprese di questo grande newyorchese, ma anche l'appoggio e l'affetto costanti che gli ha saputo dare sua moglie.

Il capo Downey morì l'11 settembre 2001, insieme ad altri 342 confratelli, sacrificando la sua vita nella più imponente operazione di soccorso nella storia degli Stati Uniti. Oltre 25.000 persone furono salvate grazie al coraggio, alla professionalità e alla leadership di uomini come lui. Leggere questo tributo mi spezza il cuore. Ma il brano che ho riportato non fa parte di un'orazione funebre e non l'ho pronunciato al suo funerale. L'avevo preparato per Ray, servendomene poi come spunto per alcuni commenti scritti che avevo consegnato a lui, ai suoi familiari e a un centinaio di amici e colleghi circa sei settimane prima della sua morte.

Ecco come andarono le cose.

Domenica 17 giugno 2001, il Giorno del papà, due ragazzini che giocavano nei pressi di un negozio di ferramenta, a Queens, fecero rovesciare una tanica di benzina. Il carburante si sparse passando sotto una porta e prese fuoco accanto a numerose latte di vernici e smalti, provocando un imponente incendio. Durante l'opera di spegnimento vi fu una terribile esplosione che uccise i vigili del fuoco Harry Ford, Brian Fahey e John J. Downing, lasciando tre vedove e otto orfani.

Vidi Ray al lavoro, in quella circostanza. Era entrato nel dipartimento Vigili del fuoco nel 1962, aveva percorso una brillante carriera e ora, a sessantatré anni, combatteva ancora in prima linea. Nel bel mezzo di quel disastro – oltre ai tre morti vi furono oltre cinquanta pompieri feriti – vidi Tom Von Essen, che mi indicò proprio il capo Downey. «Continuo a ripetergli di andare in pensione e godersi la vita» mi disse, «ma lui da quell'orecchio non ci sente.»

Pensai allora alle eccezionali doti di tanti di quegli uomini e considerai con tristezza che era ogni volta necessario un funerale perché l'ammirazione dei colleghi e dei familiari potesse essere espressa. Se Ray Downey fosse andato in pensione dopo la scadenza del mio mandato forse non avrebbe ricevuto gli encomi e il rispetto che si era meritati. Tom sembrò leggere i miei pensieri. «Probabilmente rimarrà al suo posto dopo che noi saremo usciti di scena» disse, «e non avrà nessun riconoscimento per ciò che ha fatto.» Allora lanciò un'idea. «Perché non organizziamo una festa in suo onore?» Feci immediatamente mia quell'idea e pregai Tom di occuparsi da subito dell'organizzazione: lui, entusiasta, propose di affittare un ristorante, ma io preferii fare svolgere il party a Gracie Mansion. Tom organizzò i preparativi in un paio di settimane (altro esempio della velocità di reazione del dipartimento) e fissò come data il 23 luglio 2001. Mi chiesi se non fosse il caso di spostarla a ottobre o novembre, inserendola tra le cerimonie d'addio che avrebbero accompagnato la mia uscita di scena. Ma a quel punto rimandare era impossibile, la festa si svolse il 23 luglio e durante il suo svolgimento pronunciai il discorso con il quale ha inizio questo capitolo. Rividi Tom al lavoro l'11 settembre, al World Trade Center.

Fino a quel giorno Tom e io avevamo pensato che l'incendio del Giorno del papà fosse stato in assoluto il più grave affrontato dal dipartimento Vigili del fuoco, almeno durante i miei due mandati da sindaco. In altre due circostanze, nel 1994 e nel 1998, avevamo perduto tre pompieri, vittime di un'esplosione: ma la tragedia di Queens era più toccante delle altre proprio perché avvenuta nel Giorno del papà e, durante le operazioni di spegnimento, Tom e io ci augurammo a vicenda di non dover partecipare ad altri funerali nei nostri ultimi mesi in carica. Magari fosse stato così.

Il 20 ottobre 2001 molti dei più noti attori e cantanti americani parteciparono al Madison Square Garden a una serata in onore dei soccorritori, organizzata per raccogliere fondi in favore delle famiglie delle vittime del World Trade Center. Lo show fu superbo, pieno di quei momenti toccanti che non si dimenticano (io e i miei provammo un enorme piacere ascoltando la canzone *Opera Man* nella quale Adam Sandler aveva infilato le parole: «Giuliani, perché devi andartene domani?»). Ma la parte che mi commosse maggiormente non vide sulla scena una delle celebrità presenti.

Ero al centro del palcoscenico e stavo per pronunciare un discorso, quando dalla platea si alzò Chuck Downey, uno dei figli di Ray. Chuck mi venne accanto e mi prese una mano, consegnandomi un braccialetto all'interno del quale era stato inciso il nome del padre e la sigla S.O.C., Special Operations Command. Mi chiese di mettermelo al polso e fui più che orgoglioso di accontentarlo.

Fino a quando la tragedia del World Trade Center non me lo impedì, partecipai a tutti i funerali dei caduti al servizio della città di New York. La mia presenza non serviva soltanto a dimostrare ai familiari quanto fosse stato per me importante il loro caro, ma si rifletteva anche su loro stessi, sottolineando implicitamente la loro importanza. Una lezione, questa, che ho imparato da mio padre il quale si distingueva nell'aiuto di chi aveva maggiormente bisogno di lui. Da bambino mi portava alle veglie funebri e ai funerali, e mi rendevo conto di come quel suo gesto colpisse i nostri amici e conoscenti. Il messaggio che papà con la sua caratteristica tenacia mi impresse nel cervello era questo: i matrimoni sono facoltativi, i funerali obbligatori.

Da allora mi sono attenuto a questa norma, a volte forse arrivando ai ferri corti con chi preferisce occasioni d'incontro più distensive. Io per natura tendo a farmi vivo con la gente nei momenti tristi invece che in quelli sereni, forse perché preferisco risparmiare il mio tempo e le mie energie per chi ne ha davvero bisogno. Ciò non significa, ovviamente, che vada solo ai funerali o eventi del genere, da sindaco ho sposato più di duecento coppie. Mi piace mangiare, mi piace la musica, mi piace perfino ballare. I funerali non sono per definizione piacevoli, per questo si sente il bisogno di certe persone e si apprezza tanto la loro presenza alla cerimonia. Le occasioni felici come i matrimoni, i party, le cene sono certo importanti e un leader dovrebbe unirsi a chi vi partecipa, specialmente se si tratta di dare un riconoscimento al duro lavoro e al sacrificio; ma nei momenti critici, quando qualcuno al quale tieni cerca disperatamente risposte o sta seppellendo una persona cara, un leader dà la misura della sua leadership.

Non immaginavo che la lezione di mio padre avrebbe avuto un peso così importante nella mia vita e mi chiedo sempre se riuscirò a mettermi alla sua altezza nel dare agli altri. Fino all'11 settembre non avrei mai immaginato che avrei assistito a più funerali di lui.

Avevo capito l'importanza dei funerali molto prima di diventare sindaco. La mia vecchia amica Sara Vidal è una donna meravigliosa e si considera detentrice del primato di persona più baciata da Rudy Giuliani, perché ogni volta che ci vediamo l'abbraccio forte e la bacio. Sua sorella Raquel Vidal è stata per anni assistente del mio predecessore, David Dinkins, e questa non è del tutto una coincidenza. Entrambe si sono dedicate con passione alle mie campagne elettorali e per questa collaborazione hanno la mia riconoscenza. Nel 1989 andai al funerale della loro madre, celebrato in una chiesa episcopale simile a quella di Brooklyn accanto alla quale sono cresciuto prima di sapere che esistevano degli italiani di fede episcopale, e la semplice mia presenza significò molto per le due sorelle. L'entusiasmo con il quale lavorarono con me negli anni seguenti e la genuina corrente di simpatia che si stabilì tra noi fu una importantissima lezione. E non la sola. Victor Robles era un consigliere comunale Democratico, lavoravamo insieme e ci trovavamo spesso in disaccordo. Quando sua madre morì andai alla veglia funebre e da allora, ogni volta che ci vediamo, mi ripete quanto abbia apprezzato il mio gesto.

Questa lezione non impiegò molto a trovare applicazione in circostanze negative appena divenni sindaco. Erano passati trentacinque minuti dalla mezzanotte del nuovo anno, e quindi ero sindaco da trentacinque minuti, quando due poliziotti furono feriti a colpi di pistola sul tetto di un palazzone popolare. Andai subito a trovarli in ospedale, e il pomeriggio del mio primo giorno da sindaco andai a far visita in un altro ospedale a un vigile del fuoco di Staten Island, rimasto ferito il giorno prima insieme con altri colleghi mentre spegnevano un incendio.

Agenti e pompieri sono ovviamente i dipendenti comunali ai funerali dei quali è necessaria la presenza dei più importanti esponenti dell'amministrazione cittadina. Ma lo stesso rispetto meritano gli addetti ai trasporti, gli agenti di custodia e tutte le altre categorie.

Sabato 4 agosto 2001 Michael Gennardo, sovrintendente distrettuale della Nettezza urbana, andò come ogni giorno al lavoro a Brooklyn, nel deposito dei mezzi dell'azienda. Arrivò un'ora prima, al solito, e sempre al solito aveva in tasca molti contanti e addosso oggetti di valore. Tutt'altro che abituale fu invece l'incontro di quest'uomo, dipendente comunale da trentun anni, soprannominato dai colleghi «il filosofo», con un balordo che lo rapinò e gli sparò.

La sera prima ero andato a Long Island ospite per il fine settimana di Ken Caruso, mio vecchio amico ed ex assistente nell'ufficio di U.S. Attorney. Dopo cena avevamo chiacchierato fino a tardi e così la mattina di sabato ero rimasto a letto fino alle otto e trenta, cioè tardissimo per le mie abitudini. L'idea era di fare una bella colazione con Ken e andare a giocare a golf a mezzogiorno. Ma Ken mi si presentò in camera per avvertirmi che era appena arrivato e aveva chiesto di parlarmi uno degli agenti assegnati alla mia scorta, Beau Wagner. Brutto segno. Scesi di corsa, ancora mezzo svestito, e Beau mi informò che un dipendente della Nettezza urbana era stato ferito a colpi d'arma da fuoco e versava in condizioni disperate al Brookdale University Hospital di Brooklyn.

Ho sempre una valigetta pronta e la infilai in macchina. Ken non mi aveva mai visto scattare in quel modo, come è necessario fare in circostanze d'emergenza. Gli spiegai la situazione, mi scusai e con Beau al volante tornammo di volata in città.

Al Brookdale Hospital trovai, oltre ai familiari di Michael Gennardo, due dei detective che indagavano sul ferimento, il viceassessore alla Polizia Joe Dunne, il capo del dipartimento Joe Esposito e l'assessore alla Nettezza urbana Kevin Farrel. Lavorando al mio fianco, evidentemente, quegli uomini avevano capito quanto fosse per me importante dare di persona certe testimonianze di solidarietà alle famiglie.

Stavo parlando proprio con i familiari di Gennardo quando arrivò la notizia che era morto. Li abbracciai, feci loro le condoglianze, spiegai quanto ci sentissimo in debito con chi lavorava al servizio della città e assicurai loro che il Comune avrebbe provveduto ai funerali oltre che a corrispondere loro il risarcimento previsto per le famiglie dei caduti in servizio. Le preoccupazioni economiche rappresentano il peso tangibile che la città può togliere dalle spalle dei familiari in lutto. Ma ci sono pesi intangibili e molto più dolorosi. In molti casi, diciamo nove volte su dieci, queste famiglie si sentono più sollevate nel vedere il capo adoperarsi per tutelare i loro interessi; a volte invece sono così distrutte che questi gesti hanno un effetto controproducente.

Fu un'esperienza strana e triste trovarsi in quell'ospedale quel giorno. C'ero già stato altre volte, a trovare poliziotti feriti, e mi accompagnava di solito il pittoresco (dal punto di vista dell'abbigliamento) Jack Maple, che era stato vice di Bill Bratton all'assessorato alla Polizia. Quello stesso giorno di agosto Jack morì di cancro e qualche giorno dopo a rendersi obbligatori furono la veglia e i suoi funerali.

Non limitai comunque queste tristi incombenze ai casi in cui a perdere la vita erano uomini e donne che questa vita avevano speso al servizio della città. Il 17 luglio 1996 il volo TWA 800 esplose in aria pochi minuti dopo il decollo, al largo di Long Island, e le 230 persone a bordo morirono tutte. Vedendo come la compagnia stava gestendo quell'emergenza, sentii l'obbligo che la città assumesse il controllo della situazione. Strappai letteralmente di mano a un funzionario della TWA l'elenco dei passeggeri e dell'equipaggio e detti personalmente la notizia a un certo numero di familiari in lacrime. Mettemmo in piedi un centro per l'assistenza alle famiglie all'interno del Ramada Plaza Hotel, vicino all'aeroporto Kennedy, e vi rimasi con i miei collaboratori quasi ventiquattr'ore di seguito. Il Comune mise a disposizione sommozzatori, equipaggiamenti per le ricerche, consulenti e agenti per garantire la sicurezza nell'hotel e nell'aeroporto, mentre l'unità comunale di assistenza si metteva a disposizione delle famiglie, molte delle quali non erano di New York e dintorni, sia per consolarle sia per informarle su ogni aspetto della tragedia. Non immaginavamo certo che quell'esperienza sarebbe stata formativa per Rosemarie O'Keefe e il suo staff quando, dopo l'attacco alle torri, si trattò di mettere in piedi un centro per le famiglie.

Durante i miei otto anni da sindaco vi fu un alto numero di disastri aerei e ognuno di questi voli era partito dal Kennedy con più di duecento persone a bordo. Oltre alla tragedia del TWA 800 vi furono quelle dello Swissair 111, dell'EgyptAir 990 e, come se la città non avesse sofferto abbastanza, due mesi dopo l'attacco alle Torri gemelle il volo 587 dell'American Airlines si schiantò al suolo in fase di decollo. In ognuno di questi casi fu praticamente requisito il vicino Ramada Plaza Hotel, che venne ribattezzato Heartbreak Hotel dai miei collaboratori.

In queste occasioni mi resi conto dello strazio provato dalle famiglie dei passeggeri. Sanno logicamente che il loro familiare è morto, ma in loro la realtà stenta a farsi strada fino a quando non leggono su un pezzo di carta ufficiale che il padre, la moglie o la figlia si erano materialmente imbarcati su quel volo.

La mia abitudine di correre a portare solidarietà fu messa a dura prova subito dopo la tragedia del World Trade Center. Le dimensioni del disastro e il numero delle famiglie bisognose di conforto e assistenza non avevano precedenti. A differenza delle altre catastrofi, questa minacciava addirittura il funzionamento della città. Ed essendo immediatamente apparso chiaro che si era trattato di un attentato compiuto da un gruppo terroristico, i cui componenti e fiancheggiatori erano ancora in libertà, non potevamo parlare di un gesto isolato e dedicarci subito a suturare le ferite psichiche e a organizzare la ricostruzione. Le enormi esigenze delle famiglie colpite andavano cioè di pari passo con l'imperativo categorico di fare tutto il possibile per ridurre al minimo l'eventualità di un nuovo attacco.

Mi resi subito conto dell'importanza di commemorare adeguatamente coloro che avevano perso la vita, e in particolare quelli che l'avevano persa nel tentativo di salvare qualcuno. La mattina del 13 settembre, nel comando temporaneo che avevamo istituito nei locali dell'Accademia di polizia, rivolsi la mia attenzione all'orribile realtà dei nostri eroi scomparsi. «Saranno almeno trenta gli agenti e trecento i vigili del fuoco che avranno bisogno di sepoltura» dissi al mio staff. «Molte famiglie vorranno un funerale solo per il loro caro e invece, con un così alto numero di vittime , sarà impossibile celebrare un grande funerale per ciascuno di loro, come facciamo di solito quando muore un dipendente in uniforme. Ma dobbiamo ugualmente fare capire alle famiglie quanto abbiamo apprezzato il coraggio e il sacrificio del loro congiunto.»

Dal martedì mattina non avevamo praticamente chiuso occhio, ma ciò nonostante il *brainstorming* ebbe subito inizio. Bernie Kerik risolse immediatamente il problema della presenza del Comune alle esequie proponendo di inviare a ogni funerale una minisquadra composta da agenti, vigili del fuoco e soldati della Guardia nazionale. Poi ci dedicammo alla ricerca di una località ideale dove celebrare la settimana dopo la cerimonia della preghiera collettiva di suffragio. Furono proposti Central Park, il Madison Square Garden e altri posti del genere, ma a me sembrò che fosse lo Yankee Stadium a simboleggiare più compiutamente New York. Sunny Mindel sollevò il problema dell'opportunità di utilizzare uno stadio da baseball per una occasione triste come quella, ma gli feci notare che in quello stesso stadio il papa aveva celebrato messa e questo tagliò la testa al toro. Il 23 settembre durante la cerimonia il tenore Placido Domingo cantò l'*Ave Maria*, una delle preghiere in musica da me preferite, e Bette Midler dette tutta se stessa nella canzone *Wind Beneath My Wings*.

L'enormità della catastrofe si ripercosse su ogni ufficio del Comune. Il dipartimento della Salute dovette controllare costantemente la qualità dell'aria nella zona di Ground Zero. Quello dei Trasporti si occupava delle variazioni del traffico e dava una mano nei controlli delle auto che si avvicinavano all'imbocco di ponti e tunnel. La Nettezza urbana dovette rimuovere centinaia di tonnellate di nuovi detriti e il dipartimento dell'Edilizia ebbe l'incarico di individuare al più presto spazi per uffici e accertare la presenza di eventuali danni alle strutture per evitare nuovi sinistri. Il quadro economico aveva ovviamente e pesantemente subito le conseguenze della tragedia e ogni servizio sociale sembrava sovraccarico di lavoro. Con il mio staff occupatissimo a seguire i nuovi compiti affidati a ciascuno dei loro dipartimenti, c'era da prevedere che venisse trascurata o ignorata qualche doverosa incombenza. E a me non piacciono le incombenze trascurate o ignorate.

Ci eravamo trasferiti da qualche giorno al nuovo centro di coordinamento dell'emergenza, al molo 92 sul fiume Hudson, quando durante la riunione del mattino ci giunse un messaggio della presidentessa del distretto del Bronx. Molti dei nostri dipendenti in uniforme abitano a Queens e Claire Shulman aveva notato che nessun rappresentante del mio ufficio aveva preso parte ai funerali di un vigile del fuoco. L'impressionante numero di vittime rendeva impossibile la mia presenza a ogni funerale e, dopo l'arrivo di questo messaggio, i partecipanti alla riunione erano curiosi di vedere come avrei reagito. Sembravano equamente divisi tra quelli che si aspettavano una mia sfuriata e quelli che consideravano una scusa accettabile il sovraccarico di impegni. I primi non si sbagliavano.

Non c'era stato nemmeno uno dei miei collaboratori che non avesse dato dimostrazione di dedizione ed efficienza in quelle terribili circostanze, ma quella dimenticanza era inaccettabile. Decisi quindi di far stilare un elenco dei funerali ancora da celebrare, in modo che a ognuno di essi partecipasse un esponente dell'amministrazione, e dissi ai presenti che non si sarebbero dovuti limitare ad assistere alla cerimonia, ma dovevano far notare la loro presenza e consolare i parenti delle vittime.

Non fu facile, sul piano organizzativo. Ogni giorno venivano celebrati dai dodici ai venti funerali e io cercavo di partecipare ad almeno sei. La mattina di uno dei primi giorni di ottobre ero al lavoro al molo 92, impegnato a fissare l'agenda della giornata. Marilyn Krone, un'amica di Judith, mi stava osservando e a un certo punto mi resi conto che quanto stavo scribacchiando assomigliava a un piano di battaglia, nel quale si cerca di raggiungere il più alto numero possibile di persone nell'arco della giornata. Siccome non si può andare dal Bronx a Staten Island e tornare, era necessario abbozzare un programma realistico tale da consentirci di fare il possibile.

L'8 ottobre, per esempio, in aggiunta alla massa di impegni nella città che cercava di riprendersi, avevo in agenda sei funerali. Si sarebbe potuto obiettare, e qualcuno lo fece, che avrei potuto delegare ad altri i funerali e le commemorazioni. Ma quali voci della mia agenda avrei dovuto cancellare quel giorno? Forse il funerale di un agente, il secondo al quale sarei andato dall'11 settembre? O forse il servizio in memoria di Donald J. Burns, assistente del capo dei vigili del fuoco? Proprio per l'importanza del suo incarico, Burns doveva correre sul posto di ogni incidente durante i suoi turni di ventiquattr'ore.

Esaminando insieme l'agenda degli impegni previsti per la mattina dell'8 ottobre, Tony Carbonetti e io tornammo con il pensiero a tutte quelle brave persone delle quali quel giorno si sarebbero svolti i funerali. Tony, che ha un suo particolare modo d'esprimersi, si ricordò di quella volta in cui «un insopportabile ispettore dei pompieri» stava per spedirci una citazione a giudizio per quella tenda che avevamo messo in piedi alle spalle del municipio in occasione della parata per il primo titolo delle World Series che gli Yankees avevano vinto. Donald Burns in quella circostanza ci spiegò quali correttivi avremmo dovuto apportare alla tenda per evitare la citazione. Avrei forse dovuto saltare il funerale di uno come Donald, che aveva dedicato alla città trentanove anni della sua vita?

Aggiungo che non consideravo un dovere esclusivamente mio e della mia amministrazione assistere a veglie, funerali e commemorazioni. In quei terribili giorni, settimane e mesi successivi all'11 settembre esortai i cittadini a partecipare a tutti i funerali delle vittime della tragedia, non soltanto di quelle che conoscevano. Il sabato mattina apparivo sulla WINS o sulla WNBC per chiedere ai newyorchesi di venire a queste cerimonie e sul sito del Comune inserimmo una lista dei funerali, pregando i giornali di pubblicarla. L'attacco era stato portato a New York e all'intero Paese, e ogni famiglia aveva piacere di vedere il maggior numero di persone ai funerali del loro caro.

Come ho già avuto modo di dire, Beth Petrone è stata per diciotto anni la mia assistente esecutiva. Fui io a celebrare il 16 maggio 1998, a Gracie Mansion, il suo matrimonio con il capitano Terry Hatton. Lei gli aveva messo gli occhi addosso due anni prima, chiedendo subito di essergli presentata, e da quel momento erano stati inseparabili. Beth e Terry si erano innamorati nel momento in cui si erano conosciuti. Dopo il matrimonio lui continuava a mandarle dei fiori e a volte veniva a prenderla al lavoro e l'aspettava, seduto sul divano, nell'anticamera del mio ufficio.

Nella sua veste di capo dell'unità di élite Soccorso 1, Terry aveva ricevuto numerosi encomi e decorazioni e io, che gli avevo appuntato sul petto molte delle sue diciannove medaglie, lo avevo conosciuto prima di Beth. L'avevo visto la prima volta in occasione di un'esplosione in una tavola calda di Queens, quando Terry aveva estratto una cameriera dalla morsa di acciaio e cemento. Figlio di un capo dei vigili del fuoco, Terry era pompiere al cento per cento oltre che gentiluomo, il tipo insomma che avrei voluto diventasse mio figlio. Terry e dieci dei suoi fratelli della Soccorso 1 rimasero uccisi l'11 settembre mentre portavano coraggiosamente a termine le operazioni di soccorso.

I sopravvissuti della sua unità trovarono – magra consolazione, poveretti – alcuni dei suoi attrezzi e le chiavi. Fui io a consegnarli a Beth durante la veglia funebre, insieme a ciò che era rimasto della sua uniforme. Mi fermai a lungo alla veglia e non mi sfuggirono le foto e i poster dedicati a questa brava persona. Notai in particolare la foto di Terry che salvava un bambino dalle fiamme. La teneva dentro il suo armadietto, quella foto, come ricordo del lato migliore del suo lavoro, come spiegazione del perché rischiasse tutto per aiutare persone che nemmeno conosceva.

I suoi funerali si svolsero due giorni dopo, il 4 ottobre, in una sede speciale: la cattedrale di San Patrizio. Notai tra i presenti l'assessore Von Essen. Terry abitava nella casa accanto a quella dei Von Essen e Tom l'aveva visto crescere. Il figlio di Tom, Max, cantò all'inizio della cerimonia *Amazing Grace* e a dire messa fu il mio amico Alan Placa. Vedendo quella bella chiesa piena di persone che volevano bene a Terry e Beth, insieme ad altre venute solo a rendere omaggio al caro estinto, capii perché fosse così importante presentarsi ai funerali.

XII
Tenete testa ai prepotenti

Mio padre era un eccellente pugile. Un difetto visivo gli impedì però di diventare un campione, come avrebbe voluto, anche se con il suo metro e ottantatré per settantatré chili era un pugile molto veloce e coriaceo. Si intendeva di sport e mi descriveva tutti i particolari di un incontro, spiegando strategia e tattica dei grandi del ring come Sugar Ray Robinson, Joe Louis, Willie Pep, Rocky Marciano e Jersey Joe Walcott.

La dote principale del pugile, mi diceva, deve essere quella di mantenere la calma. E fu questa la migliore lezione che appresi da papà, quella che mi ripeteva incessantemente: rimani calmo, specialmente se quelli attorno a te sono inquieti o preoccupati. Mi ficcò bene in testa il concetto che la persona imperturbabile è avvantaggiata quando si tratta di aiutare gli altri, di tenere una situazione sotto controllo o di risolverla. Il pugile che si agita al primo pugno che riceve finirà al tappeto, mentre se invece rimane calmo, anche dopo il pugno, può sfruttare l'occasione di restituirlo. Mio padre cominciò a insegnarmi la boxe quando avevo appena cominciato a camminare e continuò a darmi lezioni anche da adolescente. Da tifoso degli Yankees, come ho già raccontato, abitante a Brooklyn a pochi isolati di distanza da Ebbets Field, regno dei Dodgers, non tardai a scoprire l'utilità di quelle lezioni. In anni più recenti mio padre mi consigliava sempre, se qualcuno mi avesse attaccato, di considerarmi idealmente al centro di un ring e di restare calmo, cercando di individuare i punti deboli dell'avversario.

Una delle regole della leadership alle quali mi richiamo risale alle mie primissime lezioni di boxe e al primo gradasso con il quale dovetti confrontarmi. Lo chiamerò Albert.

Quando ero ancora un ragazzino la mia famiglia viveva al piano superiore di una villetta di due piani, mentre al piano terra abitava la famiglia di zio William, fratello maggiore di mia madre. Lo zio Willie era anche il mio padrino, il mio secondo nome è proprio William, e le nostre famiglie erano molto unite anche perché lui aveva sposato la sorella di mio padre, Olga. Faceva il poliziotto a New York, lo zio Willie, e a quei tempi gli agenti dovevano andare e tornare dal lavoro in divisa. Era un uomo ben fatto, alto e magro, l'uniforme gli andava a pennello e a me quello zio piaceva molto. Continuò a portare la giacca, e di solito anche la cravatta, dopo essere andato in pensione. Era un uomo tranquillo e timido, che amava starsene per conto suo e passava ore immerso nella lettura del giornale, sotto l'albero davanti a casa nostra.

Nella casa accanto viveva la famiglia di un altro poliziotto, uno che per qualche motivo non andava a genio allo zio Willie, forse perché non si era comportato bene nei suoi confronti. Questo vicino aveva un figlio, Albert, un bambino grasso e grosso più grande di me di due anni: io ne avevo cinque e lui sette. Albert approfittava della sua mole per vessare gli altri bambini, li buttava a terra e poi gli si sedeva addosso, oppure rotolava su di loro,

Mio zio leggeva la rivista del dipartimento di Polizia, «Spring 3100», e a me piaceva – e piace anche adesso – guardarla. Sfogliavo le pagine della copia dello zio, con le foto dei banditi ricercati e delle nuove tecnologie poliziesche, ma sempre per poco perché ben presto lo zio tornava a impossessarsene. Un giorno stava seduto sotto l'albero, con un numero della rivista poggiato accanto a sé, e mi chiamò approfittando dell'assenza di mia madre.

«Tu vuoi questa rivista, vero?»

«Sì» gli risposi.

«Vuoi tenertela?»

«Certo!»

«Batti Albert e la rivista sarà tua.»

«Che cosa vuoi dire?»

«Ascolta, tuo papà ti ha insegnato la boxe. Tira un paio di diretti ad Albert e lui si metterà a piangere: è un ciccione e i gradassi sono meno forti di quanto sembrano.»

Ero perplesso, perché Albert pesava molto più di me. Ma lo zio Willie mi mostrò la rivista, me la mise in mano e poi se la riprese, ripetendomi che sarebbe stata mia se avessi fatto piangere Albert.

Poco dopo, mentre lo zio se ne stava seduto come al solito sulla sedia sotto l'albero, vidi Albert che poco lontano maltrattava, tanto per cambiare, gli altri bambini, tutti più piccoli di lui, prendendoli a spintoni. Non ricordo esattamente come ci mettemmo a litigare, se cioè fui io a sfidarlo o ad andare in aiuto di un bambino oppure fu lui a prendersela con me. So solo che mi trovai avvinghiato a lui.

Cominciai a tirargli dei diretti al viso, *boom boom boom*, esattamente come mi aveva insegnato papà: e quasi tutti i miei pugni stavano andando a segno. Albert non riuscì invece a piazzarne nemmeno uno, o se ce la fece a colpirmi io nemmeno me ne accorsi, per quanto ero elettrizzato. Il naso prese a sanguinargli, un occhio cominciò ad annerirsi fino a quando lui non scoppiò a piangere, fece dietrofront e corse a casa.

Poco dopo la madre, tirandoselo dietro per mano, marciò decisa verso casa nostra, trovò mia mamma e le mostrò il sangue rappreso sotto il naso e l'occhio nero del figlio. Suo figlio è un piccolo animale, annunciò. Mamma si arrabbiò subito, ma non con lei. «Perché hai fatto una cosa del genere?» mi chiese. Mio zio seguiva la scena a pochi metri di distanza, sotto il suo albero, e lo guardai aspettandomi che si avvicinasse ammettendo di essere stato lui a istigarmi. Zio Willie invece rimase immobile, come se non capisse che cosa stesse succedendo.

«Albert faceva il bullo con gli altri bambini e ho deciso di affrontarlo» dissi a mamma.

Lei mi tirò uno schiaffone in faccia, davanti a tutti. «Chiedi subito scusa. Stasera lo dirò a tuo padre e vedrai le botte che ti darà.»

«Non voglio scusarmi» riuscii a biascicare. «È stato lui a cominciare.» Mamma mi tirò un'altra sberla e ripeté l'ordine.

So riconoscere la sconfitta. «Mi dispiace, Albert» dissi a malincuore, mentre lui continuava a piangere. Mia madre ci impose di darci la mano e mi ordinò di rimanere in casa per tutta la giornata. Guardai mio zio, pensando che avrebbe almeno potuto lasciarmi quella maledetta rivista. Ma non mi detti per vinto. Salii lentamente in camera mia e dopo una ventina di minuti sentii bussare alla porta. Era la figlia di zio Willie, mia cugina Evangeline, con in mano la copia di «Spring 3100». «Papà mi ha detto di portartela, dal momento che te ne devi stare qui tutta la giornata» disse. Guardai da dietro la finestra, lo zio se ne stava come al solito sotto l'albero. Non aveva sollevato lo sguardo nella mia direzione, ma notai un inequivocabile cenno di assenso con il capo: un segno di apprezzamento sia per il silenzio che avevo mantenuto sul nostro accordo sia per le botte che avevo dato ad Albert.

Quando quella sera papà tornò a casa alla solita ora, mamma gli raccontò l'accaduto. Li sentivo parlare nella stanza accanto: avevo picchiato Albert, l'avevo fatto piangere, mi stavo facendo una pessima fama e andavo raddrizzato. È tutta colpa tua per avergli insegnato la boxe, gli stava dicendo: e ora gliele devi suonare, gli devi dare una lezione che si ricordi tutta la vita. Lui venne in camera mia, ma non tentò nemmeno di assumere un'aria di disapprovazione. «Hai picchiato Albert?» esclamò. «Dio santo, ma ha due anni e dieci chili più di te!»

Mia madre a quel punto si arrabbiò davvero. «Questo bambino lo farai diventare un animale» disse a papà, «oppure un vagabondo.» Ma mi risparmiai le botte.

Ci furono altre circostanze in cui mia madre incitò papà a sculacciarmi, senza alcun successo. Poco tempo dopo l'incidente di Albert ci trasferimmo a Garden City South, Long Island, per farmi crescere lontano da un ambiente che secondo i miei genitori avrebbe potuto segnarmi negativamente. E quando mamma chiedeva a papà di darmele per insegnarmi un po' di disciplina, lui mi portava in cantina e fingeva di suonarmele, ma in effetti mi insegnava a tirare di boxe: e lei, che rimaneva al piano di sopra, non se ne accorse mai. Quando ci fu l'episodio di Albert, però, mio padre fu colto troppo di sorpresa. Gli dissi quanti diretti avevo tirato al viso di Albert e lui assentì compiaciuto. «Bravissimo! Hai fatto quello che ti ho ripetuto tante volte, mai fare a botte senza esserti preparato un piano. Mi raccomando, però: non prendertela mai con i più piccoli, non fare il gradasso.»

Davanti ai gradassi ho una reazione viscerale, non riesco a tollerare che un predone goda di un ingiusto vantaggio. Per questo ho combattuto con tanto accanimento la mafia e la corruzione dei funzionari pubblici.

Questo principio l'ho adottato anche in circostanze che sulle prime non sembrerebbero rientrare tra quelle tipiche del rapporto gradasso-vittima. Se qualcuno, pensando di trovarsi in una situazione di vantaggio, tenta di impormi le sue ragioni, gli invio un chiaro messaggio per fargli capire che non intendo accettare alcuna imposizione. Se nel corso di una trattativa un avversario minaccia di rendere pubblica una circostanza che secondo lui potrebbe mettermi in imbarazzo, lo sfido a farlo e propongo anzi di organizzare una conferenza stampa. Se qualcuno minaccia di dimettersi per mettermi con le spalle al muro, io accetto le dimissioni.

Per anni i diplomatici dell'ONU hanno creduto di potere parcheggiare dovunque volessero. Non potevo più accettarlo e, anche in quel caso, il mio messaggio fu forte e chiaro: se a un cittadino di New York non è consentito lasciare l'auto davanti a un idrante o in doppia fila, non deve essere consentito nemmeno a chi lavora sotto gli auspici delle Nazioni Unite. Pensare di poterlo fare è da arroganti.

Non aveva soltanto un valore simbolico, la mia battaglia per fare pagare le contravvenzioni agli Stati membri. Opporsi a chi crede di poter non rispettare le regole non ha solo un valore intrinseco, ma serve a far capire alla cittadinanza che essere per bene non significa essere deboli. Si trattava oltre tutto di un problema di diplomazia internazionale, di politica estera. Era la teoria delle «finestre infrante» applicata alle questioni internazionali: consentire a una nazione di cavarsela in una faccenda di poco conto come le contravvenzioni stradali significa incoraggiarla a sottrarsi a maggiori responsabilità.

Uno dei dati statistici ai quali dedicavo la mia attenzione durante le riunioni settimanali al dipartimento di Polizia riguardava proprio il numero dei reati commessi dai diplomatici. Spesso si trattava di episodi piuttosto gravi, come le percosse alla moglie, gli abusi sessuali sui bambini, risse e violenze fisiche, tutti reati commessi da diplomatici accreditati alle Nazioni Unite. Secondo me, uno Stato membro che non sa mettere in riga chi commette violenze domestiche non può amministrare un Paese secondo le norme di legge.

Nella primavera del 1997 Bill Richardson, ambasciatore americano alle Nazioni Unite, prese vigorosamente posizione su questo argomento annunciando che avrebbe preteso il pagamento di tutte le contravvenzioni, ma fece marcia indietro al primo accenno di resistenza. Ciò che sottolineai in quella circostanza, a lui come alla cittadinanza, fu che far pagare a quelle nazioni le contravvenzioni significava cominciare a far comprendere ai loro rappresentanti, e quindi ad accettare, gli imperativi di legge. Mentre chi viene in America a prendersi gioco delle nostre leggi, rifiutandosi di adeguarsi ad alcune delle norme fondamentali del vivere civile, è molto probabile che faccia altrettanto in casa propria.

L'ONU avrebbe potuto, secondo me, avere un ruolo particolarmente importante. Forse, cioè, sarebbe stato possibile realizzare qualcosa di concreto abbandonando questa idea confusamente romantica delle nazioni di tutto il mondo che si scambiano amabilmente idee. Se le avessimo portate al punto di organizzarsi almeno per pagare le contravvenzioni, forse avrebbero potuto cominciare a rispettare norme ben più rilevanti. Non voglio dire con questo che persuadere uno Stato corrotto o dispotico a pagare una contravvenzione per divieto di sosta lo riporterà all'ordine e al vivere civile: ma la determinazione a non affrontare l'argomento, la tolleranza della illegalità, significano delineare la devianza proprio nel senso inteso dal senatore Daniel Patrick Moynihan quando parlava di «delineare verso il basso la devianza». Pensai quindi che applicare la legge anche a proposito di quelle contravvenzioni sarebbe andato a vantaggio dell'ONU, che in tal modo avrebbe potuto raggiungere uno dei suoi obiettivi statutari: quello cioè di creare le condizioni per un maggiore rispetto delle leggi, finendo in tal modo per incoraggiare i governi stabili a rendere conto delle loro azioni. Ma fu tutto inutile.

Appena eletto sindaco dedicai la mia attenzione al progetto di trasformazione della zona della 42ª strada e di quella adiacente di Times Square, a Manhattan. Negli anni Settanta e Ottanta si era assistito alla degenerazione di quest'area, uno dei più noti simboli di New York. «Forty Deuce», come i newyorchesi chiamano questa strada, era diventata una lunga sfilata di sex shop. I tossici pattugliavano Bryant Park, all'ombra della Biblioteca pubblica, comprando e vendendo droga con la massima libertà (e proprio in quel parco c'era stato il più alto numero di arresti per droga, quando ero U.S. Attorney). Come ho già raccontato, gli automobilisti sbucati dal vicino Lincoln Tunnel dovevano vedersela al primo semaforo con gli accattoni, che chiedevano in maniera aggressiva il pedaggio in cambio di un lavaggio non richiesto del parabrezza. La città insomma presentava al mondo un volto molto brutto. E, peggio ancora, dimostrava che i suoi amministratori non erano in grado di tenere sotto controllo nemmeno gli spazi più visibili.

Era chiaro che Times Square andava a tutti i costi trasformata, ma la mia determinazione in tal senso nasceva anche da una personale esperienza dell'illegalità che regnava in quella zona. Nella primavera del 1993, una domenica pomeriggio, stavo andando a teatro con alcuni amici e, anche se mi ero candidato per la seconda volta a sindaco dopo l'insuccesso di quattro anni prima, eravamo all'inizio della campagna elettorale e non mi era stata quindi ancora assegnata una scorta della polizia.

Mentre me ne stavo seduto in macchina all'angolo tra Broadway e la 46ª vidi passarmi davanti di corsa un giovane, inseguito da un uomo più anziano, mentre alle spalle di quest'ultimo una donna con una scarpa in mano cercava di non restare indietro. Eravamo già in ritardo: dissi quindi agli amici di andare avanti mentre cercavo di dare una mano a chi ne aveva bisogno, poi scesi e raggiunsi il secondo «corridore» sulla 6ª strada, dove quello si era fermato a riprendere fiato prima di gettarsi nuovamente all'inseguimento. Mi disse che il giovane aveva strattonato e fatto cadere a terra la moglie per strapparle la borsetta, e lui voleva «acchiappare quel figlio di puttana».

Gli feci capire che a quel punto lo scippatore l'aveva seminato e quindi a lui conveniva andare a consolare la moglie, mentre io chiamavo la polizia. Gli chiesi poi se avesse guardato bene lo scippatore e fosse in grado di identificarlo e rispose di sì. Allora tornammo indietro e trovammo sua moglie che piangeva, terribilmente scossa. Mi guardai attorno alla ricerca di un poliziotto: era domenica pomeriggio e lì a Times Square ce ne sarebbero dovuti essere tanti. Quindi chiamai il 911, il numero dell'emergenza, e attendemmo.

Passò un quarto d'ora senza che spuntasse nemmeno un agente e la cosa mi sembrò assolutamente folle. Times Square è una zona che invitiamo a visitare, vogliamo che i forestieri spendano soldi nei teatri, nei cinema e nei ristoranti per dare lavoro ai newyorchesi, ma non riusciamo a renderla sicura. Il messaggio che dovremmo lanciare al New Jersey, al Connecticut, alla Nassau County, alla California, alla Florida, all'Inghilterra, alla Germania è il seguente: venite a New York, godetevi ciò che la città è in grado di offrire e spendete qualche centinaio di dollari. Vi sentirete sicuri perché la città è sicura.

E invece la città stava dimostrando che non ci interessava proteggere i visitatori, creare un ambiente ospitale e civile. Se riuscivamo a indurre qualcuno a venire a New York, poi facevamo di tutto per tassarlo in modo che gli passasse la voglia di tornare. La tassa alberghiera, per esempio, era del 21,5 per cento: chi era disposto a pagare un prezzo del genere, per venire in una città poco sicura e molto esosa? Non certo i turisti, che infatti decidevano di andarsene da qualche altra parte e ci abbandonavano in massa. E nemmeno le società, non incentivate a investire e che quindi trasferivano i loro capitali su altre iniziative. Vittime del declino di Times Square erano migliaia di newyorchesi. «Tutto ciò deve cambiare» pensai, mentre aspettavo che arrivasse la polizia.

Tra i più grossi prepotenti che mi trovai ad affrontare da sindaco vi furono anche alcuni capi dei potenti sindacati di New York. In quanto Repubblicano e risoluto a snellire certi organici comunali sovraffollati, in campagna elettorale non potei quindi fare affidamento sull'appoggio dei sindacati, ma anche quella medaglia aveva il suo rovescio: uno dei vantaggi di essere eletto senza quegli sponsor, cioè, era dato dalla libertà di poter fare ciò che ritenevo andasse fatto nell'interesse di New York. Tuttavia, per un problema risolto ne rimanevano tanti altri. Contando sulla propria capacità di mettere la città in ginocchio con la semplice minaccia di uno sciopero, alcuni dirigenti sindacali la facevano da padroni, senza minimamente curarsi delle conseguenze delle loro richieste sui cittadini.

Quando entrai in carica all'inizio del 1994 stavo preparando da mesi il bilancio. Avevamo ereditato un deficit e avremmo dovuto affrontare un indebitamento ancora superiore per l'anno fiscale 1994, che avrebbe avuto inizio a luglio. Mi riusciva difficile preparare tagli di spesa e lavorare a una riduzione del bilancio. Sapevo quali problemi avrei incontrato per ottenere l'appoggio politico necessario per tagliare fra i 2 e i 3 miliardi di dollari; ma non esisteva alternativa. La città rischiava di soffocare per l'aumento incontrollato della spesa pubblica. Non era ormai praticabile l'incremento delle imposte, questa specie di riflesso condizionato che scatta in ogni circostanza del genere. Le entrate fiscali cominciavano già a contrarsi, in conseguenza della fuga di datori di lavoro e residenti verso altre città che non confiscavano una consistente fetta delle loro entrate.

Molti sindacalisti si erano resi conto della serietà della crisi, anche perché non si limitavano a lavorare a New York, ma vi abitavano. E anche se le trattative non furono semplici, i sindacati cittadini credettero nella stragrande maggioranza in me quando spiegai che «la frugalità di adesso» alla lunga sarebbe andata a beneficio di tutti: come poi effettivamente accadde.

Ma ci fu un gruppo che non ritenne di dovere fare la propria parte per aiutare la città, e nell'ottobre 1994 gli avvocati aderenti alla Legal Aid Society entrarono quindi in sciopero.

La Legal Aid Society fornisce assistenza legale ai poveri e, soprattutto, li rappresenta nei processi penali. La città ha l'obbligo di fornire questa assistenza e noi cercammo di convincere la Legal Aid Society a onorare questo impegno. Se i loro avvocati non si fossero presentati in aula, gli imputati nei processi penali non avrebbero potuto esercitare il loro diritto a essere patrocinati previsto dalla Costituzione. Un giudice può addirittura mettere in libertà un imputato, se non si riesce a trovargli un avvocato o se rimane in cella troppo a lungo senza difensore. Era già successo nelle precedenti amministrazioni che la Legal Aid Society scioperasse e a volte questi scioperi erano andati avanti per mesi, con il rischio che certi individui pericolosi venissero rimessi in libertà per l'assenza dei loro legali dalle udienze.

Quando nel 1994 la Legal Aid Society minacciò lo sciopero, annunciai che se la minaccia fosse stata attuata il Comune avrebbe fatto tutto ciò che era nelle sue possibilità per denunciare il contratto. E non solo per le conseguenze della loro egoistica iniziativa. Un avvocato, nel momento in cui assume un incarico, deve portarlo a termine. Un avvocato che accetta un cliente non può smettere di patrocinarlo senza l'intervento in tal senso del giudice, anche se il cliente non è più in grado di pagarlo. C'era insomma in ballo un principio importante.

Ma tutto ciò non impedì alla Legal Aid Society di entrare in sciopero. «D'accordo, tra due giorni considererò violato da parte vostra il contratto sottoscritto con il Comune» feci sapere loro. «Troveremo altri avvocati per sostituirvi e in futuro la città non stringerà accordi di nessun tipo con un'organizzazione che annovererà tra i suoi esponenti uno o più degli avvocati che in questa circostanza sono venuti meno ai loro obblighi etici» dissi più o meno.

Dopo esattamente due giorni lavorativi gli avvocati tornarono al lavoro e negli otto anni successivi citarono me e la città per presunta violazione dei loro diritti. La causa andò avanti anche dopo la scadenza del mio secondo mandato, va avanti ancora adesso e andrà avanti presumibilmente a lungo, considerando la natura delle controversie di questo tipo in America. Ma è importante che opporsi abbia dato i suoi frutti: gli avvocati tornarono al lavoro e mantennero i loro impegni. Nel corso della mia amministrazione la Legal Aid Society scioperò soltanto quei due giorni.

Se dovete combattere, abbiate un piano

Verso la fine del 1999 la Metropolitan Transit Authority minacciò di scioperare. Le conseguenze sarebbero state disastrose, trovandosi in quel momento la città nel pieno delle celebrazioni del nuovo millennio. Il contratto dell'ente sarebbe scaduto alla mezzanotte del 15 dicembre e da quel momento autisti di autobus e conducenti della metropolitana avrebbero abbandonato il posto di lavoro. Nello Stato di New York esiste una legge, la Taylor Law, che considera illegale lo sciopero dei dipendenti pubblici, indipendentemente se siano o no garantiti da un contratto. Ciò nonostante i sindaci che mi avevano preceduto avevano di solito concesso l'immunità a questi scioperanti, facendola rientrare in una serie di benefici disposti a loro favore per convincerli a tornare al lavoro. La MTA è però un ente di Stato e gli addetti ai trasporti pubblici non dipendono dal Comune. Ma essendo i cittadini e i visitatori di New York i principali utenti di un sistema pubblico di trasporto che serve ogni giorno otto milioni di persone, circa un terzo del trasporto di massa degli Stati Uniti, le conseguenze di un'interruzione del servizio sarebbero ricadute soprattutto sulla città: come ampiamente dimostrato dagli scioperi che avevano paralizzato New York durante le amministrazioni Lindsay e Koch.

Dovevamo bloccare l'iniziativa del sindacato. Il motivo principale per il quale un leader si deve opporre alle prevaricazioni è anche il più semplice: deve farlo perché è la cosa giusta da fare. Come a scuola durante la ricreazione, se permetti che il lunedì qualcuno ti porti via i soldi per la merenda quello te li prenderà anche il martedì e il mercoledì e ogni giorno di scuola, finché non gli farai chiaramente capire che la prossima volta gli metterai le mani addosso. Se avessimo permesso che il sindacato azzoppasse la città, se cioè avessimo ceduto alle richieste dei lavoratori della MTA sotto la minaccia di uno sciopero illegale, saremmo stati presi a pesci in faccia da tutte le altre organizzazioni sindacali.

Preparammo la documentazione per ottenere una diffida antisciopero della magistratura. Ci mettemmo in contatto con l'ufficio Legale della MTA, decisi a tutelare anche i nostri interessi. La causa sarebbe stata celebrata davanti al giudice Michael Pesce, primo magistrato amministrativo della Corte suprema di Brooklyn.

Il capo dell'ufficio Legale del Comune, Mike Hess, telefonò al giudice Pesce rappresentandogli il carattere di assoluta urgenza della questione. Tutti erano già preoccupati per l'Y2K, il cosiddetto *millennium bug*, e la città di Seattle aveva già annullato tutti i festeggiamenti del nuovo millennio per paura di attentati terroristici. New York non poteva accettare di essere tenuta in ostaggio da un sindacato, che sfruttava proprio queste ansie per ottenere ciò che non avrebbe ottenuto con un'appropriata trattativa. Il giudice afferrò subito la gravità e l'ampiezza della situazione e chiese a Mike Hess di presentarsi a casa sua per un incontro d'emergenza *ex parte*.

Mike bussò a casa del giudice alle sette del mattino del 15 dicembre 1999. Era ancora buio e faceva freddo. Il giudice lo accolse in accappatoio, con lui c'erano già un paio di avvocati del mio ufficio e altri due dell'ufficio Legale dello Stato di New York. Avevo conosciuto il giudice Pesce nel 1996, quando la sua fidanzata Bonnie Walters, che collaborava da volontaria alla mia campagna elettorale, era morta insieme con la madre nel disastro del volo TWA 800 al largo di Long Island. Lui era divenuto il leader dell'associazione creata per tutelare gli interessi delle famiglie delle vittime. Il giudice Pesce ama cucinare ed è contento di avere ospiti, anche se questi ospiti sono avvocati. Fece quindi sedere tutti i presenti attorno al tavolo di cucina, una cucina con pentole e tegami appesi un po' dappertutto, rilesse l'ingiunzione e la firmò. Mike non rimase sorpreso, dal momento che quello sciopero era chiaramente illegale, ma gli avevo sottolineato l'importanza di tornare in ufficio con uno strumento giuridico più che efficace: in caso contrario gli scioperanti avrebbero potuto sfidare l'ingiunzione, facendo affidamento ancora una volta sull'inerzia della città. Quella che ci serviva era quindi un'ingiunzione seriamente afflittiva.

Tutto questo Mike lo spiegò al giudice e quello gli chiese che cosa avesse in mente. La proposta di Mike fu allora la seguente: una penale *ad personam* di 25.000 dollari per chi non si fosse presentato al lavoro il 16 dicembre, una di 50.000 dollari per chi avesse scioperato anche il 17, una di 100.000 dollari il giorno seguente e così via. Oltre a ciò, il sindacato dei Trasporti pubblici avrebbe ricevuto una contravvenzione di un milione di dollari il 16 dicembre, di 2 milioni il 17, di 4 milioni il 18 e così via di seguito. E il giudice accettò. Ma nessuna penale avrebbe sortito il suo effetto se quelli dall'altra parte del tavolo delle trattative non avessero capito subito che sarei passato all'incasso fino all'ultimo dollaro. Coloro che si accingevano a scioperare dovevano convincersi non soltanto del fatto che si sarebbero messi contro la legge, ma anche che l'amministrazione cittadina era sufficientemente agguerrita da fare applicare le penali. Poche ore dopo il sindacato cancellò lo sciopero.

Alla conferenza stampa in cui annunciammo che lo sciopero era stato scongiurato mi tenni accanto Mike Hess. Un cronista mi chiese con quale criterio avessi stabilito in 25.000 dollari la penale del primo giorno di sciopero, io pregai Mike di rispondergli e lui si mise a parlare di «produttività perduta» e di «danni punitivi». Non seppi mai come arrivò a quella cifra: ma il nostro sistema funzionò.

Non esagerate con il «fattore porco»

Questa regola viene applicata per non rovinare qualcosa di buono. Un tipico esempio della «maialaggine» nel mondo delle aziende è rappresentato dal rimborso spese. Se spendo dei soldi in un viaggio per conto dell'azienda o invito a pranzo un collega, è giusto che sia l'azienda ad accollarsi queste spese. Ma il «fattore porco» subentra quando, in sede di nota spese, si gonfia il costo di quel viaggio o di quel pranzo. Così facendo si mette a rischio l'intero sistema. Chiedere un rimborso superiore a quello cui si ha diritto è una forma di prevaricazione, e non devono necessariamente ricorrere gli estremi della truffa. Se i dipendenti esagerano con le note spese, l'azienda può decidere un giro di vite e imporre delle limitazioni che finiscono per colpire anche le spese giustificate e ragionevoli.

Quello di accettare i regali è un tema che ricorre periodicamente nella pubblica amministrazione. Se questi regali non facessero parte di uno scambio commerciale non ci sarebbe nulla di male, ma accade spesso che il dipendente pubblico accetti regali da coloro che sono in rapporti d'affari con il governo. Questi regali si fanno sempre più impegnativi, trasformandosi in vere e proprie bustarelle che finiscono per configurare il reato di concussione. In tal modo un'usanza appropriata e importante, quella di fare un regalo, dà vita a un intrico di norme. Tutto perché c'è chi esagera con il «fattore porco».

Il clamoroso collasso della Enron è un vistoso esempio di ciò a cui si va incontro se si esagera con questo fattore. Le norme contabili applicate per nascondere al pubblico le passività sono state utilizzate da molte società per finalità molto più legittime, ma la Enron ne ha approfittato a tal punto da rendere inevitabile il fallimento. La conseguenza è che ora qualsiasi tipo di attività dovrà subire serie restrizioni delle pratiche contabili. Alle pratiche già in vigore, cioè, si aggiungerà una spesa particolarmente onerosa dal momento che non avrà funzioni produttive ma esclusivamente di tutela. E tutte le aziende quotate in Borsa dovranno applicare queste nuova, dispendiosa normativa, indipendentemente se si è esagerato o meno con il «fattore porco».

È interessante rilevare come, in molte situazioni nelle quali si è esagerato, gli autori della «maialata» avrebbero potuto farla franca se solo si fossero dimostrati un filino meno esosi. Non si sarebbe probabilmente mai scoperto, per esempio, che Danny Almonte, lanciatore della Little League, aveva più dei quattordici anni che è il limite massimo di età, se chi aveva organizzato la combine gli avesse raccomandato di lasciar arrivare ogni tanto un avversario alla base prima di lui. Gli adulti invece si fecero prendere dall'ingordigia e non passò inosservato il fatto che in tutti gli incontri di un intero campionato, ogni volta che Danny e un avversario correvano verso una base, era sempre il primo a conquistarla. Fu aperta così un'inchiesta e venne alla luce la truffa.

Nell'affrontare un problema cerco sempre la soluzione migliore, senza però esagerare chiedendo troppo. Non esiste una formula a prova d'errore per scoprire dove corre la linea divisoria: i leader riescono istintivamente a trovarla, e quelli che non ci riescono non rimangono leader a lungo.

All'indomani degli attentati al World Trade Center la stragrande maggioranza dei cittadini di New York, e l'intera America, stupirono il mondo tirandosi su le maniche e unendo i loro sforzi. Ma ci fu anche qualche mela marcia che cercò di approfittare della situazione.

Il 28 settembre, durante la riunione del mattino, Joe Lhota mi informò che 250 tonnellate di macerie, su un totale di 133.000 fino a quel momento rimosse, sembravano essere state dirottate dalla criminalità organizzata. Riciclare acciaio e altri metalli è un'attività lucrosa e il semplice pensiero che qualcuno potesse lucrare sulla catastrofe mi mandò in bestia. Dissi a Joe di sentirsi con Ray Casey, presidente della commissione per la Commercializzazione dei rifiuti. Poi facemmo eseguire due mandati di perquisizione, a Long Island e nel New Jersey, ma volevo che qualcuno finisse in galera. E anche se la quantità di macerie oggetto dell'inchiesta rappresentava una percentuale minima, circa lo 0,25 per cento del totale, in quelle 250 tonnellate potevano trovarsi dei resti umani. Poco dopo arrestammo diversi autotrasportatori e il problema cessò.

Non mirate troppo in alto

Ho sempre fatto in modo che la mia amministrazione non mirasse troppo in alto in occasione di crisi. Prendiamo per esempio ciò che accadde otto giorni dopo la tragedia dell'11 settembre. Durante la riunione del mattino, il 19 settembre, il direttore del Bilancio, Adam Barsky, ci stava spiegando il meccanismo degli aiuti per l'emergenza. Fino a quel giorno l'esborso maggiore della Federal Emergency Management Agency era stato quello di 4 miliardi di dollari che aveva seguito l'attentato di Oklahoma City. Cifre ben superiori erano previste per New York, ma l'esatto ammontare era ancora da decidere. E, a quella data, non era ancora chiaro quale o quali enti sarebbero stati i destinatari degli aiuti. Quasi tutti furono concordi nel ritenere la città di New York unica beneficiaria, ma secondo le norme il sussidio sarebbe dovuto andare allo Stato di New York. «Questo è un problema» osservò Adam. «Considerate, per esempio, che il beneficiario ha diritto allo 0,5 per cento di tasse amministrative, il che significa, se il finanziamento fosse di 20 miliardi di dollari, un bonus di 100 milioni di dollari...»

Interruppi subito quel tipo di argomentazioni. «Questa non è la solita *querelle* "città contro Stato"» ricordai ai presenti, aggiungendo che invece di pretendere «tutto e subito» per la città avremmo dovuto chiedere, se non volevamo essere accusati di avidità, una somma precisa e intellettualmente onesta. Se cioè avessimo stabilito l'ammontare, per esempio, in 12 miliardi di dollari o in un'altra cifra analoga, avremmo lasciato spazio di manovra al governatore George Pataki e all'amministrazione dello Stato di New York, senza dare l'impressione che la città mirasse troppo in alto. In tal modo le nostre richieste sarebbero apparse realistiche e ci avrebbero garantito quella credibilità della quale avevamo bisogno, oltre a mettere la Casa Bianca in condizione di reperire celermente i fondi per la nostra città.

«Opporsi ai prepotenti» potrebbe sembrare un furbo invito a essere macho e decisionista, mentre un tale atteggiamento ha un suo costo. Uno dei principali motivi per cui bisogna far capire a un prepotente che non hai intenzione di arretrare in caso di confronto fisico è che raramente si arriva al confronto fisico. E non si tratta soltanto di una teoria: più di una volta durante la mia amministrazione ho constatato quanto fare il muso duro contribuisca a evitare guai peggiori. Ecco un esempio.

Verso le 20,40 di mercoledì 17 luglio 1996, il volo TWA 800 si schiantò sull'Atlantico al largo di Long Island. Le 230 persone a bordo del 747, diretto a Parigi e decollato pochi minuti prima dall'aeroporto Kennedy, morirono tutte. Un'ora dopo ero all'aeroporto insieme al Gruppo di intervento rapido del municipio, e mettemmo subito in piedi all'interno del Ramada Plaza Hotel, non lontano dal Kennedy, un centro di assistenza ai familiari delle vittime. Mandammo nel tratto di mare teatro della sciagura imbarcazioni della polizia, sommozzatori ed esperti di situazioni d'emergenza, rinforzando la presenza della polizia nello scalo e al Ramada.

La prima cosa che ci preoccupammo di acquisire fu l'elenco con i nomi dei passeggeri e dell'equipaggio, per sapere con esattezza chi si trovava a bordo dell'aereo. In occasione di catastrofi del genere i parenti si aggrappano sempre alla speranza che la persona cara, per qualche motivo, all'ultimo momento non si sia imbarcata. Specialmente in quel caso.

Per legge, le compagnie aeree hanno l'obbligo di compilare un elenco completo dei passeggeri dei voli internazionali, comprensivo di nomi, dati del passaporto e numeri telefonici da contattare in caso di emergenza. E questo elenco deve essere reso noto al massimo entro tre ore dal disastro. Alle 23,30 la TWA comunicò che a bordo erano presenti 229 persone, a mezzogiorno del giorno seguente i presenti diventarono 228 e nel pomeriggio 230. Nel computo iniziale erano stati considerati anche tre passeggeri diretti a Roma, ma poi si scoprì che non si trovavano a bordo. Errori del genere, inutile sottolinearlo, sono strazianti per i familiari, proprio perché danno luogo a speranze infondate. Oltre a ciò, la notizia che una compagnia aerea non sa chi viaggia sui propri aerei rappresenta una specie di invito ai terroristi. La norma in base alla quale la compagnia aerea deve rendere noto l'elenco dei passeggeri entrò in vigore nel 1990, in conseguenza della tragedia del volo Pan Am 103 esploso sul cielo di Lockerbie, in Scozia: l'esplosione era stata causata da un ordigno contenuto in una valigia, il cui proprietario si era allontanato senza imbarcarsi subito dopo averla consegnata al check-in.

Chiesi più di una volta alla TWA un elenco preciso dei passeggeri, ma la compagnia trovò ogni scusa per non darmelo: «L'ha preso l'FBI» mi fu risposto, oppure «L'ufficio nazionale per la Sicurezza dei trasporti ci proibisce di rendere noti i nomi». Bugie, in entrambi i casi.

Capii che qualcosa non andava quando alle quattro del mattino ricevetti una telefonata dall'amministratore delegato della compagnia, Jeffrey Erickson, che si trovava a bordo di un aereo diretto al Kennedy. Gli dissi che mi serviva l'elenco, mi rispose che avremmo potuto parlarne dopo il suo arrivo a New York e aggiunse che voleva «rapportarsi» con me. Considerate le circostanze evitai di dirgli ciò che avrei voluto dirgli, ma appena sentii il verbo «rapportarsi» capii che con quel tipo non sarei andato d'accordo. Non mi va di «rapportarmi» con qualcuno che non conosco. Poi però pensai che forse non era il caso di essere prevenuto nei suoi confronti solo perché aveva usato quel verbo.

Il giorno dopo ero esasperato, capivo che la TWA mi stava prendendo in giro. Quando finalmente arrivò al Kennedy, Erickson si rivolse alle famiglie e alla stampa parlando meno di un minuto e si rifiutò di accettare domande. Non aggiunse nulla a quanto già sapevamo e non aveva sicuramente nulla a cui «rapportarsi». Considerato il contesto, subire un simile atteggiamento era peggio che essere fuorviati in circostanze normali.

Per il bene delle famiglie dei passeggeri, e con il pensiero ai futuri disastri del genere, decisi di esprimere pubblicamente la mia rabbia. Parlando davanti alle telecamere di numerosi show nazionali, oltre che a quelle delle TV locali, criticai la TWA accusandola di preoccuparsi più di coprire le proprie magagne che di informare prontamente i parenti in lacrime. Il venerdì, registrando dal Ramada la mia rubrica settimanale per la stazione radio WABC, dissi tra l'altro: «I top manager della TWA hanno gestito in modo incompetente l'informazione ai familiari delle vittime e continuano a esacerbarli nascondendo loro la verità su ciò che è accaduto».

Tre mesi più tardi Erickson dette le dimissioni, ma non era questo che cercavo. In una città delle dimensioni di New York i disastri sono inevitabili e io volevo fare in modo che i dirigenti delle compagnie coinvolte dai disastri futuri capissero che cosa ci si sarebbe atteso da loro: una comunicazione chiara, onesta e tempestiva. Rifiutandomi di tacere sul comportamento della TWA mi assicurai che fossero chiare le conseguenze cui sarebbe andato incontro chi avesse anteposto le esigenze della società alle sofferenze umane.

È esattamente ciò che accadde. In tutte le sciagure aeree avvenute durante la mia amministrazione, dal volo Swissair 111 all'EgyptAir 900 all'American Airlines 587,* i responsabili dell'informazione si mossero con senso di umana pietà oltre che professionalmente: e spero che a questo ineccepibile comportamento non sia stata estranea la lezione della pessima gestione dell'informazione sulla sciagura del volo 800 da parte della TWA. Il comportamento degli svizzeri, in particolare, fu diametralmente opposto a quello della TWA.

Quello di oppormi alle prevaricazioni è un principio che non ho cominciato ad applicare appena eletto sindaco, direi anzi che è connaturato alla missione del *prosecutor*: del magistrato, cioè, che mette sotto accusa coloro che secondo lui hanno approfittato di quelli più deboli di loro. E nell'atto d'accusa non si legge «Rudy Giuliani contro Fat Tony, Matty the Horse, Tony Ducks, Christie Tick, Nicky Glasses, Figgy, Jackie the Lackie, Joey the Clown, The Nutcracker e Tony Ripe», per citare solo alcuni dei più pittoreschi soprannomi degli imputati contro i quali ho rappresentato l'accusa. Si legge invece «gli Stati Uniti d'America» oppure «il popolo della città di New York.»

Verso la metà degli anni Ottanta il mio ufficio dedicò molte ore lavorative a un'applicazione della già citata legge RICO, volta a dimostrare che il sindacato Camionisti aveva tali e tanti legami con la criminalità organizzata da potere essere considerato esso stesso un gruppo criminale. Le indagini erano state aperte in due uffici giudiziari: il mio, ossia il Distretto meridionale di New York, e quello del District of Columbia, ossia Washington. Sul dipartimento della Giustizia e su Ed Meese, l'Attorney General, veniva esercitata una notevole pressione perché le indagini non portassero a un rinvio a giudizio. Il capo dei camionisti, Jackie Presser, era stato uno dei pochi leader sindacali ad appoggiare il Presidente Reagan e, in quanto responsabile del più grosso sindacato americano, poteva assicurare un consistente pacchetto di voti.

Il dipartimento della Giustizia decise di assegnare la competenza al Distretto meridionale di New York. E la grancassa contro l'in-

* Il 2 settembre 1998 il volo Swissair 111 New York-Ginevra precipitò al largo di Peggy's Cove, in Nuova Scozia; il 31 ottobre 1999 il volo EgyptAir 900 New York-Il Cairo si schiantò nell'Atlantico davanti all'isola di Nantucket; il 12 novembre 2001 il volo American Airlines 587 per Santo Domingo si abbatté sulle case di Rockaway, nel Distretto di Queens.

chiesta prese a rullare prima ancora che avessimo formalizzato l'accusa, l'opposizione dei politici fu immediata e travolgente, oltre che *bipartisan*. Non avevamo ancora nemmeno deciso se rinviare a giudizio qualcuno e già facevano sentire la loro voce contraria quattro candidati alla presidenza degli Stati Uniti: Paul Simon e Jesse Jackson (Democratici) e Jack Kemp e Alexander Haig (Repubblicani). Nel dicembre del 1988 il Presidente Reagan ricevette una lettera firmata da 240 membri del Congresso, che gli chiedevano di non farmi esercitare l'accusa. Non ricordo se pretendevano anche il mio licenziamento ma quanto meno volevano che il caso mi venisse tolto, sperando di convincere chi sarebbe venuto dopo di me a soprassedere.

Si trattava di un'intimidazione. Nessuno pensava che avremmo vinto quella causa e alcuni dei personaggi più potenti d'America non esitarono a dirlo a chiare lettere. Il sindacato Camionisti era troppo grosso e potente. Vi fu una sola, importante eccezione: quella del Vicepresidente George H.W. Bush, che si rifiutò di unirsi al coro. Nonostante fosse anche lui candidato alla presidenza, Bush dichiarò pubblicamente la sua intenzione di non interferire con l'indipendenza di un U.S. Attorney.

Nonostante la continua litania di proteste e di accuse (stavo politicizzando l'inchiesta, stavo strumentalizzando la legge RICO, e così via), ero più che convinto che milioni di persone venivano spremute per il tornaconto personale di alcuni leader corrotti. Come prima cosa, erano tantissimi gli onesti e laboriosi camionisti che, oltre a non godere della rappresentanza sindacale che meritavano, dovevano vedersela con certi individui che avevano in comune tra loro la disponibilità alla connivenza con la malavita. In secondo luogo, il buon nome dei sindacati veniva macchiato dalla vigliaccheria di pochi corrotti. E infine tutti gli americani dovevano pagare una piccolissima percentuale in più sui beni che acquistavano, trasportati dai camion i cui guidatori facevano capo a quel sindacato. Se questa specie di «tassa dei camionisti» fosse stata il frutto di accorte trattative condotte da un sindacato osservante delle leggi, non avrei trovato nulla da eccepire. Ma quando quel sovrapprezzo serviva per pagare chi non si presentava al lavoro o per finanziare episodi di vera e propria corruzione – per non parlare di omicidi, attentati dinamitardi e pestaggi per garantire l'elezione ai vertici del sindacato dei candidati contigui alla criminalità – allora eravamo tutti a perdere.

Quell'inchiesta ebbe per me un enorme significato. Alla fine degli anni Cinquanta, all'epoca delle sedute della Commissione McClellan che indagava sulla corruzione nel sindacato Camionisti, io ero un ragazzo di Long Island. Ascoltare le fulminanti accuse lanciate da Bobby Kennedy nel suo faccia a faccia con il potentissimo Jimmy Hoffa lasciò su di me una traccia indelebile, in un'età in cui il carattere dell'individuo è una cera vergine. Anche per questo fui più che deciso a vincere quel processo contro i camionisti a trent'anni di distanza, quando il vertice del sindacato era ancora infestato da elementi criminali.

All'inizio del 1989 l'inchiesta stava arrivando alla conclusione. Oltre a quella ne avevo in corso altre a vari stadi di avanzamento, e al tempo stesso stava prendendo forma in me l'idea di candidarmi a sindaco. Era sempre più chiaro, a questo proposito, che sarei stato un candidato con molte chances, come particolarmente convincenti erano le ragioni che mi inducevano a candidarmi. Presi la mia decisione. L'ultimo giorno di gennaio lasciai l'ufficio di U.S. Attorney, ma prima tirai le fila dell'inchiesta contro i sindacati e la affidai nelle capaci mani del mio assistente esecutivo Benito Romano, appena nominato U.S. Attorney *ad interim*. Il 14 marzo il sindacato Camionisti chiese il patteggiamento, accettando la supervisione del governo e la presenza di sovrintendenti nominati dalla corte, secondo le nostre richieste: e i camionisti poterono fare affidamento su un po' più di democrazia, perché da quel momento in poi i loro rappresentanti nazionali sarebbero stati eletti a suffragio diretto.

Quella di sindaco di New York fu un'esperienza stimolante, specialmente negli ultimi mesi del mio secondo mandato. Ma anche la responsabilità del primo cittadino è in certo modo diversa da quella di chi, come l'U.S. Attorney, deve sobbarcarsi il peso delle decisioni.

Quest'ultimo incarico mi piacque come mi piacque il ruolo di sindaco, lavori entrambi gratificanti. Ma non dimenticherò mai come mi sentii quel primo di febbraio, quando svegliandomi la mattina mi sembrò che un enorme macigno mi fosse stato sollevato dalle spalle. Tornai a sentirmi una persona normale e mi resi conto che tutta quella conflittualità, quell'opporsi alle prevaricazioni mi avevano logorato. Decidere da U.S. Attorney un rinvio a giudizio era ed è un peso non indifferente. E ogni volta che rinviavo a giudizio qualcuno, dovevo vedermela con questi interrogativi in un certo senso religiosi: È giusto? Che impatto potrà avere questo rinvio a giudizio? Ma un altro pensiero mi attraversò la mente quel primo di febbraio: Ora sarà qualcun altro a rimanere sveglio la notte per prendere una decisione.

Opporsi ai prepotenti non è facile. E se ci si oppone subito e con decisione è per non doversi poi opporre più del dovuto.

XIII

Studiate. Leggete. Imparate. Da soli

Mia madre Helen Giuliani ebbe una notevole influenza sulla mia istruzione. Insegnare le piaceva. Al liceo si era diplomata con la migliore votazione dell'intero corso ed era destinata a fare l'insegnante, ma l'incombente Grande depressione e il suo stato di orfana di padre l'avevano costretta a lavorare per mantenere la famiglia. Non avendo quindi una scolaresca alla quale insegnare, fece di me il suo studente speciale.

Cominciò a darmi lezioni da subito, da prima di quanto io riesca a ricordare. Le piaceva molto la storia e instillò in me il convincimento che conoscere il passato mi avrebbe illustrato l'intera vicenda dell'umanità. Leggeva ad alta voce ciò che mi insegnava, incoraggiandomi a sfruttare l'immaginazione per rappresentarmi in mente i diversi scenari. Trasformava una semplice passeggiata in auto a Long Island in una lezione, spingendomi a immaginare come si presentava l'isola al tempo in cui era abitata dagli indigeni e come era cambiata con l'arrivo di Cristoforo Colombo e poi con quello dei coloni.

Adorava i libri, mia madre, considerandoli una fonte di svago e non un compito o uno strumento. Mi spiegò, convincendomi, che un libro può condurre dappertutto chi lo legge, che ci si può impadronire di ogni materia leggendo con la necessaria concentrazione. Leggere un libro può portarti in vacanza, amava ripetermi. Leggere *Hawaii* di James Michener le fece visitare le isole del Pacifico, mentre *Il tormento e l'estasi*, la biografia romanzata di Michelangelo scritta da Irving Stone, le fece conoscere la Toscana. Non vedevo l'ora di seguire le lezioni di storia, a scuola. E quando ebbero inizio custodii gelosamente i libri, carezzandoli e odorandoli, affascinato dai mondi che vi erano rappresentati. Mi piace ancora l'aspetto, l'odore e la consistenza dei libri. Nei primi anni di scuola rispettai la rigorosa tabella di mia madre, che prevedeva prima i compiti a casa e poi lo svago. Crescendo e scoprendo il baseball e le ragazze questa disciplina mi sembrò sempre più onerosa: ma anche se cercavo scuse per rimandare i compiti e mi mettevo a studiare giorno e notte solo poco prima degli esami, l'amore per l'apprendimento non scomparve mai. C'erano ovviamente certe materie che mi annoiavano e certe incombenze scolastiche per le quali non andavo matto. Ma in linea generale direi che mia madre mi trasmise quel suo grande amore per la conoscenza, quell'eccitazione che si prova acquisendo nuove nozioni.

Mi insegnò anche una tecnica di studio: ogni volta che devi imparare qualcosa, mi diceva, fai come se dovessi insegnarla a te stesso. Con il passare del tempo maturai il romantico convincimento che si possano trovare nei libri soluzioni segrete. Se mi dedico a qualcosa leggo il più possibile ciò che è stato scritto su quella materia, convinto così facendo di imparare qualcosa che nessun altro conosce.

Insegnate in primo luogo a voi stessi

Mio figlio Andrew ha cominciato a interessarsi di golf alla fine degli anni Novanta. A me, cresciuto praticando e seguendo da spettatore sport «fisici» e d'azione, quello sembrava terribilmente lento. E ogni volta che rimanevo intrappolato in un campo da golf rabbrividivo davanti a quelle infinite regole. È già duro dovere colpire forte quella maledetta pallina, ma non basta: va aggiunta la frustrazione dei colpi supplementari da impartire quando finisce in acqua oppure si ferma sul bordo della buca dopo un *putt* apparentemente perfetto. Non riuscivo quindi a capire il fascino magico che questo gioco esercita su milioni di persone. A peggiorare la situazione, Andrew continuava a chiedermi di giocare con lui. Un giorno di primavera del 1998 finalmente cedetti e giocammo nove buche in un campo pubblico, il Dyker Beach di Brooklyn. Andrew osservava così rigorosamente le regole che, appena mi chiese quando avremmo giocato diciotto buche, risposi «Mai».

Poi, un volo cancellato mi regalò qualche inattesa ora libera durante una trasferta politica in New Mexico con il mio amico e collega Randy Levine e altri. L'idea era quella di fare un giro turistico a

Santa Fe, ma Randy insistette per giocare una partita di golf a nove buche.

Accettai, anche se con una certa riluttanza. Alla prima buca Randy mi vide lottare con il mio *swing*, con il risultato di mandare la pallina in tutte le direzioni tranne che in quella giusta. «Rudy, non stiamo giocando in un torneo per professionisti, ma per divertirci» mi disse. «Se stecchi un colpo, prendi un'altra pallina e riprova con calma.» All'improvviso, in quel momento, capii che il golf deve essere un piacere, non una tortura. E divenni un maniaco del golf, fui colpito cioè da quella strana febbre che ti fa passare ore e ore a prendere a bastonate una pallina dalla superficie corrugata, nel tentativo di farla entrare in una buchetta distante centinaia di metri.

Le mie partitelle di fine settimana con Andrew non furono quindi più soltanto una scusa per passare un po' di tempo con mio figlio, ma divennero l'occasione per godermi qualche ora in santa pace lontano dalle incombenze dell'amministrazione cittadina. E una volta realizzato che il mio interesse per il golf era destinato a durare, feci ciò che faccio ogni volta che mi dedico a una nuova attività: mi lessi cioè una decina dei migliori libri su questo argomento. Il primo che assimilai fu *Golf for Dummies* di Gary McCord, mentre *Dave Pelz's Short Game Bible* mi insegnò a ragionare da golfista lavorando prima per migliorare il *putt*, passando poi al *chip*, al *pitch* e finalmente al *drive*. Lessi anche il classico *Ben Hogan's Five Lessons: The Modern Fundamentals of Golf*, che illustra le basi dello *swing* con parole chiare e incoraggianti. Man mano che il mio gioco migliorava cominciai a comprare anche videocassette. Mi misi a dare lezioni a Judith, scoprendo di essere più bravo come insegnante che come giocatore. Ora alleno anche Caroline ed è con orgoglio che di recente sono stato testimone di un suo colpo con il quale ha fatto volare la pallina sopra la superficie dell'acqua, mandandola a finire a 130 metri di distanza, proprio al centro del *fairway* di Maidstone, negli Hamptons.

Analogo è stato il mio approccio ad altri hobby. Quando mi sono rimesso a fumare il sigaro ho cercato di apprendere il più possibile sulla storia e sulle tecniche di fabbricazione di questo squisito vizio. Quando facevo il curatore di quella società carbonifera in Kentucky uno dei dipendenti, Andy Adams, possedeva alcuni cavalli e ne parlavamo spesso. Era il 1978, l'anno di Seattle Stew e di Affirmed, i vincitori della Triple Crown, e quel mondo m'interessò.

Comprai il libro *Picking Winners* di Andrew Beyer e mi studiai le sue tabelle di conversione della velocità a seconda della lunghezza del tracciato (per esempio, sei *furlong** in 1 minuto e 13 secondi equivalgono a sette *furlong* in poco più di un minuto e 26) per capire quali cavalli fossero in grado di offrire le migliori prestazioni rispetto alle quotazioni di mercato. Me ne andavo all'ippodromo di Saratoga per mettere alla prova le mie ricerche, facendomi autorizzare a scendere accanto alla pista per potere fotografare i cavalli al galoppo.

Al secondo anno delle superiori il mio professore di musica ci spiegava il concerto o l'opera che quel sabato sarebbero stati radiotrasmessi in diretta dalla Metropolitan Opera. Come molti teenager non andavo matto per la lirica ma, da amante della storia, mi aveva colpito lo stesso errore di valutazione commesso da Napoleone e Hitler nel decidere di invadere la Russia. Poi il professore mise sul piatto un disco con l'*Ouverture 1812* di Čajkovskij, facendoci notare come il tema fosse una combinazione della *Marsigliese* con motivi popolari russi, fin quando questi ultimi prevalevano nel crescendo finale che si conclude con il cannone. Quel sabato andai a comprare l'ultimo successo del rock and roll e notai un disco dell'*Ouverture 1812*, sulla copertina del quale era raffigurato un dipinto di Napoleone che fugge a cavallo da Mosca. Costava 99 cent, lo stesso prezzo del *Giulio Cesare* di Händel. A scuola avevamo letto il *Giulio Cesare* di Shakespeare e comprai quindi entrambi i dischi. Poi, proprio mentre stavo uscendo, vidi un disco della *Traviata* diretta da Arturo Toscanini con le voci di Licia Albanese, Jan Peerce e Robert Merrill. Il proprietario del negozio mi disse che avrei dovuto comprare anche quello e io avevo appena i soldi per i tre dischi. Me li portai a casa e divenni all'istante un fanatico della musica lirica.

Per apprezzare l'opera bisogna lavorarci su. Come accade con il golf, molta gente si spaventa per il tempo che bisogna dedicarle: ma la contropartita è eccezionale. Come è mia abitudine ogni volta che mi interesso a qualcosa, mi misi a leggere tutto ciò che potevo sulla musica operistica. Lo stesso feci, molto più intensivamente e seriamente, dopo che mi fu diagnosticato il tumore alla prostata. Appresi tutto il possibile sul cancro in generale e su quello alla pro-

* Un *furlong* equivale a un ottavo di miglio, cioè 201,17 metri [*N.d.T.*]

stata in particolare, così da potere capire ciò che mi dicevano i medici, formarmi un'opinione e vedere quali consigli riflettevano meglio il mio modo di procedere verso la guarigione.

Al tempo in cui ricoprivo la carica di U.S. Attorney, una delle mie inchieste più complesse, conflittuali e pubblicizzate fu quella contro Michael Milken, che rinviai a giudizio nel 1989 per il reato di truffa in titoli di Borsa. Anche se mi ero già dimesso quando l'imputato finalmente chiese il patteggiamento, quell'inchiesta aveva provocato un'enorme ostilità di Milken nei confronti miei e dei miei assistenti. E fu quindi una strana e triste coincidenza quella del cancro alla prostata che ci riavvicinò anni dopo.

Michael Milken combatté contro il male con grande accanimento, sia da malato sia da fondatore del CaP CURE, il più grosso ente finanziatore delle ricerche sul cancro alla prostata. Quando mi fu diagnosticato il tumore, Milken mi telefonò. Essendo sopravvissuto alla stessa malattia si stava affermando come un'autorità in materia, oltre che come un efficientissimo paladino dei malati. Michael non è un medico né uno scienziato, ma conosceva a fondo il cancro alla prostata. La prima impressione, quando lo conobbi, fu che avesse lottato contro il cancro con lo stesso fervore e la stessa concentrazione di quando guadagnava miliardi di dollari per sé e per i suoi clienti. Lui, per esempio, non si sforzava a malincuore di «mangiare giusto». Aveva assunto un cuoco per preparargli quelle alternative vegetariane alle uova con il bacon e ai sandwich Reuben che erano stati alla base della sua alimentazione. E metteva gli altri al corrente delle sue conoscenze. (A proposito di libri, Milken e il suo cuoco hanno pubblicato un eccezionale libro di ricette, *Manuale di cucina per il gusto della vita: le ricette anticancro preferite di Mike Milken*). Grazie alle nozioni acquisite e sviluppate individualmente, Milken non solo è sopravvissuto a una malattia mortale, ma è impegnato al massimo per far sì che altri possano imitarlo.

Non affidatevi totalmente agli esperti

Un buon leader deve avere delle ottime conoscenze di base. Per quanto possano essere esperti e in gamba i suoi vice e i suoi consiglieri, deve affrontare ogni sfida con il massimo di preparazione sull'argomento in questione. Ciò non significa che un sindaco debba saperne sulle malattie più del suo assessore alla Salute, o sulla giungla delle finanze comunali più del responsabile del Bilancio. Il presidente di una catena di ristoranti può benissimo non essere un cuoco sopraffino e quasi nessun dirigente di compagnia aerea è un provetto pilota o addirittura è in grado di fare il meccanico o l'addetto ai bagagli. Ma un leader dovrebbe avere delle conoscenze, acquisite per vie personali, delle materie sotto la sua giurisdizione. Chi si accinge a mettersi alla testa di una grossa organizzazione deve trovare il tempo per prepararsi a fondo.

Nel migliore dei casi, il leader di un sistema complesso ha esperienza di uno o due settori. Io ero stato il numero 3 al dipartimento della Giustizia oltre che U.S. Attorney del Distretto meridionale di New York, e una volta diventato sindaco ritenevo quindi di contare su una preparazione adeguata per potere dare immediatamente un mio significativo contributo in materia di applicazione della legge. Ma non ero un esperto di malattie o di welfare o di politica fiscale. E se ho assunto esperti di queste materie è stato per potermi giovare delle loro conoscenze e delle loro idee: ma non davo loro carta bianca. La mia funzione di leader era quella di combinare tra loro i vari pezzi nel modo migliore per ottenere un determinato quadro d'assieme. Nemmeno l'esperto animato dalle migliori intenzioni può sapere se il modo da lui caldamente raccomandato di affrontare un problema contraddice, o quanto meno minimizza, l'approccio scelto da un altro manager. Mi addentravo quindi in certi settori con certe idee e una filosofia di base, ma al di là di ciò avevo la responsabilità di sviluppare delle autentiche conoscenze di lavoro.

Non bisogna approfondire le proprie conoscenze solo perché è il nostro dovere (il che è vero), o perché è interessante e piacevole sapere come funzionano certi meccanismi (altrettanto vero): ma anche perché è il sistema migliore per estirpare pregiudizi e pretese di chi ci vorrebbe influenzare. Poniamo il caso che qualcuno – un manager della vostra società, la stampa o un investitore facoltoso – cerchi di farvela, sostenendo con la massima sicurezza che «lo sanno tutti che una cosa del genere si fa così e così»: voi dovrete avere delle nozioni di base che vi consentano di capire se le cose stanno proprio così. Questo vi aiuterà tra l'altro a distinguere gli esperti autentici da quelli per modo di dire, tra i competenti e quelli che parlano reagendo a un riflesso condizionato. Disponendo di queste nozioni personali, potrete farvi un quadro di riferimento, che vi aiuterà a stabilire se fidarsi o meno del consiglio che qualcuno vi sta dando. Conoscere i fondamentali, insomma, vi aiuta a non farvi raggirare.

E non potrete fingere di sapere qualcosa su un dato argomento. Ci sarà sempre chi «vedrà» subito un bluff del genere e si approfitterà della vostra ignoranza, oppure vi considererà da quel momento un dilettante. Se invece si saprà che di certe cose ve ne intendete e che vi aspettate dagli altri la dimostrazione della loro effettiva competenza, saranno meno tentati di sviarvi. Vi accorgerete che il vostro staff si presenta alle riunioni più preparato e sarà più scrupoloso nelle esposizioni.

C'è infine una componente psicologica, che si riallaccia alle lezioni di storia che mi dava mia madre. Anche se non sono in grado di dimostrarlo scientificamente, credo che leggere abbastanza su un dato argomento consenta di chiarirne tutti gli aspetti, comprendendone le basi più in profondità di quanto si potrebbe fare con la semplice osservazione. Se poi siete dotati di curiosità intellettuale, potrete dedicarvi a quella materia e dominarla come nemmeno sono in grado di fare coloro che le hanno dedicato molto più tempo di voi. Non funziona sempre così: ma spesso una persona intelligente, cioè non condizionata da abitudini inveterate o dal ritornello «È così che si è sempre fatto», può catalizzare il cambiamento.

Nelle settimane successive alla tragedia del World Trade Center, quando non esisteva più il «tempo libero», mi ritagliai qualche ora per documentarmi sulla maledizione che si era abbattuta sulla mia città, per trovare quelle fonti che mi avrebbero consentito di sapere e di capire. Quando leggo ho l'abitudine di sottolineare. Poco dopo l'11 settembre Judith mi dette un libro di Yossef Bodansky, *Bin Laden: l'uomo che ha dichiarato guerra all'America*. In men che non si dica il libro si riempì di note e subì l'assalto dell'evidenziatore. Al termine, ne discussi con l'autore ed ebbi una lunga conversazione con Henry Kissinger, che mi parlò del terrorismo dandomi la sua interpretazione della storia e delle sue ramificazioni.

Faccio sempre così, se voglio impadronirmi di una certa materia. Quando entrai nello studio legale Patterson Belknap, nel 1977, avevo già ottenuto qualche successo in campo giuridico, ma non avevo mai lavorato in uno studio legale e avevo terminato l'università da quasi otto anni. Mi resi conto che mi sarei dovuto occupare di diritto civile, come ai tempi in cui facevo l'assistente al giudice MacMahon. Acquistai quindi tutti i testi più qualificati, sulla legislazione antitrust come sulla procedura civile o il diritto commerciale, e me li lessi da cima a fondo.

Proprio il giudice MacMahon osservava che una delle soddisfazioni della professione di avvocato, specialmente dell'avvocato che va in aula, è quella di trasformarsi in esperto di tante materie. Il suo ufficio era pieno di testi sugli argomenti più disparati, dalla chimica alla biologia e ad altre materie, e lui si documentava a fondo su tutto ciò che potesse avere attinenza con il processo che stava trattando. È divertente imparare in tal modo, anche se alla fine del processo ti dimentichi tutto.

Questo rafforzò la mia abitudine di comprare libri, di leggere tutto il possibile sulla materia che mi accingo a trattare. Dotarmi di nozioni su una certa materia mi ha consentito di gestire organizzazioni delle quali non conoscevo nemmeno l'esistenza. Quando fui nominato curatore del fallimento di una miniera di carbone nel Kentucky, di cui ho già parlato, non sapevo nemmeno com'era fatta una miniera di carbone, e men che meno conoscevo le dinamiche del settore energetico. Come si può immaginare, non esiste una pubblicistica sulla gestione di una società carbonifera, ma trovai diversi testi utili sulla struttura delle società petrolifere e sul mondo dell'energia in generale. Quando qualche anno dopo la società si riprese dal fallimento, conoscevo abbastanza di quel settore.

Un buon avvocato si fa una notevole cultura delle materie inerenti a un processo perché dovrà conoscere la materia abbastanza per poterla spiegare agli altri. Un penalista che spiega alla giuria o a un testimone l'Abc della prova del DNA non ha bisogno di essere un grande scienziato, ma deve comprenderne i principi scientifici a sufficienza perché la testimonianza convinca il giudice o la giuria. E una conoscenza del genere non può essere delegata. Le giurie possono accorgersi della mancanza di autorevolezza così come se ne accorgono i dipendenti, gli investitori, i clienti, i collaboratori e i concorrenti. Ricorsi a un libro, come al solito. *Come scrivere, parlare e pensare più efficacemente*, di Rudolf Flesch, mi è stato più di una volta di enorme utilità per impadronirmi dell'arte della comunicazione.

Non è senza motivo che ho citato il DNA a proposito dell'importanza di ampliare la base delle proprie conoscenze. Il 26 agosto 1999 fu scoperto sul tetto di un palazzo, nella zona di Williamsburg, il cadavere di una certa Vivian Caraballo, strangolata con una striscia di stoffa. Poco più di un mese dopo, sul tetto di un altro edificio, fu fatta un'analoga scoperta: la vittima stavolta era una certa Joann Feliciano ed era stata strangolata con le stringhe di un paio di scarpe da ginnastica e con il filo di un altoparlante. Nel giro di un anno furono sei le donne di Brooklyn strangolate da un serial killer, come era ormai evidente.

Il 5 agosto 2000 la polizia accusò di quattro di quegli omicidi Vincent Johnson, un trentunenne che importunava i passanti per farsi dare qualche moneta. La storia della caccia a questo malvagio assassino non è solo l'esempio di un ottimo lavoro investigativo, ma dimostra come una base di conoscenze possa fare una decisiva differenza: nel nostro caso, la vita o una morte orribile per quelle donne di Brooklyn.

Nel corso delle indagini la task force della Squadra Omicidi di Brooklyn Nord aveva passato in rassegna numerosi personaggi sospetti. Uno di loro, un barbone, era stato scagionato dopo che il suo DNA si era dimostrato incompatibile con le tracce rilevate sul luogo del delitto e aveva fatto amicizia con Steven Feely, uno dei detective che seguivano il caso. E gli aveva raccontato di un altro barbone, Vincent Johnson, un tossicomane che parlava spesso di legare, violentare e assassinare le donne. Dando prova di una notevole iniziativa l'uomo, vedendo un giorno Johnson attraversare il Williamsburg Bridge, aveva telefonato alla polizia e lo aveva seguito fin quando non erano arrivati gli agenti.

Johnson ammise durante l'interrogatorio gli omicidi, ma negò di avere violentato le vittime e si rifiutò di ripetere la confessione su videocassetta, poi si chiuse a riccio e chiese un avvocato. E soprattutto non volle fornire un campione del suo DNA, grazie al quale i detective erano certi di poterlo incastrare. Il detective Feely si ricordò successivamente di avere detto a Johnson, dopo averlo visto sputare in strada, di non sputare negli uffici del distretto di polizia. Allora corse fuori e raccolse da terra lo sputo, che poi consegnò al medico legale. E l'indagine si chiuse quando il DNA dello sputo risultò lo stesso di quello trovato sul luogo del delitto. Johnson sta scontando una condanna all'ergastolo, senza possibilità di libertà sulla parola.

Nello stesso anno dell'arresto di Johnson la polizia catturò a Miami il venticinquenne Arohn Kee, che si era rifugiato in Florida dopo essere fuggito da New York con una teenager. Un mese prima la polizia di New York l'aveva fermato per furto, incriminandolo poi per una serie di omicidi e stupri avvenuti ad Harlem negli ultimi sette anni. Ma lui si era rifiutato di fornire un campione del suo DNA, sostenendo di essere un testimone di Geova. I detective riuscirono ugualmente a procurarsi questo campione, sfruttando le tracce di saliva lasciate sul bordo di una tazza di caffè che aveva bevuto in cella. La polizia le confrontò con altre tracce rilevate sul luogo del delitto, ma Kee frattanto era stato rimesso in libertà per scadenza dei termini e si era reso irreperibile. Le teste di cuoio della polizia lo arrestarono a Miami, liberando la teenager rimasta illesa.

Kee venne incriminato per l'omicidio di tre ragazze e lo stupro di altre quattro e si prese una condanna a quattrocento anni. Per l'accusa, l'imputato era «ciò che di più simile al male puro» gli fosse capitato di trovare in quindici anni di carriera.

Catturammo quegli assassini e diversi altri criminali, e scagionammo individui ingiustamente arrestati o sospettati, perché la polizia di New York è quella che in assoluto esegue più test del DNA: quasi tre volte di più rispetto all'FBI. Il primo a sottolinearmi l'importanza di questi test fu Howard Safir, assessore alla Polizia. Maureen Casey, viceassessore, era un'esperta di DNA e contribuì a perfezionare le nostre tecniche dotandoci della strumentazione più avanzata. Anch'io ero un convinto assertore del potenziale del DNA in grado di rivoluzionare le tecniche investigative, e lo ero perché avevo studiato la materia.

Quando all'inizio del 2000 apparve in libreria *Genoma* di Matt Ridley io ero già un entusiasta sostenitore dell'utilità del DNA nella soluzione dei casi giudiziari. Per Natale regalai quel libro a molti miei collaboratori, per contagiarli del mio stesso entusiasmo. Da tre anni eseguivamo e immagazzinavamo test del DNA sui sospettati, ma *Genoma* dava una chiara spiegazione della scienza dalla quale il DNA era nato. Se posso capirla io, quella roba, possono capirla tutti e, ancora più importante, la possono capire quelli del dipartimento di Polizia. È questo il senso di «farsi entrare in circolo» certe informazioni. Una cosa è dire a un agente, quasi fosse un lavoro di routine, di prelevare con un tampone un po' di saliva dalla bocca di qualcuno, un'altra è portarlo a capire che cosa è il DNA e a che cosa serve. In tal modo, se grazie a un colpo di fortuna questo agente riuscirà un giorno a mettere le mani su un campione di espettorato o su una garza macchiata di sangue, potrà agire di sua iniziativa.

Dopo l'attacco al World Trade Center diventammo ben presto i più grossi fruitori su scala mondiale della tecnologia DNA. Volendo, lo si potrebbe anche considerare un imprevisto aspetto positivo della tragedia, nel senso che avremo compiuto il maggior numero di analisi genetiche nella storia, qualcosa che migliorerà sensibilmente la nostra capacità di servirci del DNA a fini di identificazione.

Ciò nonostante, leggendo *Genoma* non avrei assolutamente immaginato che un giorno il medico legale capo di New York, Charles Hirsch, spiegandomi le conseguenze dell'orrenda tragedia dell'11 settembre, mi avrebbe detto che per identificare la maggior parte delle vittime era sufficiente trovare microscopici resti cellulari.

Alle due e mezzo della notte tra l'11 e il 12 settembre arrivai a casa del mio amico Howard Koeppel, dal quale andavo a dormire quasi ogni notte. Guardai un po' di notiziario TV con lui e con Beau Wagner, uno dei detective della mia scorta, e verso le tre mi misi a letto. Sul comodino era posata una copia della biografia di Churchill scritta da Roy Jenkins, che sarebbe stata pubblicata di lì a poco ma della quale avevo una copia staffetta che leggevo di tanto in tanto. Per tutta la giornata avevo pensato ai bombardamenti aerei subiti da Londra durante la Seconda guerra mondiale e ne avevo parlato con le persone che incontravo, esortandole a essere coraggiose come gli inglesi.

Lessi fino alle quattro e trenta quella mattina, lanciando ogni tanto uno sguardo al televisore acceso. In particolare mi soffermai sulle pagine in cui viene rievocata l'elezione di Churchill a primo ministro nel 1940, un'elezione figlia soprattutto della disperazione e caratterizzata dallo scetticismo dello stesso partito del neopremier. Poco dopo vi fu la Battaglia d'Inghilterra e Churchill tenne alto il morale e la determinazione dei suoi connazionali sottoposti ai bombardamenti giorno dopo giorno, notte dopo notte. L'indomabile ottimismo con cui lo statista affrontò quell'ora buia del suo Paese mi trasmise un'enorme vigore. Arrivato all'ultima pagina di quella biografia volli leggere qualcosa scritta dallo stesso Churchill. Joe Lhota mi dette una copia di *La loro ora più bella,* che rimase accanto al mio letto nelle due prime settimane di ottobre.

Le biografie politiche fanno da sempre parte delle mie letture. Quando da giovanissimo lessi *Ritratti del coraggio* di John F. Kennedy ne fui terribilmente colpito. Oggi, ogni volta che sento un politico rilasciare dichiarazioni palesemente ruffiane, mi chiedo se nessuno legga più nemmeno un capitolo di quell'opera di JFK. Ho divorato le biografie di Lincoln e Washington con lo stesso entusiasmo riservato a quelle di Ruth, Gehrig e DiMaggio. Quando New York venne attaccata, l'interesse suscitato da Winston Churchill era ormai profondamente radicato in me. Avevo letto abbastanza di suo o su di lui in diverse fasi della mia vita: a scuola, naturalmente, ma anche dopo la sconfitta elettorale del 1989. New York era a pezzi e chiedeva al suo sindaco di fare qualcosa contro l'ondata di criminalità, un appello mirabilmente sintetizzato in un indimenticabile titolo di prima pagina del «New York Post»: *Dave, fai qualcosa!* Ma Dave, il sindaco Dinkins, disse in pratica ai newyorchesi che non c'era nulla da fare. Fu allora che cominciai a pensare a Churchill.

Il 10 maggio 1940 le armate di Hitler invasero Olanda, Belgio e Lussemburgo. Due giorni dopo il blitz fu ripetuto in Francia e rimasero in trappola circa 200.000 uomini del corpo di spedizione inglese. Il 26 maggio gli inglesi misero in mare ogni tipo di nave o di imbarcazione disponibile – corazzate, traghetti, pescherecci, yacht – e attraversarono la Manica sotto una pioggia di fuoco per andare a salvare i loro fratelli. Quella flotta eterogenea attraccò sulle banchine e sulla spiaggia di Dunkerque, caricò il maggior numero possibile di inglesi e fece ritorno a gran velocità a Dover. Il 3 giugno Hitler bombardò Parigi. Il 4 giugno, quando stava per terminare l'evacuazione di Dunkerque, Churchill si alzò a parlare alla Camera dei Comuni:

> Andremo avanti fino alla fine, combatteremo in Francia, sui mari e sugli oceani, combatteremo nei cieli con crescente fiducia e vigore, difenderemo la nostra isola qualunque potrà essere il costo di questa difesa, combatteremo sulle spiagge e negli aeroporti, combatteremo nei campi e nelle strade, combatteremo sui monti, non ci arrenderemo mai. E anche se, ma non ci credo nemmeno per un momento, quest'isola o gran parte di quest'isola fosse soggiogata e affamata, il nostro Impero d'oltremare armato e scortato dalla flotta inglese riprenderà la battaglia: fino a quando, il giorno che Dio vorrà, il Nuovo Mondo si farà avanti con tutta la sua potenza per salvare e liberare il Vecchio Mondo.

Ve lo immaginate Churchill che nel pieno della Battaglia d'Inghilterra esce dal numero 10 di Downing Street e dichiara: «Non ci resta molto da fare, purtroppo»? Sicuramente anche lui sarà stato a volte oppresso dal dubbio. La Germania aveva invaso in pratica l'intera Europa. L'America non reagiva, non almeno come avrebbe voluto lui, Roosevelt non sembrava in grado di trascinare la sua nazione in guerra. E gli inglesi erano soli, bombardati da quella *Luftwaffe* che non aveva ancora dispiegato tutto il suo potenziale. All'improvviso l'inespugnabile isola-impero veniva invasa dal cielo, qualcosa mai accaduto prima in Inghilterra. Le città e i suoi abitanti venivano bombardati ogni giorno.

Sappiamo ora che Winston Churchill soffriva di depressione. Eppure, anche nei periodi nei quali cadeva in preda al «cane nero», come lui stesso l'aveva definita, riusciva sempre a ispirare fiducia e speranza nel suo popolo. Lui si riuniva con il suo gabinetto nei bunker e a volte erano costretti a interrompere queste riunioni per trasferirsi in rifugi più profondi e sicuri. Ma appena si udiva la sirena del cessato allarme il premier usciva in strada e si metteva a camminare tra la gente, cercando di tranquillizzarla e aiutarla con la sua presenza e il suo coraggio.

Non so perché mi venne in mente Churchill nei primi anni Novanta, quando la criminalità, il calo dell'occupazione e la dipendenza dal welfare facevano sentire gli abitanti di New York vittime senza speranza di quello stato di cose. So per certo che proprio allora ebbi la certezza che mi sarei candidato nuovamente alla carica di sindaco nel 1993. Parlai di Churchill in qualche discorso pubblico e mi scusai per quell'accostamento, forse velleitario. Non mi stavo paragonando al grande statista, ma non potevo ignorare quelle sue parole talmente ispiratrici. Si trattava, soprattutto, di una linea di pensiero.

C'era quindi un metodo nel comportamento che tenni l'11 settembre. Non potevo dire «Abbiate coraggio» senza scendere in strada, non potevo esortare i cittadini a non farsi prendere dal panico dell'antrace senza andare dove si sospettava vi fosse dell'antrace. Questo, s'intende, per ottimismo della leadership. Se il leader abbandona, tutti abbandonano e la speranza scompare. Nel mio caso vi furono molte circostanze, specialmente nel 1994, quando mi accorsi di avere ereditato dalla precedente amministrazione un deficit di miliardi di dollari, in cui temetti che i nostri piani non ce la facessero ad andare in porto. Ma non potevo annunciare: «Stiamo provando questi tagli e questo sistema per ridurre la criminalità e *ritengo* che potrebbe funzionare». Dovevo credere e avere fede.

Spetta al leader ispirare fiducia, credere nel suo giudizio e nei suoi uomini anche se sono loro i primi a non credere più in se stessi. A volte l'ottimismo di un leader si basa su qualcosa che soltanto lui sa, a volte cioè la situazione non è così critica come si pensa e i motivi saranno un giorno chiari a tutti. Ma a volte egli deve essere ottimista, per il semplice motivo che se non è ottimista lui non lo sarà nessuno. E dovrà almeno cercare di reagire, anche se le possibilità di vincere sono ridotte al minimo.

Per fortuna quasi tutti i leader, dai dirigenti ai sindaci, non sono costretti a preoccuparsi di un intervento militare o della sicurezza dei loro cittadini in tempo di guerra. Ma quando la mia città venne attaccata dal cielo, a pochi isolati dal mio ufficio e a pochi chilometri da casa mia, e migliaia di newyorchesi furono uccisi compresi quelli, centinaia e centinaia, accorsi in soccorso degli altri, fui riconoscente a me stesso per avere studiato la vita di un tale leader. Nel momento del bisogno, cioè, potei avvalermi dell'ispirazione e dell'incoraggiamento che mi aveva dato la lettura della biografia di Winston Churchill.

XIV
La centralità dei vostri obiettivi

Elisa Izquierdo era nata l'11 febbraio 1989. Era una bella bambina, anche se sottopeso e intossicata dal crack. Era stata concepita a Fort Greene, Brooklyn, in una comunità di emarginati della quale la madre era ospite e dove il padre faceva il cuoco. Le assistenti sociali dell'ospedale, preoccupatissime per lo scarso peso alla nascita, la affidarono in custodia al padre e fecero la cosa giusta: informarono l'ente comunale di Assistenza all'infanzia.

Gustavo Izquierdo fu un padre coscienzioso e crescendo con lui Elisa diventò una ragazzina deliziosa e felice. Il papà frequentava corsi speciali per genitori, le faceva le treccine ogni giorno, l'aveva posta al centro della sua vita. Un principe greco, affascinato da quella bella bambina, le pagò la retta alla Brooklyn Friends School, la locale Montessori. La madre di Elisa, nel frattempo, doveva vedersela con la droga oltre che con un nuovo marito particolarmente manesco. Il tribunale dei minori le concesse di andare a trovare la figlia senza la presenza di un'assistente sociale ed Elisa ben presto ebbe il terrore di queste visite, durante le quali – come raccontava alle sue maestre della Montessori – la mamma la chiudeva in un armadio.

Quando nel 1994 Gustavo morì di cancro, i suoi familiari tentarono di farsi assegnare la bambina. Ma l'avvocato della madre, assegnatole dalla Legal Aid Society, sostenne che gli incaricati dello stesso ente avevano contattato la famiglia paterna decidendo che la piccola si sarebbe trovata meglio con la madre. Anche l'ente comunale di Assistenza all'infanzia si disse dello stesso parere, dopo avere «seguito» per un anno il ménage materno. E il giudice del tribunale dei minori, alla luce di queste risultanze, decise che Elisa doveva andare a stare con la madre e il patrigno, anche se quest'ultimo aveva appena scontato due mesi di carcere dopo avere colpito la madre della bambina con diciassette coltellate.

Il 29 novembre 1995 andai al funerale di Elisa Izquierdo. Il bel vestitino e i fiori disposti nella bara attorno al capo non riuscivano a coprire le trenta impronte circolari lasciate sulla pelle dall'anello al dito della mano che aveva sferrato quei pugni, né le ferite alla testa sbattuta ripetutamente contro un muro. La madre disse alla polizia di avere costretto la bambina a mangiare le proprie feci e di avere pulito il pavimento con la testa della bambina. La stessa polizia scoprì poi che la piccola aveva ripetutamente subito violenze sessuali e che numerosi vicini in più di una circostanza si erano rivolti alle autorità dopo avere visto i bambini vagare di notte senza meta mentre la madre andava in cerca di crack. Elisa era stata tolta dalla scuola da un giorno all'altro, senza alcuna spiegazione. E quando gridava chiedendo aiuto, la madre aumentava il volume della radio.

Di lì a due mesi Elisa avrebbe compiuto sette anni, mia figlia Caroline in quel periodo ne aveva sei. Non è concepibile che si possa fare tanto male a una bambina. Mi sentivo responsabile della morte di quella bella bimba, pur sapendo comunque che l'amministrazione civica non può sostituirsi ai genitori. Non possiamo essere dappertutto, non è questo il nostro obiettivo. Ciò non significa che ancora oggi il mio cuore non continui a soffrire per la morte di Elisa Izquierdo.

L'ente comunale di Assistenza si era occupato sei volte di Elisa, a cominciare da quando era nata intossicata dal crack. Nessuno, all'ente, avrebbe voluto che succedesse quella tragedia, ma la bambina era affidata alla nostra responsabilità e non avevamo fatto ciò che dovevamo per sottrarla alla madre o per seguire la vicenda con maggiore attenzione. Il sistema insomma aveva fallito.

Ogni volta che mi dedicavo a un ente comunale cercavo di individuare il suo reale obiettivo statutario e indirizzavo ogni decisione al raggiungimento di questo obiettivo. «Qual è l'obiettivo dell'ente comunale di Assistenza all'infanzia?» mi chiedevo, prendendo atto dell'estrema confusione che vi regnava. «Quale la sua missione?» Incaricai Howard Wilson, assessore alle Inchieste, di prendere in mano la soluzione e trovarvi possibilmente rimedio. Eravamo stati U.S. Attorneys assieme e lui aveva lavorato con me quando ero divenuto responsabile del Distretto meridionale di

New York. Howard è un tipo inflessibile, anche se dotato di notevole senso dell'humor: se ha il sospetto che qualcosa non vada per il verso giusto non si dà pace fino a quando non vi pone rimedio. E senza curarsi delle conseguenze dirà la nuda verità a tutti, anche al sindaco di New York. Gli chiesi di trovare un sistema migliore per assistere i bambini di New York, rivolgendosi senza troppa pubblicità agli esperti del settore. Volevo che quel problema fosse risolto al più presto, per non fare soffrire un'altra Elisa Izquierdo.

L'Assistenza all'infanzia dipende da quella caotica amministrazione delle Risorse umane, che ha anche la competenza sul welfare, l'assistenza ai malati di AIDS, il collocamento e una miriade di altri settori. New York, cioè, non aveva un ufficio che si occupasse esclusivamente della sicurezza dei bambini. Howard mi fece avere un'impressionante relazione, nella quale si sottolineava la necessità di separare l'Assistenza all'infanzia dalle Risorse umane trasformandola in un ente autonomo con una propria dotazione di bilancio.

Feci subito mia quell'idea, che si conformava perfettamente a quanto ho appena esposto: all'importanza cioè di individuare l'obiettivo di qualsiasi organizzazione e coordinare gli sforzi al raggiungimento di quell'obiettivo. Sospettavo da tempo che le decisioni in materia di protezione dei bambini fossero dettate più da considerazioni di opportunità e di mantenimento dei posti di lavoro che dai reali interessi dell'infanzia. Quando il problema delle violenze ai bambini divenne un caso nazionale, gli americani ne furono così sconvolti che al primo segno di qualche problema in famiglia le autorità toglievano i bambini dalle loro case. Una tecnica, questa, destinata ad aumentare ulteriormente la conflittualità di quelle famiglie. Dopo la prevedibile reazione si instaurò la prassi contraria, quella cioè di tenere le famiglie unite a ogni costo, che però in certi casi finiva per mettere in pericolo i bambini. Io non volevo adottare un particolare «stile» nell'affrontare quel problema, l'unico mio scopo era quello di mettere in piedi un ente in grado di proteggere i bambini. In alcuni casi ciò significava intervenire per portare via un bambino da una casa pericolosa, in altri aiutare una famiglia a rimanere unita.

Dall'analisi di Howard era emerso, tra l'altro, che i fondi stanziati per i bambini erano stati dedotti dalla dotazione delle Risorse umane, nel maldestro tentativo di compensare i tagli apportati al bilancio del welfare. Avevamo bisogno di un ente autonomo che dipendesse direttamente dal sindaco. E la creazione dell'ente per i Servizi ai bambini (ESB) fu un perfetto esempio di quale decisiva importanza possano avere le strutture amministrative. Inserire a suo tempo l'assistenza ai bambini nel calderone delle Risorse umane era stato un gravissimo errore. Rendere quell'ufficio indipendente, dargli importanza e prestigio e metterlo alle dipendenze del sindaco fu una mossa imprescindibile. Il problema, cioè, era stato quello di dare vita a un organismo con un unico obiettivo: proteggere i bambini a rischio. Qualsiasi altra decisione sarebbe dovuta scaturire da quell'obiettivo e da nessun altro.

Ma tutto ciò sarebbe stato inutile se avessimo messo a capo del nuovo organismo la persona sbagliata. Se avessimo cioè scelto un responsabile inadeguato, l'ESB, nonostante una migliore struttura organizzativa, la dipendenza diretta dal sindaco e le mille buone intenzioni, avrebbe fallito il suo compito. Sapevamo bene che nonostante tutti i nostri sforzi non saremmo riusciti a proteggere ogni bambino: ma nominando un responsabile esperto, efficiente ed emotivamente coinvolto avremmo assolto al nostro compito, quello cioè di fare tutto il possibile per proteggere i piccoli. La leadership è più importante dei sistemi, delle strategie, delle filosofie. Il nuovo ente non avrebbe fatto molta strada se non vi avessimo messo a capo un manager dotato che fosse anche un riformatore convinto e sensibile. Pensavo sempre più spesso che quello che ci serviva era un uomo di legge con un diploma in scienze sociali. Ma non riuscivo a trovare la persona giusta.

Howard mi aveva informato di avere ricevuto recentemente la visita di un comune amico, Nick Scoppetta, che gli aveva espresso l'intenzione di tornare a lavorare per il Comune dopo una parentesi nel privato. Nick si era distinto in molti settori, aveva inferto da esponente della pubblica accusa duri colpi alla malavita organizzata, era stato uno degli investigatori della commissione Knapp, vicesindaco di Abe Beame e persino, nella pratica privata, legale della «*Mayflower Madam*», ossia Sydney Biddle Barrows, la maîtresse di lusso newyorchese. Era anche uno strenuo paladino della protezione dei bambini. Quando aveva cinque anni Nick era stato dato in affidamento con i suoi due fratelli. Quindici anni dopo si era iscritto ai corsi serali della facoltà di Giurisprudenza, perché di giorno indagava sulle denunce di violenze o abbandono dei bambini che giungevano alla società per la Prevenzione delle crudeltà contro l'infanzia. Successivamente divenne presidente della società per l'Aiuto ai bambini. E io entrai per la prima volta a City Hall proprio per assistere al giuramento di Nick davanti al sindaco John Lindsay, dal quale era stato nominato assessore alle Inchieste.

Chiesi a Howard di dire a Nick di venirmi a trovare, senza spiegargli però di che cosa intendevo parlargli. Sicuramente entrambi pensavano che volessi proporgli la carica di vicesindaco. Nick venne la vigilia di Natale e parlammo a lungo, ricordando i bei tempi e affrontando alcuni argomenti relativi all'amministrazione cittadina. Era una giornata festiva, City Hall era tranquilla e silenziosa e mi fece un gran piacere chiacchierare a lungo con il mio vecchio amico davanti a una tazza di caffè.

Alla fine gli dissi: «Nick, sto per mettere in piedi un ente autonomo che dovrà occuparsi in esclusiva dei bambini e avrà una dotazione di bilancio di oltre 1,7 miliardi di dollari. Vorrei che prendessi in considerazione l'idea di dirigerlo. Risponderesti direttamente a me, come fanno gli assessori alla Polizia e ai Vigili del fuoco. Parteciperesti alla riunione del mattino, segnalandomi tutto ciò di cui hai bisogno per mandare avanti questo ente». Nick fu sorpreso, anzi addirittura sbalordito, dalla mia proposta. Ma capì di dovere accettare quella sfida, così come io avevo capito che era lui il candidato ideale per quell'incarico non appena Howard aveva fatto il suo nome.

Ci vedemmo più di una volta, in seguito, e in quegli incontri prese forma la nuova struttura. Più mi giungevano notizie sulla pessima amministrazione dell'Assistenza all'infanzia e più mi convincevo che era ormai una questione di vita o di morte: e non volevo perdere altro tempo.

Con il suo bilancio di 1,7 miliardi di dollari il nuovo ente sarebbe stato come dimensioni il quinto in assoluto, quasi il doppio del dipartimento Vigili del fuoco. Il Consiglio comunale era contrario e dovemmo affrontare le previste resistenze da parte della burocrazia delle Risorse umane. Ma non le presi nemmeno in considerazione, convinto com'ero che la mia decisione fosse giusta. L'11 gennaio 1996, sei settimane dopo la morte di Elisa, firmai un decreto con il quale l'Assistenza all'infanzia veniva staccata dalle Risorse umane e battezzai la nuova creatura amministrazione per i Servizi all'infanzia.

Dopo che Nick ne assunse il comando ci rendemmo conto di quanto disorganizzata e sclerotica fosse stata l'Assistenza all'infanzia. Ne era responsabile un viceassessore, che amministrava un bilancio di quasi due miliardi di dollari senza avere in pratica alcun potere. Per ogni decisione doveva infatti superare una serie di pastoie burocratiche, finché la pratica non arrivava sulla scrivania di qualche altro viceassessore dal quale veniva finalmente trasmessa all'assessore. Questo responsabile non era in grado, per fare un esempio, di migliorare i programmi addestrativi e nemmeno di farsi assegnare le scrivanie e i computer dei quali l'ente aveva una disperata necessità.

Se bisognava assumere qualcuno, la relativa pratica doveva passare al vaglio di una serie di funzionari delle Risorse umane, poi avere l'approvazione dell'ufficio Gestione e bilancio e a quel punto la richiesta poteva essere trasmessa al municipio. E il viceassessore responsabile dell'Assistenza all'infanzia non poteva intervenire nemmeno per accelerare l'iter. Quando Nick prese in mano la situazione scoprì che esistevano centinaia di incarichi di assistenti sociali ancora da assegnare, nonostante i relativi fondi fossero già stati erogati. E un posto da assistente sociale non ricoperto non è soltanto un numero su una tabella: è una visita mai fatta a una famiglia difficile, è un bambino che grida aiuto senza che nessuno l'ascolti. Qualcosa di demoralizzante per gli assistenti sociali, tra i quali era elevatissima la percentuale di stressati.

Prima ancora di proporre a Nick di prendere in mano la situazione avevo deciso che il nuovo assessore avrebbe risposto direttamente a me. La maggior parte degli enti e degli assessorati rispondono a uno dei quattro vicesindaci, ma nel dare vita all'amministrazione per i Servizi all'infanzia avevo deciso che il livello di rischio dei bambini era equiparabile a quello dei poliziotti e dei vigili del fuoco e quindi mi sarei occupato del nuovo ente ogni giorno, alla riunione del mattino.

Nick cominciò a dare vita al nuovo ente, creando nuovi incarichi per i servizi d'affidamento e quelli di prevenzione, per la gestione e la programmazione, per quelli legali tra le altre cose. Non c'era mai stata una linea di demarcazione così netta. L'Assistenza all'infanzia aveva trecento avvocati che patrocinavano in tribunale gli interessi dei bambini vittime di abusi, oltre a occuparsi di altre faccende legali, ma questi avvocati non avevano mai avuto un capo. E non esisteva nemmeno un ufficio Personale: settemila dipendenti senza ufficio Personale.

Non era ovviamente la prima volta che a New York venivano apportate modifiche ai criteri di protezione dei bambini. In occasione di ogni grosso fatto di cronaca con al centro la morte di un bambino, il sindaco in carica reagiva allo sdegno dell'opinione pubblica cambiando il nome dell'ente preposto all'infanzia: così i Servizi speciali per i bambini si erano trasformati nell'ufficio per il Benessere del bambino, il quale a sua volta era diventato l'amministrazione per gli Aiuti all'infanzia. Stavolta invece non ci eravamo limitati a una modifica del nome, ma avevamo creato una nuova organizzazione indipendente e separata con una sua struttura gestionale.

I risultati parlano da soli.

I nostri sforzi alla ricerca di un'abitazione stabile per i bambini di New York si possono sintetizzare nelle 21.000 adozioni dal 1996 al 2001, con un incremento del 66 per cento rispetto ai sei anni precedenti. Durante i miei due mandati i fondi per i figli di genitori indigenti furono più che raddoppiati, il numero dei bambini dati in affidamento scese del 40 per cento circa e per la prima volta in assoluto gli interventi preventivi dell'amministrazione cittadina in favore dei bambini in famiglia superarono quelli per i bambini in affidamento. Il nuovo ente assunse 1700 nuovi assistenti sociali, aumentando i loro stipendi ma al tempo stesso prevedendo per l'assunzione requisiti superiori, e dal 1992 al 2000 il numero complessivo dei casi da esaminare scese del 41 per cento: ciascuno degli assistenti sociali, cioè, ebbe «in carico» dieci bambini o poco più. Mettemmo inoltre in piedi all'interno del campus del vecchio Bellevue Hospital, sull'East River, un nuovo centro di Assistenza da 67 milioni di dollari. E nel 2001 gli elettori approvarono a stragrande maggioranza la proposta di trasformare in via permanente la nuova organizzazione in ente autonomo.

La mia cura nell'evitare le trappole della confusione organizzativa risale ad alcuni anni fa, quando ero U.S. Attorney del Distretto meridionale di New York. Fu allora che cominciai a capire quale valore abbia per un manager la struttura organizzativa.

La prima domanda da porsi è sempre «Che cosa mi propongo?». Chiedetevi che risultato vorreste raggiungere, ma un risultato globale e non quello che si ottiene giorno per giorno. Poi accertate quali sono le vostre risorse e analizzatele. Nel mio incarico di procuratore il risultato globale da raggiungere non era rappresentato da un certo numero di arresti o da un certo numero di inchieste da prima pagina. L'obiettivo era quello di ottenere un calo dei reati perseguendo quei criminali le cui azioni cadevano sotto la giurisdizione del governo federale. E questo mi indusse a considerare il mio lavoro in maniera per così dire «tematica». Invece cioè di perseguire alcuni particolari criminali per i reati più disparati, volevo dimostrare che era possibile attaccare intere imprese criminali come quelle della criminalità organizzata, i reati contro le norme comunali, quelli commessi dai colletti bianchi e il traffico di droga. Il che significava anche non fare assegnamento solo sulle proprie risorse, ma pensare alla maniera migliore per integrarle con altre risorse esterne.

Considerate la criminalità organizzata. Riallacciandoci al discorso del risultato che ci si propone di raggiungere, è ovviamente importante perseguire i capi. Ma l'obiettivo non deve essere quello di effettuare un certo numero di arresti e di ottenere altrettante condanne, bensì quello più ampio di eliminare alcune di queste organizzazioni. Prima dovevamo quindi esaminare le risorse disponibili.

Tenemmo riunioni per studiare tutte le leggi applicabili in certi casi, contattammo l'FBI per capire che cosa sapessero a quel proposito e sondammo il dipartimento di Polizia di New York per farci spiegare il loro approccio a quel problema. Parlando ai rappresentanti di diversi corpi di polizia continuai a riflettere sugli obiettivi della criminalità organizzata. E mi resi conto che invece di cercare di ottenere condanne isolate per reati scoperti dal mio ufficio o dall'FBI o dalla polizia, avremmo potuto infliggere danni ben più seri all'organizzazione unificando i capi d'accusa. Fino a quel giorno i casi del genere, conosciuti come «casi RICO» – come ben sanno i telespettatori che non si perdono una puntata dei *Soprano* (ho provato un moto d'orgoglio venendo a sapere di essere l'ultima persona che Tony Soprano vorrebbe vedere clonata!) – non erano mai stati impiegati per smantellare intere imprese criminali. Anche se in vigore dal 1970, la legge RICO veniva applicata molto raramente e, in quei pochi casi, i procuratori si limitavano a far condannare i singoli delinquenti che agivano per conto di un'organizzazione specializzata nel racket, e non perché appartenenti a un'organizzazione nata proprio per esercitare il racket.

Nessuno pensava che potesse funzionare. Anzitutto passammo anni a raccogliere prove, a emettere citazioni, a ordinare intercettazioni, a trovare testimoni e informatori. Ascoltammo ore e ore di registrazioni, al punto che per un certo tempo presi senza accorgermene l'abitudine di cominciare ogni frase imitando il modo di parlare di quelli che avevamo intercettato. E mi convincevo sempre più che avremmo potuto colpire al cuore le organizzazioni criminali considerandole come un sistema, invece che come un insieme di individui. Ma alla fine i fatti ci dettero ragione, e in meno di un anno, grazie alla legge RICO, riuscimmo a ottenere importantissime condanne:

• Il caso Colombo, che si concluse con le condanne di nove esponenti di quella pericolosissima famiglia mafiosa.
• La «Pizza Connection». Al termine di un processo protrattosi per un anno e mezzo furono condannati una trentina di imputati, tra i quali un capomafia siciliano e diversi altri mafiosi, che si servivano di una catena di pizzerie per mettere in commercio tonnellate di eroina.
• Il nostro successo più significativo, quello ottenuto nell'inchiesta sulla Commissione. Riuscimmo a fare condannare otto capi appartenenti a quattro famiglie della criminalità organizzata newyorchese e ognuno di loro si prese cento anni di carcere. Uno dei condannati, Tony Salerno, era forse il criminale più divertente contro il quale abbia mai proceduto, al punto che quasi mi dispiacque averlo tolto dalla circolazione: specialmente dopo che gli feci affibbiare altri trent'anni per una serie di reati accessori, condanna questa che lui trovò esagerata. Per farvi capire che tipo fosse, venuto a sapere che il mio assistente stava facendo carriera grazie all'inchiesta sulla Commissione, mi disse: «Gli faccia avere un messaggino da Fat Tony. Dica a quel figlio di puttana che mi deve un biglietto di ringraziamento».

Ancora più innovativa del ricorso alla legge RICO si dimostrò la sua applicazione nel campo del diritto civile. Creai una squadra alla quale assegnai un unico incarico, quello di privare la criminalità organizzata dei mezzi finanziari. Qualcosa del genere sta facendo ora il dipartimento della Giustizia, alla caccia delle risorse finanziarie delle organizzazioni terroristiche. Fu subito chiaro che, per quanti delinquenti avremmo potuto arrestare, il loro posto sarebbe stato preso da altri criminali, fin tanto che rimanevano in piedi le organizzazioni grazie alle quali potevano prosperare. Applicammo quindi le norme di diritto civile contenute nella legge RICO per bloccare i fondi di diverse società di trasporti, del Fulton Fish Market e del ristorante Umberto's Clam House, che ebbe una certa notorietà poco dopo l'apertura perché vi fu assassinato Crazy Joe Gallo. (Il leggendario Murray Kempton scrisse successivamente che grazie al nostro provvedimento l'integrità finanziaria del locale era stata probabilmente salvaguardata, ma che da quando era monitorato dal governo ci si mangiava malissimo: altro indicatore, questo, dell'importanza delle privatizzazioni.)

Una volta messa in piedi un'adeguata struttura organizzativa vanno identificati gli obiettivi e i mezzi per raggiungerli: vanno trovate cioè le persone più indicate in quel caso particolare e il loro lavoro va seguito costantemente, per accertarsi che ognuno si attenga rigorosamente alle sue mansioni e che nessuno assuma il controllo del vostro team per sviarlo dal suo obiettivo.

In certi casi il criterio di identificare un'organizzazione con i suoi obiettivi fu per così dire trasmesso dall'ufficio dell'U.S. Attorney al municipio. Una delle più importanti inchieste che avviai da procuratore fu quella sulla corruzione all'ufficio comunale di Esazione contravvenzioni per divieto di sosta. Certa gente è portata a considerare inevitabile la corruzione, ma questa forma di cinismo è spesso da mettere in relazione alla debolezza dimostrata da chi dovrebbe raccogliere la sfida della corruzione. E in quella circostanza mi convinsi che parte della responsabilità della corruzione in Comune va attribuita alla struttura del Comune stesso. Molti enti erogatori hanno la disponibilità di ingenti somme da gestire, e la tentazione dell'illecito è quindi sempre presente. Oltre a quello dell'ufficio Contravvenzioni vi erano stati in precedenza in municipio altri scandali, come quello dell'assessorato ai Trasporti. Secondo me, un ufficio in grado di riscuotere le tasse deve essere in grado di riscuotere anche le contravvenzioni. Per questo motivo riorganizzai l'ufficio Contravvenzioni incorporandolo nell'assessorato alle Finanze, i cui dirigenti avevano esperienza, competenza finanziaria e sistemi di controllo ideali per la riscossione di denaro. Scopo e sistema divennero un tutt'uno.

C'è un motivo per il quale ho scelto la vicenda dell'Assistenza all'infanzia per spiegare quale importanza io annetta alla struttura organizzativa, e che dimostra altresì l'importanza di allineare il sistema con l'obiettivo. E qui entrano in ballo due criteri di management.

Il primo è quello del rilievo che assume «il posto a tavola». Mettendo Nick Scoppetta direttamente alle mie dipendenze gli consentivo di liberarsi delle pastoie burocratiche ed esporre i problemi del suo ufficio direttamente al sindaco. In tal modo, alla riunione del mattino, dimostravo tra l'altro ai presenti quanto quella materia mi stesse a cuore.

Lo stesso criterio seguii per sottolineare l'importanza che annettevo alla figura del direttore del Bilancio. Si tratta in ogni grossa organizzazione di un personaggio chiave: nessuna iniziativa di un'amministrazione, di una società o di un'istituzione può essere portata a termine senza chiamarlo in qualche modo in causa. È un lavoro difficile, quello del responsabile del Bilancio, bisogna spesso saper dire di no e serve quindi una persona dotata di polso e al tempo stesso di tatto. Ciò nonostante, nelle precedenti amministrazioni, il responsabile della gestione dei 40 miliardi di dollari che rappresentano il bilancio della città di New York era un funzionario non di altissimo rango. Dipendeva da un vicesindaco, ma non direttamente, bensì attraverso una serie di uffici intermedi.

Prima ancora di diventare sindaco avevo deciso di studiarmi riga per riga il bilancio cittadino, convinto com'ero che è impossibile capire veramente una città senza sapere nei dettagli come questa città spende i suoi fondi. Appena entrato in carica scoprii con sorpresa che il direttore del Bilancio era uno dei tanti nomi nella tabella degli organici e posi rimedio a quell'anomalia disponendo che dipendesse direttamente da me. In tal modo raggiunsi due obiettivi. Il primo fu quello di poter seguire tutto ciò che riguardava i criteri di spesa dell'amministrazione cittadina. Il secondo servì a trasmettere un messaggio ai partecipanti alla riunione del mattino: i quali, vedendo seduto al tavolo con loro il direttore del Bilancio, capirono che il sindaco avrebbe d'ora in poi controllato attentamente le spese.

Un criterio analogo seguii associando alla riunione del mattino l'assessore alle Inchieste, e per questo ricevetti qualche critica. Secondo alcuni, il contatto quotidiano dell'assessore con i responsabili degli uffici sui quali avrebbe dovuto indagare avrebbe limitato la sua indipendenza. Altri invece temevano che la sua presenza avrebbe potuto condizionare i partecipanti alla riunione, inducendoli a non parlare liberamente. Ma la mia era stata una mossa voluta, come era già avvenuto nel caso di Nick Scoppetta: lo scopo era quello di annettere maggiore importanza a un determinato incarico e di farlo capire agli altri.

Con Howard Wilson e successivamente con Ed Kuriansky (entrambi avevano in precedenza lavorato con me quando ero il responsabile dell'ufficio dell'U.S. Attorney), l'assessorato alle Inchieste ricevette nuovo impulso. Non si limitò cioè, come in passato, a procedere in seguito a segnalazioni ma si attivò autonomamente, dando vita a operazioni contro la corruzione interna e controllando l'onestà del personale. Il messaggio era chiaro e forte: il dipendente comunale che prendeva una bustarella, truccava una gara d'appalto, concludeva un accordo illecito o imponeva «il pizzo» andava dritto in prigione.

Chiesi a Howard Wilson di verificare l'efficacia e la conformità dei criteri gestionali dell'Assistenza all'infanzia. L'assessorato alle Inchieste fino a quel giorno si era dedicato a estirpare la corruzione interna, individuando il passaggio di mazzette o i problemi fiscali tra i dipendenti del Comune. Non era cioè mai stato incaricato di esaminare periodicamente l'efficienza e la competenza dei vari uffici.

Fate uso dei grafici e capiteli

Mi piacciono moltissimo i grafici, al punto che i miei collaboratori, credendo di non essere ascoltati, mi chiamano scherzosamente «il ragazzo dei grafici» (avviso: sono sempre in ascolto). Ogni volta che considero un problema, immagino un grafico nel quale vengono rappresentate le tecniche che adotteremo per affrontarlo: chi, per esempio, avrà un certo compito e come scaturirà la soluzione. In un sistema complesso come la città di New York era chiaro che avremmo lavorato nel caos più completo, se non avessimo potuto fare affidamento su grafici organizzativi particolarmente sofisticati, con tutte quelle meravigliose linee che indicano chi risponde a chi. I grafici consentono inoltre di attribuire le responsabilità, nel senso che se in un determinato ufficio interviene un problema, ciascuno può vedere con chiarezza chi ha la supervisione di quell'ufficio e chi è il superiore di chi: non c'è modo, cioè, di sottrarsi alle proprie responsabilità, per quanto elevata possa essere la propria posizione. I grafici organizzativi non sono soltanto delle carte esplicative ma, se usati correttamente, possono trasformarsi in soluzioni creative.

Nonostante la mia passione per i grafici, però, ho sempre raccomandato ai miei collaboratori di ragionare il più spesso possibile con la propria testa, prescindendo da tutte quelle linee. Quando chiesi a Howard di seguire l'Assistenza all'infanzia, non mi curai del suo titolo o delle competenze specifiche del suo ufficio. A me in quel momento interessava solo far sì che un certo problema contingente fosse seguito con occhio critico dalla persona più in gamba tra quelle a mia disposizione. A volte mi capitava di chiedere alle persone del mio staff di occuparsi di faccende al di fuori dei parametri delle loro competenze. Alcuni di loro, prevedibilmente, non gradivano l'idea di doversi misurare in settori con i quali non avevano familiarità: ma, ben sapendo che con me «non fa parte del mio lavoro» non è mai la risposta giusta, questi «estranei» molto spesso riuscirono a trovare soluzioni insolite sfuggite agli «addetti ai lavori».

Ciò non significa che non rispettassi la scala gerarchica, in base alla quale il viceassessore risponde all'assessore, il quale a sua volta risponde al vicesindaco che risponde al sindaco. È necessario imporre una struttura per portare ordine in ciò che potrebbe dare vita al caos. Ma ho sempre insistito perché chi lavorava con me si sentisse autorizzato a riferire direttamente a me. Credevo cioè sia nel sistema rigorosamente organizzato sia nella non osservanza delle regole di questo sistema ogni qual volta lo ritenevo necessario o conveniente.

Accadeva a volte che uno dei vicesindaci si seccasse se qualcuno di un ente sul quale aveva la delega invece di riferire a lui si rivolgeva a me. E io invariabilmente ripetevo che ognuno, specialmente se assessore o viceassessore, doveva essere in condizione di dirmi il suo parere.

La mia richiesta a Howard Wilson di esaminare l'operato dell'Assistenza all'infanzia è un esempio di quello che le scuole superiori di amministrazione definiscono «l'uso migliore e più elevato» del tempo di un dipendente. Alcuni leader sono restii a fare a meno del «grafico organizzativo», perché contrari di solito all'idea che qualcuno dall'alto decida una diversa assegnazione dei «loro» dipendenti e delle «loro» risorse. Uno dei sistemi migliori per tranquillizzarli è quello di sottolineare la superiore importanza degli interessi della società e di farlo in maniera convincente. È un'ottima mossa quella di far capire a un manager che avete notato con piacere come riesca a fare andare avanti la baracca anche senza uno dei suoi elementi più preziosi.

Un altro sistema per liberarsi dai lacci e lacciuoli della burocrazia è stato quello di non assegnare una competenza specifica a uno dei miei più stretti collaboratori. Appena diventato sindaco mi resi conto della facilità con cui rischiavo di impantanarmi nella «crisi del giorno», fenomeno tipico di ogni burocrazia. «Oh Dio, stanno telefonando i giornalisti, che facciamo?», «I computer sono tutti bloccati: e ora?». C'era sempre qualche catastrofe, come il crollo di un edificio o un grosso incendio: dovevano evidentemente essere affrontate, ma senza distogliere l'attenzione dalle iniziative a lungo termine.

A questo scopo creai un nuova figura di manager comunale, quella del «Consigliere anziano del sindaco», figura prevista anche nell'organigramma dell'attuale amministrazione, con il compito di mandare avanti le iniziative nelle predette circostanze d'emergenza. Il primo a ricoprire questo incarico fu Richard Schwartz, seguito da Tony Coles e quindi da Geoff Hess. Tutti e tre erano bravissimi nel cogliere la visione d'insieme, e non avendo incarichi specifici potevano coordinare il lavoro di diversi enti senza i soliti timori di invasioni di campo.

Un altro in grado di intuire al volo la mia filosofia organizzativa era Joe Lhota, che entrò a far parte della mia amministrazione nell'aprile 1994 come capo di gabinetto di John Dyson, vicesindaco con competenza sullo Sviluppo economico. Joe era una mosca bianca a New York, in quanto Repubblicano per sintonia ideologica. Ed era una specie di mosca bianca anche all'interno della mia amministrazione, in quanto titolare di un Master in Business Administration con un'esperienza di lavoro a Wall Street: spiccava quindi in mezzo a tutti quegli avvocati. Dimostrò immediatamente doti di leader, tanto che a dicembre di quello stesso anno gli chiesi di assumere la responsabilità dell'assessorato alle Finanze, quello che avendo competenza sulle entrate della città di New York fa rispettare ai cittadini l'intera normativa fiscale. L'anno dopo Joe divenne direttore del Bilancio e nel 1998 fu promosso vicesindaco alle Operazioni, l'uomo più potente del comune di New York dopo il sindaco.

Mentre frequentava la Harvard Business School, Joe realizzò un grafico organizzativo de *Il Padrino*. Successe alcuni anni prima che ci conoscessimo, ma in questo Joe dimostrò una certa preveggenza, dal momento che *Il Padrino* sarebbe stato oggetto di scherzi e giochi di parole nella mia amministrazione. Dalla visione dei tre film della serie si evince che il Padrino era l'amministratore delegato di una società con due divisioni operative, affidate a Tessio e Clemenza. Poi c'era Tom Hagen, il consigliere le cui mansioni erano a grandi linee le stesse del consigliere del sindaco. E quindi Luca Brasi, figura molto più rilevante nel libro che nel film: quando si rivolgeva a qualcuno, questo qualcuno capiva che ciò che aveva udito proveniva direttamente dal Padrino.

Il Consigliere anziano del sindaco assolve più o meno allo stesso incarico. È un incarico interessante, perché non è possibile opporgli la resistenza che di solito viene riservata all'«interferenza» di un esterno.

Quando delego, delego

Il mio stile organizzativo prevede la mia supervisione nel maggior numero possibile di settori. E pur pretendendo che gli assessori mandassero avanti autonomamente i loro uffici e si assumessero la responsabilità del loro funzionamento, insistevo per essere tenuto al corrente delle varie iniziative e dei risultati.

Da candidato, purtroppo, scoprii di non potermi permettere quel lusso: me ne mancava semplicemente il tempo.

Nel 1989 l'ex Attorney General dello Stato di New York, Louis J. Lefkowitz, che all'epoca aveva un'ottantina d'anni, partecipò un giorno alla mia campagna elettorale. Louis Lefkowitz, Repubblicano, si era candidato nel 1961 alla carica di sindaco di New York, ma non ce l'aveva fatta e per questo conosceva la strada in salita che avrei dovuto percorrere. Stavo esaminando dei rapporti in un ufficio del mio quartier generale quando all'improvviso lui mi afferrò per un braccio. «Ascolta, figliolo» mi disse. «Ogni minuto che passi qui dentro equivale a dei voti perduti. Le persone presenti in questi uffici voteranno per te e se non lo faranno vuol dire che sono dei pazzi a venire qui. Devi girare per le strade, è quella la gente che devi convincere.» Capii allora che dovevo mettere in piedi una struttura diversa da quella di cui mi avvalevo da U.S. Attorney.

In quel ruolo, e poi da sindaco, la mia funzione era quella dell'amministratore delegato. Da candidato rappresentavo invece la punta di lancia, il prodotto da commercializzare, mentre a svolgere le mansioni di amministratore delegato era il responsabile della campagna elettorale. Nel 1993 quella lezione l'avevo imparata a memoria. Chi voleva proporre idee per la campagna elettorale avrebbe dovuto rivolgersi a Peter Powers, non a me. Peter parlava con tutti, ascoltava le idee che gli venivano illustrate e le valutava, quindi le discuteva con il consulente elettorale David Garth e infine decideva. A volte intervenivo per bocciare uno spot o per rinunciare a un impegno in favore di un altro, ma in linea di massima lasciavo che facessero il loro lavoro. E a volte non mi facevo nemmeno vedere negli uffici della mia macchina organizzativa.

A tarda sera, se mi rimaneva ancora qualche briciolo d'energia, mi presentavo spesso verso le 23 o giù di lì nell'ufficio di David Garth a Park Avenue e passavo con lui un paio d'ore a studiare rapporti, strategie e spot. Non ero quindi capace di abbandonare completamente i comandi, ma furono molte le notti in cui ero così distrutto da dirmi: «Ho assunto gente in gamba per fare un ottimo lavoro, quindi me ne vado a letto».

Quattro anni dopo, quando mi candidai al secondo mandato, assunsi in campagna elettorale una posizione più aggressiva. E potevo permettermelo, non essendo più un esordiente ma potendo sfruttare le due precedenti esperienze. Anche in quella circostanza comunque Fran Reiter, la responsabile della campagna, ebbe in pratica mano libera.

Questo è uno dei motivi per i quali avevo scelto gente in gamba e non degli *yes-men*. Un leader non ha bisogno di qualcuno che si limiti a inchinarsi sfiorando il suolo con la fronte, ma di chi sappia assumere quando è il caso delle iniziative. Nell'arco dei miei due mandati ho sempre voluto al mio fianco durante le conferenze stampa il titolare dell'assessorato competente per materia. E alla fine chi seguiva le vicende di City Hall aveva preso familiarità con i volti di Bernie Kerik, assessore alla Polizia; di Tom Von Essen, assessore ai Vigili del fuoco; di Richie Sheirer, direttore dell'ufficio Gestione emergenze; dei vicesindaci Joe Lhota e Tony Coles e di Adam Barsky, direttore del Bilancio. La stessa strategia adottai da U.S. Attorney. Dovendo una volta partecipare di persona a un lungo e delicato processo per corruzione che si celebrava a New Haven, lasciai Denny Young a mandare avanti quel delicato ufficio: e sapevo che non avrei potuto affidarlo a mani migliori.

A volte aggiungete, a volte sottraete

Non esiste una norma generale sulle dimensioni ideali di un ufficio bene organizzato. A volte è opportuno fondere tra loro due enti particolarmente caotici, come quando la polizia dei Trasporti e quella dell'Edilizia abitativa finirono sotto l'ombrello del dipartimento di Polizia di New York. In quel caso riuscimmo a ottenere un ente forte e in grado di funzionare egregiamente, dotato di flessibilità d'intervento e avvantaggiato dalla nuova dimensione acquisita grazie alla fusione. E, visti i buoni risultati ottenuti, accorpammo nel dipartimento di Polizia anche la sicurezza nelle scuole.

Altre volte, invece, la tecnica più indicata era quella di togliere a un ente una competenza che languiva per non essere esercitata. Aggiungendo «un posto a tavola» per l'amministrazione dei Servizi all'infanzia, e dandole un bilancio e un assessore, conferii a quell'ente il potere e la responsabilità di risolvere i propri problemi.

Ogni sistema complesso finisce fatalmente per evolversi secondo certe direttrici che, cambiando le circostanze, non avranno più alcun senso. In una società, per esempio, il responsabile della produzione potrebbe, diciamo, essere nominato vicepresidente responsabile del design dei prodotti. Grazie alla sua competenza nel settore produzione lo farà rientrare nel proprio nuovo ambito e, dopo un certo tempo, se ne andrà lasciando un reparto che produce splendidi articoli ma che regolarmente sfora il tetto del bilancio. A sostituirlo sarà chiamato, sempre per esempio, qualcuno con esperienza specifica nel settore finanziario, grazie alla quale sanerà il bilancio e spunterà contratti molto più vantaggiosi con i venditori, ma non sarà in grado di affrontare i problemi che sorgono ogni giorno nel reparto produzione. Un leader deve essere a conoscenza di questi abbinamenti sbagliati.

Organizzare i diversi sistemi ha sempre rappresentato per me un'assoluta priorità. Una delle decisioni più importanti mai prese fu quella di creare un ufficio per la Gestione delle emergenze. Da ancor prima di diventare sindaco ero convinto della necessità di organizzare un'adeguata e coordinata risposta alle emergenze. Di fronte alle nuove minacce rappresentate dagli attacchi chimici e biologici non potevamo più permetterci che fossero i singoli enti ad affrontare l'emergenza. Le nuove «emergenze ibride» ci obbligavano a dar vita a una struttura multifunzionale in grado di coordinare numerosi diversi uffici.

Un attentato esplosivo, per esempio, può causare un furioso incendio, rendendo necessario l'intervento dei vigili del fuoco, ma può richiedere al tempo stesso anche l'opera di altri assessorati come i Trasporti, la Sanità e l'Edilizia. Un attacco con il gas sarin prevede uno stretto coordinamento tra la Sanità, la Polizia e i Vigili del fuoco. Decisi quindi che andava creato un ufficio speciale, l'ufficio

Gestione emergenze, in grado di coordinare e pianificare gli interventi in caso di emergenza. Appena eletto cominciai ad abbozzare la fisionomia di questa nuova struttura. Con la collaborazione degli assessori alla Polizia e ai Vigili del fuoco cercammo in tutti gli Stati Uniti il manager ideale per questo incarico e fu così che trovammo Jerry Hauer, al quale sarebbe poi succeduto Richard Sheirer.

Oltre a dare vita a questo nuovo ente c'era assolutamente bisogno di creare un gruppo che avesse l'esclusivo compito di pianificare e coordinare gli interventi in caso di disastri su larga scala. In tal modo sarebbe stato possibile sapere immediatamente, appena determinatasi l'emergenza, quale ufficio avrebbe dovuto dirigere le operazioni in caso di cattura di ostaggi o di morti per botulismo, in modo da guadagnare tempo e risparmiare vite preziose.

Per ogni tipo di emergenza era stato previsto un responsabile delle operazioni, e il relativo documento con l'elenco dei nomi era stato approvato dagli assessorati più importanti e alla fine da me.

Ciò ci consentiva di sfruttare appieno tutti gli enti interessati. Nel caso del virus del Nilo occidentale, per esempio, l'assessorato alla Sanità fu aggiornato sulla gestione della crisi invece di limitare i suoi interventi in settori già di sua competenza. Chiamare in causa altre autorità ci consentì inoltre di considerare altri aspetti, e non esclusivamente quelli strettamente legati all'intervento della polizia. In precedenza tutte le emergenze venivano gestite dalla *war room*, la «sala di guerra» della Centrale di polizia. Quelle non di stretta pertinenza della polizia, come gli uragani e le tempeste di neve, venivano inevitabilmente affrontate dalla stessa polizia in collaborazione con i principali assessorati. Con la creazione di un centro di comando, al civico 7 del World Trade Center, mettemmo invece questi assessorati in condizione di lavorare in tandem, mentre quello con competenza specifica nel settore interessato dall'emergenza assumeva la direzione delle operazioni. Ma nonostante i numerosi successi ottenuti da questa superagenzia, dal caso del virus del Nilo occidentale al *Millennium bug* ai festeggiamenti del Duemila, il Consiglio comunale non voleva assolutamente trasformare l'ufficio Gestione emergenze in una struttura permanente. Nel 2001 fu necessario allora indire un referendum e la stragrande maggioranza dei cittadini ci dette ragione.

Ma la natura umana è quella che è e anche durante le crisi non mancarono mai le occasioni per gli scherzi. Un giorno, durante la terribile ondata di caldo dell'estate 1999 che provocò un blackout nel quartiere di Washington Heights, chiesi a Sunny di chiamarmi al telefono Jerry Hauer. E, appena lo ebbi in linea, gli feci sapere in tono terribilmente ufficiale che avrebbe dovuto approntare un piano per fornire aria condizionata a tutta la città.

«Mm...» cominciò Jerry. «Di solito non portiamo l'aria condizionata ai cittadini ma i cittadini all'aria condizionata.»

«Jerry, devi cominciare a ragionare in maniera creativa. Non hai sentito parlare di quelle nuove cupole geodetiche? Bisogna trovarne di enormi in modo da coprire intere zone cittadine. Voglio che ci lavori su, Jerry, non abbiamo molto tempo.»

«Okay, capo, vedrò che cosa posso fare.» Successivamente ci scherzammo su, ma dopo la telefonata lui rimase a lungo a chiedersi se per caso avessi parlato sul serio.

Coglievo ogni occasione per accertarmi che il coordinamento tra i diversi enti non venisse mai meno. Per esempio, molti assessorati avevano un loro servizio Approvvigionamento. Mettiamo il caso che l'assessorato ai Giardini, quello alla Polizia e quello ai Trasporti avessero bisogno di mille panchine ciascuno. Tre diversi uffici avrebbero progettato la panchina necessaria, tre diversi uffici le avrebbero acquistate e tre diversi uffici ne avrebbero curato l'installazione. In tal modo non solo sarebbe stato impiegato il triplo delle persone necessarie, ma non avremmo potuto sfruttare il vantaggio commerciale e l'efficienza operativa garantiti dalla progettazione, dall'acquisto e dall'installazione di tremila panchine in un'unica ordinazione. Creai così un nuovo assessorato, quello alla Progettazione e costruzione, nel quale feci confluire i servizi Approvvigionamento esistenti. In tal modo non soltanto risparmiammo ma potemmo operare con maggiore efficienza. È prevedibile, infatti, che un ufficio che ha già soddisfatto le richieste di panchine di due assessorati sia in grado di venire incontro all'analoga esigenza di un terzo assessorato, oltre tutto con maggiore velocità e competenza di un ufficio che non ha mai avuto nulla a che fare con panchine o affini.

Chiunque mandi avanti una grossa organizzazione corre il rischio di concentrarsi sugli alberi perdendo di vista la foresta. Io prendevo le mie decisioni non nell'interesse del singolo ufficio, ma dell'amministrazione cittadina nel suo insieme. E lo facevo dopo essermi posto domande del tipo «Perché siamo qui? Quali sono le risorse delle quali possiamo disporre?». Secondo me la missione principale di un'amministrazione locale è quella di proteggere i cittadini e di eliminare ogni ostacolo che impedisca loro di eccellere. Di conseguenza considerai colonne portanti della mia amministrazione la sicurezza pubblica, la protezione dei bambini, la salute e l'istruzione da una parte, e la creazione di nuovi posti di lavoro, la riduzione delle imposte e un efficiente sistema di navigazione dall'altra.

In realtà un'amministrazione cittadina non può, o non deve, fare di più. Un dollaro speso per un programma apparentemente benefico è un dollaro non speso altrove. Un bravo leader fissa delle priorità e le rispetta, finanziandole adeguatamente per farle andare in porto. A volte la maniera migliore per realizzarle è quella di rimuovere le disattenzioni, o le spese, che impediscono la loro realizzazione. Quando fui eletto sindaco mi trovai a ereditare un'amministrazione che si era fatta su scala mondiale una fama di inefficienza e insensibilità. Erano stati scritti numerosi libri su New York, divenuta «la città ingovernabile». Uno dei miei obiettivi immediati fu quello di ridurre le dimensioni del governo cittadino per poterci concentrare sulle più urgenti priorità.

Non credevo, per esempio, che il Comune dovesse avere un ruolo nel settore delle trasmissioni. Nel 1995 vendemmo così per 20 milioni di dollari la stazione radio WNYC e per 207 milioni di dollari il canale televisivo WNYC-TV: in tal modo non ci limitammo a fare entrare nelle casse del Comune 227 milioni di dollari, ma riuscimmo a evitare ai contribuenti l'onere del finanziamento di due media che potevano piacere come non piacere. La stessa logica ha presieduto alla decisione di dismettere la nostra quota di partecipazione nella proprietà dell'Hotel United Nations Plaza, che portò all'erario comunale altri 85 milioni di dollari, oltre alla tassa annuale sulla proprietà immobiliare.

Ma, dall'altra parte, respinsi la prima offerta fatta a noi e alla Metropolitan Transit Authority per l'acquisto dell'area del New York Coliseum della quale eravamo comproprietari. Non ero certo abituato a dire di no a 200 milioni di dollari, specialmente se l'offerta si riferiva a un'area, quella della 59ª strada ovest, da tempo in abbandono. Rimasi fedele a un progetto che avrebbe rilanciato quella bella zona, dando il suo contributo a ciò che consideravo una missione: la nascita, cioè, di un polo per le arti non figurative collegato con il Lincoln Center. Insistendo riuscimmo alla fine a ottenere: a) lo splendido edificio che cercavamo (il grattacielo della AOL Time Warner); b) una nuova casa per il jazz al Lincoln Center e c) 345 milioni di dollari.

Le mie motivazioni organizzative si riflettevano nel modo in cui impostavo ogni gennaio il discorso «Sullo stato della città», quello cioè che più degli altri andava considerato come una specie di bilancio politico di previsione. Nessun aspetto della leadership dovrebbe sfuggire a un costante riesame, per accertare che sia in linea con gli obiettivi da raggiungere. E questo vale anche per i discorsi. Considerando quello «Sullo stato della città», ritenevo che non fosse facile spiegare gli obiettivi che ci proponevamo indipendentemente dalle condizioni della città. Avrei voluto illustrare su carta millimetrata tutto ciò che speravo di realizzare. Avevo raggiunto molti degli obiettivi annunciati, ma ce n'erano anche molti che non ero stato in grado di realizzare: come per esempio quello dell'abolizione dell'ufficio per l'Istruzione, che chiedevo ogni anno. L'idea informatrice dei miei discorsi, idea vincente o perdente che fosse, era quella di indicare la direzione sulla quale volevo instradare la città. Volevo lanciare una sfida all'amministrazione, al Consiglio comunale, a me stesso, agli elettori e ai cittadini.

Credevo tanto all'importanza di organizzarsi attorno a un obiettivo, nell'anello di congiunzione tra struttura e azione, da considerare una vero e proprio cambiamento di rotta i piani volti a modificare la fisionomia dell'ufficio del sindaco. Nel mio discorso del 1995 «Sullo stato della città» discussi la fusione dei tre diversi dipartimenti di Polizia, in quello del 1996 annunciai la creazione del nuovo ente per l'infanzia, in quello del 1998 accorpai nel dipartimento della Sanità quello della Salute mentale, del Ritardo mentale e i Servizi contro l'alcolismo. Anche nel mio ultimo discorso «Sullo stato della città», quello del 2001, ero in piena attività organizzativa. Spiegai ai cittadini la mia intenzione di dare un carattere permanente all'ufficio Gestione emergenze e all'amministrazione per i Servizi all'infanzia. Mi pronunciai in favore della fusione dell'amministrazione Risorse umane con l'assessorato al Lavoro, per portare avanti la trasformazione delle Risorse umane in un ente per il collocamento.

Il grafico dell'organizzazione non è un freddo adempimento manageriale. È uno strumento vivo e in evoluzione, del quale il leader si serve per inviare un messaggio a quelli che lavorano con lui, e anche a se stesso come promemoria, circa gli obiettivi e le priorità di quell'organizzazione. Era questa una lezione che avevo imparato agli inizi della carriera.

L'attuale Vicepresidente Cheney aveva tenuto, all'epoca in cui era capo di gabinetto del Presidente Ford, una serie di seminari a tutti i suoi omologhi a livello di gabinetto e anche a livello inferiore. Io ero allora un associato del vice Attorney General Harold Tyler, ma il mio collega anziano Togo West non era stato ancora sostituito e quindi ero de facto il capo di gabinetto di Tyler. Dick Cheney invitò una ventina di noi nell'ala est della Casa Bianca, facendoci sedere in una stanza invasa dal sole. E per due ore ci tenne una lezione sul tema «Come essere di somma utilità al nostro capo». Aveva anche preparato dei volantini mimeografati su come organizzare la giornata del capo e lasciargli a disposizione il maggior tempo possibile per le decisioni. I due principi fondamentali di quei seminari mi sono stati finora di grande aiuto.

Il primo riguardava l'importanza del protocollo e la psicologia dei rapporti con gli altri uffici. «Il segretario di Stato o quello alla Difesa» ci spiegò «non vogliono sentirsi dire da Dick Cheney "Questo o quest'altro non potete farlo". Loro non lavorano per me bensì per il Presidente degli Stati Uniti, il quale a volte non ha il modo di dire loro certe cose. Quindi dovete sforzarvi di stabilire rapporti con i vostri omologhi degli altri uffici. Se il Presidente ha intenzione di dire no al segretario al Tesoro e vuole che sia io a trasmettere il messaggio, io non faccio altro che trasmetterlo al capo di gabinetto del segretario al Tesoro.» Mi sono spesso rifatto a questo insegnamento. Quando avevo bisogno di comunicare con Dick Thornburgh, all'epoca assistente Attorney General, mi rendevo conto che lui non lavorava per me ma per Ed Levy e Harold Tyler. Cercavo allora di comunicare per il tramite di Jay Waldman, capo di gabinetto di Thornburgh. In tal modo capivo con maggiore facilità come fare arrivare a destinazione ciò che Harold Tyler voleva comunicare, senza passare per invadente.

L'altra importante lezione appresa da Dick Cheney dimostra di quali risorse intellettuali lo stesso Cheney sia dotato. Un capo di gabinetto ha un notevole peso su tutto ciò che riguarda il tempo e l'agenda del suo principale. Cheney ci raccomandò di assicurarci che tutti avessero la sensazione di poter accedere liberamente all'ufficio del capo, e di assicurarcene due volte quando la posizione di chi cercava il contatto con il capo non coincideva con la nostra. «In più di una circostanza il vostro capo dovrà prendere una decisione, quando da una parte ci sono tre persone e altrettante dall'altra. Fate tutto il possibile perché i tre per i quali non nutrite una gran simpatia siano ascoltati attentamente. In caso contrario darete ai componenti della vostra organizzazione l'impressione di avviare la discussione nella direzione da voi preferita, in modo che si conformi alle vostre idee e ai vostri pregiudizi, non a quelle e a quelli del vostro capo. Se invece suderete per permettere all'altra parte di dire la sua, nessuno vi accuserà di scorrettezza se poi le cose si metteranno nel senso che volevate.»

Queste lezioni, come dicevo, mi sono rimaste attaccate. Sia da U.S. Attorney che da sindaco non ho mai permesso ai miei capi di gabinetto di impedire agli assessori di vedermi. E ho ricordato loro che al responsabile di una task force anticrimine o all'assessore alla Polizia non fa piacere sentirsi dire di no dal capo di gabinetto.

Mi sforzo sempre di individuare lo scopo di un'organizzazione per poi creare le condizioni perché tutto parta da questo scopo. Assediato dalle proposte sulla futura sistemazione e destinazione di Ground Zero, cercai di analizzarle proprio sotto il profilo dello scopo: mi chiesi cioè quale potrà essere in futuro lo scopo di quest'area. Secondo alcuni bisognava innalzare delle torri per sostituire quelle crollate, altri volevano lo spazio occupato da un monumento, e fra i due progetti si agitavano mille altre idee. Dopo avere attentamente riflettuto su quale dovrebbe essere la durevole testimonianza di quell'atroce evento, arrivai alla conclusione che in ogni caso la forma avrebbe dovuto adeguarsi alla funzione.

Ground Zero, in altre parole, doveva essere uno splendido monumento e qualsiasi progetto si sarebbe dovuto uniformare a questa premessa. Quel sito avrà per sempre un posto nei nostri cuori e ciò significava che erano due gli obiettivi da onorare. Anzitutto, c'era quello di rispettare il dolore delle famiglie, le quali dovevano convincersi della nostra piena comprensione dei loro sentimenti e dei loro desideri riguardo a quella che in effetti era la tomba dei loro cari. In secondo luogo, dovevamo dimostrare un compiuto senso della storia. Ground Zero è suolo sacro come quello che ha fatto da teatro a tutte le altre battaglie dell'America – Bunker Hill, Gettysburg, Appomattox. Meritava la solennità di un monumento e non una semplice targa accanto a una frettolosa copia di ciò che sorgeva in quel punto prima dell'11 settembre. Dovevamo anteporre a ogni altra considerazione lo scopo di quel sito, per poi procedere da lì. Dovevamo, in altre parole, muoverci da leader. E mentre si decidono i criteri di ricostruzione di Ground Zero è importantissimo che la città riservi il massimo spazio a un monumento alla memoria. L'ampiezza dello spazio dovrà sottolineare la brutale realtà dell'attacco. Sarebbe inoltre impensabile ricoprire interamente la terra sotto la quale riposano tanti cittadini. Io cerco ogni volta di immaginarmi come ci vedranno i posteri tra cento anni. La destinazione finale che sceglieremo per questo sito è importantissima per il nostro futuro e ha bisogno di rispetto, dignità e comprensione.

Il vantaggio di fare la cosa giusta invece di quella comoda è anche l'unico modo per ottenere i risultati desiderati. Rappresentando gli scenari alternativi, come facevo quando indossavo la toga dell'avvocato, ecco il mio punto di vista.

Immaginiamo che la città decida di ricostruire Ground Zero secondo la sua destinazione originaria, realizzi cioè una o più strutture da adibire a uffici con una superficie totale di milioni di metri quadri come quella di una volta. Una decisione del genere addolorerebbe oltre tremila famiglie già provate dalla tragedia. Immaginiamo allora di ricostruire le Torri così com'erano, assecondando quella che sembrava essere l'opzione politicamente più popolare. Una cosa è rispondere alla domanda di un sondaggista proponendo: «Rimettiamo al loro posto quelle Torri, alla faccia dei terroristi!», un'altra affittare un ufficio e chiedere ai propri dipendenti di andarci a lavorare. C'è il rischio che nessuno voglia lavorare in un ufficio a un'altezza superiore del terzo piano, anche se le condizioni d'affitto sono vantaggiosissime.

C'era un sistema migliore. Quello di dire alle famiglie: «I vostri interessi hanno la precedenza, voi siete la nostra priorità n. 1», e poi dedicare tutti gli sforzi alla realizzazione del più splendido, svettante monumento che si sia mai visto. Creare qualcosa all'altezza dei più grandi musei e memorial del mondo, come le spiagge della Normandia o il museo dell'Olocausto a Washington. Provate a pensare quanto potrebbe essere affascinante. A corredo di questo monumento si potrebbero preparare delle videocassette, organizzare mostre interattive, riservare un'ala a immagini della vita delle vittime, altre mostre per spiegare che cosa fosse nel 2001 il terrorismo e come gli Stati Uniti l'avessero praticamente ignorato, così come il mondo aveva ignorato il nazismo. A giudicare dal numero delle persone che si sono recate ogni giorno a Ground Zero per mesi e mesi dopo la tragedia, solo per cogliere quello spicchio del sito visibile dalla recinzione, un memorial realizzato nella maniera giusta avrebbe un notevole impatto. Tre mesi dopo quell'11 settembre montammo una piattaforma a uso dei visitatori e da quel giorno turisti provenienti da tutto il mondo rimasero in fila ore e ore per vedere il sito: e questo, voglio dire, nell'assenza di alcun monumento alla memoria.

Realizzando un monumento del genere si raggiungerebbe l'obiettivo dello sviluppo economico dell'area, si recupererebbe l'imponibile fiscale e soprattutto si darebbe significato e dignità a quest'area simbolo di morte e distruzione. Di uffici se ne possono creare ovunque, e non devono necessariamente trovarsi dove erano una volta. Tenendo in mente lo scopo di quel sito, quello cioè di tramandare per l'eternità il ricordo dell'attentato e delle sue conseguenze, non solo avrete fatto la cosa giusta, ma al tempo stesso sarete riusciti ad ammortizzare il danno economico senza offendere la sensibilità di chi ha già sofferto una perdita incalcolabile.

XV

Date la mazzetta solo a chi resterà zitto

Da ex procuratore sento l'obbligo di chiarire che il titolo di questo capitolo non va inteso nella sua accezione letterale: il senso è «non fate accordi con chi non li rispetterà». Esercitando la leadership, in qualsiasi campo, si ha a che fare con persone di ogni tipo. Ovviamente bisognerebbe, nei limiti del possibile, trattare soltanto con coloro dei quali ci fidiamo ciecamente, ma sono tante le circostanze in cui un leader è costretto ad avere a che fare con persone sul conto delle quali ha qualche dubbio o la cui compagnia sarebbe normalmente portato a evitare. Bisogna farlo, per correttezza verso chi conta sulla nostra capacità di trattare con chiunque possa apportare qualche vantaggio, ma certi criteri minimi bisogna ugualmente fissarli. Fìdati ma controlla, come diceva Ronald Reagan.

In politica esisteva una regola, che ritengo ormai scomparsa (e sarebbe davvero un peccato): per crescere politicamente devi essere un uomo di parola. Puoi essere cioè liberal, conservatore, radicale o reazionario, puoi essere anche un imbroglione: ma se ti accordi con qualcuno devi rispettare i termini dell'accordo.

Da sindaco Repubblicano, in una città dove per ogni Repubblicano ci sono cinque Democratici, ho avuto a che fare con persone delle più disparate idee politiche. Ho assunto numerosi Democratici e ho lavorato bene con i leader Democratici di New York come Peter Vallone, ex presidente del Consiglio comunale. Con lui abbiamo avuto divergenze di un certo peso e ci siamo perfino querelati a vicenda: ma siamo diventati, e rimasti, ottimi amici perché sapevo che potevo fidarmi di lui, che non mi avrebbe mai mentito. Ciò non significa che Peter si sarebbe sempre trovato d'accordo con me, ma che si sarebbe sempre comportato onestamente. Se raggiungevamo un accordo, lui rispettava gli obblighi che da quell'accordo discendevano. Ebbi un rapporto analogo con Claire Shulman, presidentessa del distretto di Queens. Nonostante le nostre divergenze ideologiche avevamo molto in comune, ed essendo lei onesta e corretta, la nostra collaborazione è sempre stata efficace.

Un esempio di questa collaborazione serve a illustrare ciò che voglio dire. Ogni estate dovevamo affrontare il problema dell'approvvigionamento di elettricità, particolarmente carente a New York, soprattutto dopo che in quella del 1999 un blackout aveva lasciato per trenta ore circa 300.000 persone senza corrente elettrica nei quartieri di Washington Heights e Inwood. Le infrastrutture erano vecchie e la società erogatrice, la Con Edison, non aveva proceduto ai necessari investimenti. Per metterla alle strette minacciammo di portarla in tribunale, pur sapendo che con molta probabilità avremmo perso, come il Comune aveva perso in precedenti circostanze analoghe. Lo sapevano anche quelli della Con Ed ma, non volendo finire in tribunale, accettarono di apportare alla rete migliorie per 400 milioni di dollari.

Ciò nonostante la città non aveva sufficienti sorgenti di energia elettrica ed era costretta a reperire sul mercato la parte mancante. E il mercato si fa particolarmente competitivo proprio quando hai maggiormente bisogno di energia elettrica, perché se fa caldo a New York fa caldo anche nel New Jersey, a Philadelphia e a Boston. La New York Power Authority accettò di impiantare dieci generatori abbastanza piccoli da non avere bisogno dell'approvazione dell'autorità ambientale, e individuò altrettanti posti strategici dove sistemarli. Come succede in questi casi, vi furono polemiche sulla scelta di queste località, in particolare su quella individuata a Queens sull'East River. Ebbi una riunione con quelli della Power Authority e i miei tecnici dell'assessorato alla Protezione ambientale parlarono con i tecnici della Power Authority, i quali spiegarono loro quanto fosse difficile impiantare una centrale elettrica. Era necessario un collegamento alla rete elettrica, uno a quella idrica, bisognava acquisire una certa superficie e così via. Non pensavo che stessero esagerando e potevo già immaginare il peso finanziario che avrebbero dovuto subire gli abitanti delle zone in cui l'erogazione di energia elettrica lasciava a desiderare.

Claire Shulman era una di quelli che si opponevano alla centrale elettrica sull'East River. Ci fece notare che Queens da quel punto di vista «aveva già dato» a sufficienza e, appena si rese conto che non avremmo modificato la nostra decisione, insieme con un gruppo di cittadini portò in tribunale la Power Authority.

Le feci capire che anch'io avrei preferito vedere sull'East River delle belle case o un parco pubblico invece di un generatore, ma che dovevo anche preoccuparmi dei 12.000 megawatt che gli abitanti di New York avrebbero potuto consumare in un'ora durante una giornata di particolare caldo. Con i generatori aggiuntivi avremmo potuto produrre circa l'80 per cento in più dell'elettricità di cui disponevamo, e inoltre saremmo stati gli utenti principali e, trovandoci così vicini alla fonte d'energia, avremmo subìto in misura sensibilmente inferiore gli eventuali difetti d'erogazione.

Eravamo quindi in disaccordo. La avvertii che avrei dovuto presentare un esposto schierandomi con la Power Authority; lei invece la pensava esattamente all'opposto, in quanto convinta che la Power Authority stesse ingannando il Comune. Prima di annunciarle le mie intenzioni ci incontrammo e le spiegai che se avevo preso una certa posizione non era per renderle la vita difficile. «Okay, fai quello che devi fare, sei tu il sindaco di questa città» disse lei alla fine. «Ma io sono la presidentessa di questo distretto e devo battermi per i miei elettori.» La corte alla fine riconobbe il nostro diritto di realizzare quella centrale elettrica.

C'erano altre persone con le quali avevo ben poco in comune e le cui posizioni politiche divergevano dalle mie: ma finché mantenevano la parola data lavoravo benissimo con loro e ci rispettavamo a vicenda.

Bill Thompson fu capo dell'ufficio per l'Istruzione durante gran parte dei miei due mandati, per essere poi eletto revisore dei conti: e io non condividevo molte delle decisioni da lui prese nel primo dei due incarichi. Si oppose alle riforme che volevo introdurre ed era più che soddisfatto di adottare la linea della Federazione unita degli insegnanti. Ma, nonostante le nostre divergenze, Bill Thompson era un uomo di parola e se stringeva un accordo lo manteneva. Diverse volte accettò di votare con la nostra parte e si comportò lealmente, resistendo alle pressioni cui veniva sottoposto. Altre volte, quando decise di votarci contro, ce ne spiegò le ragioni con la massima sincerità. Quelle ragioni mi sembrarono spesso sbagliate, ma devo dargli atto che non cercò mai di cambiare le carte in tavola: per questo ho sempre chiesto ai miei due rappresentanti nell'ufficio Istruzione di appoggiare Bill nelle elezioni per il rinnovo della presidenza.

Una delle più eloquenti illustrazioni di questo principio non l'ho riscontrata a New York o a Washington, ma tra i campi ondulati di erba fienarola di Hazard, Kentucky. Nonostante il piccolo shock iniziale provato da uno come me, nato e cresciuto a New York, nei mesi trascorsi nel Kentucky ho ricevuto alcune delle più preziose lezioni di leadership.

Una società carbonifera, la Aminex Resources Corporation, era finita in amministrazione controllata dopo che quelli che l'avevano da poco acquisita ne avevano dilapidato i beni. La causa di fallimento fu affidata al giudice MacMahon, che mi convocò il venerdì santo del 1978. Il giudice cercava qualcuno che fosse in grado di mandare avanti la società e sapesse rimetterla a posto sotto il profilo fiscale. Sapeva che non avevo la minima conoscenza dell'industria del carbone, ma lui non cercava un esperto del settore, bensì qualcuno capace di ricorrere al tribunale per recuperare il maggior numero possibile dei beni dell'azienda. Tra i pochi dipendenti rimasti in servizio c'era poi tanta amarezza e sfiducia e il giudice capì che per curarne gli interessi era necessario un esterno del quale potesse fidarsi.

All'epoca lavoravo da quasi un anno nello studio legale Paterson Belknap. Parlai con i soci anziani dello studio, come Harold Tyler, Bob Paterson e Bob Potter, spiegando loro l'opportunità che mi si presentava. Il giudice MacMahon mi aveva avvertito che, se avessimo accettato l'incarico, non avremmo ricevuto per intero la nostra parcella: ma se fossimo riusciti a salvare la società dal fallimento, riportando la fiducia negli investitori, il tribunale fallimentare avrebbe potuto corrisponderci una gratifica. L'idea piacque ad alcuni soci e non piacque ad altri, ma tutti concordarono sulla necessità che io accettassi la curatela, dal momento che il giudice aveva indicato proprio me. Telefonai allora al giudice MacMahon e da un giorno all'altro mi trovai nella più imprevedibile delle situazioni: a capo di una società carbonifera sulle colline del Kentucky.

Decisi subito di proporre al mio socio, Joel Carr, di venire a lavorare con me, in considerazione della sua esperienza in tanti settori commerciali e avendo lui alcuni petrolieri tra i suoi clienti. Poi mi misi a imparare il più possibile sull'industria del carbone. Appresi così che il tasso bituminoso del carbone determina il suo potenziale di energia: più alto è questo tasso e più a lungo il carbone brucia. I giacimenti controllati dalla Aminex contenevano carbone piuttosto scadente e quindi dalla limitata capacità di combustione. Ma una vicina azienda elettrica, la Dayton Power and Light, aveva impiantato uno stabilimento che prevedeva l'uso di quel particolare carbone. E scoprii che l'industria estrattiva ha moltissimi punti di contatto con l'edilizia, nel senso che una parte del processo decisionale comprende il rischio calcolato di stabilire dove investire nel momento in cui è necessario dotarsi di elaborate attrezzature. A ciò va poi aggiunto il costo delle migliorie: non è conveniente, per esempio, acquistare un'area che contiene un 10 per cento in più di carbone se poi bisogna spendere il doppio del prezzo d'acquisto per riportarla alle sue condizioni originarie.

Arrivati ad Hazard scoprimmo che a mandare avanti la baracca Aminex erano due ex proprietari, Andy Adams e Buggy Cleamons. Erano due bei soggetti e, poiché la loro azienda era andata in malora per colpa di forestieri, diffidavano comprensibilmente di un avvocato venuto da New York. Al nostro primo incontro decisero di mettermi alla prova. Buggy mi fece salire sul suo elicottero e, avendo evidentemente in precedenza dato precise istruzioni al pilota, cercò di mettermi in agitazione quando l'elicottero si mise a fare evoluzioni a breve distanza dalle montagne. Io non mossi muscolo e mi godetti il paesaggio. Sapevo che se avessero creduto di avermi spaventato non avrei potuto sperare nel loro rispetto, e questo avrebbe ostacolato il mio lavoro. Dopo di che diventammo amici e lui e Andy misero a mia disposizione la loro esperienza nel settore, oltre a fare da tramite con le maestranze.

Questa fu la parte più delicata. La prima riunione con le maestranze al completo fu una salutare anche se pericolosa lezione sull'importanza di avere a che fare con chi mantiene la propria parola. I dipendenti della Aminex non erano iscritti al sindacato. La paga degli operai era per consuetudine legata a quella prevista dal contratto collettivo firmato dal sindacato Minatori, i cui aderenti avevano appena ricevuto un aumento: e i nostri operai volevano lo stesso aumento. Avendo studiato attentamente i libri contabili sapevo che la Aminex correva il rischio di non riuscire nemmeno a pagare gli stipendi, figuriamoci se poteva permettersi di concedere aumenti. «Ora parlo con loro» mi dissi, convinto di potere far ragionare tutti. Chiesi così ad Andy e Buggy di convocare le maestranze, pensando che sarebbe bastato spiegare loro le condizioni contingenti dell'azienda per fargli capire che la nostra unica speranza di sopravvivenza consisteva nel continuare a lavorare e che ci sarebbero stati aumenti per tutti non appena la Aminex fosse uscita dallo stato di crisi.

Entrai nel capannone dove si sarebbe svolta questa assemblea e trovai circa trecento minatori in guardinga attesa. Alcuni di loro si erano portati dietro il fucile, e non è confortante parlare a un pubblico in parte armato. Cominciai a illustrare il mio piano di salvataggio dell'azienda, ma faticavo a farmi capire. Non mi rivolgevo alla giuria di un tribunale federale, ma a uomini che si erano visti tartassare i mezzi di sostentamento dalla proprietà.

Terminato il mio intervento chiesi se ci fossero domande. In una delle prime file alzò la mano un uomo, che fino a quel momento aveva inciso con un coltello un pezzo di legno. Gli feci segno di parlare e attesi ansioso, ma lui se la prese comoda. «Lei è ebreo?» mi chiese finalmente, parlando con un marcato accento.

Credetti di non avere capito bene. «Come dice, scusi?» «Mi ha sentito. È ebreo? Lei è di New York.» Risposi con la massima franchezza, da quell'avvocato serio e giovane che ero. «Sono cattolico, ma con me lavorano alcune persone ebree e mi aspetto che vengano qui trattate con rispetto.»

Andai avanti a parlare per un'altra quindicina di minuti, ma la situazione, lungi dal migliorare, peggiorò. «Ce l'ha un timbro?» mi chiese a un certo punto un altro operaio. Non capivo che cosa volesse dire e quello ripeté la domanda. Allora Joel, che invece aveva capito bene, corse fuori, prese dall'auto il borsone nel quale tenevo tutti i documenti legali e rientrò nel capannone stringendo in mano le carte dalle quali risultava che la Security Exchange Commission e il giudice MacMahon mi avevano nominato responsabile dell'amministrazione controllata. Mostrammo queste carte a quello che aveva fatto la domanda e che era evidentemente uno dei capi. «Voi uscite» ci disse lui. «Voglio dare un'occhiata a questo timbro e poi ne riparleremo.» Dopo un po' si presentò con una decina di compagni nel mio ufficio, dove lo stavo aspettando con il mio staff. «Crediamo che lei sia stato veramente nominato dal tribunale e che non ci abbia quindi mentito» disse. «Vogliamo che lei ci dica ogni settimana esattamente quanto sta incassando la società, e una volta fuori pericolo vogliamo vedere quell'aumento.»

Accettai quella condizione e aggiunsi che sarebbe stato preferibile se ci fossimo visti settimanalmente solo con lui e i presenti, che poi avrebbero potuto riferire le notizie a tutti gli altri. Ed è esattamente ciò che facemmo dal 1978 al 1981, con il mio collaboratore Jeff Sabin che mandava avanti materialmente la società. Non soltanto riuscimmo a sottrarre la Aminex ai rigori del Capitolo 11, ma la rimettemmo finanziariamente in salute per poi venderla a un prezzo conveniente. E, come promesso, il giudice fallimentare elargì allo studio Paterson Belknap una somma in riconoscimento del nostro lavoro.

Tutto ciò fu possibile unicamente perché riuscii a trattare con gente come Andy e Buggy e come quell'operaio che aveva voluto controllare le mie credenziali legali. Anche se le nostre esperienze lavorative erano diametralmente differenti (per non parlare dei nostri accenti), ciascuno di noi rispettò l'accordo nella parte di propria competenza e insieme tirammo la società fuori dalle sabbie mobili.

Un leader a volte non può sottrarsi all'incombenza di trattare con persone non degne di fiducia. In casi del genere bisogna specificare ogni dettaglio nei termini più chiari possibile, mettere tutto per iscritto e assicurarsi della presenza di testimoni. Bisogna inoltre fare in modo di limitare al minimo le trattative per raggiungere l'accordo, tenendo presente che anche ad accordo raggiunto la controparte inaffidabile potrebbe trovare un modo per sottrarsi ai propri obblighi. È indispensabile quindi capire se la persona con cui abbiamo trattato rispetterà l'accordo (se cioè, come si legge nel titolo di questo capitolo, «chi ha preso la mazzetta se ne starà zitto») in modo da poter incassare immediatamente la nostra parte prima che sia troppo tardi.

Ronald Reagan ci ha illustrato il modo migliore di affrontare situazioni del genere. Rifiutandosi di concedere all'Unione Sovietica quella fiducia che non si era meritata, il Presidente modificò il carattere dei nostri rapporti con quel Paese. Sul problema del controllo degli armamenti insistette sulle verifiche e non si accontentò delle assicurazioni dei sovietici, perché da parte sua sarebbe stato a dir poco incauto. L'URSS non si meritava tanta cavalleria.

Reagan costrinse i sovietici a fare delle concessioni immediate prima di farle ricambiare dagli Stati Uniti. Noi americani sappiamo che rispetteremo ogni tipo di trattato: abbiamo leggi e protocolli che assicurano la nostra osservanza degli accordi, è la nostra stessa cultura a pretenderlo. Lo stesso non poteva dirsi dell'Unione Sovietica. Reagan insistette ostinatamente sul meccanismo delle ispezioni, mentre la precedente amministrazione avrebbe lasciato correre pur di arrivare all'accordo.

In politica, negli affari e in qualsiasi organizzazione bisogna servirsi, in sede di decisioni istituzionali, di quella saggezza che si acquisisce nei rapporti individuali, perché le istituzioni in gran parte non sono altro che il riflesso del comportamento individuale. A volte nel corso di un negoziato è tale il bisogno di ottenere un certo risultato che si finisce per sorvolare sulla probabilità che la controparte rispetti i termini dell'accordo. Vogliamo comprare a tutti i costi una certa casa e non badiamo agli scricchiolii che giungono dalle fondamenta. Un errore del genere lo commettiamo in politica, negli affari e in qualsiasi tipo di organizzazione. Un leader può cercare disperatamente un certo risultato o può agire incautamente, pensando ai titoli che appariranno sui giornali e al prestigio che guadagnerà. E finirà magari per annunciare la firma di un accordo con qualcuno che non può o non vuole adempiere agli obblighi che discendono da quell'accordo.

Quella persona rispetterà i patti?

Negli anni Novanta gli Stati Uniti si resero conto di dovere trattare con il presidente dell'Autorità palestinese, Yasser Arafat: ma da lui dovevamo pretendere qualcosa in più, non qualcosa in meno, perché non era il tipo da «starsene zitto», nel senso che ho appena spiegato: cioè non rispettava i patti. Gli era stato ceduto del territorio, ma lui non aveva adempiuto ai suoi obblighi, sostenendo di essere impossibilitato a farlo se non avesse ottenuto dell'altro territorio. In sostanza noi, come lui, avevamo fatto delle concessioni: ma noi mantenevamo gli impegni, lui no. Prometteva di espellere o arrestare i terroristi, e poi li lasciava in pace.

Per anni ho ripetuto che stavamo trattando con la persona sbagliata. Permettetemi di tornare all'esempio di prima. Se comprate una casa e spuntate un certo prezzo, avete la legittima aspettativa di vedervi consegnata la casa non appena avrete rispettato i vostri obblighi contrattuali. Se però scoprirete che la persona che si è presa i vostri soldi non rappresentava il proprietario della casa, capirete di avere preso un bidone. Qualcosa del genere è accaduto e accade periodicamente con Arafat. Abbiamo ricevuto mille assicurazioni che non avrebbe più fornito asilo ai terroristi, per poi scoprire che la Palestina è in effetti un terreno fertilissimo per il terrorismo. Ci furono negli anni Novanta esponenti di governo che invece di rifiutarsi di avere rapporti con Arafat sostennero la sua candidatura al Premio Nobel per la pace! Una situazione sempre più simile a quella degli anni Trenta, quando furono in molti a rifiutarsi di vedere il mondo per quello che era.

Nell'ottobre 1995 le Nazioni Unite celebrarono il loro cinquantesimo anniversario. Io, orgoglioso dei progressi fatti da New York, volevo esibirli sulla scena mondiale. Misi così in piedi un comitato che battezzammo New York Host Committee e raccogliemmo circa due milioni di dollari per finanziare una serie di eventi, tra i quali una cena in onore dei capi di Stato che si sarebbe tenuta il sabato al World Financial Center all'interno dell'Atrium, poi distrutto l'11 settembre. E proprio all'ombra di quell'atrio avrei visto per l'ultima volta vivi Padre Mychal Judge, Pete Ganci, Bill Feehan e Ray Downey.

Per tutta la settimana delle celebrazioni vissi in uno stato di preoccupazione, che però mi sforzai di non manifestare in pubblico, per gli enormi problemi di sicurezza legati alla presenza di tanti leader mondiali. Alla cena erano stati invitati centosessanta ospiti, in maggioranza capi di Stato, vicepresidenti e ambasciatori. Il porto pullulava di imbarcazioni della polizia, il cielo di elicotteri e avevamo perfino mandato in acqua un certo numero di sub: il Center è infatti raggiungibile anche da un tunnel sotterraneo e volevamo evitare che i terroristi piazzassero qualche carica esplosiva sulla parete esterna di questo tunnel.

L'appuntamento più importante dei festeggiamenti era rappresentato da un concerto, in calendario il 23 ottobre nella Avery Fisher Hall del Lincoln Center. Avevo personalmente scelto la Nona sinfonia di Beethoven, l'*Inno alla gioia*, per quella occasione felice. La sera del concerto cominciai finalmente a rilassarmi. Tutti erano sani e salvi, la città aveva un aspetto splendido e i nostri preparativi stavano per essere premiati.

Me ne stavo seduto in un ufficetto alle spalle del palcoscenico, quando mancavano quindici minuti all'inizio del concerto, preparandomi a pronunciare un discorso ufficiale in palcoscenico insieme con Gillian Sorenson, responsabile delle Pubbliche relazioni dell'ONU oltre che moglie di Ted Sorenson, a suo tempo autore dei discorsi di John F. Kennedy. E all'improvviso fecero quasi irruzione nella stanza dove mi trovavo Randy Mastro, mio capo di gabinetto dell'epoca, e il suo vice Bruce Teitelbaum.

«Che problema c'è?» chiesi.

«In sala c'è Arafat.»

Mi chiesi come fosse possibile. Il concerto era assolutamente privato, finanziato con fondi privati, e al momento di compilare la lista degli invitati avevamo esplicitamente escluso la delegazione palestinese insieme con quelle di altri sette Paesi: Cuba, Iraq, Iran, Libia, Corea del Nord, Somalia e Jugoslavia. Avevamo trasmesso la lista degli esclusi alle Nazioni Unite, per fare sapere agli interessati da che parte stavamo. E Castro, dimostrando che anche un despota può avere il senso dell'onore, aveva commentato: «Non mi volete? Non vengo».

Arafat era giunto evidentemente a una conclusione diversa. Qualcuno gli aveva fatto avere un invito ed eccolo qui. Alzai gli occhi al cielo. «Buttatelo fuori, non è stato invitato» dissi a Randy e Bruce.

«Ormai non possiamo più fare niente» intervenne Gillian. «Si è seduto.»

Non ero d'accordo. «Ditegli di andarsene. Qui non lo vogliamo.»

Randy era stato uno dei miei assistenti procuratori nel Distretto meridionale e Bruce aveva fatto pratica nello stesso ufficio per poi partecipare nel '93 alla mia campagna elettorale. E naturalmente si misero entrambi a ragionare da uomini di legge, con una serie di «e se poi...?». Mi chiesero cosa fare nel caso l'ospite indesiderato si fosse rifiutato di andarsene, se cioè avrebbero dovuto farlo portare via dalla polizia. «Ecco che cosa dovete fare» spiegai loro. «Anzitutto avvicinerete il suo capo di gabinetto e gli farete sapere che Arafat non è il benvenuto e che quindi deve cortesemente togliere il disturbo. Verrà con voi John Fleming, non si sa mai.» John Fleming era un massiccio agente della mia scorta. «Se Arafat si rifiuta, andate a chiedergli personalmente di andarsene. Ma se gli direte che è il sindaco a non volerlo in sala quello non se ne darà per inteso, quindi cercherò di mettermi in contatto con qualche diplomatico che gli spieghi quanto sia imbarazzante la sua presenza dove non ha alcun diritto di trovarsi. D'accordo, non lo farò buttare fuori dalla polizia, ma continueremo a chiedergli di andarsene e lo metteremo veramente a disagio.»

A Bruce e Randy si erano frattanto aggiunti altri due membri del mio staff, Manny Papir e Cristyne Lategano. Qualcuno fece notare che Arafat aveva un biglietto d'invito in piena regola, anche se non era chiaro come l'avesse ottenuto. Altri erano dell'idea che se necessario andava arrestato. Non ero d'accordo, ma al tempo stesso non mi piaceva restarmene con le mani in mano.

Nel frattempo Gillian Sorenson si mostrava sempre più agitata. «Non potete farlo» continuava a ripetere. «Proprio non potete.»

«Non capisco perché no» le obiettai. «Questo evento l'ho organizzato io, raccogliendo i fondi da finanziatori privati. Gli invitati sono miei ospiti. Inoltre diversi di questi finanziatori non gradiranno l'idea di avere speso dei soldi per allietare Arafat: si arrabbieranno a morte, e avranno tutto il diritto di arrabbiarsi.»

Alla base del mio atteggiamento c'era anche un altro elemento: quello del mio profondo disprezzo per Arafat. Da U.S. Attorney avevo aperto un'inchiesta sul dirottamento della *Achille Lauro*, una nave italiana da crociera. Durante lo scalo di Alessandria d'Egitto quattro membri dell'OLP avevano fatto irruzione nella sala ristorante esplodendo raffiche a casaccio e ferendo alcuni passeggeri. I terroristi, armati di AK-47, pistole e bombe a mano, avevano radunato in coperta quattrocento passeggeri separandoli poi in base alla nazionalità: gli inglesi e gli americani li avevano circondati di barili di petrolio, minacciando di incendiarli. Costrinsero il capitano a salpare per fare rotta verso la Siria e chiesero a Israele di rimettere in libertà cinquanta detenuti palestinesi.

Tra gli ostaggi c'era Leon Klinghoffer, un commerciante ebreo newyorchese di sessantanove anni, costretto su una sedia a rotelle perché parzialmente paralitico in conseguenza di due infarti. I terroristi lo separarono dalla moglie, gli spararono in fronte e poi lo lanciarono in mare con la carrozzella. Non dimentico quelli che uccidono gli americani. L'operazione era stata organizzata da Yasser Arafat, era lui il responsabile di quell'azione terroristica. Negli anni Novanta negli Stati Uniti la sua figura era quasi circondata da un alone romantico. E io non smettevo di pensare: «Trattate con lui, se credete di doverlo fare, ma non abbassate la guardia facendolo passare per un leader democratico liberamente eletto». Mi disturbava terribilmente, quella faccenda, anche perché ero convinto che Arafat continuasse a dare rifugio ai terroristi.

E mentre rimuginavo questi pensieri, Gillian Sorenson continuava a ripetere «Non potete fargli una cosa del genere!». «Non posso?» pensai. «Questo signore ha ordinato la morte di persone innocenti.» Gillian ora stava dicendo che buttarlo fuori avrebbe creato un incidente diplomatico e fu proprio questa considerazione a farmi prendere una decisione. «Forse è il caso di creare un incidente internazionale» dissi. «Forse dovremmo svegliare la gente per dimostrare di quanta benevolenza goda questo terrorista.»

Poi mi rivolsi direttamente a Gillian. «Ora basta, la discussione è finita. Ho preso una decisione e sto per metterla in atto. Muoviamoci.» A quel punto il programma della serata era già in leggero ritardo, io e Gillian avremmo dovuto tenere quel discorso di saluto agli illustri ospiti. «Esco sul palcoscenico a tenere il discorso» dissi a Randy e Bruce. «Voi andate a parlare a quella gente e vedete di fare in modo che se ne vada.»

Attendendo dietro le quinte guardai in sala e vidi Arafat seduto in uno dei palchi alla sinistra del palcoscenico proprio di fronte a quello di Yitzhak Rabin: i due erano letteralmente faccia a faccia. Vidi Randy e Bruce apparire sulla porta del palco di Arafat e fui lieto di avere affidato quell'incarico a loro, due duri che non avevano paura di nessuno. Li vidi parlare con un uomo dell'entourage di Arafat; poi lo stesso Arafat si alzò, strinse la mano a Randy e la allungò a Bruce che rimase però immobile. I miei due uomini parlavano a quello di Arafat e il leader dell'OLP stava agitando le braccia, poi sventolò il biglietto davanti alla faccia di Randy mentre Bruce, come più tardi mi riferì, gli stava dicendo di avere personalmente controllato l'elenco degli invitati e di essere ultracerto che questo elenco non comprendeva il nome di Arafat. Si era fatta abbondantemente l'ora del mio discorso, così andai al centro del palcoscenico e cominciai a parlare, seguendo con la coda dell'occhio l'evolversi della situazione nel palco di Arafat. Che era ancora impegnato in una animata discussione.

Terminato il discorso scesi dal palcoscenico dirigendomi verso il mio palco e, alzando lo sguardo su quello di Arafat, mi accorsi che era vuoto. Sperai che il nostro piano fosse andato in porto, perché non volevo che la serata fosse turbata da un incidente: ma non escludevo che Arafat si fosse trasferito nel foyer ad architettare una controstrategia o fosse semplicemente andato in gabinetto. Uscii quindi dalla sala e vidi venirmi incontro Randy e Bruce. Arafat, mi informarono, se n'era andato sdegnatissimo dichiarando di non essere mai stato insultato così e annunciando una conferenza stampa per condannare l'episodio e i suoi responsabili. La faccenda non si sarebbe potuta concludere in modo migliore e me ne tornai quindi alla Nona sinfonia di Beethoven.

Il giorno dopo scoprii di avere effettivamente dato vita a un incidente internazionale. Il «New York Times» chiedeva la mia testa, deciso evidentemente nel mio caso a fare un'eccezione alla sua ferma posizione contro la pena capitale. In un articolo dal titolo *La Casa Bianca condanna Giuliani* veniva citato un portavoce di Clinton che deplorava l'incidente «alla luce del ruolo costruttivo svolto dal presidente Arafat nel processo di pace in Medio Oriente». Un alto funzionario governativo parlava di «imbarazzo degli ambienti diplomatici». Era sufficiente quel riferimento della Casa Bianca al «ruolo costruttivo» di Arafat per mettere a nudo la debolezza della politica estera di Clinton. Il presidente non era in grado di capire con chi aveva a che fare e mai aveva fatto apprezzamenti sul livello di responsabilità del comportamento di Arafat.

I miei non sono facili giudizi a posteriori. Durante la campagna elettorale per il Senato, prima di ritirarmi dalla corsa, sostenevo nei miei discorsi che Clinton avrebbe lasciato il Paese più debole di quando ne aveva preso in mano la guida. Sottolineavo inoltre quanto le forze armate fossero indebolite, scarsamente finanziate e sottopagate e come i servizi di Sicurezza fossero stati ridimensionati e non tenessero più d'occhio i movimenti terroristici. Clinton, per esempio, aveva permesso che Saddam Hussein si sottraesse a ogni tipo d'ispezione. Anche dopo i nostri bombardamenti per non avere permesso agli ispettori dell'ONU di svolgere il loro lavoro, il risultato era stato la fine delle ispezioni. Assurdo. Lo bombardiamo e poi ce ne disinteressiamo.

Andò in televisione anche l'ex sindaco Ed Koch, per il quale Gillian Sorenson aveva lavorato come ufficiale di collegamento con l'ONU, e mi fece a pezzi dimenticando probabilmente di avere a suo tempo definito Arafat assassino e l'ONU una fogna a cielo aperto: non mi rivolgerei sicuramente a Koch se decidessi di farmi insegnare da qualcuno i primi rudimenti della sottile arte della diplomazia. Mi faceva piacere avere suscitato quel vespaio, perché ero certo di essere dalla parte giusta. E ogni volta che negli anni seguenti Arafat dimostrò con sempre maggiore chiarezza di quale pasta fosse veramente fatto, al punto che perfino i suoi ex sostenitori non riuscivano più a trovare scuse alla sua incapacità o alla sua mancanza di volontà di tenere a freno la violenza palestinese, ricordavo ogni tanto a qualcuno la storia di quel concerto e delle proteste che il mio atteggiamento aveva provocato.

Alcuni americani non riescono ad accettare il fatto che esista gente veramente malvagia, gente che non condivide i nostri valori. Il desiderio di pace, e quel semplicistico e malinteso senso di colpa che molti provano, contribuiscono a quella scuola di pensiero secondo la quale chi chiede risultati e alti standard di comportamento è considerato una specie di uomo di Neandertal.

Sono dell'idea che la nostra politica in Medio Oriente abbia perso smalto e determinazione da quando abbiamo cominciato a ragionare come se in Israele fosse in corso una partita a scacchi, in cui ciascuno dei due giocatori aspetta il suo turno di muovere un pezzo ed entrambi si trovano più o meno sullo stesso piano di moralità. Questo modo di ragionare viene espresso tra l'altro in frasi del tipo «entrambe le parti devono ridurre gli atti di violenza». Il che è vero, intendiamoci, ma esistono differenze significative tra un tipo di violenza e l'altro.

Ciò non significa che non dobbiamo aprire negoziati con chi può anche rappresentare il male. Forse non abbiamo scelta. Ma non dovremmo trattare Arafat allo stesso modo in cui trattiamo Rabin o Peres o Barak o Sharon o Netanyahu. Alcuni di loro sono miei amici personali, lo ammetto, ma tutti condividono in linea di massima i nostri valori. Con loro si può negoziare. Con Arafat sei invece costretto a chiedergli di rispettare per primo gli accordi. Perché in caso contrario lui continuerà a pretendere altre concessioni, sempre di più, prima di adempiere agli obblighi previsti dall'accordo. Ammesso che lo faccia.

Esiste una differenza tra un signore severo e inflessibile e un prepotente. Il primo potrà condurre le trattative in termini ultimativi e magari interromperle definitivamente: ma se dà la sua parola la mantiene. E non si presenta dove non è stato invitato, dando per scontato che nessuno avrà il coraggio di cacciarlo. L'incidente del concerto è avvenuto nell'autunno 1995 e da allora Arafat ha ingannato numerose volte gli Stati Uniti. Quando nella tarda estate del 1993 furono firmati gli accordi di Oslo, ad Arafat furono garantiti 50.000 fucili e la creazione di una forza di polizia, in cambio della promessa di tenere a freno la violenza. Ma da allora non ha mai dato alcuna indicazione di volere seriamente mantenere questo impegno, e non è chiaro se sia in condizione di poterlo mantenere.

Certa gente andrebbe evitata del tutto. Averci a che fare è controproducente e finisce per metterci di malumore. Accade spesso che i leader ritengano di dovere trattare con chi non considerano alla loro altezza, mentre la verità è che non sanno dire di no. Da sindaco ricevevo elettori di ogni tipo, visitavo ogni quartiere, aiutavo ogni comunità: non esisteva gruppo di cittadini al quale non volessi rivolgermi. Ma insistevo ad avere rapporti soltanto con chi manteneva la parola data. Così facendo, alla fine, tutti ci troveremo a lavorare secondo standard più elevati.

Parte terza

XVI
La ripresa

Mercoledì 12 settembre, di primissimo mattino, parlai in diretta davanti alle telecamere di *Today* per rassicurare tutti che New York era ancora al suo posto. Dissi che non ci saremmo limitati a superare il disastro, ma avremmo dimostrato con il nostro esempio che gli americani non si lasciano terrorizzare. Poi cominciai la giornata come l'ho sempre cominciata da quando sono stato eletto sindaco: con la riunione del mattino. Anche con la scorta le strade della Lower Manhattan erano difficili da navigare, ma ciò nonostante la riunione ebbe inizio alla solita ora, le otto. Il mio staff, molti membri del quale erano rimasti in piedi quasi tutta la notte, si sedettero attorno al tavolo e poi a uno a uno i vicesindaci e gli assessori, ai quali si era unito il governatore Pataki con alcuni suoi collaboratori, spiegarono in dettaglio le conseguenze dell'attacco sui settori di loro competenza. Ascoltammo ogni relazione: su alcuni argomenti presi un'immediata decisione, altri li discutemmo, per altri ancora creammo delle task force e selezionammo infine quelli sui quali ci saremmo attivati più tardi. Un po', cioè, come faceva il giudice MacMahon quando accumulava sulla sua scrivania le istanze e ci sollecitava a mandarle avanti il più possibile.

Contattammo le Forze armate e l'ente federale Gestione emergenze per reperire 11.000 *body bag*, i sacchi di plastica con i manici nei quali infilare i cadaveri, e ci fermammo un secondo a riflettere sull'orribile significato di quella ordinazione. Allargammo la zona «congelata» e cominciammo a cercare i titolari degli uffici i cui dipendenti erano stati decimati.

Incaricai di quest'ultima incombenza i miei collaboratori che avevano familiarità con queste società, chiedendo loro di lasciare a me quelle più duramente colpite. Chiamai Howard Lutnick, amministratore delegato della Cantor Fitzgerald i cui uffici occupavano gli ultimi piani della Torre nord e che per questo aveva perduto oltre 700 dipendenti, tra i quali il fratello di Howard, Gary. Trovai Howard comprensibilmente scosso e gli offrii tutta l'assistenza della quale avesse avuto bisogno. Parlai di nuovo con Dick Grasso, presidente della Borsa, preoccupato per eventuali nuovi attacchi tra i cui obiettivi avrebbe potuto essere compresa proprio la Borsa. Trovai a casa Phil Purcell, amministratore delegato della Morgan Stanley che aveva perso centinaia di uomini e donne. Sperava che molti degli scomparsi potessero essere ritrovati vivi, che il bilancio fosse meno atroce: durante le prime ventiquattr'ore qualche successo in quel senso la Morgan Stanley l'aveva ottenuto.

Quel successo aveva una spiegazione, a parte quella dell'eroismo di agenti e vigili del fuoco. Dopo l'attentato del 1993 al World Trade Center il colonnello Richard C. Rescorla, capo della sicurezza della Morgan Stanley, aveva meticolosamente preparato e messo alla prova alcuni piani di evacuazione in previsione di un'eventuale nuova crisi. Rick, nato in Inghilterra, era venuto negli Stati Uniti per andare a combattere in Vietnam: e l'attacco dell'11 settembre non lo colse alla sprovvista. Lui e i suoi quel giorno si misero a girare ufficio per ufficio con un megafono, spingendo gli impiegati della banca d'investimenti negli ascensori e in strada. Con i suoi 3700 dipendenti in sede la Morgan Stanley era per dimensioni il primo inquilino del World Trade Center. Grazie al coraggio e alla preparazione di Rick e del suo team, migliaia di impiegati della banca sopravvissero all'11 settembre. Furono sei in tutto le vittime della Morgan Stanley: e tra loro c'era anche Rick.

La parte più consistente della mia carriera è stata quella degli anni da procuratore, anni che avevano affinato le mie doti di investigatore. Bisogna sapere entrare nella mente dei criminali sui quali si indaga, nel caso nostro i terroristi. Dopo l'11 settembre lo spazio aereo era stato chiuso e la città veniva difesa dai caccia e dalle unità della marina militare. Non mi aspettavo un attacco aereo o missilistico, ma degli attentati isolati. E un nuovo attacco avrebbe avuto un effetto devastante sul morale della cittadinanza. Per questo cercai di prevedere l'imprevedibile da parte di quello che era chiaramente un nemico particolarmente scaltro.

L'amministrazione cittadina si era trasferita nella sede della scuola di Polizia, sulla 20ª strada, tra la Seconda e la Terza Avenue. Il giorno precedente eravamo stati in contatto con gli ospedali per avere la certezza della disponibilità di dottori, letti, personale di supporto e scorte di sangue in vista dell'arrivo di migliaia di feriti.

Non ce ne fu bisogno, purtroppo. Fu Judith, mercoledì mattina, la prima a comunicarmelo: «Nessuno, sai, è stato portato in ospedale». Le chiesi che cosa significava, poi mi resi conto che il giorno prima avevamo salvato qualcuno, ma successivamente i salvataggi si erano interrotti. Mi ero tenuto in contatto tutta la notte, ma nessuno era stato tirato fuori dalle macerie. Tenemmo in piedi le strutture mediche d'emergenza sperando, pregando. Fu una delusione terribile. Quelli che si trovavano all'interno del Trade Center si salvarono quasi tutti, furono 25.000 le persone evacuate in una delle più grandi operazioni di salvataggio della storia. Ma quelli che non ce l'avevano fatta a uscire prima del crollo delle Torri…

Giovedì, alla riunione del mattino, dissi ai miei che volevo organizzare una grande, solenne cerimonia religiosa. Sarebbe stato importantissimo far celebrare questa cerimonia congiuntamente da un prete, un rabbino, un ministro protestante e un imam per sottolineare non soltanto la coesione della città, ma anche la presenza tra gli uccisi di persone di tutte le confessioni religiose. La mia collaboratrice Kate Anson mi informò che Imam Pasha, un amico con il quale la mia amministrazione aveva avuto rapporti di lavoro, si trovava in Senegal e non sarebbe tornato prima di lunedì. «Allora trovatemi un altro imam» chiesi.

Un altro problema riguardava i tristi particolari della sepoltura del nostro personale in uniforme, cioè agenti e vigili del fuoco. Sapevamo che centinaia di loro avevano perso la vita e normalmente per ognuno avremmo organizzato un funerale da ispettore, con cornamuse e colleghi in alta uniforme sull'attenti ai lati della bara: ma, considerando il loro elevatissimo numero, temevamo che non sarebbe stato possibile. Comunque, grazie agli sforzi congiunti dei dipartimenti di Polizia e dei Vigili del fuoco, oltre a quello della polizia di Port Authority, riuscimmo a organizzare funerali individuali per tutte le famiglie che ce l'avevano richiesto. Nel frattempo volevo mettere in risalto quanto la città apprezzasse il loro sacrificio e il loro eroismo. Dopo una lunga discussione decidemmo di far celebrare il funerale collettivo nello Yankee Stadium domenica 23 settembre, per lasciare più tempo possibile alle famiglie in lutto.

Proprio a loro dedicammo subito dopo la massima attenzione. A

Manhattan, lo spazio è una merce rara, e uno dei problemi più pressanti fu quello di trovare una sede per allestire un centro dove i familiari potessero avere informazioni, assistenza e conforto. Il mercoledì il governatore Pataki ci mise a disposizione il cavernoso arsenale della Guardia Nazionale, sulla Lexington Avenue. Ci andai il giorno dopo, trovando una fila di parenti che dall'ingresso dell'edificio arrivava al termine dell'isolato e oltre. Parlai con alcune famiglie, tra le quali quella della ventitreenne Brooke Jackman. Brooke, i cui genitori erano entrambi impiegati a Wall Street, aveva cominciato a lavorare da soli tre mesi come aiuto operatore di Borsa alla Cantor Fitzgerald. Mi sedetti attorno a un tavolo con i suoi familiari, tenendoci per mano. «Non credo che la città si stia rendendo conto di quanto dovrà ancora soffrire» dissi loro.

Quando se ne andarono, mi tolsi gli occhiali strofinandomi gli occhi. In circostanze normali non dormo molto, ma nelle ultime quarantott'ore non avevo in pratica chiuso occhio. Mi sedetti in poltrona e, senza rivolgermi a qualcuno in particolare, dissi ad alta voce: «È un dolore immenso, un dolore incredibile. E il lato peggiore è che questa povera gente dovrà sopportarlo tutta la vita, perché le immagini degli aerei che si schiantano contro le Torri saranno trasmesse per anni e anni e anni».

Rosemarie O'Keefe, «Ro», era assessore all'unità comunale di Assistenza e si era quasi specializzata in sciagure. Era stata lei a organizzare centri di raccolta per le famiglie in occasione dei disastri aerei avvenuti durante la mia amministrazione, era stata sempre lei a prendere in mano la situazione in occasione di blackout elettrici e diverse altre calamità. Ma ora, con migliaia di persone che dentro l'arsenale pretendevano giustamente informazioni purtroppo inesistenti, rischiava di essere sopraffatta. Ci fece un elenco delle sue esigenze più immediate. «Abbiamo cibo e acqua minerale a sufficienza» ci disse, «ma mancano ancora tante di quelle cose... Servono centinaia di tavoli, sedie, ventilatori e magari una ventina di condizionatori, fa un tale caldo lì dentro. E anche cinque fotocopiatrici e qualche fax in buone condizioni, in modo da fare circolare più velocemente gli elenchi man mano aggiornati.»

Gli elenchi cui si riferiva erano quelli che stavamo disperatamente cercando di rendere definitivi, ma per farlo dovevamo sapere esattamente i nomi di tutti coloro che si trovavano negli edifici, in modo da dividere i morti dai feriti e da coloro dei quali non si avevano più notizie. Avvenne a questo proposito un fatto sgradevole. Alcuni sconsiderati avevano diffuso informazioni inesatte su un sito web non ufficiale e i familiari venivano così informati che un loro caro veniva curato in ospedale, mentre invece era sotto le macerie. Era uno dei gesti più crudeli immaginabili. Dall'arsenale telefonai a Mike Hess per chiedergli se a suo parere fosse opportuno inserire in rete, sul web del Comune, l'elenco ufficiale. Un problema complicato, questo, che cercai di illustrargli con considerazioni giuridiche e altre di semplice buon senso.

«In primo luogo, abbiamo il diritto di diffondere sul web i nomi dei ricoverati in ospedale? Secondo, possiamo legalmente pubblicare un elenco delle persone i cui corpi sono stati ritrovati? Terzo, possiamo diffondere informazioni relative a persone sul conto delle quali abbiamo alcune notizie, ma non sufficienti ai fini dell'identificazione?» Per fargli capire quale fosse quest'ultima categoria gli lessi alcune voci di un elenco che la polizia mi aveva appena fatto avere. «Ci sono in certi casi dei particolari raccapriccianti, Mike. "Maschio sconosciuto, torace e testa, capelli sale e pepe". Come si fa a comunicare dati del genere a gente che ha un disperato bisogno di sapere?» Mike si assunse quell'incarico. Ripensandoci a distanza di qualche mese, mi resi conto che solo quarantotto ore prima di quella conversazione Mike stava per perdere la vita al World Trade Center: per me lui rappresentava quindi il simbolo della capacità di affrontare la morte senza perdere di vista ciò che va fatto per aiutare chi ne ha bisogno.

L'attività all'arsenale era coordinata da Joe Allbaugh, direttore dell'ente federale Gestione emergenze. Allbaugh è un omone dell'Oklahoma, con i capelli tagliati cortissimi in cima alla testa squadrata. Rosemarie O'Keefe è invece la classica newyorchese con il cuore in mano. Uscendo dall'ufficio del maggiore Obregon mi accorsi che Allbaugh e la O'Keefe, due soggetti così diversi tra loro, si stavano stringendo in un lungo abbraccio.

Mi rivolsi allora a quelle migliaia di familiari spaventati, abbattuti, frustrati. In quella specie di caverna gli altoparlanti funzionavano malissimo, faceva un caldo terribile e la voce rischiava di tradirmi.

«Non abbiamo soluzioni magiche» cominciai. «Le operazioni di soccorso, la rimozione delle macerie, richiederanno del tempo... non sono faccende che si risolvono in un giorno o due. I soccorritori, gli agenti, i vigili del fuoco, il personale federale e quello dello Stato stanno tuttora rischiando la vita. Ieri abbiamo avuto altri crolli, oggi ne abbiamo temuto un altro ancora, quindi devono muoversi lentamente e con cautela se non vogliamo che l'elenco delle vittime si allunghi ulteriormente. Non c'è probabilmente nessun cittadino di New York che non sia stato toccato da questa tragedia. Anch'io, come voi, ho sotto le macerie alcune persone che conosco, che mi stanno a cuore, che amo. Come voi voglio che siano tirate fuori, nella speranza di trovarle ancora in vita. Ma, in caso contrario, spero e prego perché i loro corpi vengano recuperati, in modo da potere dare loro un'adeguata sepoltura oltre all'onore e al rispetto cui hanno diritto. Collaborate con noi, quindi, e noi collaboreremo con voi.»

Qualcuno chiese se negli ospedali vi fossero feriti non ancora identificati. «Pochissimi, purtroppo» risposi, non volendo alimentare false speranze. Migliaia di parenti capirono in quel momento che quel film non avrebbe avuto un lieto fine e cominciò a farsi strada in loro l'orrore di quanto era accaduto. Se si trovavano in quell'arsenale era perché la persona cara non si era messa in contatto con loro o perché non era compresa nell'elenco delle vittime riconosciute. E la disperata domanda che sempre più spesso faceva seguito a questa considerazione, «Ci sono negli ospedali dei ricoverati colpiti da amnesia?», faceva capire quale triste momento sarebbe stato quello in cui i poveri familiari si sarebbero resi conto che le probabilità di trovare qualcuno ancora vivo, sotto 110 piani di cemento e acciaio, erano pressoché inesistenti.

Non appena compresi che di feriti in ospedale ne sarebbero arrivati ben pochi, incaricai Judith di dare una mano a Ro e Richie nell'organizzazione del centro di Assistenza alle famiglie. L'assistenza psicologica veniva ovviamente per prima, ma esistevano numerosissime altre esigenze, dal reperimento di campioni organici per la comparazione del DNA (ai fini dell'identificazione) agli interventi finanziari d'emergenza, all'assistenza ai bambini.

Quell'arsenale così buio, caotico e deprimente mi fece venire in mente, sulle prime, Ellis Island negli anni Quaranta. Faceva tra l'altro un gran caldo, lì dentro, altro motivo di disagio per quelle famiglie con un disperato bisogno di informazioni e risposte. Decisi di far venire Jerry Hauer, il mio primo direttore della Gestione emergenze, perché prendesse visione dell'attuale spazio e desse il suo contributo alla ricerca di un locale di superficie maggiore. Ebbi un incontro con il responsabile della Croce Rossa, con Judith, Richie e diverse altre persone per esaminare insieme le esigenze dei familiari. Il rappresentante della Croce Rossa decise subito che l'arsenale non era all'altezza, ma ciò nonostante Ro ci fece notare che i parenti delle vittime si erano già affezionati a quel posto e non avrebbero gradito doversi trasferire altrove. Chiesi a Judith il suo parere: «È un posto orribile, ma andiamoci piano con i trasferimenti» rispose.

Mi resi conto che non potevamo restare con le mani in mano, anche perché, se dovevamo trasferire il centro, non volevo che i parenti si abituassero all'arsenale. Avevamo bisogno di un'alternativa praticabile, così che ci fosse in ogni caso un posto dove i familiari bisognosi di assistenza potessero rivolgersi. Chiesi a Richie di valutare qualche sede alternativa. Ci stavamo già preparando a trasferire il centro di Comando dalla scuola di Polizia al Molo 92 sul fiume Hudson. Richie suggerì il Molo 94, poco più a nord. A me piacque subito l'idea di aprire il centro di Assistenza alle famiglie vicino a quello di Comando del Comune: in tal modo ne avremmo sottolineato l'importanza, evitandoci al tempo stesso perdite di tempo.

Jerry e Judith mi chiesero di andarci e dare un'occhiata. Se il posto fosse stato di mio gradimento si sarebbero messi al lavoro con Ro e «andiamoci piano con i trasferimenti» avrebbe voluto dire due o tre giorni. Andai al Molo 94 e trovai numerosissimi volontari forniti da varie aziende, pronti a trasformare 40.000 metri quadri di vuoto in un posto comodo e funzionale, a beneficio di migliaia di parenti in lutto. La IBM aveva regalato un certo numero di computer, i consulenti della Accenture erano in loco per coordinare il lavoro dei vari enti, la Cisco avrebbe provveduto al cablaggio dei computer e molti altri dirigenti e impiegati si erano rimboccati le maniche, pronti a rendersi utili in qualsiasi modo, dalla sistemazione dei cavi alla posa della moquette. «Ci siamo, è questo il posto ideale» dissi. Il centro di Assistenza per le famiglie entrò in funzione dopo qualche giorno, e lo era ancora quando il 1° gennaio 2002 scadde il mio mandato, fornendo assistenza nell'arco della crisi a oltre 20.000 persone.

Nel tardo pomeriggio di giovedì 13 settembre ebbi un nuovo incontro con Chuck Hirsch, capo dei medici legali, nel suo ufficio al Bellevue Hospital. Il dottor Hirsch coltiva viole africane e aveva fatto installare nello studio una speciale illuminazione per quella famiglia di fiori così delicata e rara: un modo, quello, di riaffermare il valore della vita in un posto di morti. Due giorni prima mi aveva fatto presente che avremmo avuto scarsissime probabilità di trovare persone ancora in vita, e la sua previsione si stava purtroppo dimostrando azzeccata. E giovedì, con le mani ancora attraversate da quei punti di fortuna che si era cucito per suturare le ferite, mi spiegò nei particolari come avrebbe affrontato uno dei compiti più difficili e complicati di quella crisi: l'identificazione, cioè, di migliaia di vittime tra le quali molte ridotte allo stato di «macchia biologica».

Uscii dall'ospedale e, passando davanti all'area di accesso, vidi decine di barelle cariche di parti anatomiche. Il puzzo era insopportabile. Ma l'attenzione con la quale il personale del dottor Hirsch si dedicava a quell'inimmaginabile incombenza contribuiva a ridare alla vita umana una sua calma dignità.

Tornai alla scuola di Polizia, dove avevo dato appuntamento a una ventina di leader civili e religiosi e ai due sindaci che mi avevano preceduto, per mettere a punto la grande cerimonia della domenica e pianificare le attività dei mesi successivi. Qualcuno propose l'idea di far svolgere la cerimonia al coperto, perché nemmeno la presenza di un così alto numero di esponenti religiosi avrebbe potuto garantirci il bel tempo. L'ex sindaco Ed Koch, che era a favore di Central Park, ci ricordò il milione di newyorchesi presenti al concerto di Simon e Garfunkel. «Che erano un milione te l'avevamo detto solo noi» gli fece notare Henry Stern, assessore ai Giardini sia nella mia amministrazione che in quella di Koch. «Se posso fare da ponte sulle acque agitate» intervenne il cardinale Egan, ricorrendo appropriatamente al titolo del vecchio successo di Simon e Garfunkel, *Bridge Over Troubled Waters*, «sarei lieto di mettere la mia residenza a disposizione per le riunioni di questo comitato.»

Al termine tornai al mio «ufficio» nella scuola di Polizia. Bisognava fare e ricevere centinaia di telefonate. Il giorno prima avevo parlato con Jeff Himmelt, amministratore delegato della General Electric, il quale aveva fatto spedire a Ground Zero un certo numero di generatori, esprimendomi poi l'intenzione della sua società di versare un contributo finanziario a favore delle famiglie degli agenti e vigili del fuoco che avevano perso la vita. Pensava a una cifra dell'ordine di 10 milioni di dollari. Sorpreso, e riconoscente, gli chiesi di pubblicizzare quella sua iniziativa, dandomi così l'opportunità di incoraggiare altri a imitarlo. Da qui nacque l'idea del Fondo Torri gemelle.

Altri magnati e top manager cominciarono a chiedermi di poter dare il loro contributo. Uno di loro, Rupert Murdoch, voleva come Himmelt destinare questi fondi specificamente alle famiglie del personale in uniforme e mi chiese di contattare il figlio, Lachlan Murdoch, per concordare l'esatto ammontare del contributo. Mike Hess si mise allora a calcolare quanto mediamente si potesse assegnare a ognuna di queste famiglie.

Affidai a Larry Levy la gestione di queste donazioni. Himmelt e i Murdoch, come dicevo, furono i primi contributori di quel Fondo Torri gemelle che in meno di un anno avrebbe distribuito alle famiglie 155 milioni di dollari. Nello statuto dell'ente era specificato che i fondi sarebbero andati direttamente alle famiglie e gli eventuali costi amministrativi sarebbero stati a carico dei donatori. Larry fu quindi in condizione di onorare lo spirito dell'iniziativa di Jeff e dei Murdoch e di migliaia di altri che sentirono il bisogno di aiutare le famiglie di questi specialissimi eroi.

Organizzai una conferenza stampa per cercare di invogliare altre società a darci una mano. La Dell e America On Line dotarono il centro di computer e apparecchiature per le telecomunicazioni. La WorldCom ci mise gratuitamente a disposizione i telefoni. Ken Langone, cofondatore della Home Depot, mi telefonò dicendo: «Ho sentito in televisione che servono generatori e batterie, domani li riceverete con due autotreni». Mike Bloomberg pagò di tasca sua il McDonald's più vicino a Ground Zero perché rimanesse aperto ventiquattr'ore su ventiquattro a disposizione, gratuita ovviamente, dei soccorritori. Durante le prime settimane passammo tanto di quel tempo a Ground Zero che quelli del mio staff cominciarono a chiamare il McDonald's «Quattro Stagioni». E io ne apprezzai la vicinanza perché era l'unico posto in zona con un gabinetto privato decente.

L'opinione pubblica aveva fame di notizie, le famiglie soffrivano, bisognava provvedere alla sicurezza della città e andavano organizzate le operazioni di ricerca e soccorso. Ma un milione di altre domande attendevano risposta. Quel giovedì sera rappresentò un punto critico: la visita al medico legale, il dolore dei parenti al centro per le Famiglie, la consapevolezza che non ci sarebbero stati sopravvissuti. Troppe emozioni in una sola volta. In una stanza della scuola di Polizia, che poteva ospitare poche persone, trovai decine di familiari. Avevo bisogno di tempo per pianificare gli interventi a lungo termine più che pensare alle esigenze immediate, ma c'erano tante di quelle persone, tanti di quei problemi... Prendevo centinaia di decisioni, una dietro l'altra. Ogni tanto mi fermavo a dire una preghierina: «Spero, Signore, di dare le risposte giuste».

Ogni ufficio comunale aveva subito le conseguenze dell'attentato e il più colpito era stato probabilmente il dipartimento dei Vigili del fuoco, che aveva perduto 343 effettivi. La polizia ne aveva persi 23 e si stava sobbarcando incarichi straordinari, come il pattugliamento di Ground Zero e il presidio degli accessi alla città. La polizia di Port Authority aveva perduto 37 agenti e 38 civili, tra i quali il suo direttore, Neil Levin. L'ufficio del Medico legale e l'assessorato alla Sanità identificarono i resti delle vittime e provvidero al supporto psicologico in favore delle famiglie (un compito che si rese ancora più difficile quando, un mese dopo, fece la sua comparsa l'antrace). La Nettezza urbana dovette rimuovere 1.642.698 tonnellate di macerie e materiale vario e fornì i suoi grossi mezzi per bloccare le vie di accesso. L'ufficio del Bilancio era in piena tempesta, quello dei Servizi amministrativi si trovò a ordinare un imprecisato ammontare di rifornimenti (tutti indispensabili immediatamente), la società di Sviluppo economico dovette persuadere le aziende spaventate a non trasferirsi altrove. A trovarsi coinvolti furono gli uffici e gli assessorati più impensabili. La commissione contro gli Sprechi in commercio fu incaricata di controllare affinché la criminalità organizzata non mettesse le mani sulle operazioni di rimozione delle macerie e l'ufficio del Lavoro istituì sedi del collocamento nelle quali avevano la precedenza i cittadini rimasti disoccupati dopo l'11 settembre.

Gli uffici avevano una limitata dotazione di telefoni e il personale della scuola di Polizia si dava un gran da fare, ma quella sede non era attrezzata per ospitare l'intera amministrazione cittadina, per non parlare degli altri la cui collaborazione ci era indispensabile. Il governatore Pataki e i suoi lavoravano in straordinario e tutti, dal ministro della Sanità dello Stato di New York, Tommy Thompson, a Joe Allbaugh, erano costretti a adattarsi all'inadeguato arredamento della scuola. Ogni superficie disponibile era occupata da cibo, acqua e indumenti protettivi.

Verso le dieci di sera del giovedì cominciai a sentire dei terribili dolori alla spalla e lungo la schiena e temetti di essere in preda a un attacco cardiaco. «Non è possibile, Dio fai che non sia vero» pensai. Mi venne l'idea di andare da un medico, ma la allontanai subito perché la stampa sarebbe venuta a saperlo, gonfiando sicuramente la notizia. «Ora non ho tempo di ammalarmi, ci penserò dopo» decisi.

Judith notò che non stavo bene e mi suggerì un semplice rimedio. «Perché non vai a farti una bella passeggiata da solo?» mi propose. Trovò una porta dalla quale si raggiungeva un'uscita sul retro e, con la mia scorta che si teneva a discreta distanza, mi feci una lunga camminata attraversando Stuyvesant Town, alcuni chilometri a nord dal luogo della catastrofe. Qualche passante mi fece un gesto di saluto, colpito dal vedermi camminare da solo con in testa il cappellino da baseball con la sigla FDNY, quella dei vigili del fuoco. Arrivai all'East River. Una calma spettrale regnava in quella zona che normalmente, in una splendida serata di settembre come quella, sarebbe stata piena di animazione. Dalle macerie delle Torri si alzavano ancora un denso fumo e un odore pungente. Pensai alle sfide che avrebbero ancora dovuto affrontare la città, il Paese e il mondo intero e alle famiglie che avrebbero trascorso notti senza fine prive della persona amata.

Poche settimane prima avevo trascorso una giornata in giro con mia figlia Caroline per festeggiare il suo dodicesimo compleanno. Eravamo andati a pranzo da Gargiulo's a Coney Island, un ristorante italiano dalla cucina irresistibile, e poi a vedere una partita di baseball a KeySpan Park, quel pittoresco stadio che il Comune aveva contribuito a realizzare per i Brooklyn Cyclones, la squadra giovanile dei Mets. Poi ci eravamo imbarcati, risalendo quello stesso fiume che ora stavo osservando. Ho ancora una foto di noi due con il sole che tramonta dietro Manhattan e sullo sfondo le due Torri, simili a sentinelle. Mi ricordai che i Cyclones partecipavano alla World League dei campionati giovanili, chiedendomi che posizione di classifica avessero. Da quando avevo sette anni credo di non avere fatto passare un giorno senza controllare i tabellini del baseball: ma poi mi resi conto che da qualche giorno non si giocava più a baseball.

La vista del fiume, mentre passeggiavo, ebbe su di me un benefico effetto. Mi ricordai mio padre che imparava a nuotare nell'East River e vedere l'acqua scorrere come al solito mi rinfrancò. La strada c'era ancora, New York c'era ancora. I danni erano stati terribili eppure il fiume, come la città e i suoi abitanti, c'era ancora. Avevo l'obbligo di essere forte e lucido di mente.

Camminando, i dolori alla spalla e alla schiena si attenuarono facendomi così capire che non si era trattato di un attacco cardiaco. Forse avevo avuto uno strappo muscolare alla spalla, probabilmente il martedì 11 settembre, e il dolore era stato acuito dallo stress e dalle pochissime ore di sonno. Tornando mi sentii decisamente meglio e pronto a prendere delle decisioni.

Spesso sono il più severo critico di me stesso. Quando commetto qualche errore riesco a esaminare gli sbagli fatti e a tormentarmi sul perché non ho pensato a qualcosa o non ho previsto qualche altra cosa. Durante quella passeggiata mi resi conto della necessità di resistere a quella forma di autocritica che stava già cominciando a manifestarsi. «Ce la faccio, ce la sto facendo. È questo ciò che so fare, è questo ciò che sono abituato a fare: tenere in mano la situazione e prendere decisioni delicate e importanti.» Quella mezz'ora di meditazione mi dette la definitiva certezza che avrei superato la prova. E tornai per assicurarmi che anche New York e i suoi abitanti l'avrebbero superata.

Venerdì 14 settembre venne a New York il Presidente Bush. Mi era sembrato assolutamente necessario che venisse a Ground Zero, per farsi vedere e infondere fiducia a quelli che vi lavoravano. Il Presidente Bush si trova particolarmente a suo agio con l'americano medio, che avverte quasi istintivamente la sua sincerità.

Ricorderete forse quale tensione regnasse in tutto il Paese dopo l'11 settembre. Il Servizio segreto, cioè il corpo addetto alla sicurezza del Presidente, e i collaboratori di Bush gli avevano sconsigliato di venire a così breve distanza dalla tragedia, considerando la città ancora poco sicura. Con 41.000 agenti, 3000 uomini della Guardia Nazionale, l'FBI e il Servizio segreto a presidiare le strade, potevamo garantire la sicurezza anche contro eventuali cecchini. Ma nella zona di Ground Zero scoppiava ogni tanto improvvisamente qualche piccolo incendio che raggiungeva temperature elevatissime. Oltre a ciò, la statica degli edifici vicini era precaria e registravamo periodicamente il crollo di qualche cornicione. L'area era quindi pericolosissima e sarebbe stato per noi impossibile garantire la sicurezza.

Ma se desideravo tanto la visita del Presidente c'era un altro motivo. Un leader trasmette fiducia e forza a quelli dai quali si reca e al tempo stesso le riceve da loro. Un'esperienza, questa, che stavo facendo personalmente ogni volta che andavo a Ground Zero. Abbracciavo quelli che lavoravano a rimuovere le macerie, gli stringevo le mani, ci parlavo e sentivo la loro voglia di infondermi energia anche mentre mi dicevano quanto importante fosse per loro la mia presenza. Ero certo che il Presidente Bush avrebbe fatto quella stessa esperienza.

Il venerdì mattina il governatore Pataki e io ci imbarcammo a Port Authority su un elicottero militare che, attraversando una fitta nebbia, atterrò alla base aerea di McGuire, nel New Jersey. Eravamo soltanto noi due, ciascuno con un uomo di scorta, e prima di partire non dicemmo a nessuno dove saremmo andati. Il Presidente sarebbe venuto direttamente a McGuire subito dopo la solenne funzione nella cattedrale nazionale di Washington. Mentre attendevamo il suo arrivo scambiai due chiacchiere con un colonnello dell'aeronautica di stanza alla base, che mi spiegò quanto complessa fosse stata la preparazione dei terroristi per mettere a segno contemporaneamente quattro missioni. Ciascuna prevedeva che la squadra fosse particolarmente disciplinata, oltre che composta da gente in gamba, come dimostra il fatto che tre dei quattro aerei fossero riusciti a provocare quelle conseguenze devastanti senza alcuna comunicazione da un aereo all'altro. Non credo che sarei stato capace di fare altrettanto, ammise. E il colonnello si allontanò mentre riflettevo su una considerazione agghiacciante: *i terroristi sono infami ma intelligenti, mai sottovalutarli.*

Avevo già visto in altre circostanze l'Air Force One, ma osservando quel giorno il Presidente scendere la scaletta mi fu difficile trattenere le lacrime di sollievo. Lo ringraziai, manifestandogli il mio orgoglio per come stava mandando avanti il Paese con quella crisi in atto. «Che cosa posso fare per te?» mi chiese.

«Se metterà le mani su quel bin Laden vorrei essere io a eseguire la condanna a morte» risposi. Sicuramente il Presidente avrà pensato che il mio era soltanto un modo di dire, mentre invece stavo parlando serissimamente. Bin Laden aveva attaccato la mia città e in veste di sindaco sentivo di dover essere proprio io a portare a termine quell'incombenza.

L'elicottero ci depositò sul posto dell'attentato. La nebbia si era sollevata e per la prima volta osservai dall'alto le conseguenze del disastro. Chi aveva visto Ground Zero in televisione e poi era andato sul posto rimaneva sbalordito di quanto fosse più atroce visto di persona. Chi l'aveva visto da terra e quindi dall'alto raccontava poi di quanto fosse più impressionante dall'alto, di come in volo si potesse apprezzare l'incredibile estensione del disastro.

Sentii il Presidente trattenere il fiato. «Oh mio Dio» mormorò a un certo punto.

Una volta a terra il Presidente Bush prese ad aggirarsi tra le macerie, rivolgendosi alla folla; e più si fermava, più gli operai sembravano rinfrancati. Mentre, salito su un'improvvisata pedana, parlava con un megafono, qualcuno gli gridò: «Non la sentiamo». «Io vi sento» rispose lui. «Tutto il mondo vi sente, e chi ha buttato giù questi edifici vi sentirà quanto prima.» Il Presidente si fermò più a lungo del previsto, e quella visita fu per tutti noi una grande esperienza.

Salii con Bush e Pataki sulla limousine presidenziale e, a sorpresa, salirono anche Bernie Kerik, Tom Von Essen e Richie Sheirer, stringendosi accanto a noi. Nessuno glielo aveva chiesto, salirono e basta. Poco dopo il Presidente Bush fissò lo sguardo sui pompieri, gli agenti e gli operai che scavavano tra le macerie in cerca di qualche segno di vita. «È questa la gente che combatte e vince le nostre guerre, ho letto sui loro volti la rabbia, la determinazione» ci disse. Sulla West Side Highway, al centro e ai margini della carreggiata, si era radunata una piccola folla per una manifestazione di solidarietà che sarebbe andata avanti per settimane. La West Side di Manhattan, così spiccatamente *liberal*, si stringeva al suo comandante in capo, alzando cartelli su cui si leggeva «Ti amiamo, George» oppure «Siamo dalla sua parte, Presidente Bush». Da buon newyorchese non riuscii a trattenermi. «Mi spiace farglielo notare, signor Presidente» dissi, «ma nessuno di questi cittadini ha votato per lei. E solo quattro di loro hanno votato per me e per il governatore.»

Per alcuni mesi avevamo preparato un'esercitazione di risposta a un attacco biochimico, addestrandoci in particolare nella distribuzione dei medicamenti. La data prevista era mercoledì 12 settembre. La maggior parte del materiale necessario all'esercitazione l'avevamo stivata all'interno del Molo 92, che offriva una superficie a cielo aperto di 40.000 metri quadri, oltre a essere facilmente raggiungibile da Ground Zero sia via mare sia percorrendo la West Side Highway. I punti di accesso, inoltre, erano facilmente sorvegliabili, essendo l'area affidata ai militari. Richie mi informò che avrebbe incaricato i suoi uomini della Gestione emergenze di cominciare a trasformare il Molo 92 in un centro di Comando. Nelle mie speranze più ottimistiche, per mettere in piedi un'alternativa anche solo approssimativa al centro in funzione prima della catastrofe al 7 del World Trade, avremmo impiegato tra i sette e i dieci giorni. E invece sabato mattina vi potemmo tenere la prima riunione perché era bell'e pronto.

Venerdì sera andai al centro per le Famiglie e anche quello era già stato trasformato. Era previsto ogni servizio di assistenza del quale le famiglie delle vittime avrebbero potuto avere bisogno, dall'accudire agli animali domestici alla consulenza dell'Esercito della salvezza per la compilazione dei moduli di richiesta dei bollini alimentari. C'erano carte da parati e palloncini, gagliardetti e bandiere donate dagli Yankees. Erano stati fatti arrivare un migliaio di computer. Ro e Judith avevano messo in piedi 130 cabine, dove le famiglie avrebbero potuto consegnare campioni del DNA dei loro cari e fare domande delicate godendo di un minimo di privacy. Le prime famiglie erano già arrivate e venivano assistite nella compilazione dei moduli o per reperire la documentazione legale. Il centro per le Famiglie al Molo 94 era in piena attività: un risultato eccezionale, questo.

Quanto sopra ci trasmise la sensazione di poter fare tutto. Non credo che ci rendessimo nemmeno conto di questa fiducia che ci aveva invaso, ma a me parve di vederle prendere forma. Se in tre giorni eravamo stati capaci di mettere in piedi un centro Comando, che si era sostituito a quello da 25 milioni di dollari esistente prima della tragedia, e se in quattro giorni avevamo saputo far sorgere dal nulla un centro per le Famiglie che avrebbe assistito 20.000 persone, avremmo potuto affrontare e superare qualsiasi tipo di crisi.

Quel centro per le Famiglie mi fece capire molto di Judith. Eravamo stati particolarmente legati quando avevo dovuto vedermela con il cancro alla prostata e mi ero reso conto delle doti professionali e umane di quella donna. Ma allora si era trattato di una crisi personale, questa invece era una crisi dell'intera comunità oltre che dell'apparato politico, una crisi dall'enorme impatto che richiedeva una risposta corale. Non avevamo mai lavorato insieme, io e Judith, e scoprii che lei era la persona ideale per le esigenze di quel centro. Si unì da semplice volontaria a Richie Sheirer, Rosemarie O'Keefe e Jerry Hauer per trasformare un molo di 40.000 metri quadri sul fiume Hudson in un rifugio per le migliaia di familiari delle vittime. Convinse a offrirsi volontari tutti quelli che conosceva, dagli amici che sistemavano le brandine ai medici specializzati in stress psichico postraumatico. Mi si aprirono gli occhi su di lei.

Quella sera andai a una cerimonia di suffragio per padre Judge. Il funerale era previsto per l'indomani, dopo quello di Pete Ganci a Farmingdale, Long Island, e prima di quello di Bill Feehan a Flushing, Queens. A causa della distanza tra queste due località non ce l'avrei materialmente fatta ad andare a quello di padre Judge, dovendo obbligatoriamente partecipare a quelli di Pete e Bill che erano stati, non dimentichiamolo, i numeri 2 e 3 del dipartimento Vigili del fuoco. E nei mesi successivi fui posto di fronte a troppe dolorose alternative del genere.

Al termine della cerimonia feci il mio primo pasto regolare dalla prima colazione di martedì mattina. Da allora avevamo mangiato pizza, panini e robaccia, un tipo di alimentazione cioè che avevo abolito dai tempi della terapia anticancro. Venerdì sera, sul tardi, io e Judith ce ne andammo a cena a Manhattan, alla steakhouse Frank's, dove ci raggiunsero Joe Lhota, Bob Harding e Kate Anson.

Prendemmo un tavolo in fondo al locale. Dalle finestre rivolte a sud si vedeva il fumo che si alzava ancora dalle macerie di Ground Zero. Mangiammo come fanno le famiglie al ristorante, facendoci portare grossi piatti di pietanze dai quali ciascuno prendeva la sua parte. Da Frank's servono sempre piatti di sottaceti, ravanelli, pomodori in salamoia e montagne di *blue cheese*. Divorammo quintali di questi antipasti, servendoci con le mani, poi ci facemmo portare due enormi insalate verdi con a parte la salsa di *blue cheese* per condirle, e infine due vassoi di bistecche con purè di spinaci. Notammo tutti che per la prima volta dopo giorni stavamo usando forchetta e coltello: ancora oggi Tom Von Essen esclama «guarda che buffo!» quando mi vede mangiare con le posate. Sembrava impossibile che potessimo avere tanta fame.

Di solito in una cena come quella avremmo bevuto vino rosso, ma ne facemmo a meno nel timore di crollare addormentati dopo giorni di semi insonnia. Ma la mia giornata non era ancora finita, dovevo andare a una riunione che non era prevista nella mia agenda ufficiale e della quale non avevo parlato nemmeno ai miei collaboratori più stretti. Una riunione sulla guerra biologica e chimica, che temevo potesse rappresentare la prossima minaccia terroristica.

Avevo organizzato un seminario con la partecipazione di esperti e medici specialisti di malattie infettive e attacchi biologici, facendo in modo che tra di loro non ci fossero soltanto esperti di guerra biologica, ma anche medici abituati a curare i pazienti. Ritenevo che se qualcuno avesse scatenato un attacco del genere avremmo dovuto curare 100.000 persone. Da qui la necessità di individui con esperienza di gestione delle situazioni cliniche più complesse, in grado cioè di affrontare problemi extra scientifici come le tecniche della quarantena o la comunicazione.

Avevo fissato la prima di queste riunioni alle 11 di quella sera, al preciso scopo di evitare i giornalisti perché se la notizia fosse diventata di dominio pubblico avrebbe scosso una città già in ginocchio. E proprio per questo scelsi come sede Gracie Mansion. Avrebbe infatti causato qualche preoccupazione vedere al centro Gestione emergenze quegli esperti di attacchi biologici, alcuni dei quali piuttosto noti negli ambienti scientifici. Insieme con Richie Sheirer, Jerry Hauer, gli assessori alla Polizia e ai Vigili del fuoco, quello alla Sanità, Neal Cohen, e Marcelle Layton, sua vice con delega alle Malattie infettive, e infine insieme con i rappresentanti della Gestione emergenze, Edward Gabriel e Dario Gonzalez, passammo diverse ore con personaggi come Burt Meyers, esperto di malattie infettive alla facoltà di Medicina Mt. Sinai, Martin J. Blaser, preside della facoltà di Medicina della New York University e con il premio Nobel Josh Lederberg.

Passammo in rassegna i piani in caso di emergenza da antrace, vaiolo, botulismo e gas sarin. Per ognuna di queste quattro ipotesi preparammo grafici e tabelle nelle quali si spiegava come riconoscere i primi sintomi e il tempo a disposizione per attivarsi dopo la loro comparsa. Come venivano propagate queste malattie? Quali erano gli antidoti e quale la loro scorta a nostra disposizione? Quali erano i nostri tempi di reazione? Richie aveva preparato un inventario degli antidoti e della loro dislocazione. Purtroppo, parte della nostra dotazione di Cipro, l'antidoto all'antrace, si trovava al centro di Comando del World Trade 7: sapendo che tutto ciò che si trovava all'interno del World Trade 7 andava considerato perso, chiesi a Richie se fossimo del tutto privi di Cipro, di Doxyciclina e degli altri medicinali specifici. «No» mi rassicurò, «in previsione di un'evenienza del genere avevamo distribuito gli antidoti nei magazzini di tutti e cinque i distretti amministrativi.»

La riunione si svolse in un'atmosfera decisamente cupa. «Stanotte non chiuderò occhio, capo» mi disse alla fine Bernie. E se uno come Bernie si dice preoccupato significa che la situazione è proprio brutta. Rimasi in piedi diverse ore riflettendo sui vari scenari possibili. C'è sempre qualcosa che si può fare. Dopo quella prima riunione tornammo a vederci ogni due giorni, ma a ranghi ridotti, per non attirare l'attenzione, e a noi si unirono la dottoressa Alejandra Gurtman del Mt. Sinai e il professor Philip M. Tierno jr., autore de *La vita segreta dei germi*. Perfezionammo i piani d'emergenza e ci esercitammo a metterli in atto. Ma continuavo a sentire il peso di certe poco allegre previsioni.

Un leader deve sapere anticipare certi fenomeni. Subito dopo gli attacchi al World Trade Center fu chiaro che i terroristi erano arabi e quello stesso 11 settembre raccomandai alla cittadinanza di non reagire contro gli esponenti di qualche comunità. Il giorno dopo si registrarono a New York isolati episodi di intimidazione nei confronti di persone ritenute di origine araba. Pur se la rabbia era comprensibile, misi subito in chiaro che la città non avrebbe tollerato alcun tipo di discriminazione razziale: la rabbia, cioè, andava indirizzata nei confronti dei terroristi e dei movimenti terroristici, non verso persone di una certa religione o nazionalità. Scelsi con estrema attenzione le mie parole: «Nessuno dovrà aggredire nessuno perché è proprio contro la follia e l'odio che stiamo conducendo la nostra battaglia».

Volevo che l'opinione pubblica afferrasse il nesso tra i pregiudizi che avevano armato la mano dei responsabili di quegli atroci attentati e quelli all'origine dei reati subiti dai cittadini in conseguenza della loro etnia o del loro presunto credo religioso. E ci eravamo attivati per monitorare e prevenire questi fenomeni. Al Compstat del dipartimento di Polizia era stata aggiunta la categoria dei pregiudizi nei confronti dei cittadini americani di origine araba. Bernie Kerik, assessore alla Polizia, mi forniva i dati dai quali potevamo capire le dimensioni del fenomeno e individuare i punti in cui si era manifestato. Annunciammo che chi avesse importunato o malmenato qualcuno solo perché di una certa etnia sarebbe stato arrestato. Credo che a ridurre i rischi di incidenti o di violenze abbia contribuito il nostro fermo atteggiamento, la diffida cioè contro le manifestazioni a sfondo razziale e l'annuncio che non avremmo tollerato alcuna forma di intimidazione ai danni di una diversa etnia. A prepararmi ad affrontare questo aspetto della crisi era stato un grave episodio avvenuto oltre sette anni prima.

Ero sindaco da soli due mesi quando il 1° marzo 1994 un clandestino libanese, Rashid Baz, aprì il fuoco contro un pullman pieno di studenti ebrei che stava percorrendo il ponte di Brooklyn. Uno dei ragazzi, il sedicenne Ari Halberstam, rimase ucciso e diversi altri riportarono ferite. Immediatamente montò in città una fortissima tensione nei confronti degli arabi o degli americani di origine araba. Proprio in quei giorni, una giuria stava decidendo il destino dei responsabili dell'attentato al World Trade Center del febbraio 1993. Una settimana prima un colono israeliano originario di Brooklyn aveva ucciso a raffiche di mitra oltre una ventina di arabi in una moschea di Hebron.

Subito dopo la sparatoria contro il pullman degli studenti ebrei e prima ancora dell'arresto del sospettato, dissi alla cittadinanza: «Questo gesto odioso non è imputabile a un popolo, ma a una o più persone. Dimostriamo all'America e al mondo di sapere fare una distinzione del genere».

In quella circostanza mi mossi in due direzioni parallele. Anzitutto dovevo fare in modo che la comunità ebraica si sentisse sicura, mettendo in chiaro che proprio la loro sicurezza avrebbe rappresentato la nostra assoluta priorità. Secondo i servizi di sicurezza e la task force antiterrorismo non erano prevedibili nuovi episodi del genere, ma ciò nonostante la paura degli ebrei era più che legittima e con questa paura dovevamo fare i conti. Intensificammo sensibilmente i pattugliamenti della polizia e feci pubblicizzare questa misura, i cittadini lo sentirono ripetere per radio o in televisione e se ne accorsero di persona vedendo più agenti per le strade. Assicurai che avremmo fatto tutto il possibile per arrestare l'autore della sparatoria, che avremmo rimosso ogni barriera, abbattuto ogni muro pur di prenderlo.

Al tempo stesso cercavo di circoscrivere il fenomeno del dito puntato verso un certo gruppo, cioè del pregiudizio etnico, quel fenomeno per cui si attribuiscono a un intero gruppo le malefatte, vere o presunte, compiute da una o più persone. E chiesi quindi a entrambe le parti di astenersi da questo pregiudizio: l'America si basa sulla par condicio.

Mi avevano abituato fin da bambino a tenere a freno le mie emozioni in presenza di persone emozionate. Mio padre mi diceva sempre di restare calmo in caso di crisi: se quelli attorno a me si agitavano, mi spiegava, avrei potuto gestire la situazione rimanendo volutamente controllato. Da sindaco era mio dovere guidare la cittadinanza in caso di crisi. Ciò non significava ovviamente che non provassi anch'io delle emozioni, certo che le provavo; e nemmeno che non potessi manifestarle, certo che potevo. I leader sono esseri umani ed è opportuno che se ne rendano conto quelli per i quali voi rappresentate un punto di riferimento.

Non sempre riuscivo a prevedere ciò che avrebbe provocato la mia reazione emotiva. Potevo andare a nove funerali controllandomi tranquillamente e magari al decimo qualcosa mi avrebbe portato a un passo dalle lacrime. Qualcosa come la vista di un bambino con in testa il casco del padre morto, o una madre che aveva perduto l'unico figlio o un fratello che durante la commemorazione funebre manifestava il suo rimorso per non avere mai detto «ti voglio bene» al fratello morto. Sentivo in quei casi che l'emozione stava montando e facevo di tutto per cercare un minimo di privacy per darle sfogo. In quei primi due giorni, ma anche nei tre mesi e mezzo successivi, cercai in ogni modo di esprimere in privato tutta la rabbia e la tristezza che mi sentivo in corpo.

Il venerdì, tre giorni dopo l'11 settembre, Tom Von Essen mi sottopose un quesito. Aveva perduto 343 uomini, tra i quali molti comandanti, e voleva sostituire questi ultimi promuovendo un certo numero di vigili del fuoco, ma temeva che quella mossa potesse venire considerata prematura. Perché se da una parte Tom aveva bisogno di ufficiali, dall'altra con le promozioni avrebbe fatto capire ai sopravvissuti che quelli da sostituire andavano considerati morti. E molti non erano ancora disposti ad accettare quella realtà.

Concordai con lui sulla necessità di procedere con le promozioni e gli dissi di regolarsi come ci si regola in questi casi durante la guerra: se un reggimento perde qualche ufficiale, le promozioni avvengono sul campo di battaglia. Domenica 16 settembre promuovemmo 168 vigili del fuoco e dovemmo riorganizzare l'intero dipartimento. In cinque giorni di rimozione delle macerie, lavorando ventiquattr'ore su ventiquattro, nessun vigile del fuoco era infatti stato estratto vivo e il dipartimento aveva un gran bisogno di rimpolpare i suoi organici. Tra i 343 scomparsi c'erano cinque dei massimi dirigenti del dipartimento come Pete Ganci, il pompiere più alto in grado, o Ray Downey che aveva comandato la squadra inviata a Oklahoma City dopo l'attentato al Murrah Federal Building, per non parlare dei dodici comandanti di battaglione. Avevamo perduto il pompiere più vecchio e quello più giovane, il settantaduenne Bill Feehan e il ventiduenne Mike Cammarata. Di solito la cerimonia annuale delle promozioni è un'occasione di festa, ma quella volta fu un'occasione di infinita tristezza. Eppure dovevamo andare avanti, non avevamo scelta, e per me quella cerimonia rappresentò il momento più straziante dell'intera crisi. (Il discorso che pronunciai in quella circostanza si può leggere nell'Appendice B di questo libro.)

Al termine, mi sedetti e sentii salire le lacrime agli occhi. Cercai di trattenerle, ma invano.

La leadership si basa in buona parte sulla coerenza e la costanza, significa far capire ai tuoi collaboratori e a quelli che da te dipendono che potranno contare su di te nella buona e nella cattiva sorte. Come avvenne nel giorno delle promozioni, durante il quale oltre a quella triste cerimonia dovetti presenziare, per strano che possa sembrare, a un matrimonio.

Dopo l'11 settembre il mondo era sotto shock e gli abitanti di New York, in particolare, non avevano alcuna voglia di festeggiare. Gli esseri umani provano un innato bisogno di piangere, seppellire i nostri morti è uno dei più vecchi rituali e il lutto contribuisce a fare di noi persone civili. Il matrimonio al quale partecipai il 16 settembre fu comunque importante non solo per il morale della città, ma anche per il mio.

Il 28 agosto 2001 un vigile del fuoco da poco in servizio, Michael Gorumba, subì un infarto mentre con i colleghi lottava per spegnere un gigantesco incendio a Staten Island, nei pressi della sua abitazione. Arrivai in ospedale poco prima che morisse e trovai la madre di Michael, Gail, e la sorella Diane. Era stato un anno terribile per la loro famiglia, nel giro di dieci mesi Gail aveva perduto il padre, il marito e un figlio. Le chiesi come facesse a non crollare e lei mi ricordò che nella vita l'unico sistema per superare i momenti duri è quello di sfruttare al massimo i momenti lieti. Il matrimonio della figlia Diane era stato da tempo fissato per il 16 settembre e Gail voleva che fosse ugualmente celebrato. Qualche giorno dopo, Gail Gorumba disse a Tom Von Essen che non era rimasto nessuno per accompagnare la figlia all'altare e avrebbe quindi voluto chiedermi se fossi disposto ad accompagnarla io, ma non credeva che il sindaco avrebbe trovato il tempo. Quando Tom me ne parlò, invece, mi sembrò una splendida idea e la ringraziai per avermela proposta.

Non potevo allora ovviamente immaginare che tempi difficili avremmo attraversato dall'11 settembre in poi, ma una promessa è una promessa. E il consiglio della signora Gorumba, quello di capitalizzare gli aspetti positivi, mi fu molto utile durante la gestione della crisi. Al termine della cerimonia delle promozioni, quindi, mi spostai a Brooklyn nella chiesa luterana di St. James di Gerritsen Beach. Evito ogni volta che posso di indossare lo smoking, e di solito in questi casi porto un abito scuro con un papillon nero. Ma per quel matrimonio decisi di tirare fuori dall'armadio lo smoking e lo indossai nei sotterranei della chiesa, poi accompagnai Diane Gorumba all'altare. Gail mi disse quel giorno che non aveva mai pensato di rimandare il matrimonio. Certo, ammise, in quell'ultimo anno sulla sua vita si erano più di una volta addensate spesse nuvole di tristezza: ma la vita è fatta così, mi ricordò, ci sono momenti di grande gioia e momenti di grande dolore e non bisogna permettere che il dolore cancelli la gioia.

In un certo senso quel matrimonio rappresentò la dimostrazione di ciò che avevo ripetuto alla città per tutta la settimana. La vita deve andare avanti, un messaggio questo perfettamente recepito a quel matrimonio, come dimostravano le numerose autobotti parcheggiate nei pressi della chiesa e le centinaia di abitanti scesi in strada per vedere gli sposi. Da lì a poco la cittadinanza avrebbe preso a ripetere uno slogan, «Non facciamo vincere i terroristi», come motivazione per riprendere le normali attività. Ma nelle prime settimane fu importantissimo ricordare ai newyorchesi che la vita è fatta di altre cose oltre al dolore per ciò che era avvenuto. E avremmo combattuto i responsabili di quella selvaggia aggressione perché siamo della buona gente, pronta a sfruttare tante occasioni di gioia una volta asciugate le lacrime.

Lunedì 17 settembre rimisi piede a City Hall per la prima volta dopo l'attentato. L'edificio si trova a pochi isolati dal teatro della tragedia e aveva subito a sua volta seri danni, i telefoni erano ancora fuori uso ed era faticoso respirare anche all'interno. Sarebbero passate settimane prima che l'amministrazione cittadina riprendesse lì dentro la sua normale attività, ma ora che la Borsa e altre aziende commerciali tentavano di rimettersi in movimento io volevo dare un contributo alla ripresa della normalità. La riunione fu più affollata del solito: avevo invitato tra gli altri il mio ex vicesindaco John Dyson e il segretario di Stato di New York, Randy Daniels, perché ci dessero qualche consiglio sulla ripresa economica.

Durante il fine settimana avevo pensato di chiedere a Crystine Lategano-Nicholas, amministratore delegato della NYC & Company, di dare un'occhiata alle previsioni sul turismo. «Secondo me» pensai «la città sarà affollatissima in occasione delle prossime feste. Alcuni per paura si asterranno, ma ne arriveranno molti altri. Cominciamo da subito a scoraggiare il traffico. Se telefona qualcuno che cerca una mano per fare arrivare a New York cinquanta pullman, diciamogli di portarcela fra tre mesi, tutta quella gente.»

Bob Harding m'informò che l'ONU voleva inviare alcuni suoi rappresentanti a visitare Ground Zero. Avevo già deciso di farlo vedere al più alto numero possibile di persone, in modo che quell'immagine rimanesse incisa nella loro memoria. Mike Hess mi fece presente che alcuni legali si erano offerti di assistere gratuitamente i familiari delle vittime e l'incaricai di fare accertamenti sulla loro reputazione prima di metterli in contatto con il centro per le Famiglie. Geoff Hess mi ricordò che il Comune aveva già messo a disposizione 240 milioni di metri quadri di superficie per uffici a beneficio delle società rimaste senza una sede.

Andai a piedi a Wall Street per riaprire la Borsa. Le strade erano chiuse al traffico privato e avevo volutamente rinunziato all'auto del Comune per dimostrare alla città che camminare non era poi una tale sofferenza. Lungo la strada Tony Carbonetti mi ricordò un episodio di qualche giorno prima, con Sunny Mindel che si accendeva una sigaretta sotto gli occhi dei tecnici alla ricerca di una fuga di gas.

Passammo davanti alla cappella di St. Paul, dove George Washington si era raccolto in preghiera dopo avere prestato giuramento come primo Presidente degli Stati Uniti. «Questa è stata la prima capitale degli Stati Uniti, tutti questi edifici sono nella zona di Wall Street. Oltre a essere la capitale finanziaria della federazione, ospita alcuni dei più importanti monumenti intitolati alla nostra libertà, alla nostra democrazia.» Percorrevamo le stesse strade percorse da George Washington. L'area era piena di mezzi militari ed erano sorti diversi posti di blocco presidiati da soldati armati di M-16. Ma le strade erano ancora al loro posto e stavamo andando a far ripartire l'economia americana.

La campana mattutina della Borsa mandò il suo rintocco per la prima volta in sei giorni. Il mercato era depresso, in quel momento, ma il fatto che la Borsa avesse riaperto scendendo di «soli» 684 punti fu la dimostrazione della resistenza della città e del Paese. Come scrisse il giorno dopo Floyd Norris sul «New York Times», «Mai prima d'ora un giorno in cui la Borsa è scesa tanto ci era sembrato un così bel giorno».

Dalla Borsa valori passai alla Borsa merci la quale, trovandosi a poca distanza dalle due Torri in direzione nordovest, aveva avuto diverse vittime in conseguenza dell'attentato. Per tutta la durata della crisi ho cercato di dare un preciso contenuto ai miei discorsi, non limitandomi a semplici sermoni sulla nostra forza o ricorrendo ai consueti cliché sulla nostra vittoria finale. Era importantissimo far capire alla gente che tipo di posta ci fosse in gioco, ciò che avevamo perduto e i motivi di quell'attacco. Ma al tempo stesso quella gente aveva bisogno di farsi infondere energia dai suoi leader. Così, invece di cavarmela con un «Torniamo alla normale attività!» cercai di spiegare perché era così importante.

«Questa parte di New York» dissi quindi agli operatori della Borsa merci «è la capitale finanziaria della nostra città, dello Stato di New York, del Paese e del mondo. È quella che fornisce le risorse per contribuire alla crescita del resto del globo. Abbiamo bisogno che voi continuiate a fare ciò che state facendo, anche se non capisco in che cosa consista» («Nemmeno noi!» gridò uno degli operatori). «Ma è di enorme importanza per la crescita della nostra economia. È importante per l'efficienza del sistema economico americano. È questo il sostrato filosofico del sistema politico americano: l'idea cioè che gli americani potranno scegliere come impostare la loro vita, invece di essere costretti a farlo decidere da un regime totalitario. Il sistema economico è altrettanto importante del sistema politico.»

Poi i telefoni cominciarono a squillare, gli operatori presero a comprare e vendere titoli e dopo sei giorni di silenzio l'attività nella Borsa merci di New York ritrovò le sonorità di sempre.

Quelli del sindaco della città di New York e di governatore dello Stato di New York sono due ruoli tradizionalmente conflittuali, anche nel caso in cui i due titolari militano nello stesso partito: gli interessi della città e quelli dello Stato non sempre coincidono o, almeno, non sempre vengono considerati coincidenti. Quando era governatore, il Presidente Roosevelt si sbarazzò del sindaco Jimmy Walker anche se erano entrambi Democratici. Il sindaco Lindsay e il governatore Rockefeller, entrambi Repubblicani, erano avversari come lo erano il governatore Cuomo e il sindaco Koch, ciascuno dei quali si candidò al posto dell'altro. Non è il caso di sorprendersi quindi se molti erano convinti che George Pataki e io avessimo rapporti difficili. E invece, da Repubblicani quali eravamo, le nostre filosofie avevano moltissimo in comune e ci trovavamo d'accordo su moltissimi argomenti. Rapporti più che buoni, insomma, dopo che lui aveva finalmente accettato che alle elezioni del 1994 avessi appoggiato il suo avversario Mario Cuomo. George appoggiò me nel 1997 in occasione della mia campagna per il secondo mandato e io appoggiai lui l'anno dopo, quando si candidò nuovamente alla carica di governatore.

Il nostro rapporto si saldò definitivamente nel 2000, quando mi trovai a decidere se dedicarmi interamente alla terapia anticancro oppure insistere nella campagna elettorale per il seggio senatoriale di New York. Il venerdì in cui decisi di abbandonare la campagna senatoriale telefonai a George per spiegargli i motivi di quella mia decisione. E lui mi assicurò di avere perfettamente compreso il mio bisogno di concentrare tutte le attenzioni sulla malattia. «Perché non vieni da noi per il fine settimana?» mi propose. «A Libby e a me farebbe piacere passare un po' di tempo chiacchierando con te.» Il giorno dopo andai a trovarlo nella sua villa di Garrison, sull'Hudson. Pranzammo, bevemmo e parlammo, parlammo divenendo così amici stretti. È un uomo con un gran cuore, che sa come rapportarsi con la gente al di fuori della politica. E in un certo senso la nostra amicizia fu sintetizzata da una scenetta che ci vide protagonisti al *Saturday Night Live*, nella quale ognuno prendeva in giro l'altro a proposito degli equivoci creati dalla parola New York quando non si sa se ci si riferisca alla città o allo Stato.

Prima dell'11 settembre il rapporto tra me e George fu forse quello più costruttivo mai instauratosi tra un sindaco e un governatore nella storia recente di New York. Poi, dopo gli attacchi, demmo vita senza dirci una parola a un'incrollabile partnership: non ci sedemmo per deciderlo, avvenne da sé. Poche ore dopo credo che entrambi ci fossimo resi conto che non potevamo separarci in alcun modo, perché la città aveva bisogno dello Stato e lo Stato della città. Tante volte vi furono momenti di tensione, ma tra i nostri staff e mai tra noi due. I nostri collaboratori erano persone di prim'ordine e animate da un sano spirito di competizione, oltre che desiderose di proteggere il loro capo. George e io ci rendemmo conto, anche questa volta senza doverci parlare forte e chiaro, che se i nostri staff si fossero seduti insieme a decidere avrebbero potuto lavorare senza seguire diversi ordini del giorno in diversi edifici. Il tratto gentile e compassionevole del governatore nel reagire alla crisi mi apparve eroico. Oltre a ciò, George dava sempre la priorità agli interessi della città considerando la nostra interazione alla stregua di una partnership. E mai una volta mi fece pesare il suo «grado».

In quei giorni mi servii più del solito della riunione del mattino per organizzare l'attività amministrativa e aumentammo il numero di queste riunioni e quello dei partecipanti a seconda delle necessità. Il mio staff teneva la prima riunione, quella delle 7 del mattino, in un ufficio piccolo e sicuro del Molo 92. Dopo un'ora o giù di lì ci trasferivamo al piano superiore, in uno stanzone nel quale erano stati sistemati una decina di lunghi tavoli, così da formare un rettangolo. A queste riunioni quotidiane partecipavano dalle cinquanta alle cento persone, rappresentanti di tutti gli uffici e assessorati comunali, alle quali si aggiungevano esponenti degli uffici statali e federali. Tra gli ospiti c'erano a volte parlamentari, leader stranieri, l'Attorney General John Ashcroft, il direttore dell'FBI Robert Mueller e il reverendo Jesse Jackson. In caso di bisogno tenevamo la sera altre riunioni «del mattino». Gestii in questa maniera l'intera crisi. Il sindaco, il governatore e gli altri *decision makers* non si nascondevano, ma erano sempre a disposizione di chi cercava una risposta. Quelle tavole rotonde palesi e trasparenti non solo spezzarono l'isolamento, ma incoraggiarono i presenti a tornare al lavoro e prendere a loro volta delle decisioni senza nascondersi.

Alle riunioni del mattino che si svolsero dai primi di settembre alla fine di dicembre, certe volte anche tre o quattro al giorno, prendemmo decisioni a migliaia nel senso letterale della parola. Molte di loro riguardarono problemi abbastanza semplici, sorti giorno per giorno. Una volta informai i presenti di avere visto all'interno del perimetro gente che scattava foto o vendeva souvenir e decisi di organizzare un piano di controllo delle credenziali e di presidio all'intera area. Un'altra volta discutemmo che atteggiamento tenere di fronte alla richiesta di effettuare riprese a Ground Zero rivoltaci da Al Jazeera, il canale televisivo arabo con sede nel Qatar (accettammo, ponendo però certe condizioni). Stabilimmo procedure più veloci per rilasciare i certificati di morte ai familiari delle vittime e centinaia di avvocati si offrirono di darci una mano per reperire la documentazione. Pensammo di mettere in piedi dei piccoli uffici di collocamento per aiutare i cittadini rimasti disoccupati. Tenemmo in gran conto il morale dei soccorritori e ogni giorno con gran fatica e grandissima accuratezza aggiornavamo gli elenchi dei morti identificati, dei morti non identificati e di quelli che mancavano all'appello. Approntavamo tabelle delle persone che si recavano al centro per le Famiglie per essere sicuri di avere sul posto risorse sufficienti e il dipartimento di Polizia aggiunse al consueto rapporto settimanale altre voci relative al World Trade Center: voci come «Totale dei feriti del dipartimento di Polizia» (all'11 ottobre ne risultavano 1143), «Parti anatomiche non identificate» (6132) e «Moduli per richieste di certificato di morte» (1533). E a ogni ostacolo superato ci rendevamo conto della nostra efficienza.

I newyorchesi sono particolarmente bravi a scendere in piazza in occasione di crisi. Forse però a causa delle dimensioni e della complessità della città è necessaria un'occasione particolarmente importante perché dimostrino la loro forza. Più grossa è la sfida, più loro si dimostrano all'altezza della situazione: il che rende più facile il compito del leader.

Alla riunione del mattino di mercoledì 19 settembre Sunny Mindel ci informò di una proposta avanzata da qualcuno, quella cioè di far pubblicare a pagamento sui giornali un annuncio del Comune per ringraziare i cittadini di essere tornati al lavoro. «Non se ne parla nemmeno!» esplose Tom Von Essen. «Basta con i ringraziamenti. La gente deve andare a lavorare senza bisogno di essere ringraziata. Ci sono migliaia di famiglie che soffrono per avere perduto una persona cara che non potrà più andare a lavorare. Se qualcuno deve essere ringraziato per essersi ripresentato al lavoro, se ne può tranquillamente restare a casa.»

Il 24 settembre andai a Marine Park, nella zona est di Brooklyn, per partecipare ai funerali del tenente Timothy Stackpole. Tim aveva cinque bambini e una splendida moglie, Tara, e l'avevo conosciuto nel 1998 in occasione di un incendio nel quale lui era rimasto seriamente ustionato e due pompieri avevano perso la vita. Quando arrivai in ospedale mi raccontò che sua madre gli aveva raccomandato sempre di indossare biancheria intima pulita, ma lui quel giorno se l'era dimenticato. Non solo riusciva a sorridere poche ore dopo essersi trovato a un passo dalla morte, ma era deciso a tornare al più presto in servizio, come poi effettivamente fece. Fu dura assistere al funerale di Tim insieme a centinaia di vigili del fuoco distrutti dal dolore, con i loro guanti bianchi e il cuore a pezzi. E insopportabile fu pensare agli oltre trecento vigili del fuoco morti con Tim, e alle altre migliaia di vittime.

Tornando in elicottero al termine del funerale, vidi dall'alto un uomo tutto solo, intento a pescare sull'argine di uno dei canali all'altezza delle Rockaways. Di solito Brooklyn non viene associata a immagini di bellezze naturali e tranquillità, ma la vista di quell'uomo tutto solo contrastava con la confusione e la tristezza che nelle ultime due settimane avevano sconvolto la città. Improvvisamente provai il desiderio di andarmene a pescare, di starmene seduto tutto solo in riva a un corso d'acqua con la mia brava canna. Ma mi conosco e so che perderei presto la pazienza. Dopo dieci minuti mi chiederei: «Ma insomma, dove sono i pesci?». Mi accorsi di stare piangendo, anche se non a dirotto. Un minuto dopo dormivo come un ghiro nonostante il terribile frastuono dell'elicottero. Mi svegliai quando battei il capo contro l'oblò atterrando nel West Side di Manhattan.

Venerdì 28 settembre fu ritrovata parte dell'attrezzatura di Terry Hatton. Quando mi arrivò la notizia stavo assistendo a un funerale e da lì mi sarei dovuto trasferire alla cattedrale di San Patrizio per una cerimonia di suffragio in memoria dei dipendenti della Marsh & McLennan. Poco prima il medico legale Charles Hirsch mi aveva fatto andare nel suo ufficio per aiutarlo a identificare Terry. Telefonai a Beth Petrone, la vedova, che come per miracolo aveva scoperto di essere incinta pochi giorni dopo la scomparsa del marito. Quel 28 settembre Beth aveva chiesto alla sorella, Karen Manlin, di accompagnarla dal medico per una visita di controllo. Decisi che San Patrizio era il posto adatto per parlarle. «Beth, perché uscendo dallo studio del dottore non fate un salto a San Patrizio?» Le parlai nella sala riunioni alle spalle dell'altare e le dissi che avevamo ritrovato Terry: la prova del DNA non era ancora stata fatta e per questo saremmo dovuti andare alla caserma dove prestava servizio per cercare qualcos'altro che potesse aiutarci a identificarlo. Andammo insieme alla Rescue 1 e parlammo ai colleghi di Terry, mostrando loro ciò che era stato trovato e spiegando dove era stato trovato. Quando uscii dalla caserma e salii nuovamente sul furgoncino non riuscii a trattenere le lacrime.

Appena i ragazzi della Rescue 1 seppero con esattezza dove erano stati trovati gli arnesi del mestiere di Terry tornarono in zona per cercarne i resti. Ero a messa a Staten Island con Tom Von Essen quando una telefonata mi informò che il corpo era stato ritrovato, con il rimanente dell'attrezzatura e alcune carte del suo portafogli. Terry, per Tom, non era stato soltanto un vigile del fuoco particolarmente abile e coraggioso o il marito di una donna alla quale volevamo tutti bene. Terry era stato anche suo vicino di casa fin da bambino e aveva fatto il baby sitter ai suoi figli. Tom l'aveva visto crescere. Salì con me in elicottero per andare a prendere il medico legale e identificare l'amico.

Nelle prime settimane successive all'11 settembre seguii una determinata routine. Passavo la notte in casa di Howard Koeppel, dove arrivavo tardissimo, e se non ero troppo stanco mi facevo una doccia appena arrivato. Dormivo pochissimo, schiacciavo qualche isolato sonnellino di tre quarti d'ora o un'ora al massimo e sempre con il televisore acceso. Lo tenevo acceso anche leggendo un libro, e di solito non guardo molto la televisione. Mi coricavo avendo sempre accanto dei vestiti da indossare la mattina dopo e in due minuti, se si fosse presentata la necessità, sarei stato pronto per uscire. Questa routine andò avanti per circa tre mesi.

Le uniche occasioni di relax erano le manifestazioni sportive alle quali ogni tanto assistevo, come l'incontro di football del sabato mattina di mio figlio Andrew, le partite degli Yankees e una dei Jets alla quale andai con mia figlia Caroline. Ad alcune delle partite giocate da Andrew mi trattenevo solo il primo tempo, perché poi dovevo allontanarmi in fretta per andare a un funerale o perché c'era qualche nuova emergenza. Ma per quei pochi minuti potevo concedermi il piacere di vedere mio figlio giocare a football. Il mondo sembrava essere tornato innocente e io pensavo che la vita avrebbe potuto riprendere normalmente e le conversazioni dei ragazzi del liceo avrebbero nuovamente riguardato le mete segnate o le ragazze, invece degli aerei mandati dai terroristi a schiantarsi contro i grattacieli.

I primi due incontri di baseball giocati dalle due squadre di New York furono incredibilmente esaltanti. Lo Shea Stadium e lo Yankee Stadium, pieni di pubblico appassionato del nostro svago preferito, assomigliavano a luoghi di culto più che a impianti sportivi. E le stesse squadre sembravano rendersi conto della loro importanza per il morale dei newyorchesi. Dopo una deludente prima parte del campionato, i Mets si ripresero, anche se in ritardo, e per poco non riuscirono a entrare nei playoff. Senza che nessuno glielo avesse chiesto, i Mets giocarono indossando berrettini con il logo del dipartimento di Polizia, dei Vigili del fuoco o della Polizia di Port Authority. E gli Yankees si misero la città sulle spalle, come fanno i leader. In tutti gli stadi del Paese i tifosi applaudirono. Al Comiskey Park di Chicago, per esempio, i tifosi locali sollevarono un cartello che non avrei mai creduto di vedere in un incontro fuori casa degli Yankees, sul quale si leggeva «Chicago ama New York». Nel primo round dei playoff gli Yankees risalirono da due incontri a zero e vinsero per tre a due, Joe Torre mi portò a festeggiare sulla pedana del lanciatore e mi offrì un sigaro. Successivamente si aggiudicarono il campionato dell'American League, scavalcando i Seattle Mariners, che avevano stabilito il record del maggior numero di vittorie in un torneo. Purtroppo alle World Series, come tutti i newyorchesi ricordano, persero alla fine del nono inning del settimo incontro: ma la loro fu in ogni caso una stagione memorabile, proprio quando la città ne aveva maggiormente bisogno.

Sabato 3 novembre ero andato in Arizona per assistere al sesto incontro, sperando che gli Yankees lo vincessero aggiudicandosi così il titolo, in modo da poter ritornare a New York la mattina dopo per dare il via alla Maratona. È un grande evento che attira trentamila partecipanti da tutto il mondo, la Maratona, una bella scarpinata attraverso i cinque distretti. Quell'anno in particolare la corsa simboleggiava la resistenza e la forza d'animo che la città aveva dimostrato nel riprendersi tanto velocemente. E invece i Diamondbacks di Phoenix bastonarono i miei beneamati Bombardieri del Bronx per 15 a 2, e quindi le due squadre a quel punto si erano aggiudicate tre incontri ciascuna. Il settimo e ultimo sarebbe stato quello decisivo. Mi ero portato Andrew e Caroline e pensavo quindi di rimanere con loro in Arizona per assistere al settimo incontro di quelle che ormai potevano considerarsi le più grandi World Series della storia. Avevo in programma di prendermi un giorno di libertà, magari giocando a golf con Andrew e portando Caroline in giro per Phoenix. Amo l'Arizona, ogni volta che mi ci invitano per qualche manifestazione se posso rispondo di sì. Sono cresciuto a pane e film western e la vista dei cactus e del deserto mi affascina.

Durante l'ottavo inning del sesto incontro mi passarono un telefono cellulare. Era Neal Cohen, il mio assessore alla Salute, che mi chiese di cercarmi un telefono fisso al quale potermi richiamare e capii subito che non mi stava per dare buone notizie. Trovai un telefono in un ufficio dello stadio e venni a sapere da Neal che era stato trovato dell'antrace nella custodia di una videocassetta spedita al mio capo di gabinetto, Tony Carbonetti, dall'ufficio di Tom Brokaw, l'anchorman della NBC. Dopo il ritrovamento di antrace nella sede di questo network e altrove avevo sommessamente chiesto che i nostri uffici fossero ispezionati con la massima attenzione, ed ecco il risultato. L'antrace era penetrato a City Hall, nell'ufficio di Tony, a sei metri di distanza dal mio ufficio al piano inferiore.

Decisi allora di tornare subito a New York, per dare l'indomani mattina il via alla Maratona, ritornare nel pomeriggio in Arizona, assistere all'incontro e rientrare definitivamente la sera, in modo da partecipare l'indomani alla riunione del mattino. Avrei così avuto il tempo di accertarmi che la situazione dell'antrace fosse sotto controllo, per non dare assolutamente ai cittadini l'impressione che City Hall avesse sbarrato le porte. E così feci. Gli altri mi dettero del pazzo, ma vi assicuro che dormii di più sugli aerei da e per l'Arizona di quanto non avessi normalmente dormito nelle ultime settimane. La cosa si ripeté ai primi di dicembre, quando con il governatore Pataki e con il nuovo sindaco Bloomberg, non ancora entrato in carica, andai a Gerusalemme in segno di solidarietà dopo le stragi provocate dai palestinesi kamikaze nell'isola pedonale Ben Yehuda e alla pizzeria Sbarro. Nonostante i miei mille impegni durante l'ultimo mese da sindaco considerai doveroso manifestare il mio appoggio a Israele, a Gerusalemme e al suo sindaco Ehud Olmert, mio caro amico. Tra i primi a telefonarmi dopo la tragedia dell'11 settembre erano stati il primo ministro Sharon e il sindaco Olmert, i quali mi avevano offerto ogni forma di aiuto ma, soprattutto, mi avevano fornito un esempio del loro quotidiano eroismo, facendomi capire che la vita deve proseguire nonostante le continue minacce. Anche in quel caso il viaggio New York-Israele-New York rappresentò una rara occasione per riflettere. E per dormire.

L'11 ottobre tenemmo una cerimonia commemorativa a Ground Zero a un mese esatto dall'attentato. Era ancora troppo pericoloso ammettere i cittadini a visitare il luogo della tragedia e quella cerimonia doveva rappresentare una riunione riservata ai soccorritori e agli operai che si erano prodigati in un lavoro triste e spossante, quello di scavare tra le macerie, estraendone ogni tanto il cadavere di un amico o un collega. Era durissima da accettare l'idea della perdita di tanta brava gente, e ancora più dura la consapevolezza che la loro era stata una morte accuratamente pianificata. Tutte quelle parti anatomiche, tutte quelle macchie di sangue non erano la conseguenza di un mastodontico incidente, ma la prova di un massiccio attacco terroristico agli Stati Uniti d'America.

Durante la cerimonia il rabbino Joseph Potasnik ci dette l'immagine della realtà. «L'occhio è composto da luce e buio» osservò. «Ma voi ora vedete dalla parte del buio.»

Al termine di quella mattinata era previsto l'arrivo a Ground Zero del principe saudita Al Waleed bin Talal, uno degli uomini più ricchi del mondo. Applicavamo una particolare procedura per le visite degli ospiti, che dovevano ricevere l'approvazione preliminare della Casa Bianca e del dipartimento di Stato. Dedicavo il mio tempo soltanto agli ospiti per i quali valeva la pena organizzare il giro, e la motivazione ufficiale data da Washington era quella di guadagnare suffragi alla nostra politica estera. Ma secondo me il vero obiettivo era provocare la loro indignazione alla vista di quelle macerie e ottenere da loro l'appoggio del quale l'America aveva bisogno per difendersi.

Ci eravamo consultati con la Casa Bianca e il dipartimento di Stato per avere l'autorizzazione alla visita del principe, e ce la dettero subito spiegandoci che l'illustre ospite, oltre a essere un uomo di una certa apertura mentale, era in linea di massima amico degli Stati Uniti. La speranza era che la vista di Ground Zero potesse colpirlo, rendendolo più favorevole e disponibile alle azioni che stavamo per intraprendere contro bin Laden e l'Afghanistan.

Quel giorno avrei dovuto assistere ai funerali di sei vigili del fuoco e un agente: quelli del tenente dei pompieri Edward D'Atri e del vigile Robert Parro, a Staten Island, del tenente Stephen G. Harrell, dei vigili Carl E. Molinaro, Jeffrey Holsen, Joseph Mascali e dell'agente di polizia Walter E. Weaver. Salendo a bordo dell'elicottero che mi avrebbe portato a Long Island per uno di questi funerali pensai ad alta voce: «Speriamo proprio di affidarci alla persona giusta: è così difficile capirlo, con tutte queste fazioni».

Nei mesi successivi all'attacco avevo accompagnato sul posto diversi leader mondiali. E come era accaduto a me la prima volta tutti, senza alcuna eccezione, erano rimasti sopraffatti davanti a Ground Zero. Al cancelliere tedesco Gerhard Schroeder erano venute le lacrime agli occhi. Jacques Chirac, Tony Blair e Vladimir Putin sembravano sconvolti. «Qualcosa del genere potrebbe succedere a Mosca» aveva detto Putin tra sé.

Il pricipe Al Waleed arrivò indossando una sontuosa tunica dorata; i suoi sette od otto assistenti erano invece in nero. Mi consegnò un assegno circolare di 10 milioni di dollari per il Fondo Torri gemelle e poi, dal piccolo podio eretto sul posto, pronunciò delle parole particolarmente sensate. Disse quanto quella vista lo aveva fatto star male, annunciò di volere aiutare le famiglie delle vittime, mi ringraziò per la gestione della crisi e mi fece i complimenti per avere saputo toccare i sentimenti dei miei concittadini. Ma qualcosa non mi convinceva. Mi sembrò di notare sul viso del principe un sorrisetto che stava contagiando il suo seguito. Era insomma l'unico visitatore non commosso da quello spettacolo. Nonostante il mio disagio pensai fosse soltanto una mia impressione, e mi chiesi se per caso non fossi in quel momento vittima di un latente malinteso culturale: ma ero portato a escluderlo, pensare qualcosa del genere non era da me. E, triste e arrabbiato com'ero, feci di tutto per non restare vittima di certi stereotipi. Quindi mi sbarazzai del disagio e andai al primo dei funerali.

Successivamente, quello stesso giorno, ricevetti una telefonata da Sunny. Mi informò che dopo che ero andato via da Ground Zero, l'entourage del principe aveva rilasciato un comunicato stampa nel quale l'attacco alle Torri veniva definito «un terribile crimine» e si confermava la donazione di 10 milioni di dollari al Fondo Torri gemelle. Ma il comunicato non terminava lì. «Dobbiamo considerare alcuni temi che hanno portato a un simile gesto criminale» si leggeva più avanti. «Ritengo che il governo degli Stati Uniti d'America dovrebbe rivedere la sua politica mediorientale e adottare una posizione più equilibrata nei confronti della causa palestinese.»

La mia prima reazione fu quella di rimandare indietro i 10 milioni di dollari, non volevo che una donazione a un fondo per aiutare le famiglie delle vittime si trasformasse in un veicolo di critica al governo degli Stati Uniti. Non potevo accettare la tesi secondo la quale l'attacco al World Trade Center era giustificato e perfino comprensibile. Nulla di ciò che gli Stati Uniti avevano fatto o non fatto poteva avallare ciò che era accaduto l'11 settembre; secondo me, anzi, proprio la teoria dell'equivalenza morale ha contribuito a creare il clima dal quale hanno avuto origine gli attacchi. Immaginiamo per un momento di modificare la nostra politica estera per conformarla alle loro richieste: questo significa forse che dovremo togliere alle donne il diritto di voto, oppure proibire l'esercizio di qualunque confessione religiosa si voglia praticare?

Dobbiamo metterci bene in testa che l'11 settembre non ha avuto nulla a che fare con una disputa territoriale o commerciale. Gli attacchi hanno avuto come obiettivo gli ideali sui quali l'America è fondata, le caratteristiche stesse della democrazia americana. Questi terroristi assassini, e coloro che li appoggiano, si sbagliano e noi non dobbiamo esitare ad affermarlo.

Quale dei sette uomini le cui esistenze venivano commemorate quel giorno meritava un destino del genere? Forse il tenente D'Atri, che allenava a Staten Island la Sal-Mar Studios Expos, la squadra giovanile di baseball del figlio? Oppure Carl Molinaro, sposato da quattro anni, che aveva affittato un aereo con attaccato alla coda uno striscione sul quale si leggeva «Vuoi sposarmi, Donna»? Oppure l'agente Weaver, che pochi anni prima aveva salvato un cane arrestando il suo padrone per maltrattamenti agli animali, e aveva chiamato quel cane «Mezzanotte»? Avevano forse avuto una valida giustificazione per ucciderlo, i terroristi?

Ma poi pensai: «Aspetta un momento, Rudy. Non sono soldi tuoi, sono per le famiglie degli agenti e dei vigili del fuoco». Continuavo però a ritenere, nel fondo del mio cuore, che quella donazione andava respinta. Chiamai Tom e Bernie e ne discutemmo. Entrambi avevano perso numerosi compagni. Poi chiamai Beth Petrone, per capire i sentimenti di una donna che aveva perso il marito. Tutti e tre si dissero convinti che la reazione generale sarebbe stata di rifiuto, che quei soldi erano da considerare sporchi.

Respinsi allora la donazione. Rilasciai una dichiarazione scritta spiegando i motivi di quel gesto e successivamente numerosi familiari mi espressero il loro apprezzamento. Moltissimi di loro usarono la stessa frase, «Non vogliamo i loro soldi macchiati di sangue». Non ci fu un solo parente a sostenere che avrei dovuto accettarli.

In quello stesso giorno venne a trovarmi a City Hall un gruppo di dirigenti di un'azienda pubblicitaria, la BBDO, guidati da John Wren, amministratore delegato della Omnicom, che ricevetti nella sala del Committee of the Whole. Un paio di giorni prima avevo chiesto a John, da qualche anno mio buon amico, di dare vita a una campagna pubblicitaria il cui messaggio fosse tale da convincere il pubblico che la città era aperta ai visitatori. Dovunque andassi c'era infatti sempre qualcuno che mi diceva più o meno «Sono venuto a New York, sindaco, perché in televisione lei ci ha chiesto di venire». Se avessi potuto rivolgermi anche a coloro che non assistevano in TV alle conferenze stampa, avremmo attirato a New York un maggior numero di persone.

John e i suoi collaboratori, tra cui quel Phil Dusenberry al quale si deve gran parte del lavoro creativo per la rielezione di Reagan nel 1984 (sua la campagna «Mattinata in America»), avevano sviluppato un'idea che abbracciava i tre temi fondamentali: New York ha la gente migliore, i posti più belli e lo «spirito di New York». Lo slogan sarebbe stato «Il miracolo di New York: fanne parte», mi dissero, spiegandomi poi i vari spot con l'accompagnamento di un piccolo registratore. L'idea era quella di mostrare alcuni famosi personaggi newyorchesi eccellere in attività a loro estranee. Si sarebbe visto così un pattinatore che esegue numeri magici sul ghiaccio del Rockefeller Center e si rivela poi essere Woody Allen; la *anchorwoman* Barbara Walters che fa un provino per una commedia musicale; la leggenda del baseball Yogi Berra che dirige l'orchestra sinfonica e alla fine si chiede «Ma chi diavolo è questo Phil Harmonic?». Era un'idea perfetta che lanciava un messaggio univoco: si va a New York per realizzare i propri sogni. È così da secoli e quella intelligente pubblicità affermava implicitamente la resistenza dello spirito di New York.

In un altro di questi spot si vede un anziano signore correre da una base all'altra di un incontro di baseball allo Yankee Stadium. Arrivato alla casa base la polvere si dirada e appare Henry Kissinger che chiede «Derek chi?» (alludendo al battitore degli Yankees, Derek Jeter). Quelli della pubblicità temevano che lui avrebbe posto il veto, ma io ero invece certo del contrario, perché Henry è un fanatico del baseball e ancora più fanatico degli Yankees: e, a parte questo, lo spot sarebbe servito alla ripresa della città dove i suoi sogni si erano realizzati. Quando lo accompagnai a Ground Zero, Henry Kissinger mi assicurò che la vista della Berlino dell'immediato dopoguerra era stata per lui meno lancinante.

Tutti i realizzatori degli spot lavorarono gratis. John Wren, oltre a mobilitare i suoi collaboratori perché la campagna fosse terminata in tempo utile, convinse i network a mandarli in onda gratuitamente o a tariffe ridottissime. La BBDO, insomma, era riuscita con splendidi fotogrammi a catturare l'esatto spirito di New York, quello che aveva fatto invadere la città da tanti di quei volontari che non ce la facemmo a impiegarli tutti.

Non mi riesce facile spiegare l'importanza che riveste ai miei occhi la cappella di St. Paul, sia per la sua storia sia per il particolare ruolo che ha assunto nella mia vita. È suolo sacro sul quale nel 1766 è sorta la casa del Signore ed è anche l'edificio ininterrottamente operativo da maggior tempo. Nell'aprile 1789 George Washington ci giunse dopo avere percorso a piedi Broadway e in questa cappella pregò dopo avere giurato come primo Presidente della Repubblica. Una targa su un banco serve a ricordare che proprio qui Washington si raccoglieva in preghiera e in un altro lato della chiesa si ammira un dipinto del Grande sigillo degli Stati Uniti.

Negli anni Settanta, quando cominciai a manifestare interesse per la fotografia, me ne andavo nel piccolo cimitero alle spalle della cappella per scattare foto delle Torri del World Trade Center. Negli anni Ottanta, da procuratore, la finestra del mio ufficio all'ottavo piano inquadrava uno strano scorcio triangolare. Non riuscivo a vedere Broadway fino alla fine, ma avevo una chiara visione della cappella di St. Paul. Ogni volta che ero chiamato a prendere delle tormentate decisioni di ordine etico-giudiziario, se cioè un tale andava trattato con comprensione e un altro invece meritava di essere rinviato a giudizio, mi alzavo per guardare quel luogo di preghiera e farmi ispirare dal pensiero della perenne presenza divina nella nostra città e nella nostra nazione.

L'11 settembre le conseguenze degli attacchi furono subite da un'area che dal World Trade Center si estende a nord fino a City Hall e a sud fino a Battery Park City. In questo raggio è compresa quindi anche St. Paul, la chiesa dove George era andato a pregare dopo avere giurato da primo Presidente degli Stati Uniti, che non soltanto è rimasta in piedi ma addirittura intatta, senza un vetro infranto o un mattone sbriciolato.

Decisi che St. Paul era il posto ideale per dire il mio addio da sindaco. Ho già spiegato quanto la città, all'epoca della mia prima nomina, avesse bisogno di qualcuno che le infondesse il giusto spirito. Era l'atteggiamento del newyorchese medio, prima di ogni altra cosa, a dover migliorare. In alcuni settori ebbi più successo rispetto ad altri. Dopo l'11 settembre mi convinsi ancora più intimamente dell'importanza della leadership, ebbi cioè la conferma che a fare la differenza è colui chiamato a fungere da leader e il modo in cui questa persona esercita la sua leadership.

Il 31 dicembre 2001 fu il mio ultimo giorno da sindaco e, dopo una breve vacanza in Florida, sarei tornato all'attività privata mettendo in piedi la Giuliani Partners, la mia società di consulenza. Andai in ufficio alla guida di un fuoristrada Humvee del Comune. Aprii la riunione del mattino ringraziando lo staff per l'eccellente lavoro svolto: e non la tirai troppo in lungo perché sapevano bene quale opinione avessi di loro. «Il nostro obiettivo non era quello di servire noi stessi o di servirci tra noi, ma di servire il popolo di New York. Ho molto apprezzato il vostro lavoro. Dopo l'11 settembre abbiamo avuto l'occasione di metterci alla prova e ciascuno di noi ha superato quella prova. Avete fatto decisamente uno splendido lavoro nel giorno peggiore della storia di questa città, avete dimostrato coraggio e onestà. Vi ringrazio tutti.» Poi ci mettemmo in attività. Se non mi avessero visto ogni mattina alle otto, alcuni avrebbero potuto pensare che nell'ultimo giorno da sindaco me la sarei presa comoda. Invece Bob Harding esaminò con noi le due opzioni dell'ultimo minuto per mandare in porto un certo accordo con la Borsa di New York. Adam Barsky ci fornì le proiezioni delle entrate fiscali nei tre anni seguenti. Tom Von Essen diede una ripassata a Paul «Hollywood» Sheirer, il figlio undicenne di Richie che si era presentato alla riunione del mattino. Bernie ci dette le cifre definitive relative ai reati commessi quell'anno, informandoci poi di avere scritto «disoccupato» nella casella riservata al numero di telefono sul modulo per le informazioni di contatto, nel caso che un successore avesse avuto bisogno di mettersi in contatto con noi. Coles propose di dare vita a un memorandum d'intesa con i Jets, e si disse a favore della creazione di uno stadio da football nel West Side. Quando venne il turno di Denny, lui si limitò a dire «Bella corsa».

La riunione si sciolse e scesi nel mio ufficio al piano inferiore. Avevo impacchettato quasi tutte le mie cose, tra le quali centinaia di berretti da baseball e altri oggetti del genere. Avevo lasciato fuori quello che mi sarei portato via personalmente dentro una malconcia ventiquattr'ore marrone, che risaliva ai tempi da assistente U.S. Attorney: il mio distintivo della polizia con cinque stelle, la medaglia ricevuta per essermi lanciato tra le fiamme durante l'incendio del 1992 nella chiesa di St. Agnes, un paio di foto alle quali ero particolarmente affezionato. Poi uscii e, risalito sulla Humvee, percorsi le strette stradine che portano dalla Lower Manhattan alla Borsa, dove detti il colpo di campana conclusivo della seduta nell'ultimo giorno dell'anno e della mia sindacatura.

Il 1° gennaio, dopo avere assistito alla cerimonia d'investitura di Mike Bloomberg, me ne andai a Ground Zero a farmi una passeggiata con Judith, senza il seguito di cronisti, dignitari o politici. Volevo che fosse l'ultimo posto da me visitato prima di partire. C'ero già stato centinaia di volte nei tre mesi e mezzo trascorsi dal giorno dell'attentato. E ciò nonostante, aggirandomi in quel sito, provai una rabbia tremenda, sorda e intensa come quella provata l'11 settembre assistendo ai crolli delle torri. Leadership significa anche tenere a freno le passioni e convogliarle al raggiungimento dei tuoi obiettivi: stai calmo, mi consigliava mio padre. Ma significa anche non perdere la propria umanità. Quella che ho provato e continuo a provare a proposito dell'11 settembre è una rabbia salutare: ed è stato importantissimo sfruttarla perché facesse di me un leader più forte, un leader migliore.

Appendice A
Prima e dopo

Le cifre che leggerete in questa appendice sono sufficienti da sole a illustrare quanto le idee di leadership esposte in questo libro hanno trasformato la vita a New York dal 1994 al 2001.

Sicurezza pubblica

Oltre alla riduzione di due terzi degli omicidi, il numero complessivo dei reati è sceso del 57 per cento e le sparatorie del 75 per cento. Nel 2000 rispetto al 1993 sono stati registrati quasi 1200 stupri in meno e le sparatorie della polizia sono passate da 212 a 73. Le 85.883 rapine sono diventate 32.213, i furti sono crollati da 100.933 a 38.155 e i furti d'auto sono precipitati da 111.611 a 35.673. La flessione del numero dei reati ha interessato tutta la città. Nel 1993 c'erano stati 92 omicidi a Crown Heights e 35 ad Harlem, nel 2000 queste cifre si trasformarono rispettivamente in 35 e 5.

Il tempo medio d'intervento è sceso da otto minuti e 36 secondi a sette minuti e mezzo. Un minuto in meno che ha salvato vite umane.

Una miracolosa riduzione del 93 per cento hanno fatto registrare le violenze dei detenuti su altri detenuti. Nel 1991 una troupe del programma televisivo «60 Minutes» realizzò un servizio a Rikers Island, la principale struttura carceraria di New York. «In questa prigione sono abituati alla vista del sangue» fu il commento della voce fuori campo. «Nel 1990 sono avvenuti oltre 2500 episodi di violenza.» Nel gennaio 2001 «60 Minutes» tornò a visitare Rikers Island e stavolta il giornalista fornì dati ben diversi: «L'anno scorso ci sono stati soltanto 70 detenuti feriti con armi da taglio, un dato incredibilmente inferiore rispetto agli oltre mille accoltellati di dieci anni fa».

Nel 1999 la polizia di New York ha esaminato un numero doppio di campioni di DNA rispetto a quello dell'FBI.

La tolleranza zero nei confronti di chi guida in stato di ubriachezza ha portato al sequestro di 4000 auto.

L'applicazione di iniziative ad ampio raggio contro il porto abusivo di armi da fuoco ha tolto dalle strade 90.000 pistole e altre armi illegali.

La criminalità organizzata è stata estromessa da certe attività chiave come il trasporto dei rifiuti o la distribuzione alimentare, consentendoci in pratica di abolire la cosiddetta «tassa della malavita». In tal modo gli imprenditori hanno risparmiato qualcosa come 600 milioni di dollari l'anno, in pratica la più notevole riduzione fiscale nella storia di questa città.

Sviluppo economico

Per rivitalizzare Times Square sono state realizzate nuove strutture e nuovi edifici come quelli della Disney Company, della Morgan Stanley, di Madame Tussaud, della Condé Nast e della Durst Company. La casa madre della NASDAQ è stata trasferita da Washington a un avveniristico palazzo di Times Square accanto a una ESPNZone nuova di zecca, agli studi della MTV e dell'ABC e a un ristorante a tema del WWF.

Tra il 1994 e il 2000 ad Harlem sono stati aperti oltre duecento nuovi uffici. Il progetto da 300 milioni «Harlem USA» comprende note catene commerciali come i cinema Magic Johnson, la HMV Music, il Gap e il New York Sports Club. Per non parlare del primo grosso supermercato della zona, dell'edificio sulla Lexington Avenue tra la 125ª e 126ª strada est, destinato a uffici e alla vendita mista al dettaglio, e della realizzazione del Corridoio della 116ª strada ovest.

A Brooklyn e a Staten Island sono entrati in funzione due stadi per il baseball giovanile.

Nel Bronx ha aperto i battenti il centro Hunts Point di distribuzione alimentare, nel quale sono rappresentate circa 750 aziende, per un totale di 14.500 posti di lavoro.

Nel 1994 non esisteva a New York alcun Home Depot o analogo grosso magazzino a disposizione dei cittadini come surrogato della cantina. Nel 2001 ce n'erano oltre una dozzina.

Dal 1994 sono stati aperti in tutta la città 41 distretti per l'ottimizzazione del commercio.

Il Jamaica Center, un complesso edilizio da 80 milioni di dollari a Queens, potrà contare su una superficie di 160.000 metri quadri da destinare a rivendite al dettaglio e a locali di divertimento.

Il complesso destinato a ospitare la sede centrale della AOL Time Warner, a Columbus Circle, comprenderà tra l'altro un albergo a cinque stelle, oltre a una superficie da destinare a negozi, uffici e abitazioni e a un modernissimo impianto per il «Jazz at Lincoln Center».

La ristrutturazione di circa 800 mila metri quadrati di superficie del Brooklyn Army Terminal ospita attualmente settanta inquilini e dà lavoro a 3000 operai.

La Digital NYC ha affittato a oltre ottanta aziende in forte sviluppo locali per oltre 300.000 metri quadri ad Harlem, Long Island City, il Brooklyn Navy Yard, Staten Island e Bronx.

Nel Corporate Park di Staten Island, un polmone verde di oltre 1.600.000 metri quadri, sorgerà il primo albergo costruito sull'isola negli ultimi 25 anni.

Il Renaissance Plaza, un nuovo hotel della catena Marriott con annesso un edificio per uffici, è il primo albergo costruito a Brooklyn negli ultimi 50 anni.

Il Gateway Center e il Gotham Plaza comprendono due nuovi edifici sulla 125ª strada ad Harlem, con una superficie complessiva di 40.000 metri quadri a uso degli esercizi commerciali e degli uffici.

Nel 2000 la rivista «Fortune» ha messo New York al primo posto nella classifica delle città commerciali del Nord America: un primato ambito che la città si è assicurata per la seconda volta in quattro anni. Tra il 1990 e il 1993 New York ha perduto 350.000 posti di lavoro nel settore privato e la disoccupazione è stata del 10,2 per cento. Dal 1° gennaio 1994 al 31 dicembre 2000 New York ha fatto registrare la più notevole ripresa dell'occupazione nell'arco di sette anni, creando oltre 485.000 nuovi posti di lavoro nel settore privato. Alla fine del 2000 il tasso di disoccupazione era sceso sotto il 6 per cento. Nell'ottobre 2001, un mese dopo l'attentato del World Trade Center, la disoccupazione in città era del 6,3 per cento, più bassa di quattro punti percentuali rispetto a quando ero entrato in carica.

Politica sociale

• Ho cominciato a riformare il welfare cittadino due anni prima dei primi tentativi di riforma federale. Ho ridotto di circa il 60 per cento il numero dei fruitori del welfare, e il numero dei casi trattati dagli assistenti sociali sono calati dal milione e cento del 1995 a meno di mezzo milione nel 2001: il numero più basso dal 1966 di cittadini a carico dell'assistenza pubblica.

• Ho trasformato gli uffici del welfare in uffici di collocamento, facendo sorgere in città 27 nuove strutture. Nell'anno fiscale 2001 la città ha trovato lavoro a 151.376 assistiti dal welfare, oltre dieci volte più dei 9215 ai quali era stato trovato lavoro nell'anno fiscale 1993.

• Ho introdotto gli istituti dell'idoneità, della verifica e della revisione programmi per combattere le truffe e gli abusi.

• Ho istituito il programma «Esperienza di lavoro», grazie al quale 330.000 cittadini in condizioni di svantaggio hanno tratto dei benefici e acquisito un'esperienza di lavoro al servizio della città.

• Ho riformato i principali elementi del programma cittadino di assistenza ai senzatetto. Sfruttando il programma abitativo «Incentivo per l'impiego» ho aiutato i senzatetto di New York a trovare un alloggio permanente contribuendo per due anni al pagamento dell'affitto, in modo che il beneficiario potesse rendersi autosufficiente.

• Ho riformato il programma di assistenza ai bambini a carico della città in modo da dare vita a un unico sistema a beneficio delle famiglie aventi diritto, continuando ad assisterli quando le famiglie trovano un lavoro ed escono dagli elenchi del welfare.

Istruzione

Negli otto anni della mia amministrazione il finanziamento al più grande sistema scolastico americano (un milione e centomila alunni) è aumentato da 8 a 12 miliardi di dollari.

• Ho dato vita al «Progetto lettura», con un investimento annuo di 125 milioni di dollari per esercitazioni intensive di lettura.

• Ho dato vita al «Progetto arti», un programma da 75 milioni di dollari l'anno, che ha riformato radicalmente i programmi di educazione artistica.

• Ho dato vita al «Progetto scuole intelligenti», un programma da 150 milioni di dollari grazie al quale le aule e le biblioteche si sono arricchite di oltre 7000 computer, in modo che ogni studente a metà della carriera scolastica avesse accesso a questa tecnologia. Ho dato vita a un programma misto pubblico-privato da 31,5 milioni di dollari per la dotazione di una biblioteca di 300 libri in 21.000 aule.

• Ho dato vita al «Programma libro di testo» con il quale sono stati raddoppiati i 70 milioni di dollari di contributo all'acquisto di questi libri.

• Ho dato vita al «Progetto scienza», un programma da 25 milioni di dollari, per istituire corsi speciali di scienze durante il fine settimana per gli studenti dell'ultimo anno delle medie e di quelli delle superiori che rischiano di rimanere indietro in questa importantissima materia.

• Ho posto termine alla promozione sociale e ho ampliato i corsi estivi.

• Ho fatto rimettere in uso oltre 50 piste d'atletica delle scuole superiori, grazie alla partnership tra pubblico e privato «Scendi in pista».

• Ho dato vita al più grande e più generoso Fondo Charter School per incoraggiare le opportunità di istruirsi.

• Ho abolito l'inamovibilità nel ruolo per i presidi, istituendo un meccanismo retributivo basato sui risultati.

Stipendio degli insegnanti a tempo pieno nel 1993: $ 66.530.
Stipendio degli insegnanti a tempo pieno nel 2000: $ 79.924.

Rapporto studenti-professori nel 1993: 15,3:1.
Rapporto studenti-professori nel 2000: 13,8:1.

Affari culturali

Durante la mia amministrazione New York ha offerto generosi contributi alle sue istituzioni culturali in misura superiore alle elargizioni del Fondo nazionale per le Arti, che ovviamente distribuisce i suoi finanziamenti a livello nazionale. Basti pensare che il bilancio di questo ente è di 105 milioni di dollari l'anno, mentre nel 2001 New York ha erogato 134 milioni di dollari per le spese operative e di programma.

Tra i molti esempi degli investimenti della città nel settore cultura ricordo il contributo di 240 milioni al *capital master plan* da un miliardo e mezzo del Lincoln Center; i 40 milioni per le migliorie e la ristrutturazione del Metropolitan Museum; i 65 milioni all'ampliamento del Museo di Arte moderna; i 26 milioni per il Giardino botanico del Bronx e i 33 milioni per la riprogettazione dell'Acquario di Coney Island.

I progetti portati a termine sono troppo numerosi per poterli elencare. Anche a questo proposito mi limito a citare la mostra della Wildlife Conservation Society dello zoo del Bronx sulla foresta dei gorilla nel Congo; la sezione Scienza, industria e commercio aperta nella Biblioteca pubblica; la sede della Alvin Ailey Dance; il Museo della Polizia; l'Heckscher Theater presso El Museo del Barrio e il centro per la Storia ebraica.

Facendo del *lobbying* sui legislatori dello Stato di New York siamo riusciti a far abolire la tassa del 4 per cento sulle vendite di prodotti commerciali cinematografici e televisivi (nel 1996) e teatrali (nel 1998.)

I servizi per l'infanzia

- Negli anni fiscali 1996-2001 vi sono state 21.000 adozioni, con un incremento del 65 per cento rispetto ai sei anni precedenti.
- Ho sottratto alla competenza delle Risorse umane l'amministrazione per l'Assistenza ai bambini, dando vita alla prima istituzione indipendente a favore dei bambini: l'amministrazione per i Servizi all'infanzia.
- Ho assunto oltre 1700 assistenti sociali, elevando i requisiti per la loro assunzione e aumentando gli stipendi.
- Ho realizzato HealthStat, un programma il cui obiettivo è quello di individuare i bambini che hanno diritto all'assicurazione salute ma non godono di alcun tipo di tutela. Dal suo esordio nel giugno 2000 alla fine del 2001, HealthStat ha assistito oltre 150.000 adulti e bambini, applicando Child Health Plus e Medicaid.
- La popolazione dei minori in affidamento è scesa dai 42.000 del 1996 ai 28.700 dell'agosto 2001, e per la prima volta la città ha fornito più servizi preventivi ai bambini in famiglia che a quelli in affidamento.

Tra il 1992 e il 2000 i fondi per l'assistenza all'infanzia sono passati da 159,5 milioni a 403,6 milioni.

Adozioni nel 1992: 1784.
Adozioni nel 2000: 3148.

Numero di situazioni per assistente sociale nel 1992: 24,2.
Numero di situazioni per assistente sociale nel 2000: 14,1.

Politica fiscale

Ventitré tasse comunali sono state ridotte o eliminate, comprese quelle per le società prive di personalità giuridica, quelle per gli acquisti nel settore abbigliamento inferiori ai 110 dollari, quella sugli affitti degli esercizi commerciali; e oltre a ciò vi sono state sei riduzioni della tassa sul reddito. Queste misure hanno consentito ai contribuenti e alle aziende un risparmio complessivo di 8 miliardi di dollari.

A partire dal 1° dicembre 1994 la tassa alberghiera è stata portata dal 6 al 5 per cento. Dall'anno fiscale 1995 all'equivalente 2000 gli ospiti degli alberghi hanno pagato 100 milioni di dollari in meno di tasse alberghiere. Allo stesso tempo il numero di camere occupate ha fatto registrare un'impennata e i livelli occupazionali del settore alberghiero sono cresciuti del 28 per cento dal 1993. Ed è interessante rilevare che nell'anno fiscale 2001 il Comune ha intascato 112 milioni di dollari di tasse alberghiere in più rispetto all'anno precedente, quando questa tassa non era ancora stata abbassata.

Sono stati fissati i limiti del debito e le politiche di investimento: la gestione del debito cittadino non può superare il 15 per cento delle entrate comunali o il 20 per cento delle entrate fiscali, e le obbligazioni a tasso variabile non possono superare il 20 per cento del debito scoperto.

Per incoraggiare sia le entrate fiscali sia l'iniziativa privata, l'amministrazione cittadina ha ridotto le tasse per complessivi 8 miliardi di dollari tra gli anni fiscali 1994 e 2001.

L'espansione della spesa pubblica ha significativamente rallentato. La crescita media annuale di spesa era del 7,4 per cento tra il 1983 e il 1990 e del 4,7 tra il 1991 e il 1994. Nel 1995 è stata registrata una flessione dell'1,6 per cento nella spesa annuale e il tasso medio di crescita della spesa negli anni fiscali dal 1995 al 2001 è stato del 3,7 per cento, consentendo un risparmio di circa 9,9 miliardi di dollari.

Nell'anno fiscale 2001, conclusosi il 30 giugno 2001, il Comune ha fatto registrare un surplus di 2,9 miliardi di dollari e nell'anno fiscale 2002 la spesa in bilancio è calata del 2,6 per cento.

I dipendenti comunali a tempo pieno sono diminuiti di oltre 20.000 unità, parallelamente all'aumento del numero degli insegnanti e degli agenti di polizia.

Nel luglio 1993 la città era stata classificata da Moody's al livello Baa1, mentre sia Standard & Poor's sia Fitch le avevano assegnato un A–. Al termine del mio mandato queste «votazioni» risultarono più lusinghiere che mai, con l'A2 di Moody's, la A di Standard & Poor's e la A+ di Fitch.

Entrate fiscali in termini di reddito personale nel 1993: 8,8 per cento.

Entrate fiscali in termini di reddito personale nel 2001: 7,4 per cento.

Qualità della vita

Grazie ai programmi sotto l'egida del Comune sono state costruite o ristrutturate 73.090 case e appartamenti. Tra il 1993 e il 1999 è stato registrato un aumento netto di 62.000 unità abitative. Mediante mutui comunali a basso interesse sono state ristrutturate 22.937 unità abitative popolari private. Il numero dei proprietari di case è cresciuto di oltre il 10 per cento tra il 1994 e il 2000, nonostante il sensibile aumento del prezzo per metro quadro in tutta la città.

Una nuova legge per la regolamentazione degli esercizi vietati ai minori impedisce l'apertura di sex shop in un raggio di 150 metri dai quartieri residenziali, dalle chiese e dalle scuole.

Tra gli anni fiscali 1998 e 2001 il numero delle strade classificate «accettabilmente pulite» è cresciuto dell'85 per cento.

New York ha acquisito oltre 8 milioni di metri quadri di nuovo verde pubblico, una superficie complessiva senza uguali dai tempi dell'amministrazione Wagner a cavallo tra gli anni Cinquanta e Sessanta. (Tra il 1990 e il 1993 i metri quadri di nuovo verde pubblico erano stati un milione e mezzo.) Nel 1993 solo il 69 per cento dei giardini pubblici erano classificati «accettabilmente puliti», nel 2001 questa etichetta è stata applicata al 91 per cento del verde pubblico. Tra il 1994 e il 2001 sono stati piantati oltre 100.000 nuovi alberi e create 2000 «strade verdi».

Sono stati realizzati molti parchi pubblici, tra i quali l'Hudson

River Park da Battery Park alla 59ª strada, il Brooklyn Bridge Park e la «strada verde» Bronx River lunga oltre undici chilometri. Sono stati abbelliti e restaurati molti altri parchi, tra cui quelli di City Hall, Madison Square, Union Square, Foley Square, il Galileo Park (nel Bronx), il Green Central Knoll Playground (a Brooklyn), il Forest Park Bandshell (a Queens), Willowbrook Carousel (a Staten Island), oltre al rilancio dell'Acquario cittadino a Coney Island.

Nel settore turistico siamo passati dai 25,8 milioni di visitatori del 1994 ai 37,4 milioni del 2000; la prestigiosa pubblicazione turistica «Zagat» ha giudicato New York migliore città americana, per «The Sporting News» è quella dove si pratica lo sport migliore e, infine, dai sondaggi di «Travel & Leisure» e di «CNN/USA Today» New York è risultata la città dove si mangia meglio.

Numero degli edifici di proprietà comunale vuoti nel 1994: 1.862.

Numero degli edifici di proprietà comunale vuoti nel 2000: 633.

Appendice B

Cerimonia di promozione nel dipartimento Vigili del fuoco di New York

Domenica 16 settembre 2001

Siamo qui riuniti all'indomani dei funerali di tre leggende dei vigili del fuoco: il capo Ganci, il primo viceassessore Feehan e il nostro amato padre Mychal Judge. Qualcuno si chiederà il perché di queste cerimonia, di queste promozioni, dopo tali devastanti perdite. La risposta è chiarissima: sarebbero proprio i morti e i dispersi, se potessero, a chiederci di andare avanti per la nostra strada. In questo dipartimento hanno investito la vita e l'amore, per questo dipartimento hanno dato la vita. Ed è con un profondo senso di responsabilità nei confronti della loro memoria che dobbiamo andare avanti.

Voglio che sappiate che le preghiere di ogni newyorchese, e credo di ogni americano, sono con voi. La vostra disponibilità ad andare avanti intrepidi nella più difficile delle circostanze è un esempio per tutti noi. Il nostro e il vostro cuore è spezzato, non v'è dubbio, ma continua a battere forte, molto forte. La vita andrà avanti, sia per la città sia per il dipartimento. Abbiamo un lavoro importante da svolgere oggi, domani, nei mesi e negli anni che ci aspettano.

Winston Churchill, leader della Gran Bretagna devastata dai bombardamenti tedeschi durante la Battaglia d'Inghilterra, disse una volta: «Il coraggio è giustamente considerato la prima qualità dell'uomo perché è la qualità che garantisce tutte le altre».

Null'altro può veramente accadere senza il coraggio. E non vi è esempio migliore del coraggio dimostrato dal dipartimento dei Vigili del fuoco della città di New York.

Nell'ultimo grande attacco all'America, quello di Pearl Harbor, le prime vittime furono gli uomini della marina degli Stati Uniti. Indossavano un'uniforme, come voi. In questa guerra le prime, gravi perdite sono state subite dal dipartimento dei Vigili del fuoco di New York. La marina fece quadrato, reagì e vinse la Battaglia delle

Midway invertendo in tal modo l'esito della guerra nel Pacifico, dopo le gravissime perdite subite. Oggi si formano i nuovi ranghi del dipartimento dei Vigili del fuoco di New York, e mi vengono in mente le nomine a ufficiale sul campo di battaglia in tempo di guerra.

Quand'ero bambino avevo uno zio, fratello minore di mia madre, che faceva il vigile del fuoco a Brooklyn. Questo zio un giorno rimase gravemente ferito cadendo da un'autoscala lanciata a tutta velocità sul posto di un incendio, rivelatosi poi un falso allarme. Si fratturò entrambe le gambe e per qualche giorno si temettero anche lesioni alla spina dorsale che lo avrebbero condannato alla sedia a rotelle.

Quando mia madre l'andava a trovare al Kings County Hospital mi portava con sé. Soffriva terribilmente, lo zio, ma ricordo ancora che ci diceva di voler tornare al lavoro. Era quel pensiero a fargli sopportare il dolore, a sostenerlo. Ci raccontava di quanto amava il suo lavoro e, anche se avevo solo cinque o sei anni, lo capivo perfettamente. Un uomo che si era rotto le gambe, e forse anche la schiena, voleva a tutti i costi tornare al lavoro che amava. E così avvenne. Lo zio fece una lunga carriera nei vigili del fuoco, rimase ferito altre due volte e andò in pensione con il grado di capitano. È stato uno dei miei primi eroi.

Voi siete tutti miei eroi. Lo siete da quando ero piccolo e dal giorno in cui sono diventato sindaco di New York. Mi si spezza il cuore al pensiero di dover aggiungere tanti nomi, chissà quanti, a quelli presenti sul muro eretto in memoria dei vostri caduti. Avevo sperato che non ce ne sarebbero stati più.

Dai nostri cuori a pezzi dobbiamo trarre la determinazione a rendere questa città ancor più sicura, a dimostrare a quei vigliacchi che hanno cercato di distruggere lo spirito dal quale siamo animati che, anche se ci hanno portato via alcune tra le nostre vite più preziose, non ci hanno certo tolto questo spirito.

Lo spirito della democrazia è più forte di questi terroristi vigliacchi. I Paesi che vivono sotto l'impero della legge accettano le regole democratiche e rispettano e tutelano la vita umana come la rispettano e tutelano i pompieri di New York. È questo che vogliamo. È il futuro che vogliamo per i nostri figli, quello che vogliamo per il resto del mondo. È questo che l'America ha sempre voluto. Ed è questo che voi rappresentate, ponendovi da esempio all'America.

Vi chiedo quindi di alzarvi in piedi per unirci in un applauso in onore degli uomini che avete perso e di quelli che ancora cerchiamo.

Moltissime grazie, Dio vi benedica tutti.

Ringraziamenti

«Circondatevi di persone di primissima qualità» non è soltanto il titolo di un capitolo di questo libro. È una regola alla quale mi sono attenuto tutta la vita. E sono stato così fortunato da trovare nella mia carriera molte persone di primissima qualità sulle quali contare. La città di New York dà lavoro in media a 250.000 individui. Ovviamente non li ho conosciuti tutti di persona: ma tutti, con qualche rara eccezione, si sono guadagnati la mia gratitudine. Molti di loro avrebbero potuto trovare occupazioni più remunerative nel settore privato, e lo stesso vale per gli operatori del diritto con i quali ho lavorato al dipartimento della Giustizia e nell'ufficio dell'U.S. Attorney. Ci sono inoltre le centinaia di famiglie, di amici, di insegnanti, di guide, di colleghi, di partner, e anche di avversari, che hanno contribuito alla nascita e allo sviluppo delle mie idee sulla leadership.

Sono stati così in tanti a darmi il loro prezioso contributo che sicuramente avrò omesso decine di nomi nella stesura di questo libro. A tutta questa brava gente vanno le mie scuse.

Il mio primo debito di gratitudine è quello con la famiglia. I miei genitori, Harold ed Helen Giuliani; il loro unico fratello vivente, il mio eroe, lo zio Rudy; i miei numerosi zii, zie e cugini, i miei figli Andrew e Caroline. E naturalmente la persona che occupa un posto speciale nella mia vita, Judith Nathan.

Ho scritto questo libro con Ken Kurson, che oltre a ciò mi ha soprattutto aiutato ad analizzare e comprendere più in profondità i principi della leadership che ho applicato tutta la vita. È diventato un buon amico e all'indomani dell'11 settembre mi è rimasto al fianco giorno dopo giorno, trasformandosi in un componente valido e affidabile del nostro team.

Sono stati molti, dalle elementari all'università, gli insegnanti e i compagni che hanno impresso il loro ricordo nella mia memoria. Voglio ricordare i Fratelli Cristiani De La Salle del «Vescovo Loughlin and Manhattan College» come il fratello Aloysius Kevin, il fratello Gabriel Joseph, il fratello Peter Bonventre e Irving Younger, Steve Hoffman e Jiri Hovak: tutti hanno contribuito ad arricchire il mio amore per l'apprendimento.

Ho avuto il privilegio di lavorare alle dipendenze di splendidi leader. Il mio primo capo, il giudice Lloyd MacMahon, è quello che più degli altri mi ha elargito insegnamenti di leadership, oltre che di vita. E un notevole influsso sulla mia formazione hanno avuto i Presidenti Ronald Reagan e Gerald Ford nonché William French Smith, Paul Curran, Mike Seymour, Harold Tyler e Edward Levi.

Ho lavorato con alcuni stupefacenti avvocati e magistrati. Non scherzo. Tra coloro che ho avuto il piacere di avere come colleghi al Dipartimento della Giustizia, alla Procura nazionale e negli studi legali voglio ricordare Michael Mukasey, Bill Simon, Benito Romano, Jane Parver, Bob Paterson, Bob Potter, John Gross, Renee Szybala, Ken Caruso, David Denton, Jim Duff, Jay Waldman, James Rather, Howard Heiss, Mike Chertoff, Bill Schwartz, David Zornow, Jon Sale, Togo West e Joel Carr.

Da sindaco, il mio staff è stato una seconda famiglia. Sono grato della collaborazione fornitami da tutti i miei vicesindaci: Peter Powers, Randy Levine, Joe Lhota, Fran Reiter, John Dyson, Rudy Washington, Tony Coles, Randy Mastro, Bob Harding e Ninfa Segarra. Partecipavano con loro alle riunioni del mattino Denny Young, Tony Carbonetti, Paul Crotty, Bruce Teitelbaum, Cristyne Lategano-Nicholas, Sunny Mindel, Tom Von Essen, Bernie Kerik, Richie Sheirer, Howad Safir, Bill Bratton, Larry Levy, Howard Wilson, Ed Kuriansky, Beth Petrone-Hatton, Kate Anson, Colleen Roche, Adam Barsky, Joe Rose, Mike Hess, Geoff Hess, Neal Cohen, Steve Fishner, Abe Lackman, Marc Shaw e Nick Scoppetta.

Assessori e capi divisione hanno servito la città con dedizione. Insieme con la città di New York ringrazio Iris Weinshall, Jason Turner, Ray Casey, Rosemarie O'Keefe, Lou Carbonetti, Henry Stern, Jerry Cammarata, Michael Carey, Matthew Daus, Chris Lynn, Bill Diamond, Kevin Farrell, Bill Fraser, Tino Hernandez, Ken Holden, Richard Roberts, Richard Schwartz, Patricia Reed Scott, Herbert Stupp, Charles Hirsch, Marta Varela, Jane Hoffman, Schuyler Chapin, Joel Miele, Diane McGrath-McKechnie, Raul Russi, Jennifer Raab, James Hanley, Frederick Patrick, Jerilyn Perine, George Rios, Andrew Eristoff e Martin Oesterreich.

Altri esponenti del governo cittadino meritano di essere citati, e tra loro Joe Dunne, Joe Esposito, Eric Hatzimemos, Josh Filler, Fipp Avlon, Jerry Hauer, Matt Higgins, Carrie Karabelas, Marcia Lee, Tamra Lhota, Manny Papir, Jake Menges, Jack Maple e Louis Anemone. Sono particolarmente grato agli agenti che ho avuto di scorta in questi anni, tra i quali Beau Wagner, Patti Varrone, Freddy Garcia, Richard Godfrey, Billy O'Gara, John Huvane, Timmy Wilson, Teddy Samothrakis, Barry Brisacone, Stanley Ko, Sergio Conde, Willy Varella, Tibor Kerekes, James Feeley, Robert Reekie, Michael DiBenedetto, Angel Matos, Steve Bavolar, Eddie Castellar, Gerard Dragonetti, John Fleming, Billy Gleason, Michael Aponte ed Eric Deane.

Ho accanto in diverse iniziative commerciali molte splendide persone. Alcuni nomi: Brad Grey, Jon Liebman, Harvey Weinstein, Mike Rudell, Eric Brown, Jonathan Burnham, Susan Mercandetti, Richard Cohen, Rebecca Myers, Timothy White, JillEllyn Riley, Kristin Powers, Devereux Chatillon, Kathy Schneider, Hilary Bass, Roy Bailey, Dan Connolly, John Wren, Julie Mendik, Janna Mancini, Sheila Gallagher, Ryan Medrano, Jay

Weinkam, Matt Mahoney, Jackie Brisacone, Karen Malin, Ann Printon, Debbie Kurtz, Marc Von Essen e Maureen Casey.

Ho la fortuna di avere molti splendidi amici e sostenitori. Di un elenco necessariamente incompleto fanno parte Alan Placa, Howard Koeppel, Mark Hsiao, Regina Peruggi, Raoul e Myrna Felder, Jim Simpson, Elliott Cuker, Ted Olson, Carl Figliola, Joe Torre, George Steinbrenner, Fred e Jeff Wilpon, Bette Midler, Larry King, Goalie Giuliani, Tony Bennett, David Letterman, Lorne Michaels, il cardinale O'Connor, Bill Weld, Arnie Burns, Willie Mays, Jim Kelly, Edward Weinfeld, Sidney Lumet, Adam Sandler, Bob Leuci, Richard Green, Imam Pasha, i rabbini Shea Hecht, Arthur Schneier, Moshe Sherer, Sholom Klass e Yehuda Krinsky, e poi Susan Alter, Henry Kissinger, Ken Langone, Georgette Mosbacher, Bernie Mendik, Jerry Speyer, Ken Bialkin, Saul Cohen, Jack Hennessey, Whitney Nathan, Mindy Levine, Roberta Waldman, Whitman Knapp, Sara Vidal, Placido Domingo, Michael Pesce e Louis Lefkowitz.

La mia battaglia contro il cancro alla prostata non avrebbe avuto il successo che ha avuto senza l'esperienza e la capacità professionale di Alex Kirschenbaum, Richard Stock, Valentin Fuster, Burt Meyers, Christine Jacobs, Peter Scardino, Howard Scher, John Blasko e Haakon Ragde.

Infine, ad agevolare la mia carriera politica ha contribuito la frequentazione di personaggi come George H.W. Bush e George W. Bush, John McCain, George Pataki, Mike Bloomberg, Peter Vallone, Claire Shulman, Guy Molinari e sua figlia Susan, Frank Luntz, Ray Harding, Carl Grillo, Mike Petrides, Steven Perry, Richard Bryers, David Garth, Adam Goodman, Roger Ailes, Joe Bruno, Herman Badillo, Roy Goodman, Tony Seminario, Tom Ognibene, Bobby Wagner jr., Rita Mottola, Charles Kushner, Rick Friedberg, Kai Vanderlinder, Joe Spitzer, Sam Domb, Abe Biederman, Goerge Klein, Bud Konheim, Ed Arigone, Jenny Esterow, James Nederlander, Stewart Lane, Billie Tisch e Ed Kane.

Indice dei nomi